wk

Die Religionen der Menschheit

Herausgegeben von
CHRISTEL MATTHIAS SCHRÖDER
Band 30

VERLAG W. KOHLHAMMER
STUTTGART BERLIN KÖLN MAINZ

Das Christentum des Ostens

von

PETER KAWERAU

VERLAG W. KOHLHAMMER
STUTTGART BERLIN KÖLN MAINZ

Umschlagbild: Kreuzförmiger Kolophon
mit Christusmedaillon vom Jahre 633 A. D.
aus dem syrischen Tetraevangelium
Cod. Guelf. 3. 1. 300 Aug. 2°
der Herzog August Bibliothek Wolfenbüttel

 Verlagsort: Stuttgart. Gesamtherstellung: W. Kohlhammer GmbH, Grafischer Großbetrieb Stuttgart. Printed in Germany. ISBN 3-17-216011-4

Bertold Spuler
in
Verehrung und Dankbarkeit
gewidmet

INHALT

VORWORT

Als Herr Dr. *Christel Matthias Schröder* mir im Dezember 1957 in Münster in Westfalen den Band „Die Kirchen des Ostens“ für die von ihm herausgegebene Reihe „Die Religionen der Menschheit“ anbot, konnte ich ihm wegen meiner damaligen Lehrverpflichtungen an der Universität Münster und wegen anderweitiger Arbeitsvorhaben leider keine Zusage geben. Im Januar 1968 trat der Verlag Kohlhammer erneut mit dem gleichen Angebot an mich heran. Jetzt war meine Situation eine ganz andere: Im Jahre 1961 war ich auf den ordentlichen Lehrstuhl für die Geschichte der Ostkirchen an der Universität Marburg an der Lahn berufen worden und hatte seither ohne Unterbrechung Vorlesungen und Übungen über das Gesamtgebiet der Geschichte der östlichen Christenheit halten können. Andere Arbeitsvorhaben waren weitgehend abgeschlossen, und so konnte ich diesmal das Angebot annehmen. Es war mir erwünscht, Studien, die ich viele Jahre lang betrieben hatte, einmal zusammenzufassen, zugleich aber auch nach den verschiedensten Seiten hin zu erweitern und in größerem Zusammenhang zu ordnen. Bei der Ausarbeitung des Manuskripts war es mir von vornherein klar, daß ich als Kirchenhistoriker mich nicht dazu verleiten lassen dürfe, eine Geschichte der Ostkirchen schreiben zu wollen. Einem solchen Vorhaben hätte zwar schon der mir zur Verfügung stehende Raum ein ernstes Hindernis bedeutet – wer würde es wagen, die Kirchengeschichte des Westens in einem einzigen Bande darzustellen? –, aber es ist auch niemals meine Absicht gewesen, hier eine Kirchen- oder Theologiegeschichte der östlichen Christenheit zu bieten. Im Rahmen der Reihe „Die Religionen der Menschheit“ kam es mir vielmehr darauf an, in Angleichung an die andern Bände dieser Reihe die östlichen Ausprägungen der christlichen Religion dem Leser in ihrer ganzen Mannigfaltigkeit und auch Gegensätzlichkeit in einer quellenmäßigen Darstellung vor Augen zu stellen. Eine solche, ständig auf die Quellen bezogene Darstellung, wie sie für die Reihe „Die Religionen der Menschheit“ selbstverständlich ist, erforderte zweierlei: Einmal eine Auswahl der für den christlichen Osten typischen religiösen Fragen und Problemkreise, sodann eine Auswahl aus der großen Zahl derjenigen religiösen Denker der östlichen Christenheit, an denen diese

Fragen und Problemkreise am besten dargestellt werden konnten. In der von mir getroffenen Auswahl sind alle Kirchen und fast alle Nationen des christlichen Ostens vertreten. Die Einleitung gibt darüber hinaus einen vollständigen Überblick über die Gesamtheit dieser Kirchen, die als geschichtlich gewordene Organisationsformen und auch in ihren dogmatischen Lehrmeinungen vielfach literarisch behandelt worden sind. Diese umfangreiche Literatur, auf die an den entsprechenden Stellen hingewiesen wird, sollte hier nicht vermehrt werden. Wenn trotzdem der eine oder andere Leser eine solche Darstellung hier erwartet oder statt der von mir getroffenen Auswahl der Personen oder der Problemkreise eine andere für besser hält, so erwidere ich ihm mit Adolf v. Harnack: Es steht jedem frei, es anders zu machen. Auch möge er eine Bemerkung überdenken, die Afrahat in seiner 22. Homilie macht: „Wenn jemand diese Reden liest, um Belehrung daraus zu schöpfen, so ist es gut; wenn aber nicht, dann muß ich sagen, daß ich für die der Belehrung Zugänglichen geschrieben habe und nicht für die Spötter“ (Patrologia Syriaca I, 1, Paris 1894, 1045).

Da eine klare und richtige Einsicht in die Gedankenwelt anderer Kulturkreise oft besser gefördert wird durch eine genaue Übersetzung der primären Quellentexte selbst als durch noch so geistreiche Ansätze, Synthesen und Referate oder auch durch dogmatische Konstruktionen von einem anderswoher genommenen Begriff der Religion aus, habe ich, soweit es angängig war, die christlichen Denker des Ostens selbst zu Worte kommen lassen. In der Anwendung dieser induktiven Methode kommt zugleich meine eigene Ansicht von der Aufgabe des Historikers zum Ausdruck, die keine andere ist als die Johann Gustav Droysens, der es in seiner „Historik“ als das Wesen der historischen Methode bezeichnete, *forschend zu verstehen*. Mir kam es in diesem Sinne Droysens auf ein streng wissenschaftliches *Verständnis* des östlichen Christentums an, auch wenn das so gewonnene Bild in manchem von dem abweicht, was schwärmerische Verehrer eines als Idealreligion hingestellten mystischen, liturgischen oder johanneischen Ostchristentums erwarten mögen.

Das an sich unlösbare, für den wissenschaftlichen Wert, d. h. den Wahrheitsgehalt einer Arbeit unwesentliche Problem der Umschrift der verschiedensten östlichen Sprachen hat verständlicherweise auch in dem vorliegenden Buche gewisse Schwierigkeiten gemacht. Vom Verlag war die Rechtschreibung des Duden vorgeschrieben; wo diese nicht ausreichte, sollte nach dem am besten eingeführten Schreibgebrauch transkribiert werden, doch mußten Zitate, zu denen ja auch Titelangaben gehören, philologisch exakt wiedergegeben werden. In diesen Grenzen hatte ich mich bei Transkriptionsfragen zu halten. Gewisse Ungleichmäßigkeiten waren also nicht zu vermeiden; in Zweifelsfällen habe ich mich an das „Schema zur Transkription fremder Schriftarten“ der „Preußischen Instruktion“ (Lit. Verz. Nr. 619) gehalten, weil es einheitlich konzipiert und bei bibliographischen Angaben des wissenschaftlichen

Schrifttums allgemein gebräuchlich ist. Trotzdem vorhandene gelegentliche Unebenheiten sind für den Fachmann bedeutungslos und werden den allgemeinen Leser nicht stören. Im Text habe ich um der Lesbarkeit willen diakritische Zeichen sparsamer verwendet als in den Anmerkungen.

Auf Querverweise innerhalb des Buches habe ich auf Wunsch des Herrn Herausgebers und des Verlages ganz verzichtet. Dafür habe ich um so mehr Wert auf ein umfassendes Register gelegt, um das Buch auch als Handbuch zum Nachschlagen so brauchbar wie möglich zu machen.

Ein noch schwierigeres Problem als das der Umschrift war natürlich die Auswahl der Literatur. Was mußte angegeben werden, wann konnte auf andere Werke verwiesen werden? Schon vor etwa einem Jahrzehnt soll das mariologische Schrifttum der Christenheit etwa hunderttausend Titel umfaßt haben; die Literatur über den Athos, über die Bilderstreitigkeiten, über Dionysius Areopagita oder über die Slawenlehrer Kyrill und Method würde allein einen Band füllen. Ich habe absolute Vollständigkeit deshalb nirgends angestrebt; sie ist weder möglich noch wünschenswert, weil sie dem Leser, der weiter vorandringen will, den Weg mehr verbauen als öffnen würde. Ich habe freilich keine Anstrengung gescheut, eine möglichst zweckentsprechende Auswahl aus der vorhandenen Literatur zu treffen und für die Darstellung heranzuziehen, und ich habe außerdem bei jeder Gelegenheit auf vorhandene Bibliographien, Literaturgeschichten und Nachschlagewerke mit weiterführender Literatur hingewiesen.

Die Welt der östlichen Christenheit ist voll von schrecklichen Ereignissen, Vernichtungskriegen, Kämpfen der Gedanken und der Völker. Aber diese Welt zeigt uns auch große christliche Gestalten, überragende Theologen, unerschrockene Apostel und Missionare, sie zeigt uns den christlichen Gedanken in einer fremden Welt. Aber auch in der fremdesten Umgebung spricht ein christliches Kreuz, ein Heiligenbild, eine Kirchenruine, ein Bibelwort in fremdem Sprachgewand zu uns und zeigt uns: Das ist unsere Welt, das gehört zu uns, das *verstehen* wir, weil wir Christen sind wie jene dort auch. So vermag gerade der Blick in den christlichen Osten uns zu zeigen, daß es einen christlichen Universalismus und eine christliche Universalgeschichte gibt.

Zu meiner großen Freude kann ich diesem Buch den Namen meines verehrten Lehrers voranstellen. Herr Professor *Bertold Spuler* hat mich im Wintersemester 1946/47 in Göttingen auf das Gebiet der orientalischen Kirchengeschichte hingewiesen und dadurch nicht nur meinen Studien, sondern auch meinem ganzen Leben eine andere Richtung gegeben. Unter seiner Anleitung ist 1947 in Göttingen meine Dissertation über die Jakobitische Kirche (Lit. Verz. Nr. 375) entstanden, und ebenso geht das Thema meiner Habilitationsschrift (Lit. Verz. Nr. 377) auf seine Anregung zurück. Auch in den Jahren danach hat Herr Professor *Bertold Spuler* in entscheidender Weise auf meinen wissenschaftlichen Werdegang eingewirkt. Das vorliegende Buch ist ein bescheidener Dank an den großen Orientalisten, ohne dessen umfassendes historisches und orientalistisches Lebenswerk auch dieses Buch nicht möglich gewesen wäre. Was ich sagen will, drücke ich am besten mit jenem unübersetzbaren arabischen Wort aus:

الفضل للمتقدّم

Marburg an der Lahn, 5. Dezember 1971 *Peter Kawerau*
am 60. Geburtstag von Bertold Spuler

EINLEITUNG

1. *Quellensprachen*

Das Christentum hat sich in allen Großlandschaften der Alten Welt ausgebreitet. Unter dem Einfluß des Geschichtsbildes des Euseb von Cäsarea, der Christentum und Imperium Romanum in einen heilsgeschichtlichen Zusammenhang gebracht hatte,[1] überblicken wir davon freilich meist nur die Landschaften des lateinischen Kulturkreises, also Westeuropa und Teile Nordafrikas. Die Kirchen des Ostens, die unter dem Einfluß von Eusebs heilsgeschichtlicher Historiographie gewöhnlich außerhalb unseres Blickfeldes bleiben, sind die Kirchen der nicht-lateinischen Kulturkreise, das heißt, in der Hauptsache die Kirchen des semitischen,[2] des griechisch-byzantinischen,[3] des armenisch-georgischen (kaukasischen)[4] und des kirchenslawischen Kulturkreises,[5] wobei die Christianisierung von Teilen gewisser Turkvölker sowie von zahlreichen kleinen, zum Teil im Kaukasus wohnenden Völkerschaften nicht übersehen werden darf.[6]

Die Ausbreitung des Christentums in diesen nicht-lateinischen Kulturkreisen, die hier im einzelnen nicht dargestellt werden kann,[7] stellt die Forschung

1 *Kawerau,* Allgemeine Kirchengeschichte und Ostkirchengeschichte (Lit. Verz. Nr. 379) 306–309 über das von Euseb von Cäsarea geschaffene Geschichtsbild und seine Auswirkung auf die moderne Kirchengeschichtsschreibung.

2 *Moscati,* Geschichte und Kultur der semitischen Völker (Lit. Verz. Nr. 522); HO, 1. Abt. Bd. 3: Semitistik (Lit. Verz. Nr. 286).

3 *Baynes,* Byzanz. Geschichte und Kultur des Oströmischen Reiches (Lit. Verz. Nr. 55). CMH 4, The Byzantine Empire.

4 *Canard,* Armīniya, in EI 1 ([2]1960) 634–650 (Lit.); *Lang,* The Georgians (Lit. Verz. Nr. 426); *Toumanoff,* Armenia and Georgia, in CMH 4, 1, 593–637 mit Bibliographie 983–1009.

5 *Diels,* Die slavischen Völker (Lit. Verz. Nr. 146).

6 *Moravcsik,* Byzantinische Mission im Kreise der Turkvölker an der Nordküste des Schwarzen Meeres (Lit. Verz. Nr. 520); *Deeters,* Die kaukasischen Sprachen, HO 1. Abt. Bd. 7, 1–79; *Geiger,* Peoples and Languages of the Caucasus (Lit. Verz. Nr. 240) (Lit., Karte).

7 *Kawerau,* Zur Kirchengeschichte Asiens (Lit. Verz. Nr. 378). Ein Gesamtüberblick über die Ausbreitung des Christentums in der Antike bei *Kawerau,* Geschichte der Alten Kirche (Lit. Verz. Nr. 382) 13–42. Die Ausbreitung des Christentums im Mittelalter bis zur Entdeckung Amerikas schildert *Kawerau,* Geschichte der Mittelalterlichen Kirche (Lit. Verz. Nr. 383) 25–56.

zunächst einmal vor große sprachliche Probleme. Die Bibel, die kirchenrechtlichen und liturgischen Bücher, die historische Literatur und die theologischen Schriften der Kirchenlehrer wurden in Sprachen abgefaßt oder in sie übersetzt, die dem Angehörigen des lateinischen Kulturkreises zumeist fremd sind. Das gilt nicht zuletzt auch für das mittelalterliche und frühneuzeitliche Griechisch, das dem an Homer und Plato geschulten westlichen Humanisten in der Regel weniger geläufig ist.

Die Philologie also ist die wichtigste Hilfswissenschaft für jedes wissenschaftlich begründete Verständnis des östlichen Christentums.[8] Da Jesus selbst Semit war, hat sich sein Evangelium naturgemäß zuerst und am weiträumigsten in semitischem Sprachgewand ausgebreitet. An der Spitze steht hierbei das Syrische, das heißt die von Edessa[9] ausgegangene christlich-aramäische Schriftsprache, deren Zeugnisse sich bis nach Zentralasien, Südindien und China hin finden.[10] Das Syrische ist die Sprache der wichtigsten ostkirchlichen Literatur des ersten Jahrtausends, deren geistliche Schätze bis heute nur von wenigen westlichen Theologen und naturgemäß nur zu einem geringen Teil ausgewertet worden sind.[11] Etwa seit der Jahrtausendwende, zum Teil aber schon früher, gingen dann die Christen im gesamten arabophonen Machtbereich des Islams zur arabischen Sprache über, in der sich jetzt ein unübersehbares christliches Schrifttum zu entwickeln begann.[12] Dieses christliche Arabisch weist besonders im Mittelalter gewisse charakteristische Unterschiede auf, je nachdem, ob es von einem Christen ägyptisch-koptischer, syrischer oder grie-

8 Literaturangaben zu allen auf den folgenden Seiten genannten Sprachen bei *Diringer,* The Alphabet (Lit. Verz. Nr. 161); hier Bd. 2, 372 eine Karte: „Alphabet follows Religion". *Zaunmüller,* Handbuch der Sprachwörterbücher (Lit. Verz. Nr. 828).

9 *Segal,* Edessa, „The Blessed City" (Lit. Verz. Nr. 645).

10 *Rosenthal,* Die aramaistische Forschung (Lit. Verz. Nr. 633); *Spuler,* Ausbreitung der semitischen Sprachen (Lit. Verz. Nr. 666). Zur Ausbreitung des syrischen Alphabets vgl. *Diringer* (Lit. Verz. Nr. 161) Bd. 1, 196–236: Aramaic Branch; 1, 237–256: Non-Semitic Offshoots of Aramaic Branch.

11 Zur syrischen Sprache: *Ungnad,* Syrische Grammatik (Lit. Verz. Nr. 760); *Brockelmann,* Syrische Grammatik (Lit. Verz. Nr. 92); *L. Palacios,* Grammatica Syriaca, Rom [2]1954; *Th. H. Robinson,* Paradigms and Exercises in Syriac Grammar, Oxford [4]1962. Thesaurus Syriacus ed. *R. Payne Smith* (Lit. Verz. Nr. 586); *Payne Smith,* Compendious Syriac Dictionary (Lit. Verz. Nr. 587). Zur syrischen Literatur: *Baumstark,* Geschichte der syrischen Literatur (Lit. Verz. Nr. 53); *Ortiz de Urbina,* Patrologia Syriaca (Lit. Verz. Nr. 571).

12 *Spuler,* Die Ausbreitung der arabischen Sprache (Lit. Verz. Nr. 667). Artikel *'Arabiyya* in EI Bd. 1 ([2]1960) 561–603. – *Graf,* Sprachgebrauch der ältesten christlich-arabischen Literatur (Lit. Verz. Nr. 252); *Blau,* Grammar of Christian Arabic (Lit. Verz. Nr. 76). *Dozy,* Supplément aux Dictionnaires Arabes (Lit. Verz. Nr. 175). Zur Lektüre christlich-arabischer Texte eignet sich sehr gut *Wehr,* Arabisches Wörterbuch (Lit. Verz. Nr. 799), obwohl es ausdrücklich für die Schriftsprache der Gegenwart bestimmmt ist. – *Graf,* Verzeichnis arabischer kirchlicher Termini (Lit. Verz. Nr. 253). Literaturgeschichte: *Graf,* Geschichte der christlichen arabischen Literatur, 5 Bde. 1944–1953 (Lit. Verz. Nr. 254).

chischer Herkunft geschrieben wurde. Durch die gemeinsame christlich-kirchliche Tradition, die von der Bibel, der Liturgie und der christlichen Theologie geprägt war, unterscheidet es sich als die Sprache christlich-arabischer Kultur eindeutig von dem am Koran und an der altarabischen Beduinensprache orientierten klassischen Arabisch[13] einerseits und von der Volkssprache der ungebildeten und ungelehrten Märchenerzähler, dem sogenannten Mittelarabisch,[14] andererseits. Das Arabische hat im Laufe der Zeit in seinem Verbreitungsgebiet die andern alten christlichen Sprachen wie das Nubische,[15] das Koptische[16] und das Syrische ganz verdrängt.

Ganz im Süden des semitischen Kulturkreises hat das Christentum in Äthiopien eine eigene Literatur entwickelt, die stark unter ägyptischem, das heißt anfangs griechischem und koptischem, später arabischem Einfluß stand, aber auch originale Schöpfungen aufzuweisen hat, unter denen die mittelalterlichen und neuzeitlichen, in äthiopischer Sprache abgefaßten königlichen Chroniken besondere Erwähnung verdienen. Ihr zentrales Thema sind die Könige mit ihren Familien, deren Geschicke mit bemerkenswerter Objektivität dargestellt werden.[17]

13 *Harder*, Arabische Sprachlehre (Lit. Verz. Nr. 287); *Caspari-Wright*, Grammar of the Arabic Language (Lit. Verz. Nr. 821). *Kazimirski*, Dictionnaire Arabe-Français (Lit. Verz. Nr. 386). – *Brockelmann*, Geschichte der arabischen Literatur (Lit. Verz. Nr. 91); behandelt nur die muslimische Literatur in arabischer Sprache.

14 Hierüber ausführlich *Wehr* in seiner Einleitung (S. XIV–XIX) zu seiner Edition des Buches der wunderbaren Erzählungen und seltsamen Geschichten in der Bibliotheca Islamica (Lit. Verz. Nr. 800).

15 *Lepsius*, Nubische Grammatik (Lit. Verz. Nr. 441); *Zyhlarz*, Grundzüge der nubischen Grammatik im christlichen Frühmittelalter (Lit. Verz. Nr. 834). *Griffith*, The Nubian Texts of the Christian Period (Lit. Verz. Nr. 265); *Griffith*, Christian Documents from Nubia (Lit. Verz. Nr. 266). *Kraus*, Neues zur Geschichte des christlichen Nubien (Lit. Verz. Nr. 413); Kunst und Geschichte Nubiens in christlicher Zeit (Lit. Verz. Nr. 422).

16 *Steindorff*, Koptische Grammatik (Lit. Verz. Nr. 697); *Steindorff*, Abriß der koptischen Grammatik (Lit. Verz. Nr. 698); *Murray*, Elementary Coptic Grammar (Lit. Verz. Nr. 543); *Mallon*, Grammaire Copte (Lit. Verz. Nr. 472); *Till*, Koptische Grammatik (Lit. Verz. Nr. 735). *Crum*, Coptic Dictionary (Lit. Verz. Nr. 127). *Westendorf*, Koptisches Handwörterbuch (Lit. Verz. Nr. 808). *Leipoldt*, Geschichte der koptischen Literatur (Lit. Verz. Nr. 437); *Morenz*, Die koptische Literatur (Lit. Verz. Nr. 521). *Cramer*, Das christlich-koptische Ägypten einst und heute (Lit. Verz. Nr. 125). *Kammerer*, Coptic Bibliography (Lit. Verz. Nr. 373).

17 *Dillmann*, Grammatik der Äthiopischen Sprache (Lit. Verz. Nr. 150); *Praetorius*, Aethiopische Grammatik (Lit. Verz. Nr. 608); *Mercer*, Ethiopic Grammar (Lit. Verz. Nr. 493); *Chaine*, Grammaire Éthiopienne (Lit. Verz. Nr. 112); *Conti Rossini*, Grammatica elementare della Lingua etiopica (Lit. Verz. Nr. 122). *Dillmann*, Lexicon Linguae Aethiopicae (Lit. Verz. Nr. 151), dazu *Grébaut*, Supplément (Lit. Verz. Nr. 256). *Littmann*, Die äthiopische Sprache (Lit. Verz. Nr. 456). *Guidi*, Storia della Letteratura Etiopica (Lit. Verz. Nr. 279); *Cerulli*, Storia della Letteratura Etiopica (Lit. Verz. Nr. 108); *Littmann*, Die äthiopische Literatur (Lit. Verz. Nr. 457). *Müller*, Äthiopische Chroniken (Lit. Verz. Nr. 540). *Budge*, History of Ethiopia (Lit. Verz. Nr. 97). *Heyer. Doresse*, L'Empire du Prêtre-Jean, Paris 1957 (Lit. Verz. Nr. 173).

Wie die syrische, so ist auch die armenische Literatur durch das Christentum geschaffen worden. Ihr Urheber war der Mönch Mesrop aus Taron (ca. 360–440 A. D.), der aus griechischen, semitischen und neuen Zeichen das besonders an Zischlauten reiche armenische Alphabet und damit die armenische Schriftsprache schuf.[18] Nach der Tradition soll Mesrop auch das älteste georgische Alphabet geschaffen haben. Die armenische Literatur hat uns nicht nur Übersetzungswerke wie die im griechischen Original bis auf einzelne Fragmente verlorene Chronik des Euseb von Cäsarea aufbewahrt,[19] sondern sie ist auch überaus reich an eigenen Schöpfungen, vor allem auf dem Gebiet der Geschichtsschreibung, das in Armenien ebenso wie in Syrien durch Euseb von Cäsarea inauguriert worden ist. Mehr als 50 Historiker und Chronisten haben in armenischer Sprache die Geschichte ihres Vaterlandes und die Beziehungen Armeniens zu seinen Nachbarländern von der Zeit der Sassaniden bis auf die neueste Zeit beschrieben. Es gibt wenige außereuropäische Länder, deren historische Quellen so reichlich fließen wie die Armeniens,[20] und die zugleich so viele Nachrichten über die Geschichte der umliegenden Völker, der Byzantiner, der Perser, der Araber, der seldschukischen Türken, der Mongolen und der Kreuzfahrer enthalten. Inhaltlich umfassen diese Nachrichten vor allem politische, militärische und kirchliche Ereignisse, gelegentlich auch Angaben über die Sitten und Gebräuche des armenischen Volkes. Nicht selten werden Reden, Briefe oder Edikte in die Darstellung eingefügt, Dokumente, die freilich vielfach keine offiziellen Urkunden, sondern Produkte der Literatur sind. Die Verfasser dieser Werke waren fast immer Kirchenmänner, denen die Hochschätzung der christlichen Religion und der armenischen Nationalsprache eine selbstverständliche Herzenssache war und ist: Nationalismus und Christentum sind in Armenien ebenso wie im gesamten übrigen christlichen Osten der Boden, auf dem die Kultur der Ostkirchen erwachsen ist.[21]

Von Armenien aus hat Georgien das Christentum empfangen; der armenische Mönch Mesrop (gest. 440 A. D.) soll außer der armenischen auch die

18 *Meillet,* Altarmenisches Elementarbuch (Lit. Verz. Nr. 487); *Jensen,* Altarmenische Grammatik (Lit. Verz. Nr. 336); *Jensen,* Altarmenische Chrestomathie (Lit. Verz. Nr. 337). *Miskgian,* Manuale Lexicon Armeno-Latinum (Lit. Verz. Nr. 511); *Froundjian,* Armenisch-Deutsches Wörterbuch (Lit. Verz. Nr. 222); *Kouyoumdjian,* Comprehensive Dictionary Armenian-English (Lit. Verz. Nr. 410). *Solta,* Die armenische Sprache (Lit. Verz. Nr. 656). *Thorossian,* Histoire de la Littérature Arménienne (Lit. Verz. Nr. 732); *Inglisian,* Die armenische Literatur (Lit. Verz. Nr. 339).

19 *Euseb,* Chronik (Lit. Verz. Nr. 205). Vgl. *Altaner,* Patrologie [4]1955, 196–197. Siehe auch *Stone,* Apocryphical Literature in Armenian Tradition (Lit. Verz. Nr. 703).

20 Quellenübersichten bei *Krumbacher* (Lit. Verz. Nr. 420) 406–408; *Gelzer* in PRE 2 (1897) 67–74; *H. E. Mayer* (Lit. Verz. Nr. 485) Nr. 721, 743, 772, 799 (Quellensammlungen), Nr. 1251–1268 (Einzeleditionen).

21 Vgl. *Spuler,* Volkstum und Kirche in der orientalischen Welt (Lit. Verz. Nr. 668). *Muyldermans,* L'Historiographie Arménienne (Lit. Verz. Nr. 544).

georgische Schrift geschaffen haben.[22] Es handelt sich dabei um die kirchliche oder Priester-Schrift, die fast ausschließlich für religiöse Schriften benutzt wurde. Aus ihr entwickelte sich als Kursive die bürgerliche oder Krieger-Schrift, die zuerst in zivilen Urkunden des 12. Jahrhunderts auftritt. Diese Kriegerschrift wurde im 17. Jahrhundert zu der noch heute üblichen Druck- und Schreibschrift normalisiert.[23] Die georgische Literatur, die heute auf eine mehr als 1500 Jahre lange ununterbrochene Tradition zurückblickt, war in ihrer älteren Periode vom 5. bis zum 12. Jahrhundert eine rein kirchliche, deren Träger der hohen Geistlichkeit oder dem Mönchtum angehörten. Georgische Mönche haben die georgische Literatur vor allem auch in ausländischen Klöstern, zum Beispiel in Palästina, auf dem Sinai, in Bulgarien und im Byzantinischen Reich (Konstantinopel, Bithynischer Olymp, Athos), gepflegt.[24] In georgischer Übersetzung sind vor allem zahlreiche Werke der Hagiographie erhalten, die im Original verloren gegangen sind.[25]

Die Ursprünge des kirchenslawischen Kulturkreises[26] liegen auf dem Gebiet der heutigen Tschechoslowakei. Hier bestand zwischen 800 und 900 A. D. das Großmährische Reich,[27] dessen Fürst Rastislav sich im Jahre 863 an den Kaiser Michael III. von Byzanz (842–867 A. D.) mit der Bitte wandte, ihm des Slawischen kundige Kirchenlehrer zu schicken.[28] Der Kaiser entsandte daraufhin die Brüder Konstantin und Method nach Mähren; sie stammten aus Saloniki (Thessalonike) und beherrschten das in ihrer Heimat von den dort wohnenden Bulgaren[29] gesprochene südslawische Idiom. Konstantin, der später als Mönch den Namen Kyrill annahm, hat wohl noch vor seiner Abreise nach Mähren

22 Die Quellen für diese Tradition erörtert *Vööbus*, Early Versions (Lit. Verz. Nr. 780) 179–180.

23 *Deeters* in HO 7 (1963) 130 (Lit. Verz. Nr. 132).

24 *Tarchnišvili*, Geschichte der kirchlichen georgischen Literatur 60–79 (Lit. Verz. Nr. 387).

25 *Zorell*, Grammatik zur Altgeorgischen Bibelübersetzung (Lit. Verz. Nr. 832); *Marr*, La Langue Géorgienne (Lit. Verz. Nr. 481); *Tschenkéli*, Einführung in die georgische Sprache (Lit. Verz. Nr 752). *Meckelein*, Georgisch-Deutsches Wörterbuch (Lit. Verz. Nr. 486); *Cherkesi*, Georgian-English Dictionary (Lit. Verz. Nr. 114); *Molitor*, Altgeorgisches Glossar zu ausgewählten Bibeltexten (Lit. Verz. Nr. 514); *Tschenkéli*, Georgisch-Deutsches Wörterbuch (Lit. Verz. Nr. 753). *Geiger*, Peoples and Languages of the Caucasus (Lit. Verz. Nr. 240) (Übersichten). *Tarchnišvili*, Geschichte der kirchlichen georgischen Literatur (Lit. Verz. Nr. 387); *Deeters*, Die georgische Literatur (Lit. Verz. Nr. 132). *Toumanoff*, Armenia and Georgia, CMH 4 (Lit. Verz. Nr. 743).

26 *Randa* (Lit. Verz. Nr. 612) 887–891 u. ö.

27 *Kawerau*, Geschichte der Mittelalterlichen Kirche (Lit. Verz. Nr. 383) 222–223; *Großmähren* und die christliche Mission bei den Slawen (Lit. Verz. Nr. 272); *Vlasto*, The Entry of the Slavs into Cristendom (Lit. Verz. Nr. 770) 20–39.

28 *Kawerau*, Geschichte der Mittelalterlichen Kirche (Lit. Verz. Nr. 383) 43–47; *Grivec*, Konstantin und Method (Lit. Verz. Nr. 269); *Dvornik*, Les Légendes de Constantin et de Méthode vues de Byzance (Lit. Verz. Nr. 183).

29 Vgl. *Jireček*, Geschichte der Bulgaren (Lit. Verz. Nr. 338).

in Konstantinopel das erste slawische Alphabet, die auf der griechischen Minuskelschrift beruhende glagolitische Schrift (Glagoliza), geschaffen,[30] die später durch die aus der griechischen Majuskelschrift abgeleitete kyrillische Schrift (Kyrilliza) ersetzt wurde. Diese Kyrilliza ist die Stammform des heutigen bulgarischen, serbischen, russischen und mazedonischen Alphabets geworden und hat eine sehr weite Verbreitung gefunden.[31]

Die Sprache, deren schriftlicher Fixierung das von Konstantin-Kyrill geschaffene Alphabet diente, ist die älteste überlieferte slawische Sprache überhaupt; sie wird in der wissenschaftlichen Literatur als die altbulgarische, (alt-) kirchenslawische oder altslawische bezeichnet und gehört der südslawischen Sprachgruppe an.[32] Als altslawisch im strengen Sinne gilt nur die Sprache der vor dem Jahre 1100 A. D. entstandenen Handschriften.[33] Mit ihr konnte man sich damals im gesamten slawischen Sprachraum verständigen, denn die einzelnen slawischen Sprachen unterschieden sich zu jener Zeit nur geringfügig voneinander. Erst später entwickelten sich die sogenannten Redaktionssprachen, das heißt das Kirchenslawische mittelbulgarischer, serbischer und russischer Redaktion; es entstanden also Mischsprachen, in denen die altslawische Kirchensprache immer stärker durch die Volkssprachen modifiziert wurde. Das in kirchenslawischer Sprache abgefaßte Schrifttum war ein rein christliches: es bestand zunächst aus Teilen der Bibel, der Liturgie, Gebeten und Erbauungsschriften. Später entstand in Bulgarien, in Serbien und in Rußland eine umfangreiche kirchenslawische Literatur, die vor allem Übersetzungen aus dem Griechischen enthielt: theologische, kirchenrechtliche und liturgische Werke wurden neben erbaulichen und apokryphen Schriften übersetzt, während das

30 Über die von *G. Vernadsky* geäußerte Vermutung, das glagolitische Alphabet beruhe auf einer aus armenischen und georgischen Buchstaben gemischten alten „russischen“ Schrift, die Kyrill in Cherson (Korsun) auf der Krim kennengelernt hatte, vgl. *Metzger*, Chapters (Lit. Verz. Nr. 494) 74–75 (Lit.).

31 Vgl. *Diringer*, The Alphabet (Lit. Verz. Nr. 161) Bd. 1, 378–381: Adoptation of the Cyrillic Alphabet for, and its Adaptation to, non-Slavonic Languages; die hier 378–381 gegebene Liste verzeichnet 54 indo-europäische, kaukasische, finnisch-ugrische, turkotatarische, mongolische, tungusisch-mandschurische, paläo-sibirische und sino-tibetanische Sprachen, die heute das russische Alphabet verwenden.

32 Zur Terminologie vgl. *Leskien*, PRE 3, 152–153 und *Diringer*, The Alphabet 1, 374. – *Leskien*, Handbuch der altbulgarischen (altkirchenslavischen) Sprache (Lit. Verz. Nr. 449); *Bielfeldt*, Altslawische Grammatik (Lit. Verz. Nr. 74). *Miklosich*, Lexicon Palaeoslovenico-Graeco-Latinum (Lit. Verz. 509); *Sreznevskij*, Materialy dlja Slovarja Drevne-Russkago Jazyka (Lit. Verz. Nr. 672); *Sadnik* und *Aitzetmüller*, Handwörterbuch zu den altkirchenslavischen Texten (Lit. Verz. Nr. 641). *Jagić*, Entstehungsgeschichte der kirchenslawischen Sprache (Lit. Verz. Nr. 329); *Mladénov*, Geschichte der bulgarischen Sprache (Lit. Verz. Nr. 512); *Wijk*, Geschichte der altkirchenslavischen Sprache (Lit. Verz. Nr. 813); *Trautmann*, Die slavischen Völker und Sprachen (Lit. Verz. Nr. 746). *Diels* (Lit. Verz. Nr. 146).

33 Der Kanon dieser Handschriften, die ausschließlich biblische Texte enthalten, ist bei *Leskien*, Handbuch VI–X und bei *Bielfeldt*, Altslawische Grammatik 18–19 verzeichnet.

eigentlich wissenschaftliche Schrifttum der Griechen kaum der Beachtung gewürdigt wurde.[34]

Das griechisch-byzantinische Reich, das den kirchenslawischen Kulturkreis ins Leben gerufen hatte, war das Imperium Romanum, seit und soweit es von christlichen Kaisern beherrscht wurde, die ihren Regierungssitz in Konstantinopel, dem antiken Byzanz und heutigen Instanbul, gehabt haben. Als Hauptstadt des Byzantinischen Reiches wurde Konstantinopel am 11. Mai 330 A. D. durch Kaiser Konstantin I. den Großen (324–337 A. D.) feierlich eingeweiht und endete am 29. Mai 1453, als der osmanisch-türkische Sultan Mehmed II. der Eroberer (1451–1481 A. D.) die Stadt einnahm, wobei der letzte christliche Kaiser von Byzanz, Konstantin XII. (1449–1453 A. D.), im Kampfe fiel.[35]

Im Byzantinischen Reich, das sich über drei Erdteile, Europa, Afrika und Asien, erstreckte, setzte sich als Amtssprache, als Sprache der Kirche, der Literatur und der Bildung das Griechische durch, das seit dem Eroberungszuge Alexanders des Großen seinen Einfluß im Osten bis nach dem heutigen Pakistan und Afghanistan hatte ausdehnen können. Die christlichen Byzantiner nannten sich zwar „Römer" *(Rhomaioi)*, aber ihre Sprache war die hellenistische Koine, die griechische Gemeinsprache, die während der byzantinischen Zeit die Norm der Schriftsteller war und auch die Grundlage des modernen Griechisch geworden ist.[36] Das Griechisch der schriftlichen Tradition wurde im Verlaufe der langen Geschichte der byzantinischen Literatur immer in gewissem Umfang vom gesprochenen Griechisch beeinflußt, so daß man ohne Kenntnis der modernen Sprache viele byzantinisch-griechische Texte nicht richtig lesen und verstehen kann.[37] Archaisierende und volkssprachliche Tendenzen, der Einfluß des kirchlichen Griechisch, das unter der Wirkung des Neuen Testaments und der kirchlichen Liturgie und Literatur stand, innere Veränderungen der Sprache, Bedeutungsverschiebungen gewisser Wörter, das Eindringen orientalischer und lateinischer Wörter und die bewußte Nach-

34 *Murko*, Geschichte der älteren südslawischen Litteraturen (Lit. Verz. Nr. 541); *Trogrančić*, Letteratura Medioevale degli Slavi Meridionali (Lit. Verz. Nr. 749); *Trubetzkoy*, Introduction to the History of Old Russian Literature (Lit. Verz. Nr. 750); *Gudzij*, Geschichte der russischen Literatur (Lit. Verz. Nr. 276); *Hafner*, Studien zur altserbischen dynastischen Historiographie (Lit. Verz. Nr. 283); *Stender-Petersen*, Geschichte der russischen Literatur (Lit. Verz. Nr. 701).

35 *Schneider*, Healo he Polis (Lit. Verz. Nr. 682); *Runciman*, The Fall of Constantinople 1453 (Lit. Verz. Nr. 638); *Babinger*, Mehmed der Eroberer und seine Zeit (Lit. Verz. Nr. 34); *Ostrogorsky*, Geschichte des Byzantinischen Staates (Lit. Verz. Nr. 572); *Cambridge Medieval History* Bd. 4, The Byzantine Empire (Lit. Verz. Nr. 101) (Lit.).

36 *Dawkins*, Die griechische Sprache, in: *Baynes*, Byzanz, 1964, 314–331 (Lit. Verz. Nr. 55).

37 Eine kurze Charakteristik des Mittelgriechischen mit umfangreichen Literaturangaben bei *Moravcsik*, Byzantinoturcica Bd. 1, Berlin 1958, 191–196 (Lit. Verz. Nr. 519).

ahmung klassisch-antiker Autoren bewirkten eine große Mannigfaltigkeit des Sprachgewandes, in dem uns die byzantinische Literatur und auch die neuere griechische Literatur seit 1453 entgegentritt.[38]

2. Bibelübersetzungen

Während der Westen der Alten Welt im Zuge der Christianisierung weitgehend latinisiert wurde, so daß man hier etwa ein Jahrtausend mit der lateinischen Bibelübersetzung auskam, entstanden im christlichen Osten schon sehr früh mehrere Bibelübersetzungen, die wegen ihres hohen Alters großen Wert besitzen. Das gilt besonders für die Übersetzungen des Neuen Testaments,[39] das fast immer als erstes Literaturwerk übersetzt wurde.

Die aus Mangel an Quellenzeugnissen sehr problematische Geschichte der syrischen Übersetzung des Neuen Testaments scheint etwa in folgender Weise verlaufen zu sein: Die aus der aramäisch sprechenden Christenheit in Palästina herausgewachsene syrische Christenheit am Euphrat und Tigris benutzte vermutlich anfangs ein einzelnes, aramäisches Evangelium, das Hebräerevangelium, von dem Hegesipp (um 154–180 A. D.) nach dem Zeugnis des Euseb von Cäsarea (H. E. IV, 22, 9) einige Stellen zitiert hat, und das auch dem Kirchenvater Hieronymus (347–420 A. D.) noch bekannt war. Auf dieses eine, aramäische Evangelium, das unserm Matthäus-Evangelium nahegestanden zu haben scheint, folgte die älteste syrische Übersetzung der vier Evangelien, das Diatessaron des Syrers Tatian (um 150–170 A. D.). Es war eine Evangelienharmonie, die ein chronologisch aufgebautes Leben Jesu enthielt, in das Materialien aus allen vier Evangelien hineingearbeitet waren. Der Ort und die Zeit der Abfassung des Diatessarons sind strittig, ja selbst über seine ursprüngliche Sprache – Syrisch oder Griechisch – herrscht Uneinigkeit, aber man kann kaum daran zweifeln, daß es im Orient und in syrischer Sprache verfaßt worden ist. Leider ist es im Original bis auf Fragmente verloren, doch

38 *Bauer,* Griechisch-Deutsches Wörterbuch zu den Schriften des Neuen Testaments (Lit. Verz. Nr. 51); Theologisches Wörterbuch zum Neuen Testament (Lit. Verz. Nr. 724); *Liddell-Scott,* Greek-English Lexicon (Lit. Verz. Nr. 453); *Du Cange,* Glossarium ad Scriptores Mediae et Infimae Graecitatis (Lit. Verz. Nr. 178); *Sophocles,* Greek Lexicon of the Roman and Byzantine Periods (Lit. Verz. Nr. 657); *Lampe,* Patristic Greek Lexicon (Lit. Verz. Nr. 425); weiteres bei *Irmscher,* Praktische Einführung in das Studium der Altertumswissenschaft (Lit. Verz. Nr. 350) und bei *Riesenfeld,* Repertorium Lexicographicum Graecum (Lit. Verz. Nr. 629). – Eine Gesamtdarstellung der mittelgriechischen Grammatik gibt es verständlicherweise nicht; Einzeluntersuchungen dazu bei *Moravcsik,* Byzantinoturcica Bd. 1, 1958, 193–196 (Lit. Verz. Nr. 519).

39 *Vööbus,* Early Versions of the New Testament (Lit. Verz. Nr. 780); *Molitor,* Grundbegriffe der Jesusüberlieferung im Lichte ihrer orientalischen Sprachgeschichte (Lit. Verz. Nr. 516).

hat es sich dank seiner großen Beliebtheit in mehreren östlichen und westlichen Übersetzungen erhalten.[40]

An die Stelle des Diatessarons trat im syrischen Bereich später ein Tetra-Evangelium, das Evangelium der Getrennten oder die Vetus Syra. Sie wird durch den Codex Syrus Sinaiticus aus dem 4. Jahrhundert, den Codex Syrus Curetonianus aus dem 5. Jahrhundert und durch Zitate in der syrischen patristischen Literatur repräsentiert.[41] Die Ursprünge der Vetus Syra liegen im Dunkeln, ihre Spuren verlieren sich nach dem Jahre 900 A. D. allmählich. Das hing offenbar mit den politischen Unruhen zusammen, die den Untergang des islamischen Einheitsreiches der Kalifen von Bagdad einleiteten, und die den Untergang vieler christlicher Klosterbibliotheken mit ihren alten literarischen Traditionen zur Folge hatten.[42]

Die Vetus Syra ist mehrfach revidiert worden, und eine dieser Revisionen, die Peschitta oder die einfache Übersetzung (Versio simplex), ist zum Range einer Vulgata der Syrer aufgestiegen. Für die Entstehung der Peschitta gibt es entgegen älteren Auffassungen in der syrischen Literatur kein Datum. Auf jeden Fall muß sie bereits vor den großen christologischen Streitigkeiten, spätestens vor dem Konzil von Ephesus 431 A. D. entstanden sein, denn sonst wäre es unbegreiflich, daß die Peschitta in gleicher Weise von Nestorianern wie von Monophysiten benutzt wird. Wir besitzen noch mindestens zehn alte Peschitta-Handschriften, die aus dem 5. Jahrhundert stammen, und weitere 30 Handschriften aus dem 6. Jahrhundert. Offensichtlich ist die Peschitta das Werk mehrerer Gelehrter, die über einen längeren Zeitraum hin die Vetus Syra streng an den griechischen Text anglichen. Die Peschitta ist also ein Produkt der großen geistigen Bewegung des Christlichen Hellenismus, die auch auf anderen Gebieten des kirchlichen Lebens vom Westen her auf das Syrertum eingewirkt hat. Die Peschitta, deren Text außerordentlich konstant gewesen ist, bildet bis auf den heutigen Tag das allen Syrern – Jakobiten, Nestorianern, Melkiten und Maroniten – gemeinsame geistige Band.[43]

40 *Vööbus*, Early Versions 6–15: The Diatessaron. A Survey of Extant Material. Dazu das Verzeichnis der Druckausgaben ebenda 317–318. *Metzger*, Chapters (Lit. Verz. Nr. 494) 97–120: Tatian's Diatessaron and a Persian Harmony of the Gospels (Lit.). Vgl. dazu den von *Louis Leloir* herausgegebenen und übersetzten Kommentar Ephräms des Syrers zum Diatessaron in syrischer und armenischer Sprache (Lit. Verz. Nr. 195. 196. 201). Die erste geschlossene Ausgabe der syrischen Fragmente von Tatians Diatessaron verdanken wir *Ortiz de Urbina* (Madrid 1967); siehe Lit. Verz. Nr. 707.

41 *Vööbus*, Early Versions 73–88: The Old Syriac Version. Dazu die Druckausgaben ebenda 322.

42 Vgl. dazu *Spuler*, Geschichte der islamischen Länder Bd. 1, Die Chalifenzeit (Lit. Verz. Nr. 664).

43 *Vööbus*, Early Versions 88–103: The Peshitta. Dazu die Druckausgaben ebenda 322. – Über die syrische Version des monophysitischen Metropoliten Philoxenus von Mabbug (gest. 523 A. D.) vgl. *Vööbus*, Early Versions 103–118 und *Halleux*, Philoxène de Mabbog (Lit. Verz. Nr. 284) 117–125. Über die syrische Version des

Die Anfänge des Christentums unter den Arabern sind sicherlich sehr alt, liegen für uns aber im Dunkeln. Ob Teile der Bibel, vor allem der Evangelien, schon vor dem Auftreten des Propheten Muhammed (gest. 632 A. D.) ins Arabische übersetzt worden sind, ob also – etwas pointiert ausgedrückt – das älteste arabische Literaturwerk die Bibel und nicht der Koran gewesen ist, ist strittig.[44] Jedoch ist der Gebrauch der nunmehr als arabisch geltenden Schrift erstmals durch eine christliche Inschrift in einem christlichen Kloster in al-Hira im südlichen Irak für die Zeit um 550 A. D. erwiesen. Die ersten Spuren einer alten arabischen Übersetzung des Neuen Testaments weisen auf die Vetus Syra als ihre Grundlage hin. Andere arabische Übersetzungen des Neuen Testaments haben griechische oder koptische Vorlagen.[45] Die Frage, ob diese Übersetzungen vorislamisch sind oder nicht, hat bisher keine befriedigende Antwort gefunden.[46] Ihre sprachliche Form war natürlich für einen an der klassischen Sprache des Korans gebildeten muslimischen Leser unerträglich, und so entstanden im Mittelalter arabische Evangelienübersetzungen in einem glänzenden, die Reimprosa des Korans nachahmenden Stil, unter dem natürlich die Genauigkeit der Wiedergabe litt.[47]

In Ägypten (arabisch *Qubṭ*) war beim Eindringen des Christentums die alte ägyptische Sprache in ihrer letzten Entwicklungsphase, dem Koptischen, in mehrere Dialekte gespalten: im Süden, in Oberägypten, sprach man Sahidisch, im Nildelta, also im Norden Ägyptens, sprach man Bohairisch, und daneben gab es den achmimischen, den fajjumischen und andere Dialekte. In diese koptische, mit griechischen Buchstaben geschriebene Sprache, die vom Christentum zur Literatursprache erhoben worden ist, wurden etwa um die Zeit des Bischofs Dionysius von Alexandria (247–264 A. D.) die wichtigsten Teile des Neuen Testaments übersetzt, und zwar zuerst in den sahidischen Dialekt des südlichen Ägyptens, wo der griechische Einfluß schwächer und die Notwendigkeit einer Übersetzung in die Volkssprache stärker war. Dann hat das seit etwa 300 A. D. sich kräftig entwickelnde ägyptische Mönchtum eine neue Phase der christlich-koptischen Literatur eingeleitet. Die uns unbekannten Übersetzer haben natürlich aus dem Griechischen übersetzt, wobei sie die Schwierigkeiten und Eigentümlichkeiten der koptischen Sprache mit bemerkenswerter Meisterschaft über-

Thomas von Ḥarqel (um 600 A. D.) vgl. *Vööbus,* Early Versions 118–121; die Druckausgaben der Philoxeniana und der Harclensis ebenda 322–323.

44 Über diese Fragen vgl. *Graf,* Geschichte der christlichen arabischen Literatur 1, 27–52: Das Problem einer Literatur der arabischen Christen in vorislamischer Zeit. *Vööbus,* Early Versions 271–297. *Blau,* Grammar of Christian Arabic (Lit. Verz. Nr. 76) 29–36. EI ²3 (1971) 1205–1208 s. v. Indjīl. Christl.arab. Inschriften: EI ²1 (1960) 564.

45 Vgl. *Graf,* GCAL 1, 142–163: Arabische Übersetzungen der Evangelien aus dem Griechischen, Syrischen und Koptischen.

46 Vgl. zum Beispiel *Vööbus,* Early Versions 293.

47 *Graf,* GCAL 1, 163–170; *Vööbus,* Early Versions 296–297 und 318 (hier die Druckausgaben).

wanden. Demgemäß zeigen das Vokabular und auch die Syntax des sahidischen Neuen Testaments einen erheblichen griechischen Einfluß, und das gilt mehr oder weniger auch für die sonstige koptisch-christliche Literatur, die weitgehend eine Übersetzungsliteratur aus dem Griechischen ist. Die bohairische Übersetzung des Neuen Testaments zeigt jedoch die Tendenz, griechische Fremdwörter zu vermeiden, bietet im ganzen aber ein schlechteres Koptisch als die sahidische Übersetzung.[48]

Die zwischen Ägypten und Äthiopien gelegenen nubischen Königreiche, in denen sicherlich schon frühzeitig einzelne Christen lebten, sind erst nach 535 A. D. systematisch christianisiert worden und haben etwa ein halbes Jahrtausend dem Orbis Christianus angehört, bis sie dem von Ägypten nach Süden vorstoßenden Islam erlagen. Wann die altnubische Bibelübersetzung entstanden ist, läßt sich nicht sagen, doch wird sie wie auch in andern Ländern bald nach der Christianisierung begonnen worden sein. Die altnubische Übersetzung des Neuen Testaments ist ebenso wie die altnubische Übersetzung hagiographischer und kirchenrechtlicher Texte aus dem Griechischen, nicht aus dem Koptischen gemacht worden, benutzt aber das koptische Alphabet, das um einige Buchstaben zur Wiedergabe der dem Altnubischen eigentümlichen Laute vermehrt wurde.[49]

Die Übersetzung des Neuen Testaments ins Äthiopische scheint mit dem Auftreten jener neun syrischen Mönche zusammenzuhängen, die zwischen 450 und 500 A. D. dem Christentum in Äthiopien neue Impulse gaben. Das würde uns den Umstand erklären, daß die äthiopische Version auf der Vetus Syra und nicht, wie man lange meinte, auf dem griechischen Text des Neuen Testaments beruht. Der äthiopische Text hat im Laufe der Zeit einen komplizierten Prozeß verschiedener Revisionen durchgemacht, bei denen sowohl griechische als auch arabische und koptische Einflüsse zur Geltung kamen, die im einzelnen noch wenig erforscht sind.[50]

Nach Armenien ist das Christentum vom griechischen Westen und vom syrischen Süden aus eingedrungen. Dieser doppelte Einfluß hat in der christlichen Terminologie der Armenier seine deutlichen Spuren hinterlassen. Als um 384 A. D. Armenien zwischen Persien und Byzanz aufgeteilt wurde, verdrängte im byzantinischen Teil Armeniens der griechische Einfluß den syrischen, während im persischen Teil der politisch unbedenkliche syrische Einfluß

48 *Vööbus*, Early Versions 211–241: The Coptic Versions. Dazu die Druckausgaben ebenda S. 319. – Vgl. auch *Unnik*, Evangelien aus dem Nilsand (Lit. Verz. Nr. 761).

49 *Metzger*, Studies (Lit. Verz. Nr. 495) 111–122: The Christianization of Nubia and the Old Nubian Version of the New Testament (Lit.). *Diringer*, The Alphabet 1, 371: Nubian Character (Lit.).

50 *Vööbus*, Early Versions 243–269 und 319 (hier die Druckausgaben): The Ethiopic Versions. Anders *Ullendorff*, Ethiopia and the Bible 31–72: Bible Translations (Lit. Verz. Nr. 759).

wuchs. Die armenische Tradition und die moderne Wissenschaft spiegeln diesen Sachverhalt wider. Da die älteste datierte armenische Evangelienhandschrift erst aus dem Jahre 887 A. D. stammt und alle andern altarmenischen Evangelienhandschriften erst dem 10. und 11. Jahrhundert angehören, ist die Frage nach der Vorlage der altarmenischen Übersetzung, die um 400 A. D. entstanden ist, sehr schwer zu beantworten. Doch scheint vieles dafür zu sprechen, daß sie auf einem altsyrischen Text beruht, der später nach griechischen Kodizes revidiert worden ist.[51]

In Georgien existierte um 470 A. D. eine georgische Übersetzung der Evangelien und der Paulinischen Briefe. Das wissen wir aus einer um diese Zeit verfaßten georgischen Quelle. Aber über die näheren Umstände ihrer Entstehung können wir nichts sagen. Da der armenische Mönch Mesrop (ca. 360–440 A. D.) nicht nur das armenische, sondern auch das georgische Alphabet geschaffen hat,[52] das die Voraussetzung für eine georgische Übersetzung des Neuen Testaments bildete, liegt die Annahme nahe, daß die georgische aus der armenischen Übersetzung des Neuen Testaments geflossen ist. Anton Baumstark hat sie deshalb die Zwillingsschwester oder Tochter der armenischen Version genannt. Die Armenismen, die sich in der altgeorgischen Übersetzung finden, bestätigen das. Die altgeorgische Evangelienübersetzung ist in mehreren datierten Handschriften erhalten, deren älteste im Jahre 897 A. D. geschrieben worden ist; die übrigen gehören dem 10. Jahrhundert an.[53]

Während die Entstehungsgeschichte der meisten alten Bibelübersetzungen des Ostens für uns im Dunkeln liegt, sind uns die Urheber der kirchenslawischen Bibelübersetzungen wohlbekannt.[54] Es sind die Brüder Kyrill (ca. 826/27 bis 869 A. D.) und Method (gest. 885 A. D.). Kyrill war der Schöpfer des ältesten slawischen Alphabets und zugleich der erste Übersetzer der Bibel ins Slawische: er übersetzte als erstes das Evangelium, und zwar in Form eines Lektionars, in dem der Text der vier Evangelien in die für die Sonn- und Feiertage des Kirchenjahres vorgeschriebenen kirchlichen Lektionen aufgelöst war. Bald müssen aber auch die vier Evangelien einzeln in ihrem fortlaufenden Kontext von Kyrill übersetzt worden sein, denn bereits unter den ältesten erhaltenen Handschriften vom Ende des 10. und dem Anfang des 11. Jahr-

51 *Vööbus,* Early Versions 133–171: The Armenian Versions. Hier 318–319 die Druckausgaben.

52 *Zorell,* Grammatik (Lit. Verz. Nr. 832) gibt S. 12 neben den georgischen Buchstaben die armenischen Entsprechungen an.

53 *Vööbus,* Early Versions 173–209: The Georgian Versions. Die Druckausgaben ebenda 320. Vgl. *Diringer,* The Alphabet 1, 250–255 (Lit.).

54 *Leskien,* Slavische Bibelübersetzungen, PRE 3 (1897) 151–167. Artikel *Biblija* in Enciklopedija Jugoslavije 1 (Zagreb 1955) 494–504. *Horálek,* La Traduction Vieux-Slave de l'Évangile (Lit. Verz. Nr. 321). *Metzger,* Chapters (Lit. Verz. Nr. 494) 73–96: The Old Slavonic Version (Lit.).

hunderts gibt es Tetraevangelien.[55] Method hat mit Hilfe von zwei im Schnellschreiben geübten Priestern in einem halben Jahr fast das ganze Alte Testament ins Slawische übersetzt, während Kyrill den Psalter und die übrigen Schriften des Neuen Testaments mit Ausnahme der Apokalypse übersetzte; von dieser gibt es überhaupt keine Handschriften vor dem 13. Jahrhundert. Leider ist die Original-Übersetzung Kyrills und Methods nicht erhalten; die ältesten Handschriften stammen aus der Zeit um die Jahrtausendwende. Diese altkirchenslawische Bibelübersetzung ist dann im Westen latinisiert, im Osten gräzisiert worden. Seit der 2. Hälfte des 14. Jahrhunderts hat sich dann allmählich bei allen orthodoxen Slawen ein russisch-kirchenslawischer Bibeltext durchgesetzt, der eine einheitliche und konsequente Angleichung an den griechischen Bibeltext – für das Alte Testament also an die Septuaginta – darstellte. Dieser Text bildete die Grundlage der gedruckten slawischen Ausgaben des Neuen Testaments und der ganzen Bibel.[56]

3. *Quellensammlungen*

Die Übersetzung des Neuen Testaments in die Nationalsprache ging meistens mit der Entstehung einer kirchlichen Nationalliteratur einher. Die wichtigsten Quellensammlungen für das wissenschaftliche Studium dieser ostkirchlichen Nationalliteraturen sind die aus der Patrologia Syriaca[57] hervorgegangene Patrologia Orientalis,[58] die arabische, armenische, koptische, äthiopische, griechische, georgische, kirchenslawische und syrische Texte enthält und bis jetzt etwa 170 Faszikel in 35 Bänden umfaßt, und das noch umfangreichere Corpus Scriptorum Christianorum Orientalium,[59] das bis jetzt in mehr als 300 Bänden arabische, koptische, äthiopische, armenische, georgische und syrische Texte bietet und außerdem eine wichtige Reihe Subsidia enthält, in der grundlegende historische Einzeluntersuchungen, Konkordanzen, Kommentare, Grammatiken und Wörterverzeichnisse veröffentlicht werden. Allen kritischen Textausgaben dieser großen Quellensammlungen ist eine in lateinischer oder in einer anderen international gebräuchlichen modernen Sprache abgefaßte Übersetzung beigefügt, so daß diese Quellen auch demjenigen zu-

55 Tetraevangelien sind z. B. der Codex Zographensis (Ausgaben und Literatur über ihn in *Kindlers Literatur Lexikon* 2 [1966] 17–18) und der Codex Marianus (ebenda 13–14). Jüngere Tetraevangelien-Handschriften mittelbulgarischer und serbischer Redaktion nennt Encikl. Jugoslav. 3, 497–498.

56 Druckausgaben: *Leskien,* PRE 3, 155–159. *North* (Lit. Verz. Nr. 561) 284–285; 299–303 u. ö. Übersetzungen in die Volkssprache der Russen, Bulgaren und Serben bei *Leskien,* PRE 3, 157–159; Enciklop. Jugoslav. 1, 499 (Serbisch); *North* passim.

57 Paris 1894–1926 (Lit. Verz. Nr. 585).

58 Paris 1903 ff. (Lit. Verz. Nr. 584).

59 Löwen 1903 ff. (Lit. Verz. Nr. 124).

gänglich sind, der keine oder nur geringe Kenntnisse der ostkirchlichen Quellensprachen besitzt. Für den griechisch-byzantinischen Bereich ist vor allem die alte, von Jaques-Paul Migne ins Dasein gerufene Patrologia Graeca[60] zu nennen, die trotz aller Mängel in der kritischen Darbietung der Texte auch heute noch unentbehrlich ist wegen der Fülle der in ihr enthaltenen, stets von einer lateinischen Übersetzung begleiteten griechischen Quellentexte. Keines der anderen Corpora griechisch-christlicher Schriftsteller kann sich bis heute in dieser Hinsicht mit Migne messen.[61]

4. Ostkirchliche Ären

Die Kirchen des Ostens benutzen zum Teil bis heute andere Ären als die uns vertraute, von dem römischen Mönch Dionysius Exiguus um 530 A. D. erfundene Ära „nach Christi Geburt". Die Weltära der Byzantiner zählt die Jahre von dem aus dem Alten Testament errechneten Anfang der Welt an, der auf den 1. September 5509 vor Christi Geburt verlegt wird, während die um 400 A. D. geschaffene Alexandrinische Weltära dieses Ereignis auf den 29. August 5493 vor Christi Geburt fallen läßt. Die Syrer bedienten sich einer Ära, die am 1. Oktober 312 vor Christi Geburt begann und als Ära der Jonier oder der Griechen, als Seleukidenära oder als Ära des Zwiegehörnten[62] oder Alexanders des Großen bezeichnet wird. Die Kopten benutzen bis heute neben der islamischen und der christlichen Ära ihre eigene Diokletianische oder Ära der Märtyrer, die am 29. August 284 nach Christi Geburt beginnt und noch immer die Erinnerung an die Diokletianische Christenverfolgung wachhält. Daneben gibt es die äthiopische Inkarnationsära und als jüngste christliche Ära des Morgenlandes seit 552 A. D. die Armenische Ära. Es ist das große Verdienst von Bertold Spuler, daß er alle diese christlichen Ären des Ostens in seine Neubearbeitung der Wüstenfeld-Mahlerschen Vergleichungs-Tabellen zur muslimischen und iranischen Zeitrechnung[63] mit aufgenommen und so ein bequemes Hilfsmittel zur Umrechnung orient-christlicher Ären geschaffen hat. Daneben ist für alle chronologischen Fragen des christlichen Ostens unentbehrlich das große Werk von Venance Grumel zur byzantinischen Chronologie,[64] in dem die Entstehung der Weltären geschildert und die großen Ein-

60 Paris 1857–1866 (Lit. Verz. Nr. 507). Dazu als Wegweiser *Potthast,* Bibliotheca Historica Medii Aevi (Lit. Verz. Nr. 607).

61 Für alle übrigen Quellensammlungen und Einzeleditionen muß ich aus Raumgründen auf die in den Anmerkungen und im Literaturverzeichnis genannten Literaturgeschichten, Patrologien, Bibliographien usw. verweisen.

62 Zu diesem Beinamen Alexanders des Großen vgl. EI 1 (1913) 1002–1003 s. v. *Dhu 'l-Ḳarnain* (2. Aufl. s. v. *Iskandar).*

63 Lit. Verz. Nr. 823.

64 Lit. Verz. Nr. 274. Vgl. auch *Budge,* History of Ethiopia (Lit. Verz. Nr. 97) 138 bis

heiten der Zeitrechnung (Jahre, Zyklen, Perioden, Ären) ausführlich dargestellt werden; außerdem enthält dieses Werk Umrechnungstabellen, liturgische Kalender und Listen der Staats- und Kirchenoberhäupter des byzantinischen, islamischen, slawischen und orientchristlichen Bereichs. Den Abschluß bildet eine für Datierungszwecke sehr hilfreiche Liste von Naturerscheinungen: Sonnen- und Mondfinsternisse von 285—1500 A. D., Kometen von 300 bis 1462 A. D., Erdbeben von 300 bis 1457 A. D. Solche Naturerscheinungen werden in den ostkirchlichen Quellen häufig erwähnt.

5. *Gesamtdarstellungen*

Für die großen kirchen- und dogmengeschichtlichen Zusammenhänge, in denen die Kirchen des Ostens stehen, findet der Leser einen den gesamten Zeitraum von den Anfängen des östlichen Christentums bis zur Gegenwart umfassenden zuverlässigen Führer in den beiden Werken, die Bertold Spuler der Geschichte und der Gegenwartslage der Ostkirchen gewidmet hat.[65] Beide Werke enthalten umfangreiche Literaturangaben. Zur geographischen Orientierung benutzt man am besten den Großen Historischen Weltatlas,[66] an dem auch Bertold Spuler mitgearbeitet hat. Dieser Atlas enthält zahlreiche Karten zur Geschichte des Christentums in den Ländern des Ostens, in denen die christlichen Denker gelebt und gewirkt haben, von denen in diesem Buch die Rede ist.

6. *Die Ostkirchen in Geschichte und Gegenwart*

Es gibt, wie Bertold Spuler einmal gesagt hat, keinen Christen, der nicht wenigstens sich selbst für orthodox hält. Aus diesem Grunde kann man die Kirchen der östlichen Christenheit nicht mit westlichen Maßstäben messen und sie in „orthodoxe“ und „nicht-orthodoxe“ Kirchen einteilen, denn jede der heute im Osten existierenden Kirchen bezeichnet sich selbst als orthodox und beweist ihre Orthodoxie aus der Bibel und aus der Tradition. Historisch gesehen kommt nur die heute mehr und mehr sich durchsetzende Einteilung in *nicht-ephesinische, nicht-chalzedonensische* und *chalzedonensische Kirchen* in Frage.[67]

142: The Abyssinian Calendar. Dazu *Chaine,* Chronologie des Temps Chrétiens de l'Égypte et de l'Éthiopie (Lit. Verz. Nr. 111).

65 Lit. Verz. Nr. 669 und Lit. Verz. Nr. 670. Dazu die laufende Berichterstattung Spulers in der IKZ (Lit. Verz. Nr. 670).

66 Lit. Verz. Nr. 271. Vgl. im Register s. v. Karten.

67 Gute Gesamtübersichten mit viel Literatur bieten die bereits genannten Werke von *Bertold Spuler* (Lit. Verz. Nr. 669 und 670) sowie das bekannte Werk von *Friedrich Heiler,* Urkirche und Ostkirche (1937), das nach dem Tode *Heilers* (gest.

Die *nicht-ephesinischen Kirchen* sind diejenigen Kirchen, die die auf dem Konzil von Ephesus 431 A. D. verurteilte antiochenische Theologie des Patriarchen Nestorius von Konstantinopel übernommen haben.[68] Diese *nestorianischen Kirchen,* die sich in der Antike und im Mittelalter naturgemäß nur außerhalb des Imperium Romanum halten konnten, unterstanden dem ostsyrischen Patriarchen von Seleukia-Ktesiphon, der seit den islamischen Eroberungen im Vorderen Orient seine Residenz nach Bagdad verlegte und im Jahre 1933 aus politischen Gründen den Irak verlassen mußte. Dieses nestorianische Patriarchat befindet sich gegenwärtig in San Francisco im amerikanischen Bundesstaat California. Ihm untersteht die gesamte nestorianische Kirche, die heute vor allem im Irak, in Iran, in Südindien und in den Vereinigten Staaten von Amerika verbreitet ist. Der offizielle Titel des nestorianischen Patriarchen lautet „Katholikos Patriarch der Kirche des Ostens und der Assyrer"; er bringt den historisch begründeten Anspruch der ostsyrischen Kirche zum Ausdruck, die Kirche aller Christen Asiens außerhalb des Römischen Reiches zu sein, wenn auch diese Kirche im Verlauf der ungeheueren politischen Umwälzungen, die Asien seit den Zeiten Timurs (1336—1405 A. D.) erlitten hat, in den meisten Ländern dieses Erdteils fast vollständig untergegangen ist.

Die *nicht-chalzedonensischen, monophysitischen Kirchen* entstanden aus der Ablehnung der Zweinaturenlehre des Konzils von Chalzedon 451 A. D.[69] Sie bildeten sich in Äthiopien, Ägypten, Syrien und Armenien. Dieser bis heute bestehende breite Gürtel nicht-chalzedonensischer Kirchen trennte die große ostsyrisch-nestorianische Kirche Asiens von den chalzedonensischen Kirchen des Westens. Die nicht-chalzedonensischen Kirchen führten lange Jahrhunderte hindurch ein Sonderdasein, bis ihre Existenz durch die ökumenischen Bestrebungen der neueren Zeit in das allgemeine Bewußtsein gehoben wurde.

Die monophysitische *Staatskirche Äthiopiens* unterstand jurisdiktionell dem Patriarchen der monophysitisch gewordenen Koptischen Kirche Ägyptens, dessen Titularsitz Alexandria war, der aber im islamischen Mittelalter seine Residenz nach der Hauptstadt Kairo verlegte, wo sie sich heute noch befindet. Die Äthiopische Kirche wurde bis in die Zeit nach dem 2. Weltkrieg von einem koptisch-ägyptischen Metropoliten geleitet, der den Titel Abuna führte und vom Koptischen Patriarchen geweiht wurde. Als im Jahre 1950 der letzte

1967) soeben von *Anne Marie Heiler* unter dem Titel „Die Ostkirchen" (Basel 1971) in völliger Neubearbeitung herausgegeben worden ist; es enthält auf S. 441 bis 598 einen Literaturanhang, der alle Ostkirchen berücksichtigt. Vgl. auch *Wilhelm de Vries,* Der christliche Osten in Geschichte und Gegenwart, Würzburg 1951 (= Das östliche Christentum N. F., H. 2), der besonders die Unionen von Teilen der Ostkirchen mit der römisch-katholischen Kirche behandelt. — Eine Übersicht über die verwirrende Fülle von Bezeichnungen, unter denen die Ostkirchen in der westlichen Literatur erscheinen, bei *Kawerau,* Amerika und die orientalischen Kirchen (Lit. Verz. Nr. 377) 654—657.

68 *Loofs,* Leitfaden 1, 217—235.

69 *Loofs,* Leitfaden 1, 235—244. *Grillmeier-Bacht.*

ägyptische Abuna Kyrill gestorben war, erlangte die Äthiopische Kirche nach jahrtausendelanger jurisdiktioneller Abhängigkeit von Ägypten ihre Autokephalie: am 14. Januar 1951 wurde in Kairo durch den Koptischen Patriarchen zum ersten Male in der Kirchengeschichte ein Nationaläthiopier zum Oberhaupt der Äthiopischen Kirche geweiht. Der neue Abuna nahm den Amtsnamen Basilius an und weihte im folgenden Jahr in Addis Abeba mehrere äthiopische Bischöfe. Im Jahre 1959 wurde Äthiopien zum Patriarchat erhoben, und der Abuna nahm demgemäß den Titel Patriarch und Katholikos an.

Die *Koptische Kirche*, die christliche Nationalkirche Ägyptens, hat seit dem Mittelalter einen starken Rückgang erfahren. Während es im spätantiken Ägypten über 100 Bischofssitze gab, betrug ihre Zahl um 1100 A. D. nur noch die Hälfte und ist heute auf etwa 18 Bischofssitze zurückgegangen. Aber obwohl die Koptische Kirche in der Gegenwart nur etwa noch ein Zehntel der sonst meist muslimischen Bevölkerung Ägyptens ausmacht, zeichnet sie sich doch durch ein besonders reges wissenschaftliches Leben aus, das vor allem dem Studium koptischer Kunst und Literatur gewidmet ist. Das im Jahre 1954 von der Koptischen Kirche gegründete Institute of Coptic Studies in Kairo, eine kleine Universität der Koptologie, ist der Mittelpunkt dieses ganz modernen Wissenschaftsbetriebes, dessen Publikationen auch für die abendländische Wissenschaft von Bedeutung sind. In dem alten römischen Kastell Babylon, dem heutigen Alt-Kairo, das noch immer ein ehrwürdiges Zentrum der koptischen Christenheit ist, befindet sich das bedeutende Koptische Museum, das unter anderm die ältesten koptisch-gnostischen Handschriften, Kunstschätze aller Art und auch antike Gegenstände, zum Beispiel einen im Kastell gefundenen römischen Legionsadler, beherbergt.[70] Eine der Kirchen dieses Kastells wurde im Frühmittelalter zur Patriarchatskirche des Koptischen Patriarchen von Alexandria, als dieser seine Residenz nach Kairo, der Hauptstadt des muslimisch gewordenen Ägyptens, verlegte.

Die monophysitische Kirche des westlichen Syriens, die nach ihrem Reorganisator Jakobus Baradäus (gest. 30. Juli 578 A. D.) auch als *Westsyrisch-Jakobitische Kirche* bezeichnet wird, hatte ihr nominelles Zentrum in dem apostolischen Stuhl von Antiochia; doch haben ihre Patriarchen fast nie in dieser Stadt, sondern meist in befestigten Klöstern oder in andern Städten Syriens residiert. Heute befindet sich die Residenz des Jakobitischen Patriarchen in Damaskus, der Hauptstadt der modernen arabischen Republik Syrien. Die Jakobitische Kirche hat sich im Mittelalter bis nach Persien ausgebreitet, wo der jakobitische Metropolit von Tagrit am Tigris zur Würde eines Maphrians

70 *Cramer,* Das Christlich-Koptische Ägypten (Lit. Verz. Nr. 125) 15–26 über die römische Festung in Alt-Kairo (Bablūn, Qaṣr-asch-Schama), über die darin befindlichen christlichen Kirchen und über die Umgebung des Kastells.

aufstieg, dem alle jakobitischen Kirchen und Klöster im Persischen Reich unterstanden. Das Amt des Maphrians hat in Mesopotamien bis zum Jahre 1863 bestanden und ist dann aufgehoben worden; im Jahre 1912 ist es in Südindien als Katholikat für die dortigen Jakobiten neu errichtet worden, blieb aber infolge innerer Streitigkeiten lange vakant. Der derzeitige Inhaber dieses Amtes, Mar Basilius Eugen I., wurde am 22. Mai 1964 in Südindien vom Jakobitischen Patriarchen konsekriert. Jakobitische Bistümer und Metropolitansitze gibt es heute außer in Syrien und Südindien auch im Libanon, im Irak, in Jordanien, in der Türkei und in den Vereinigten Staaten von Amerika.[71] Wie die Koptische, so bemüht sich auch die Jakobitische Kirche der Gegenwart darum, ihre gelehrten mittelalterlichen Traditionen wiederaufleben zu lassen und Anschluß an die wissenschaftliche Theologie des Westens zu gewinnen.[72]

Die monophysitische *Kirche Armeniens* untersteht dem Katholikos von Edschmiadzin in der heutigen Sowjetrepublik Armenien. Neben diesem Katholikat besteht das selbständige armenische Katholikat von Sis in Kilikien, dessen Inhaber seit 1940 in Antelias in der Nähe von Beirut im Libanon residieren. Weitere armenische Patriarchate bestehen in der Gegenwart in Istanbul (Konstantinopel) und in Jerusalem. Im Jahre 1889 entstand eine armenische Kirche in den Vereinigten Staaten, deren Oberhaupt der armenische Erzbischof von New York ist. Die in der Antike erfolgte Aufteilung Armeniens unter Byzanz und Persien, die mittelalterliche Gründung eines armenischen Reiches in Kilikien (Klein-Armenien) und vielfache schwere Verfolgungen der Armenier in der Neuzeit haben eine weltweite Zerstreuung des Armeniertums bewirkt und erklären die jurisdiktionelle Zersplitterung dieser Kirche. Doch ist gerade wegen der schweren politischen Schicksale der Armenier die Kirche immer der Hort des nationalen Lebens des armenischen Volkes geblieben. Trotz schwerer Menschenverluste hat das Armeniertum in der Gegenwart in der Sowjetrepublik Armenien eine rege wissenschaftliche Tätigkeit entfaltet, die sich vor allem dem Studium der armenischen Sprache, Literatur und Kunst zuwendet. Unter den in der Diaspora lebenden Armeniern kommt den in den Vereinigten Staaten lebenden Amerika-Armeniern wegen ihrer Finanzkraft besondere Bedeutung zu. In Europa sind als armenische

71 Vgl. *Abrohom Nouro*, My Tour in the Parishes of the Syrian Church in Syria and Lebanon, Beirut, Lebanon: Mantoura Presses 1967, der einen Gesamtüberblick über die moderne Jakobitische Kirche gibt. Das von *Nouro* in ‚Part IX, Important Publications about our Syriac Heritage printed in the West' (= S. 95/356–113/374) abgedruckte Literaturverzeichnis stammt aus *Kawerau*, Die Jakobitische Kirche (Lit. Verz. Nr. 375) ²1960, 127–144.

72 Vgl. *Georg Graf*, Wissenschaftliches Leben bei den Christen des Vorderen Orients in der Gegenwart. Sonderdruck aus dem Jahres- und Tagungsbericht der Görresgesellschaft 1952 (Köln 1953) 35–45; behandelt Ägypten, Jerusalem, Syrien, Libanon und den Irak.

wissenschaftliche Institute vor allem die beiden Mechitharisten-Klöster auf der Insel San Lazzaro bei Venedig und in Wien bekannt; die armenischen Mönche dieser Kongregationen bilden einen Zweig des Benediktinerordens.[73]

Die *chalzedonensischen Kirchen* sind diejenigen Kirchen, die die Beschlüsse des Konzils von Chalzedon im Jahre 451 A. D. angenommen haben und damit auf dem Boden der dyophysitischen Christologie stehen, die in unserm Sinne als orthodoxe Lehre gilt.[74] Zum Kreise dieser *orthodoxen Kirchen* gehören im heutigen christlichen Osten das Ökumenische Patriarchat von Konstantinopel (Istanbul), die Patriarchate von Alexandria, von Antiochia und von Jerusalem, die Kirche von Zypern, deren Metropolit, der Erzbischof von Neu-Justiniana und Zypern, seit 1959 zugleich Staatsoberhaupt dieser Inselrepublik ist, das Erzbistum von Kreta, das Erzbistum des Sinai, das Katholikat von Georgien, die Kirche Griechenlands unter ihrem Primas, dem Erzbischof von Athen, die serbische, die bulgarische und die rumänische Kirche unter der Leitung eigener Patriarchen, die albanische Kirche unter dem Erzbischof von Tirana und vor allem das im Jahre 1589 entstandene Patriarchat Moskau für ganz Rußland. Im Ausland sind diese Patriarchate zum Teil durch eigene Exarchate vertreten. So hat der rumänische Patriarch von Bukarest einen Exarchen in Amerika, der russische Patriarch von Moskau wird unter anderm durch Exarchen in Westeuropa, in Amerika und in China repräsentiert. Das gilt auch für den Ökumenischen Patriarchen von Konstantinopel, der West- und Mitteleuropa – vor allem im Hinblick auf die zahlreichen orthodoxen Gastarbeiter – im Jahre 1963 in vier selbständige Exarchate gliederte: 1. London für England, 2. Paris für Frankreich, Belgien, Luxemburg, Spanien und Portugal, 3. Bonn für Westdeutschland, die Niederlande und Dänemark, 4. Wien für Österreich, Ungarn, Italien, die Schweiz und Malta. Aufgabe dieser Exarchen ist es, ihre Gläubigen zu betreuen und die Verbindung zu den andern christlichen Kirchen aufrechtzuerhalten. Daneben bestehen in den übrigen Teilen der Welt weitere Exarchate des Ökumenischen Patriarchats, unter denen aus wirtschaftlichen Gründen das Exarchat in Amerika das für den Ökumenischen Patriarchaten wichtigste ist. Die finanzielle Unterstützung, die die beruflich meist sehr erfolgreichen Amerika-Griechen dem Ökumenischen Patriarchen von Konstantinopel zuteil werden lassen, ermöglicht diesem eine spürbare ökumenische Aktivität, die nicht zuletzt in Form von Aufrufen und Stellungnahmen zu aktuellen Fragen der Gegenwart zum Ausdruck kommt. Dadurch ist die ungebrochene Autorität des Ökumenischen Patriarchen in der Gegenwart bedeutend gestiegen. Seiner Oberaufsicht untersteht auch die Mönchsrepublik Athos, deren Ruhm in der orthodoxen Öffentlichkeit

73 Vgl. *Vahan Inglisian*, Das wissenschaftliche Leben der Armenier in der Gegenwart, in: Oriens Christianus 39 (Wiesbaden 1955) 102–111.

74 *Loofs*, Leitfaden 1, 235–246. *Kawerau*, Das Christusverständnis des Konzils von Chalzedon (Lit. Verz. Nr. 380). *Grillmeier-Bacht*.

und auch in der weiten Welt nach wie vor unbestritten ist, wenn auch die Zahl der Mönche aus verschiedenen Gründen sehr stark abnimmt. Im Gegensatz zu früheren Jahrhunderten ist der Athos heute nicht der Ausstrahlungspunkt neuer theologischer Impulse, sondern der konservative Bewahrer eines großen Erbes der Vergangenheit.

Eine konservative Richtung eigener Art sind schließlich auch die *russischen Altgläubigen* (*Raskolniki,* Schismatiker), die seit ihrer Trennung von der russischen Staatskirche im 17. Jahrhundert bis heute in Rußland als gesonderte Organisation bestehen, wenn man in der Gegenwart auch wenig von ihnen vernimmt. In Moskau mag ihre Gemeinde heute etwa 50 000 Seelen umfassen. Gelegentlich dürfen die Altgläubigen in Moskau Prozessionen veranstalten, bei denen auch Ikonen mitgeführt werden; sie unterstehen einem eigenen altgläubigen Metropoliten von Rußland, der seinen Sitz in Moskau hat.

Für die Kenntnis der orthodoxen Gedankenwelt im Westen haben besonders die *orthodoxen Emigrantenkirchen* sehr wesentliche Beiträge geleistet. Eine solche Emigrantenkirche, deren Mitglieder streng konservativ und monarchistisch waren, hatte sich seit 1922 in Karlowitz in Syrmien (Jugoslawien), also am früheren Sitz des serbischen Metropoliten, gebildet. Die Karlowitzer Jurisdiktion verlegte ihren Sitz im Jahre 1944 nach München und im Jahre 1950 in das Kloster des hl. Hiob in Jordanville im amerikanischen Bundesstaat New York; ihr Metropolit übernahm 1960 auch die Leitung der Erzdiözese New York. An der Spitze dieser Jordanviller Jurisdiktion steht seit 1964 ein Metropolit, der den Titel „Erster Hierarch“ *(Perwoierarch)* führt und meist in New York residiert. Diese Jordanviller Jurisdiktion erstreckt sich über ganz Amerika, über Australien und über Europa. Die meisten russisch-orthodoxen Gemeinden in Westdeutschland gehören zu dieser Jurisdiktion.

Eine mehr liberal, demokratisch und sozialistisch eingestellte Gruppe russischer Emigranten sammelte sich in Frankreich und hielt sich hier an den orthodoxen Metropoliten von Paris. Sie hatte sich 1931–1945 und 1946–1965 der Jurisdiktion des Ökumenischen Patriarchen von Konstantinopel unterstellt, erklärte sich aber im Dezember 1965 für unabhängig. Diese Kirche besitzt seit 1948 in Tuckahoe im amerikanischen Bundesstaat New York eine eigene theologische St. Wladimir-Akademie, die bereits seit 1937 als theologisches Seminar bestanden hatte.

Diese Jurisdiktionen und andere kleinere orthodoxe Emigrantengemeinden haben mit bestimmten Problemen zu kämpfen, die unter anderm die Frage einer Unterstellung unter den Patriarchen von Moskau oder den Ökumenischen Patriarchen betreffen, ferner die Frage der liturgischen Sprache, weil die Glieder dieser orthodoxen Emigrantenkirchen in der zweiten und dritten Generation bereits ganz in ihre deutsche, französische, englische oder anderssprachige Umwelt eingegangen sind, wobei natürlich auch Mischheiraten eine Rolle spielen. Viele jüngere orthodoxe Gemeindeglieder aller Nationalitäten haben keine Bindung mehr an die Heimat ihrer Ahnen. In Nordamerika wünschen sie sich den Zusammenschluß aller orthodoxen Gliedkirchen, deren es dort etwa 25 gibt, zu einer einzigen großen amerikanischen orthodoxen Kirche mit englischer Kult- und Predigtsprache, die der Orthodoxie in Amerika natürlich ein sehr großes Gewicht verleihen würde. In ihr würden ost- und südosteuropäische sowie orientalische Nationalitäten vereinigt sein. Bei ruhiger politischer Entwicklung wird eine amerikanische orthodoxe Kirche englischer Sprache in absehbarer Zeit ohne Zweifel Wirklichkeit werden.

Nach dieser Übersicht über die Geschichte und die heutige Situation der Ostkirchen wenden wir uns jetzt der in ihnen seit dem christlichen Altertum bis heute lebendigen Gedankenwelt zu, um die mannigfaltige, vielgestaltige östliche Ausprägung der christlichen Religion forschend zu verstehen.

I. DER ORIENT

1. Bardesanes: Die Freiheit des Christen

Schon im 2. christlichen Jahrhundert hat die syrische Theologie in Bardesanes von Edessa[1] (154–222 A. D.) einen hervorragenden Vertreter gefunden. Seine Gedanken sind uns in dem von seinem Schüler Philippus verfaßten syrischen ‚Buch der Gesetze der Länder'[2] faßbar; in ihm äußerte sich Bardesanes, von Fragen und Einwänden seines Schülers Awida unterbrochen, über den Monotheismus, die Sünde und das Schicksal:[3] „Als wir vor einigen Tagen zu einem Besuche unseres Bruders Šemašgram[4] eingetreten waren, kam Bardesanes und traf uns dort. Und als er ihn begrüßt und gesehen hatte, daß es ihm gut ging, fragte er uns: ‚Worüber spracht ihr? Denn als ich hereinkam, hörte ich draußen eure Stimme.' Wir erwiderten ihm: ‚Dieser Awida sagte zu uns: ›Wenn Gott Einer ist, wie ihr sagt, und er die Menschen geschaffen hat und eben das fordert, was euch zu tun befohlen ist, warum hat er da die Menschen nicht so geschaffen, daß sie nicht sündigen können, sondern allezeit das Gute tun? Denn damit würde ja sein Wille erfüllt sein.‹' Bardesanes erwiderte ihm: ‚Sage mir, mein Sohn Awida, was ist deine Ansicht: ist der Gott des Alls nicht Einer, oder ist er Einer und will nicht, daß die Menschen gerecht und gut handeln?'"[5] Diese Formulierung der Frage Awidas durch Bardesanes überrascht den modernen Leser nicht nur durch ihre rein ethische Gedankenrichtung, die nicht an der Lösung von der Welt, sondern am Leben in der Welt interessiert ist, sondern vor allem durch ihre antidualistische, antignostische, antimarcionitische, monistische Wendung.[6] Während Marcion das Problem von Gut und Böse durch die Annahme zweier Götter, des bösen

1 *Drijvers,* Bardaiṣan of Edessa (Lit. Verz. Nr. 177); *Altaner* ⁷1966, 101–102; Reallexikon f. Antike u. Christentum 1, 1180–1186 *(Cerfaux). Segal,* Edessa (Lit. Verz. Nr. 645).
2 Lit. Verz. Nr. 39 – Nr. 43. Zur Verfasserfrage vgl. *Rehm* (Lit. Verz. 620).
3 *Nau* PS 537; *Wiesmann* 553.
4 Zu diesem Namen vgl. TS 4225.
5 Zu den syrischen Begriffen „gerecht" und „gut" (kĕjānā'īṯ und tĕrīṣā'īṯ) vgl. *Drijvers* 76–78 und 88. „Gerecht" hat im Syrischen außerdem den Sinn von „gemäß der Natur", TS 1704.
6 *Drijvers* 76–77. Über den gnostischen Dualismus und über Marcion vgl. *Kawerau,* Geschichte der Alten Kirche 42–56.

Schöpfergottes und des guten Erlösergottes, zu lösen suchte,[7] legte Bardesanes alles Gewicht auf die Einheit Gottes: dieser Eine Gott, so fuhr er in dem Gespräch fort, habe den Menschen aber nicht als ein geistloses Gerät geschaffen, sondern ihm einen freien Willen gegeben und ihn damit größer als alle Kreaturen und den Engeln gleichgemacht. Während Sonne, Mond und Sterne keine freie Selbstbestimmung erhalten haben, sondern an ein Gesetz gebunden sind, das sie zu Werkzeugen der Weisheit Gottes macht, ist der nach dem Bilde Gottes geschaffene Mensch frei:[8] „Es ist ihm verliehen, nach seinem eigenen Willen zu leben und das, was ihm möglich ist, zu tun, wenn er es will, und zu lassen, wenn er es nicht will. So rechtfertigt er sich selbst oder verdammt sich selbst. Wenn er nämlich so geschaffen wäre, daß er nichts Böses tun und dadurch nicht schuldig werden könnte, dann wäre auch das Gute das er täte, nicht sein Eigentum, und er könnte dadurch nicht gerechtfertigt werden. Denn wer nicht aus eigenem Willen Gutes oder Böses tun kann, dessen Unschuld und Schuld steht bei dem Schicksal, das ihn treibt." Auf Awidas Einwand, die den Menschen gegebenen Gebote seien zu schwer und könnten nicht gehalten werden, erwiderte Bardesanes, das ethische Verhalten des Menschen hinge allein vom Geiste des Menschen ab, der in seiner Entscheidung frei sei; auch sei es dem Menschen leichter, Gutes zu tun als Böses zu unterlassen. Natürlich sei nicht alles vom Willen des Menschen abhängig: Reichtum, Armut, Gesundheit und Krankheit zum Beispiel stünden weitgehend in der Macht des Schicksals. Doch seien auch der Macht des Schicksals durch die Natur Grenzen gezogen: einem Greis könne auch das Schicksal keine Zeugungskraft mehr geben, und es sei auch nicht in der Lage, den menschlichen Leib ohne Essen und Trinken am Leben zu erhalten: „Es ergibt sich also", sagte Bardesanes, „daß wir Menschen von der *Natur* in der *gleichen* Weise und vom *Schicksal* auf *verschiedene* Weise gelenkt werden, durch unsern *freien Willen* aber *ein jeder, wie er will.*"[9] Natur, Schicksal und Freiheit hätten also je ihren eigenen Bereich im menschlichen Dasein. Aber wie das Schicksal bis zu einem gewissen Grade in die Natur hineinwirken könne, so vermöge auch der freie Wille des Menschen in manchen Fällen das Schicksal zu meistern. Awida zeigte sich durch die Antworten des Bardesanes davon überzeugt, daß der Mensch nicht durch die Natur sündige, da die *Natur* auf alle Menschen *gleich* einwirke, wünschte aber noch einen Beweis, daß es auch nicht der Einfluß des Schicksals sei, durch den der Mensch sündige, sondern allein der freie Wille des Menschen. Bardesanes bewies dies durch Beispiele aus der Völkerkunde, die sich ganz auf die ethisch-religiöse Lebensführung dieser Völker bezogen und zeigten, daß das in astrologischen Konstellationen, im Zwang der Gestirne wirkende Schicksal *nicht* alle Menschen in der *gleichen*

7 *Kawerau*, Geschichte der Alten Kirche 53.
8 *Nau* PS 547.
9 *Nau* PS 571; *Wiesmann* 562; *Drijvers* 85.

Weise beeinflusse: denn die Angehörigen irgendeines Volkes seien unter ganz verschiedenen Konstellationen geboren, sie beobachteten aber trotzdem alle die gleichen Sitten und Gesetze ihres Volkes. Die Gesetze der Menschen seien also stärker als das Schicksal, und folglich sei auch die Freiheit des Menschen stärker als das Schicksal; nicht das Schicksal determiniere den Menschen zur Sünde, sondern sein eigener freier Wille. Das beweise etwa Indien, wo unter dem gleichen Himmelsstrich Brahmanen und Nicht-Brahmanen lebten; den einen sei das Fleischessen überhaupt verboten, den andern sei sogar das regelmäßige Essen von Menschenfleisch erlaubt. Manche Völker wiederum, wie zum Beispiel die Juden und die Christen, lebten auf der ganzen Erde unter allen Himmelsstrichen verstreut und hielten sich ohne Rücksicht auf Klima und Gestirne[10] an ihre eigenen Gesetze; und schließlich würden die Gesetze mancher Länder ja auch gelegentlich abgeändert: als König Abgar von Edessa Christ wurde, verbot er die Selbstentmannung zu Ehren der Göttin Atargatis, und als die Römer kürzlich Arabien erobert hatten, schafften sie alle früher in Arabien geltenden Gesetze ab, so vor allem das Gesetz der Beschneidung. Das Schicksal also habe keinen Einfluß auf die Gesetze der Länder, und der Mensch sei frei, ohne Rücksicht auf das Schicksal den Gesetzen zu folgen oder auch nicht zu folgen, Sünder oder gerecht zu sein. „Wenn wir nämlich", so sagte Bardesanes, „*alles* tun könnten, dann wären wir das All, und wenn wir *nichts* tun könnten, dann wären wir die Instrumente anderer. Wenn Gott aber will, können alle Dinge ohne Streit vor sich gehen. Denn diesem großen und heiligen Willen kann nichts widerstehen."[11] Hinter allem steht also für Bardesanes der Eine Gott, und deshalb gehören der Monotheismus, die Freiheit des Menschen und die Sünde zusammen; erst in jener neuen Welt wird aller Widerstreit ein Ende finden, und es wird Ruhe und Frieden herrschen als Geschenk des Herrn aller Wesen. Damit endet das ‚Buch der Gesetze der Länder'.

Man hat dieses ‚Buch der Gesetze der Länder' mit Recht ein stilistisches und gedankliches Meisterwerk der syrischen Literatur genannt.[12] Es hat eine seiner Bedeutung entsprechende Nachwirkung gehabt, die sich bis in die mittelalterliche russische Nestorchronik nachweisen läßt,[13] und es hat immer wieder das

10 Vgl. *Nallino,* Artikel „*Astrologie*" in EI 1 (1913) 514–517 (Lit.); EI [2]3 s. v. *Nudjūm, Aḥkām Al-.*

11 *Nau* PS 608–611; *Drijvers* 53; *Wiesmann* 571.

12 *Schaeder,* ZKG 1932, 70 (Lit. Verz. Nr. 676); *Drijvers* 95.

13 Vgl. *Drijvers* 227–228 und EI [2]2 (1965) 199 s. v. *Dayṣāniyya* über die Schüler des Bardesanes. Die Nestorchronik (S. 8, 12–9, 12 *Trautmann,* Lit. Verz. Nr. 745) zitiert ein Stück aus Georgios Monachos (*Trautmann* 241 Anm. 8: *Weingart* 2, 123; *Istrin* I 49, 25–50, 23), das aus *Bardesanes,* Buch der Gesetze der Länder (*Nau* PS 583, 12–595, 15 = *Wiesmann* 565, 11–568, 6) stammt, und zwar durch Vermittlung des Euseb, der Bardesanes abschreibt. – *Nau,* Bardesane, Livre des Lois (Lit. Verz. Nr. 41) bemerkt Avertissement S. VI: „Les élêves, surtout s'ils travaillent seuls, pourront commencer à traduire page 19, ligne 11 à page 29,

Interesse der Forscher gefunden. Hans Heinrich Schaeder[14] erkannte den von Bardesanes so stark betonten Gedanken der menschlichen Freiheit als das zentrale Thema des Buches der Gesetze der Länder und sagte, die Antwort auf diese Frage nach der Freiheit des Christen sei der eigentliche Zielpunkt im Denken des Bardesanes.

Bardesanes von Edessa war ein hochgebildeter Mann, der mit König Abgar von Edessa befreundet war und in sich die verschiedenartigsten religiösen und kulturellen Traditionen des Orients zu einer monotheistischen Einheit verband. Sein Denken kreiste um den Begriff der Freiheit: während Leib und Seele des Menschen von der Natur und dem Schicksal determiniert werden, ist der Geist des Menschen frei und verbindet ihn mit Gott, der der Geist ist. Theodor Nöldeke hatte völlig recht, wenn er schrieb: „Wenige orientalische Schriften habe ich so oft gelesen wie das ‚Buch der Gesetze der Länder', eine Schrift, die sich mit Energie und Verstand um die Lösung einer ewigen Grundfrage der Menschheit bemüht."[15]

2. *Afrahat: Christi Gottheit*

Die Stadt Edessa,[16] in der Bardesanes um das Jahr 200 A. D. schrieb, war in kultureller und politischer Hinsicht eine Grenzstadt zwischen dem Imperium Romanum und dem Partherreich: hellenistische, iranische, ägyptische und babylonische Einflüsse trafen hier mit einem autochthonen semitischen Heidentum zusammen, das sich in hochentwickelten Kulten wie dem des Baal oder der Atargatis manifestierte. Das theologische Denken des Bardesanes hat uns diese mannigfaltigen Einflüsse in ihrer Verschmelzung zu einem einheitlichen christlichen System gezeigt.

Noch volle hundert Jahre nach Bardesanes jedoch finden wir am Tigris, weit im Osten von Edessa und außerhalb des Römischen Reiches, eine Form christlicher Theologie, die völlig anders ist. Diese Theologie ist rein semitisch und zeigt nicht die geringsten Einflüsse hellenistischer Kultur und antiker Philosophie. Sie lebte ganz aus dem Geiste des Alten Testaments, das sie in

ligne 10, parce qu'ils pourront s'aider ici d'Eusèbe, Préparation évangelique, VI, 10, nos 11 à 46, dans Migne, PG XXI, col. 465 C à 476 D. Ce passage d'Eusèbe a été remanié dans les Récognitiones, IX, 19 à 29, PG I, 1409 à 1415, et dans les questions 109 à 110 de Césaire, PG XXXVIII, 980 à 988." Diese Stelle bei *Nau*, Livre des Lois 1931 (Lit. Verz. Nr. 41) 19, 11–29, 10 entspricht *Nau* PS 583, 5 bis 608, 4; sie ist also aus Eusebs Praeparatio Evangelica in die griechische und slawische Literatur gekommen. – Viel Material zur Vermittlung altkirchlicher syrischer und griechischer Literatur an die Slawen bei *Murko*, Geschichte der älteren südslawischen Litteraturen (Lit. Verz. Nr. 541) passim.

14 In ZKG 51 (1932) = Lit. Verz. Nr. 676, S. 70.

15 ZDMG 64 (1910) 535.

16 *Segal*, Edessa (Lit. Verz. Nr. 645).

einer altertümlichen Textform mit targumischem Einschlag benutzte; ihre Begriffe und Vorstellungen stammten weitgehend aus jüdischen Quellen. Dieses Christentum verstand sich ganz als die höchste Form, die höchste Entwicklungsstufe des Judentums, mit dessen vorchristlicher Form es seit langem in lebhafter Auseinandersetzung begriffen war.

Der Repräsentant dieses altertümlichen semitischen Christentums ist der Ostsyrer Afrahat[17] (gest. nach 345 A. D.), der „persische Weise“, wie ihn die Überlieferung nennt. Wir kennen seine theologischen Gedanken aus seinen 23 Abhandlungen,[18] die er seinen eigenen Angaben zufolge in den Jahren zwischen 337 und 345 A. D. abgefaßt hat.[19] In ihnen wollte er eine Gesamtdarstellung des christlichen Glaubens geben: er spricht in ihnen über den Glauben, über die Liebe, über das Fasten, über Gebet und Almosen, über die Auferstehung der Toten, über Passah und Sabbat, über Christus als den Sohn Gottes und vor allem über das christliche Asketentum, das ja damals gerade in kräftigem Aufstreben begriffen war.

Die Absicht Afrahats bestand darin, die Wahrheit des Christentums gegenüber dem Judentum zu beweisen und dem Judentum als Religion jede weitere Existenzberechtigung abzusprechen. Mit Hilfe der typologischen Betrachtungsweise[20] gelang es ihm dabei, das Alte Testament bis in die entlegensten Einzelheiten hinein christlich umzudeuten und damit das Christentum als die nahtlose Fortsetzung und Steigerung des Judentums erscheinen zu lassen. Das Judentum, so meinte er, sei mit dem Auftreten des Christentums als völlig überholt anzusehen. In der 12. Abhandlung ‚Vom Passah‘[21] erörterte er das Gebot Gottes an Mose, am 14. Tage des 1. Monats ein fehlerloses Lamm zu schlachten und in *einem* Hause zu verzehren. Mit diesem *einen* Hause, so hatte Mose im Alten Testament hinzugefügt, war nach der Einnahme Palästinas durch die Kinder Israel *die Stadt Jerusalem* gemeint gewesen.[22] Heute aber, so sagte Afrahat, sei Israel unter alle Völker zerstreut und könne also diese mosaische Passahvorschrift überhaupt nicht mehr befolgen: „Wenn nämlich, solange Israel in seinem Lande war, es ihm nicht erlaubt war, *überall* das Passahlamm zu schlachten, sondern allein vor dem *einen* Altar in Jerusalem, *wie kann es heute das Geheimnis des Passahs feiern?* Denn da sie nun unter den Heiden als Fremdlinge *zerstreut* sind, haben sie dazu keine Erlaubnis

17 *Vööbus,* Aphrahat (Lit. Verz. Nr. 782); hier die neuere Literatur. *Baumstark* GSL 30–31; *Altaner,* Patrologie [7]1966, 342–343.

18 Auch als Briefe, Homilien, Demonstrationen, Anweisungen, Kapitel usw. bezeichnet. Der syrische Terminus *taḥwīṯā* heißt „Darlegung“ oder „Beweis“. Diese 23 Abhandlungen Afrahats sind die ältesten umfangreicheren Originaltexte, die wir von einem syrischen Schriftsteller besitzen.

19 Lit. Verz. Nr. 3 und Nr. 4.

20 Über die typologische Auslegung der Bibel vgl. *Kawerau,* Melchior Hoffman als religiöser Denker (Lit. Verz. Nr. 374) 20–30: „Die Figur“.

21 Patr. Syr. I, 1, 505–540; *Bert* 179–195.

22 Vgl. Exod. 12; Deut. 16, 5 ff.

mehr."[23] Den Israeliten ist von Gott der Scheidebrief geschrieben,[24] das Geheimnis[25] des Passahs ist heute in den Besitz der Christen übergegangen, die seine Wahrheit den Völkern verkünden: das wahre Lamm nämlich ist der Erlöser, der die typische Vorausdarstellung des Passahs im Judentum nun in der Wahrheit erfüllt hat, indem er seinen Leib und sein Blut als Passahspeise gegeben hat.[26] Typus und Wahrheit, Typus und Erfüllung stehen sich hier gegenüber: das Passah ist Christus, und das *eine* Haus, in dem dieses Passah gegessen werden soll, ist nicht mehr Jerusalem, sondern die Gemeinde Gottes, die *christliche Kirche*.[27] „Diese wenigen Worte der Ermahnung habe ich geschrieben zur Verteidigung gegen die Juden, weil sie die Zeit des Passahfestes begehen, mit Übertretung des Gebotes, da sie doch keine Erlaubnis dazu haben."[28] Mit diesen Worten schloß Afrahat seine Abhandlung über das Passah: die wahre Passahfeier, wie sie einst von Gott und von Mose geboten worden war, findet heute nur noch in der christlichen Kirche statt. Das Judentum als Religion hat keine Daseinsberechtigung mehr; es ist im Christentum aufgehoben und damit ein für allemal beendet.

Insofern das Christentum die Fortsetzung des Judentums war, wurde es von Afrahat natürlich als strengster Monotheismus aufgefaßt. Darin bestand das Wesen des Christentums. Afrahat hat das in einem altertümlichen Glaubensbekenntnis zum Ausdruck gebracht, das er in seiner 1. Abhandlung ‚Vom Glauben' als Inbegriff des Christenglaubens zitiert:[29] „Denn das ist der Glaube: Daß der Mensch glaubt an Gott, den Herrn über Alles, welcher geschaffen hat den Himmel und die Erde und die Meere und alles, was in ihnen ist; und der geschaffen hat den Menschen nach seinem Bilde, und der das Gesetz dem Mose gegeben hat, und der von seinem Geist in die Propheten gesandt hat, und der ferner seinen Messias in die Welt gesandt hat; und daß der Mensch glaubt an die Auferstehung der Toten, und ferner glaubt auch an das Geheimnis der Taufe. Das ist der Glaube der Kirche Gottes. Und daß der Mensch sich davon freimacht, zu halten Stunden und Wochen und Monate und Jahreszeiten und Wahrsagerei und Zeichendeuterei und die Chaldäische Kunst[30] und die Zauberei. Und (daß er sich freimacht) von der Hurerei und

23 Patr. Syr. I, 1, 509, 10–16; *Bert* 185.
24 Patr. Syr. I, 1, 512, 11–12; *Bert* 187.
25 Zu dem Begriff „Geheimnis" (syr. *rāzā*, griech. *mysterion*) vgl. *Anrich*, Das antike Mysterienwesen (Lit. Verz. Nr. 12) 130–167: das Christentum als Mysterium; Mysterien-Terminologie.
26 Patr. Syr. I, 1, 516, 21; *Bert* 188. Zu den syrischen Begriffen für „Figur", „Typos", „Vorausdarstellung" (syr. *'āṯā, rāzā, ṭūpsā, dĕmūṯā*) vgl. *Beck*, Symbolum-Mysterium (Lit. Verz. Nr. 64) 19–40; *Betz*, Eucharistie I, 1 (1955) passim: Eucharistie als Typos.
27 Patr. Syr. I, 1, 525, 5–8; *Bert* 190.
28 Patr. Syr. I, 1, 532, 19–22; *Bert* 193.
29 Patr. Syr. I, 1, 44, 13–45, 6; *Bert* 16–19.
30 Astrologie. Zur ganzen Frage vgl. *Riedinger*, Die Hl. Schrift im Kampf der griech. Kirche gegen die Astrologie (Lit. Verz. Nr. 628).

von der Musik[31] und von den eitlen Lehren der Gefäße des Bösen und von der Schmeichelei der süßen Worte und von der Lästerrede und vom Ehebruch. Und daß niemand falsches Zeugnis gebe und daß niemand mit zwei Zungen rede. Das nämlich sind die Werke des Glaubens, der gegründet ist auf den wahren Felsen, welcher ist der Messias, auf welchem sich der ganze Bau erhebt."

Über dieses Fundament, diesen wahren Felsen des christlichen Glaubens spricht Afrahat in der 17. Abhandlung ‚Über den Messias, daß er der Sohn Gottes ist.'[32] Sie ist gegen die Juden gerichtet, „die da lästern über das Volk aus den Völkern", gegen die christliche Kirche also, und sagen: „Ihr verehrt und dient einem geborenen Mann und einem gekreuzigten Menschen. Ihr nennt einen Menschen Gott." Afrahat will demgegenüber zeigen, daß die Christen nichts Unerhörtes tun, wenn sie den Menschen Jesus als Gott bezeichnen: „Das steht für uns fest, daß Jesus, unser Herr, Gott ist, der Sohn Gottes, und König, der Sohn des Königs, Licht vom Licht, Schöpfer, Ratgeber und Führer und Weg und Erlöser und Hirte und Sammler und Tür und Perle und Leuchte, und mit vielen Namen genannt wird. Wir wollen aber jetzt alle lassen und von ihm zeigen, daß er Gottes Sohn ist, und daß er Gott ist, der von Gott gekommen ist."[33] Der ehrwürdige *Name* der Gottheit werde, so fährt Afrahat fort, auch gerechten Menschen beigelegt, und Gott selbst nenne Menschen, an denen er sein Wohlgefallen habe, seine Kinder und Freunde, wie zum Beispiel den Mose oder den Salomon, und er lege seinen göttlichen Namen *ohne Neid*[34] auch den Menschenkindern bei, die doch seine Geschöpfe seien; das sei aus vielen Stellen des Alten Testaments ersichtlich, und es gelte auch für den Königsnamen, für den Herrschernamen und für den Vaternamen Gottes. Und obwohl die Prosternation allein Gott zukäme, so ließe er es doch zu, daß auch die Menschen sich untereinander auf diese Weise ehrten. Gott habe so den Menschen vor allen Geschöpfen am meisten geehrt, von seinem Geiste in ihn geblasen und ihn zu seiner Wohnung gemacht:[35] „Und nachdem Gott den Menschen erzeugt hatte aus

31 Über die Verbannung aller Musikinstrumente aus dem altchristlichen Gottesdienst vgl. *Leitner*, Der gottesdienstliche Volksgesang (Lit. Verz. Nr. 439): man lehnte die Instrumentalmusik ab, weil sie an den heidnischen Opferdienst erinnerte, weil man Gott im Geiste und in der Wahrheit dienen wollte und weil die jüdische Tempelmusik als Zugeständnis Gottes an die menschliche Schwäche galt und dem höheren christlichen Standpunkt nicht mehr entsprach. Siehe auch *Gérold*, Les Pères de l'Église et la Musique (Lit. Verz. Nr. 243) 88–100: La Lutte contre la Musique pernicieuse, und *Peterson*, Buch von den Engeln (Lit. Verz. Nr. 591) 43–44 und 84–85. *Segal*, Edessa (Lit. Verz. Nr. 645) 34, 52 u. ö. weist auf die Rolle der Musik in den heidnischen und manichäischen Gottesdiensten hin.

32 Patr. Syr. I, 1, 785–816; *Bert* 279–289.

33 Patr. Syr. I, 1, 788, 3–11; *Bert* 280.

34 Die Neidlosigkeit als Kennzeichen des Heiligen wird später besonders von Dionysius Areopagita betont.

35 Patr. Syr. I, 1, 800, 2–23; *Bert* 284.

seinen Gedanken, bildete er ihn und blies ihm von seinem Geist ein und gab ihm die Erkenntnis der Unterscheidung, daß er unterscheide Gutes von Bösem, und daß er erkenne, daß Gott ihn gemacht hat. Und indem er seinen Schöpfer erkannte, ward Gott gebildet und empfangen in den Gedanken des Menschen, und er ward ein Tempel für Gott. Und Er sprach: Ich will in ihnen wohnen und unter ihnen wandeln. Übrigens aber wird Gott in den Menschen, die ihren Schöpfer nicht erkennen, nicht gebildet, und er wohnt nicht in ihnen, und er wird nicht empfangen in ihren Gedanken, sondern sie sind wie das Vieh gerechnet vor ihm, und wie die übrigen Geschöpfe. Hierdurch werden die Hartnäckigen überzeugt werden, daß das nichts Ungewöhnliches ist, wenn wir den Messias den Sohn Gottes nennen. Siehe, alle Menschen hat er empfangen und erzeugt aus seinen Gedanken; und werden überführt werden, daß auch der Gottesname auf ihm ruht, da Er auch seinen Gerechten den Namen Gottes beilegt." Diejenigen, die daran Anstoß nähmen, daß die Christen vor Jesus niederfallen, durch den sie Gott erkannt haben, sollten sich also vielmehr schämen, daß sie selbst vor gottlosen, heidnischen Gewalthabern sich niederwürfen, die nichts von Gott wüßten. Dieser Jesus sei im übrigen von alters her durch die Propheten verheißen und dabei von ihnen Sohn Gottes genannt worden: das lehrten David, Jesaja und andere. Und auch der Einwand der Juden, der Messias sei noch gar nicht gekommen, sei durch den Propheten Daniel (9, 26) hinfällig, der nicht nur die Zeit genannt, sondern auch bezeugt habe, daß, wenn der Messias komme und getötet werde, dann auch Jerusalem zerstört werde und in der Verwüstung bleibe bis zur Vollendung der festgesetzten Zeiten in Ewigkeit. Die Leiden des Messias seien von David, Sacharja, Jesaja und von anderen Propheten genau vorausgesagt worden; er habe sie um unserer Sünde willen getragen: „Wir beten diese Liebe an und beugen unser Knie vor der Majestät seines Vaters, der unsere Anbetung zu ihm gekehrt hat. Wir nennen ihn Gott, wie Mose, und Erstgeborenen und Sohn wie Israel, und Jesus wie Josua, den Sohn Nuns, und Priester wie Aaron, und König wie David, und einen großen Propheten wie alle Propheten, und Hirten wie die Hirten, die Israel weideten und leiteten. Und uns nannte er Kinder, wie er spricht: Fremde Kinder werden mich hören. Und er macht uns zu seinen Brüdern, wie er spricht: Ich will deinen Namen meinen Brüdern verkündigen. Und wir sind seine Freunde, wie er zu seinen Jüngern spricht: Ich habe euch meine Freunde genannt, wie sein Vater den Abraham ‚mein Freund' genannt hat. Und er spricht zu uns: Ich bin der gute Hirte, und die Tür, und der Weg, und der Weinstock, und der Säemann, und der Bräutigam, und die Perle, und die Leuchte, und das Licht, und König, und Gott, und Heiland, und Erlöser. Und mit vielen Namen wird er genannt. Diese kurze Belehrung habe ich dir geschrieben, mein Lieber, damit du dich verteidigst gegen die Juden, weil sie sagen: Gott habe keinen Sohn; und weil wir ihn nennen: Gott, Sohn Gottes, und König, und den Erstgeborenen aller Kreaturen.[36] Zu Ende ist die Unterweisung über den Messias, den Sohn Gottes." [37]

Eine solche eigentümliche, archaische Lehre von Christus war im Osten also noch Jahrzehnte nach dem Konzil von Nizäa möglich, und dies deshalb, weil Afrahat außerhalb des Römischen Reiches und ohne Berührung mit griechischer Theologie dachte und schrieb. In ihm treten uns sehr alte theologische Traditionen des semitischen Christentums entgegen.

3. Ephräm der Syrer: Die Verehrung der Jungfrau Maria

Ein jüngerer Zeitgenosse Afrahats war der um 306 A. D. in Nisibis geborene Ephräm, der große Klassiker der syrischen Kirche, dessen riesenhaftes und sehr selbständiges literarisches Werk bis heute nur zum kleinen Teil ediert ist.[38] Als seine Vaterstadt Nisibis nach dem unglücklichen Zug des byzantinischen Kaisers Julian (361–363 A. D.) gegen das Sassanidenreich im Jahre 363 an die Perser abgetreten werden mußte, begab sich Ephräm nach Edessa, wo er bis zu seinem Tode im Jahre 373 seine umfangreiche Tätigkeit als Lehrer, als Exeget, als Polemiker, als Prediger und als religiöser Dichter fortsetzte. Vor allem war er Dichter: der größte Teil seines literarischen Werkes besteht aus Dichtungen, aus theologischer Poesie.

Auch Ephräm ging es um einen nahtlosen, unmerklichen Übergang vom Alten Testament mit seinen zahllosen, geheimnisvoll auf Christus hinweisenden Symbolen zum Neuen Testament und zur vollen Realität des Christentums. Ephräm sah aus dem Alten Testament einen breiten Strom solcher Symbole hervorquellen und in den Allerfüller Christus einmünden. Diesem Schema „Weissagung – Erfüllung", „These – Antithese", „Typos – Antitypos" dienten vor allem auch seine zahlreichen Hymnen: dichtend und singend trug Ephräm seine theologischen Gedanken vor: es sind Bilder, Parallelen und Antinomien, Anklänge und Widersprüche, Typen und Antitypen, die den Hörer und Leser seiner Gesänge auch heute noch überraschen, frappieren und mit Bewunderung für den Dichter erfüllen. Aber nur mit großer Mühe lassen sich Ephräms Anschauungen in ein exaktes System theo-

36 Der syrische Terminus für Christus *būkrā dĕkulhēn berjātā* „Erstgeborener aller Geschöpfe" findet sich in der nestorianischen Liturgie, wo das Abendmahlsbrot *būkrā* „Erstgeborener" genannt wird. *Payne Smith* 38.

37 Patr. Syr. I, 1, 813, 6–816, 7; *Bert* 288–289.

38 Gute Orientierung bietet der Artikel *„Éphrem le Syrien"* in Dict. de Spiritualité IV, 1 (1960) 788–822, der auch Ephräms Fortleben in der griechischen, lateinischen, armenischen, georgischen, serbischen, bulgarischen, russischen, koptischen und arabischen Literatur vorzüglich darstellt. *Baumstark* GSL 31–52 u. ö. *Ortiz de Urbina,* Patrologia Syriaca (Lit. Verz. Nr. 571) 53–77. *Altaner* [7]1966, 343–346. Moderne Texteditionen seiner Hymnen mit deutscher Übersetzung von *Edmund Beck* im CSCO seit 1955.

logischer Begriffe und Definitionen bringen. Einer seiner Grundgedanken ist der des Hinabsteigens des Göttlichen in die Körperwelt, in die Welt der Materie, und des Hinaufsteigens des durch die heiligmachende Gnade vergeistigten, sündenlos und rein gemachten, unsterblich gewordenen menschlichen Körpers zu seinem göttlichen Ursprung: Erlösung und Auferstehung waren die großen Themen seiner theologischen Dichtungen, die aber nicht durch scharfe Gedankenführung und durch klare Begriffe, sondern durch vage Andeutungen und durch den reichen Gebrauch von Symbolen, Typen, Figuren, Geheimnissen und verhüllten Erscheinungsformen des Göttlichen gekennzeichnet sind. Diese unnachahmliche Unbestimmtheit Ephräms zeigt sich besonders deutlich in seinen zahlreichen Marienliedern, die ihm bei den Lateinern den Beinamen eines Doctor Marianus eingetragen haben und für seine im Jahre 1920 erfolgte Erhebung zum Range eines Kirchenlehrers der römisch-katholischen Kirche entscheidend gewesen sind. Eine dieser Hymnen, die Ephräm auf den Geburtstag des Herrn dichtete, ein Weihnachtslied also, lautet:[38a]

1. Niemand weiß, wie er nennen soll
deine Mutter, o Herr!
Nennt er sie ‚Jungfrau‘,
– ihr Kind steht dagegen;
‚Vermählte‘, – keiner hat sie erkannt.
Wenn aber schon deine Mutter –
Unbegreiflich ist, wer kann dich fassen!

2. Deine Mutter ist sie, sie allein,
und deine Schwester, zusammen mit allen.
Sie wurde dir Mutter, sie wurde dir Schwester.
Auch ist sie deine Braut, zusammen mit allen reinen Jungfrauen.
Mit allem hast du sie geschmückt,
der du die Schönheit deiner Mutter bist.

3. Eine Verlobte war sie nach der Natur, bevor du kamst.
Sie empfing aber gegen die Natur,
nachdem du kamst, o Heiliger!
Und Jungfrau war sie, als sie dich gebar
auf heilige Weise.

4. Es bekam durch dich
Maria alle Eigenschaften der Vermählten:

38a De Nativitate XI, CSCO 186, 69–70 (syrisch) = CSCO 187, 61–62 (deutsch von *Edmund Beck*). – Auch andere syrische Väter sind von lateinischen Theologen neuerdings auf ihre Marienlehre hin untersucht worden. Vgl. z. B. *Ortiz de Urbina*, La Mariologia nei Padri Siriaci, in Orientalia Christiana Periodica (Lit. Verz. Nr. 570); *Krüger* in Ostkirchliche Studien 1952 über Isaak von Antiochia, ebenda 1953 über Narsai und in L'Orient Syrien 1957 über Jakob von Sarug (Lit. Verz. Nr. 417 – Nr. 419).

die Leibesfrucht in ihr – ohne Begattung,
die Milch in ihren Brüsten – auf ungewohnte Weise.
Die vertrocknete Erde hast du plötzlich gemacht
zu einer Quelle von Milch.

5. Wenn sie dich tragen konnte,
so hat dein gewaltiger Berg
seine Schwere leicht gemacht.
Wenn sie dich speiste, so nur deshalb,
weil du Hunger auf dich nahmst.
Wenn sie dich tränkte, dann nur,
weil du dürsten wolltest.
Wenn sie dich umarmte,
– die barmherzige Kohle bewahrte ihren Busen unverletzt.[38b]

6. Ein Wunder ist deine Mutter.
Eintrat in sie der Herr,
und er wurde zum Knecht.
Eintrat der Wortbegabte,
und er wurde stumm in ihr.
Eintrat der Donner,
und er brachte seine Stimme zum Schweigen.
Der Allhirte trat ein
und wurde in ihr zum Lamm;
blökend trat er ans Tageslicht.

7. Die Ordnungen verkehrte
der Schoß deiner Mutter.
Der Schöpfer des Alls trat als Reicher ein
und kam hervor als Bettler.
Der Hohe trat ein
und kam hervor als Niedriger.
Himmlischer Glanz trat ein
und kam hervor, gehüllt in verächtliche Farbe.

8. Der Held trat ein
und nahm das Kleid der Furcht mit sich
aus dem Mutterleib.
Der Allernährer trat ein
und lernte hungern.
Der alle tränkt, trat ein
und lernte dürsten.
Nackt und entblößt kam daraus hervor,
der alle bekleidet.

Immer wieder bestaunte Ephräm in seinen Marienliedern die Kraft der Verwirrung,[39] die der Schoß der Maria besaß: das Kind im Mutterleib, aber

38b Hierzu Jes. 6, 5–7 und die weiteren Hinweise von *Beck* CSCO 187, 62 Anm. 4.
39 De Nativitate XII, 2.

unverletzt das Siegel der Jungfräulichkeit;[40] wir kamen, dich als Gott zu sehen, und siehe, du bist Mensch;[41] Jesus der Landmann, der seine Stimme in Maria sät, der sich selber sät in den Leib seiner Mutter.[42] „Du bist in mir", so läßt Ephräm Maria singen, „und du bist außer mir, Verwirrer deiner Mutter. In deinem sichtbaren Bild sah ich Adam, und in jenem unsichtbaren sah ich deinen Vater, der mit dir vereint ist." [43] „Wie soll ich dich nennen, o uns Fremder", so fuhr Maria fort, „der einer aus uns geworden? Soll ich dich ‚Sohn' nennen, ‚Bruder', ‚Bräutigam', ‚Herr', Erzeuger seiner Mutter in einer anderen Geburt, aus dem Wasser! Denn Schwester bin ich dir aus dem Hause Davids, der für uns zweiter Vater ist. Und Mutter bin ich, weil ich dich im Schoß trug. Und Braut bin ich, weil du keusch bist. Magd und Tochter des Blutes und Wassers, die du erkauft, getauft hast." [44]

Solche Formulierungen sind so recht nach dem Herzen Ephräms: Maria, die Mutter des göttlichen Kindes, ist selbst Kind ihres Kindes, Christus also der Gebärer seiner Mutter in der Wiedergeburt in der Taufe. So schlingt sich alles ineinander: die erste, ewige Geburt aus dem Vater, die zweite Geburt aus Maria, die dritte Geburt aus der Taufe.[45] Wie Eva für Adam das Kleid der Befleckung wob, so wob Maria für Christus das Kleid der Reinheit; wie Eva das linke, blinde, verdunkelte Auge der Menschheit war, so war Maria ihr rechtes, leuchtendes, helles Auge, in dem sich das himmlische Licht niederließ,[46] Christus also oder der Geist als die Sonne, die im Akt der Empfängnis die Taufe der Maria vollzog. Maria glich dem Jordan: der feuchte Schoß des Wassers wurde durch Jesu Hineinsteigen gereinigt und geheiligt,[47] Taufwasser und Geist vermischten sich, Herrschaft des Geistes und Taufe waren dasselbe wie Empfängnis und Geburt. Aber nicht nur als Auge, sondern auch als Ohr glichen sich Eva und Maria. Denn wie der Tod durch das Ohr in Eva eintrat, so ist das Leben durch das Ohr in Maria eingetreten:[48] die verführerischen Worte der Schlange und die verheißenden Worte des Engels waren These und Antithese, Bild und Gegenbild, Typos und Antitypos.[49] Und

40 De Nativitate XII, 2.
41 De Nativitate XIII, 9.
42 De Nativitate XV, 1.
43 De Nativitate XVI, 4.
44 De Nativitate XVI, 9–10.
45 *Beck*, Mariologie 28–29.
46 *Beck*, Mariologie 30–31.
47 *Beck*, Mariologie 32.
48 Über die Wort-Ohr-Theologie der mittelalterlichen Dualisten (Bogomilen, Katharer), für die das Ohr Marias das Organ der Empfängnis war, siehe *Kawerau*, Geschichte der Mittelalterlichen Kirche, 1967, 215–216. Vgl. auch *Albert Brandenburg*, Luther gegenwärtig, Paderborn 1969, 37: Solae aures sunt organa Christiani hominis (*M. Luther* zu Hebr. 10, 5 f.).
49 Zur Typologie Ephräms vgl. auch De Paradiso 13, 12: „Der Tyrann (Satan) überlistete durch das Weib Samson; der Tyrann überlistete durch das Weib Adam" (CSCO 174, 57 = CSCO 175, 52). Das Weib ist die Waffe des Satans.

da Christus sich eine Jungfrau zur Wohnung erkoren hatte, war die Jungfräulichkeit die Wiederherstellung und Antizipierung des paradiesischen Ur- und Endzustandes: die Rückkehr in das Paradies bei der Auferstehung wird die Vernichtung der Sexualität mit sich bringen. In einem der Marienlieder Ephräms heißt es sogar: „Maria, da sie empfing, haßte die Ehe.“ [50]

So sind Ephräms Lieder wahre Gespinste von Bildern, ein schier unendliches Gewebe aus biblischen Vorstellungen und Anklängen, und die Masse der unechten Ephräm-Schriften beweist, wie gern andere nach ihm an diesem Gewebe weitergewebt haben.

Ephräm, wie alle Kirchenväter, die in syrischer Sprache geschrieben haben, ist im Westen bis in das 18. Jahrhundert hinein fast völlig unbekannt geblieben. Die erste Druckausgabe einiger seiner syrischen Schriften erschien zu Rom im Jahre 1737, und erst seit die römisch-katholische Kirche Ephräm im Jahre 1920 zum Kirchenlehrer erhoben hat, hat im lateinischen Westen eine regere Editionstätigkeit eingesetzt. Ganz anders liegen die Dinge im Osten. Hier ist Ephräm einer der am meisten studierten und am meisten in die andern christlichen Sprachen des Ostens übersetzten syrischen Theologen gewesen. Ephräm hat vor allem auch auf die slawische Welt einen tiefen Einfluß ausgeübt; er wird uns immer wieder begegnen.

4. Theodor von Mopsuestia und die antiochenische Theologie

Wenn man die volle Gottheit Christi anerkennt, entsteht die Frage, wie dieses göttliche Wesen gleichzeitig Mensch sein könne[51]; von ihrer Beantwortung hängt es weitgehend ab, ob die Menschen sich verpflichtet fühlen, ihr tägliches Leben nach dem Beispiel des Zimmermannssohnes aus Nazareth zu gestalten. So abstrakt und weltfremd dem modernen Menschen die wissenschaftlichen Darstellungen der christologischen Streitigkeiten in der Alten Kirche[52] auch vorkommen mögen: die damals verhandelten Probleme selbst

50 De Nativitate IV, 131; *Beck*, Mariologie 37–38. Vgl. *Oppenheim*, Moenchsweihe (Lit. Verz. Nr. 567) 282: Johannes von Antiochia (12. Jahrhundert) scheut sich nicht zu sagen: „... denn nicht nur wird derjenige (von den Mönchen), der heiratet, nicht mehr Mönch sein, *sondern er wird auch den Strafen derer verfallen, die den Glauben verleugnet haben“ (Migne*, PG 132, 1123).

51 Über den christologischen Streit und das hellenische Denken und über die Frage, ob sich in Christus eine Theophanie oder eine Apotheose vollzogen hat, vgl. *Ivánka*, Hellenisches und Christliches im frühbyzantinischen Geistesleben (Lit. Verz. Nr. 357) 68 ff. Siehe auch Apostelgesch. 14, 11–12.

52 *Loofs*, Leitfaden zum Studium der Dogmengeschichte 1, [5]1950, 1–8 erörtert im Rahmen einer Geschichte der Dogmengeschichte alle wichtigen Darstellungen; die Schilderung der christologischen Kämpfe selbst ebenda 179–246 und bei *Kawerau*, Geschichte der Alten Kirche (Lit. Verz. Nr. 382) 167–176. Siehe auch *Wigram*, Introduction to the History of the Assyrian Church (Lit. Verz. Nr. 811) 126 ff.; *Krüger*, Monophysitische Streitigkeiten (Lit. Verz. Nr. 416); RGG [3]1 (1957) 1762–1777 (Lit.).

griffen zutiefst in die religiösen und ethischen Vorstellungen und Verhaltensweisen der Menschen ein und haben weltgeschichtlich bedeutsame Folgen gehabt. In ihrem Mittelpunkt stand die höchste Frage, die es für den Christen geben konnte: die Frage nach der Erlösung in und durch Christus. Wenn der erhöhte Christus die ganze Schöpfung in sich schloß, so mußte er – und das war in der Tat die Ansicht der alten Väter – auch ein realer und organischer Teil der Schöpfung sein, die durch ihn erlöst werden sollte; die Christologie und die christliche Eschatologie mußten dann auch für die Tier- und Pflanzenwelt Bedeutung haben. Daher war die Inkarnation des göttlichen Wortes für die altkirchlichen Theologen, denen die Naturwissenschaft immer nur als ein Teilaspekt der Welt galt, ein so umfassendes Problem: denn teleologisch und chronologisch war Christus das Endziel der Welt.[53]

Nun hatten über die Frage der Erlösung durch Christus schon die Verfasser der synoptischen Evangelien[54] einerseits und der Verfasser des Johannes-Evangeliums[55] andrerseits vollkommen divergierende Ansichten gehabt, und diese bereits in den heiligen Schriften der Christen selbst begründete Gegensätzlichkeit hat sich dann in der dogmengeschichtlichen Entwicklung unter dem Einfluß der platonischen und der aristotelischen Philosophie dermaßen verschärft, daß die Ostkirche im Verlaufe des 5. und 6. Jahrhunderts darüber in drei große theologische Richtungen auseinandergebrochen ist: in die alexandrinisch-dyophysitische, die alexandrinisch-monophysitische und die antiochenische Theologie.

Die alexandrinische Theologie[56] folgte im ganzen mehr der Philosophie Platos. Sie sah deshalb den Abstand zwischen Gott und Mensch als so groß an, daß seine Überbrückung in der Erlösung nur durch Gott selbst vollzogen werden konnte. Erlösung hieß für die Alexandriner also Vergottung, das heißt Durchdringung des verweslichen menschlichen Fleisches mit der göttlichen Kraft der Unverweslichkeit. Nur wenn Christus wirklich Gott selbst gewesen war, konnte er durch die Inkarnation unser Erlöser, das heißt unser Vergotter werden. So lehrten Athanasius von Alexandria (295–373 A. D.),[57] Kyrill von Alexandria (Patriarch 412–444 A. D.)[58] und andere. Diese Theologen dachten sich die Erlösung als eine physische Vereinigung Gottes mit dem Menschen in Christus und bezeichneten demgemäß Maria als die Mutter Gottes, als die Gottesgebärerin, die *Theotokos* und *Deipara*.[59]

53 *Wallace–Hadrill*, Greek Patristic View of Nature (Lit. Verz. Nr. 794) 118–130.
54 *Feine–Behm–Kümmel* 44–94.
55 *Feine–Behm–Kümmel* 161–173.
56 RGG [3]1 (1957) 233–234 (Lit.); *Kawerau*, Geschichte der Alten Kirche 158–169. Vgl. *Ueberweg* (Lit. Verz. Nr. 755) 59–117: „Die Verwendung der Philosophie zum Ausbau der kirchlichen Lehre."
57 *Altaner* [7]1966, 271–279; *Kawerau*, Geschichte der Alten Kirche 167–169.
58 *Altaner* [7]1966, 283–288; *Kawerau*, Geschichte der Alten Kirche 171–172.
59 Belege bei *Sophocles*, Greek Lexicon 1, 578; vgl. *Du Cange* 491.

Dieser johanneisch-platonisch-mystischen alexandrinischen Richtung der christlichen Theologie stand die rationale, synoptisch-aristotelische Theologie der Antiochener[60] gegenüber, nach deren Ansicht Gott niemals Fleisch werden konnte, sondern in das menschliche Fleisch nur wie in einen Tempel eingegangen ist. Das aristotelische Schema Form–Materie führte zu der Vorstellung, daß die Gottheit und die Menschheit in Christus immer streng getrennt blieben und daß die Erlösung als ein historischer und ethischer Vorgang zu verstehen sei. Die antiochenische Theologie hat das große Verdienst gehabt, die geschichtliche Auffassung der Person Christi, wie sie in den synoptischen Evangelien vorliegt, festgehalten und verteidigt, und auch die historisch-kritische Exegese der Bibel meisterhaft betrieben zu haben.

Der große Theologe der antiochenischen Richtung war Theodor von Mopsuestia (352–428 A. D.),[61] dessen in syrischer Übersetzung erhaltene Schriften zumeist erst in jüngster Zeit bekannt geworden sind. Leider ist sein dogmatisches Hauptwerk ‚Über die Menschwerdung', das man im Jahre 1905 in Seʿerd in Kurdistan[62] in einer syrischen Handschrift entdeckt hatte, in den Wirren des 1. Weltkrieges untergegangen.[63] Trotz dieses unersetzlichen Verlustes können aber nur die verhältnismäßig reichlich vorhandenen sonstigen syrischen Übersetzungen seiner Schriften, die gerade in den letzten Jahrzehnten in immer größerer Anzahl direkt worden sind,[64] als wissenschaftlich zuverlässige Quelle für die Theologie Theodors gelten.[65] Sie bilden eine gute Grundlage für die genaue Erfassung der antiochenischen Theologie.

Der Schlüssel zum Verständnis der antiochenischen Theologie liegt in ihrer Vorstellung von der Sünde des Menschen.[66] Theodor von Mopsuestia selbst hat ein Werk geschrieben mit dem Titel ‚Gegen diejenigen, die sagen: Die

60 RGG [3]1 (1957) 452–454 (Lit.); *Kawerau*, Geschichte der Alten Kirche 169–170; *Ivánka*, Hellenisches und Christliches 73–94: Der Nestorianismus als Aristotelismus. Vgl. aber auch *Arnou*, Nestorianisme et Néoplatonisme (Lit. Verz. Nr. 16).

61 *Altaner* [7]1966, 319–322; *Ortiz de Urbina*, Patrologia Syriaca 226–227; *Baumstark* GSL 102–104.

62 EI 4 (1934) 217; *Fiey*, Assyrie Chrétienne (Lit. Verz. Nr. 215) 2, 878.

63 *Altaner* [7]1966, 321. Näheres bei *Richard*, Tradition des Fragments (Lit. Verz. Nr. 626) 67. *Macomber*, New Finds (Lit. Verz. Nr. 468) 479 Anm. 41 berichtet über das Verschwinden der Bibliothek von Seʿerd und über die Möglichkeit, daß diese unersetzliche Schrift Theodors (De Incarnatione) dort vergraben ist. Fragmente dieser Schrift wurden 1858 und 1869 von *Lagarde* und *Sachau* publiziert, vgl. *Sullivan*, Christology (Lit. Verz. Nr. 673) 2 Anm. 6 und *Baumstark* GSL 102–104. Über den nur in Photokopie erhaltenen Koheleth-Kommentar des Theodor von Mopsuestia vgl. *Strothmann* in Oriens Christianus 50 (1966) 135–136.

64 *Vosté*, De versione syriaca operum Theodori Mopsuesteni, OCP 1942 (Lit. Verz. Nr. 786); *Sullivan*, Christology 1–3; *Vööbus*, Gospel Text in Syriac (Lit. Verz. Nr. 779) 80 ff.

65 *Richard* (Lit. Verz. Nr. 626) 74–75.

66 *Vööbus*, Theological Anthropology (Lit. Verz. Nr. 784); *Gross*, Theodor v. Mopsuestia, ein Gegner der Erbsündenlehre (Lit. Verz. Nr. 270).

Menschen sündigen aus Natur und nicht mit Willen'.[67] Einige erhaltene Exzerpte aus dieser Schrift bekämpfen energisch die Vorstellung einer von Adam her seinen Nachkommen vererbten, der menschlichen Natur als solcher inhärenten Erbsünde. Die Lehre von der Erbsünde ist ein neues, häretisches Dogma:[68] Christus selbst hat die menschliche Natur angenommen; wenn also die Sünde in der menschlichen Natur liegt, dann hat auch Christus mit der menschlichen Natur die Sünde angenommen. Das aber ist unmöglich. Vielmehr hat Christus dasjenige auf sich genommen, was tatsächlich in der menschlichen Natur liegt, nämlich den Tod. Der Tod, so lehrt Theodor, ist keine Strafe für die Sünde, sondern etwas ganz Natürliches, wie denn auch Adam nicht als unsterbliches, sondern als sterbliches Wesen von Gott erschaffen wurde und nicht erst hernach mit der Sterblichkeit bestraft worden ist.[69] Die Sünde hingegen ist immer ein Akt des Willens, etwas, was der Mensch gegen seine bessere Einsicht tut. Mit andern Worten: es gibt keine Erbsünde, die von Adam her seine Nachkommen belastet. Freilich ist der Fall Adams für seine Nachkommen auch nicht völlig ohne Bedeutung: der Verlust des Paradieses und der Gottesebenbildlichkeit, die daraus resultierenden Mühen und Plagen des Lebens und die stärkere Geneigtheit zur Sünde sind solche Folgen, aber sie haben den freien Willen nicht beeinträchtigt,[70] die Fähigkeit des Menschen zur Unterscheidung von Gut und Böse nicht geschwächt. Für denjenigen also, der Gott erwählt, ist der Weg frei. So hat Adams Fall nicht nur negative, sondern auch positive Folgen: er kann durch seine Auswirkungen den Menschen vor dem Sündigen zurückbeben lassen. Theodor vertrat also Ansichten, die alten syrischen Traditionen durchaus entsprachen: Verwerfung der Erbsünde und Betonung des freien Willens und seiner Kraft.

Mit dieser Sündenlehre hängen Theodors Geschichtsauffassung und seine Christologie aufs engste zusammen. Nach seiner Auffassung besteht die Heilsgeschichte aus zwei großen Perioden, der gegenwärtigen, mit Adam beginnenden Periode der Sterblichkeit, und der zukünftigen, von Christus inaugurierten Periode der Unsterblichkeit.[71] Das Ziel der von Jesus Christus[72]

67 Der Titel (nach Photius): *Migne*, PG 103, 513. Vgl. *Vööbus*, Theological Anthropology 122; *Wickert*, Studien 102; *Norris*, Manhood and Christ 179–182; *Ivánka*, Hellenisches und Christliches 79.

68 Herrenworte über den Sündenfall gibt es nicht.

69 Einzelheiten bei *Wickert*, Studien 101–120: Sterblichkeit und Sünde bei Theodor von Mopsuestia, bes. 106–107.

70 Belege für Theodors Lehre von der Freiheit des Willens bei *Wickert*, Studien 62–63.

71 *Wickert*, Studien 162–164. Vgl. *Norris*, Manhood and Christ 160–172 über „Theodore's Doctrine of the Two Ages": „The Future Age is a new *state* of a creation which already exists but which has not yet been transformed save in the single person of Christ" (S. 162); „As the present life of man is one in which mortality reigns, so the Future Age is pre-eminently the age of immortality, accorded to man through the participation of the gifts of the Spirit" (S. 168).

72 Die umfangreiche Literatur zur Christologie Theodors von Mopsuestia bei *Abra-*

begonnenen Erlösung besteht darin, den Menschen in der Zukunft in einen Zustand vollkommener Gerechtigkeit und Heiligkeit zu versetzen. Das geschieht in der Auferstehung, das heißt in der Vernichtung des Todes, an die die Menschen seit Christus *glauben* oder die sie, was dasselbe besagt, *seit Christus erwarten können.*[73] Der Glaube ist also ein Warten auf ein zukünftiges Geschehen, er ist eine Erwartung, ein vertrauendes Zuwarten auf ein kommendes Ereignis, aber er ist *nicht* Glaube an Christus. Theodors Schlußfolgerung aus der Auferstehung Jesu Christi lautet deshalb: „Zufolge dem, was stattfand, haben wir den festen Glauben, daß dies auch bei uns stattfinden wird. Im Glauben, daß solches auch für uns stattfinden wird, vollziehen wir dieses schauervolle, unaussprechliche Sakrament, das die unbegreiflichen Zeichen der Diakonia unseres Herrn Christus enthält und von dem wir erwarten, daß Entsprechendes auch für uns sein werde.“ [74]

Der Glaube, aus dem heraus Theodor von Mopsuestia das Sakrament vollzog, ist seinem Wesen nach etwas Universales, denn das erwartete Heil gilt allen Völkern auf der ganzen Erde, es gilt der ganzen Schöpfung mit Einschluß der Tiere und der Pflanzen.[75] Dieses Heil hebt mit Christus an, in dem und mit dem Gott die Geschichtsperiode der Unsterblichkeit hat beginnen lassen.[76] Christus gebührt daher Anbetung: er ist die zentrale Gestalt der *Liturgie,* in der ihm diese Anbetung zuteil wird.

Die von der alexandrinischen Theologie gestellte Frage nach den beiden Naturen Christi und ihrem Verhältnis zueinander ist deshalb für Theodor von Mopsuestia gegenstandslos, ja sinnlos. Anders ausgedrückt: die alexandrinische Theologie und das Glaubensbekenntnis von Chalzedon (451 A. D.) gaben Antworten auf Fragen, die Theodor von Mopsuestia gar nicht gestellt hatte, und die es vom Boden seiner Theologie aus auch gar nicht geben konnte.[77] Solange man den alexandrinischen Begriff der „Naturen“ Christi nicht völlig eliminiert, kann man die antiochenische Theologie nicht verstehen. Das hat

mowski, Zur Theologie Theodors von Mopsuestia, ZKG 52 (1961) 266. Dazu *Norris,* Manhood and Christ (1963), mit Bibliographie S. 263–269.

73 *Wickert,* Studien 136–137.

74 *Betz,* Eucharistie I, 1 S. 228–229. *Wickert,* Studien 138. – Die Einwirkung dieser Gedanken auf die Christliche Topographie des Kosmas Indikopleustes zeigt *Wolska,* Topographie Chrétienne (Lit. Verz. Nr. 820) passim, z. B. 87–111: „Le Traité sur les deux Catastases: La Christologie de Cosmas.“ Der Begriff „Natur“ wird von Kosmas nie gebraucht (S. 93), eine „Christologie“ des Kosmas existiert nicht (S. 105), die Grundlage seines Denkens wird von den beiden „Katastasen“ (Zuständen der Welt) gebildet, deren zweite von Christus eingeleitet wird. Vgl. *Wolska* 309 (Register) s. v. Conditions (katastaseis, états). Leider kann sich *Wolska* selbst nicht vom „Natur“-Begriff frei machen.

75 *Wickert,* Studien 166.

76 *Betz,* Eucharistie I, 1 S. 227–239 führt diesen Gesichtspunkt an Theodors Sakramentenlehre durch: die Sakramente zeigen den von Gott dem Christen endgültig zugedachten Zustand, die dereinstige himmlische Realität, bereits jetzt im *eikon* oder *typos* an.

77 *Norris,* Manhood and Christ 235–238.

Theodor von Mopsuestia selbst ganz unmißverständlich im 18. Buch gegen Eunomius ausgesprochen, von dem uns ein Fragment in syrischer Sprache erhalten ist:[78]

„Von Person[79] wird auf eine doppelte Weise gesprochen: entweder nämlich bezeichnet sie das individuelle Selbst[80] und etwas, was jeder einzelne von uns ist. Oder sie wird der Ehre und Größe und Anbetung zuerkannt. Zum Beispiel: Paulus und Petrus bezeichnet das individuelle Selbst und die Person von jedem einzelnen von ihnen. Die Person aber unseres Herrn Christus bezeichnet Ehre und Größe und Anbetung. Weil nämlich der Gott Logos in der Menschennatur (im menschlichen Geschlecht) sich offenbarte, hat er die Ehre seines individuellen Selbst der Sichtbarkeit genähert. Und deswegen bezeichnet die Person Christi, daß sie Ehre ist, nicht aber, daß sie eine Substanz[81] aus zwei Naturen[82] ist. Ehre nämlich ist weder Natur noch individuelles Selbst, sondern eine Erhöhung von großer Würde, die zuerkannt wird wegen der Offenbarung.[83] Eben das nämlich, was für den Kaiser Purpurgewänder[84] oder die Stola[85] der kaiserlichen Majestät sind, genau das ist für den Gott Logos der Anfang, der aus uns genommen wurde, nicht trennbar, nicht ablegbar, nicht entfernbar in der Anbetung. In gleicher Weise also, wie nicht durch Natur der Kaiser Purpurgewänder

78 Der syrische Text bei *Abramowski*, Unbekanntes Zitat (Lit. Verz. Nr. 1) 99. Eine deutsche, unter Benutzung der englischen Übersetzung von *Goodman* gemachte Übersetzung ebenda 99–101 und in ZKG 72 (1961) 263–264 (= Lit. Verz. Nr. 2).

79 *Parṣōpā = prosopon.*

80 *Qĕnōmā = hypostasis.*

81 *Ūsija = usia.*

82 *Kĕjānā = physis.*

83 *Norris*, Manhood and Christ 231 zitiert ein Fragment aus De incarnatione, in dem es heißt: „... the Manhood receives through the Deity honour beyond its constitution ...“ – Eine Erörterung der Begriffe *Parṣōpā* und *Qĕnōmā* in der ostsyrischen Theologie bei *Wigram*, Introduction (Lit. Verz. Nr. 811) 279–285 und bei *Ploeg*, Un Traité Nestorien (Lit. Verz. Nr. 601) 117. Weitere Lit. zum griech. Begriff *Prosopon* bei *Norris*, Manhood and Christ 230. Vgl. *Bauer*, WBzNT s. v. *Prosopon* und *Kittel*, ThWBzNT s. v. *Prosopon.*

84 Vgl. *Delbrueck*, Der spätantike Kaiserornat (Lit. Verz. Nr. 134) 4–5: Die ungemusterte purpurne Kaiserchlamys mit goldenem Einsatz wurde nur getragen von dem Augustus und der Augusta sowie vom Caesar als Mitregenten und designiertem Erben. Beispiel: Das Mosaik Kaiser Justinians in S. Vitale in Ravenna.

85 Syr. *Esṭōlā = Lorum.* Hierzu Art. *Pallium* in Dict. Archéol. Chrétienne et Liturgie 3 (1937) 931–940. *Braun*, Liturg. Gewandung (Lit. Verz. Nr. 83) 562–620. *Alföldi*, Insignien und Trachten (Lit. Verz. Nr. 5) 51 und Abbildung auf Tafel 23, 2. Grundlegend *Schramm*, Herrschaftszeichen und Staatssymbolik (Lit. Verz. Nr. 683) 23–50: „Von der Trabea Triumphalis des römischen Kaisers über das byzantinische Lorum zur Stola der abendländischen Herrscher.“ Der byzantinische Kaiser ist immer, wenn er nicht als Krieger dargestellt wird, durch seine Krone (das *Kamelaukion)* und durch eine lange, breite Binde gekennzeichnet, die so um Hüften und Schultern gelegt wird, daß das eine Ende vorn bis zum Saum des Gewandes herabfällt, das andere über den linken Unterarm gehängt wird; ihre Säume und Enden sind mit Quasten und Bommeln aus Edelsteinen verziert, die Fläche ist mit Gold, Perlen und Steinen besetzt. Diese Binde *(Lorum)* tragen auch Christus, die Erzengel, die Mutter Gottes (in der der byzantinischen Kaiserin zukommenden Form des Lorums) und einzelne ausgezeichnete Heilige, z. B. Agnes; sie ist das Abzeichen der höchsten Macht *(plenitudo potestatis).* – Vgl. *Versnel*, Triumphus (Lit. Verz. Nr. 766).

hat, so hat auch nicht der Gott Logos durch Natur Fleisch. Selbst wenn jemand annimmt, daß nach natürlicher Weise der Gott Logos Fleisch hat, ist das doch etwas Fremdes für die Gottheit[86], weil der Gott Logos eine Veränderung erfährt durch die Hinzufügung einer Natur. Wenn der Gott Logos aber Fleisch nicht durch Natur hat, wie sagt dann teilweise Apollinaris,[87] daß ebenderselbe konsubstantial[88] ist mit dem Vater in seiner Gottheit, und daß ebenderselbe unsere Natur[89] im Fleische hat, so daß er es fertig bringt, ihn zusammengesetzt zu machen? Derjenige nämlich, der in solcher Weise in Naturen zerteilt wird, ist etwas Zusammengesetztes und wird in der Welt vorgefunden.“[90]

Theodors Christologie hat also nichts mit der Naturenlehre zu tun, sondern ist *liturgischer* Art: in der liturgischen Feier der Sakramente tritt der anbetende Mensch bereits jetzt symbolisch den Besitz jener Güter an, die ihm dereinst real zuteil werden sollen. Liturgische Vorgänge deuten auf zukünftige, heilsgeschichtliche Ereignisse hin, Christus ist eine Größe der Liturgie, der als solcher Ehre und Anbetung gebührt, weil Gott an Christus als dem ersten sterblichen Menschen das vollzogen hat, was uns allen dereinst zuteil werden soll: Vernichtung des Todes, Auferstehung, Unsterblichkeit, Unverweslichkeit, Unveränderlichkeit, Speisung mit dem Heiligen Geist.[91]

Theodor von Mopsuestia führt in der ostsyrischen Kirche den Ehrennamen „der Schriftausleger“,[92] und die ostsyrischen Synoden der späteren Jahrhunderte haben ihn als *den* Kommentator der Bibel schlechthin betrachtet; und in der Tat ist er ein ungemein scharfsinniger und genauer Exeget der Heiligen Schrift gewesen. Auf diesen Synoden ist Theodors Theologie immer wieder als die maßgebende orthodoxe Lehre bezeichnet worden.[93] Der Synode von 585 galt er als Wundertäter,[94] in dessen Kommentaren die Wahrheit des apostolischen Glaubens so bewahrt sei, wie sie von den Propheten geweissagt

86 Syr. *Ītūṯā Allāhaitā.* Im folgenden bezieht sich das masc. *mĕqabbel* auf *Allāhā Mellĕṯā:* in der Bedeutung „Logos“ ist *Mellĕṯā* masculini generis.

87 Nizänischer Gegenbischof von Laodizea (360–390 A. D.); über ihn RGG 1 (1957) 474–475. Er betrachtete zunächst monophysitisch Christus als den „himmlischen Menschen“; später lehrte er die Menschheit des Leibes und der Seele Christi.

88 Syr. *Bar Ītūṯā, homousios, consubstantialis.* TS 581.

89 Syr. *Bar Kĕjānā Dīlan.*

90 Zu den in diesem Text auftauchenden Problemen antiker Philosophie vgl. *Windelband,* Lehrbuch der Geschichte der Philosophie [15]1957, 118–124 und *Ueberweg* (Lit. Verz. Nr. 755) 59–117.

91 Vgl. *Betz,* Eucharistie I, 1 S. 227; 230–236. *Abramowski* ZKG 1961, 265–266 (Lit. Verz. Nr. 2). – Demgegenüber beruhte die Christologie von Chalzedon auf der stoischen Physik, die eine bestimmte Theorie über die verschiedenen Arten von Mischungen von Körpern entwickelt hatte, *Winkler,* Die Probleme der Zwei-Naturen-Lehre (Lit. Verz. Nr. 819); hier S. 107–109 Anm. 2 die Quellenbelege für diese physikalische Theorie. *Pohlenz,* Die Stoa, 1948–1949 (Lit. Verz. Nr. 604) Bd. 1, 487 s. v. *Krasis di' Holon;* dazu die Belege in Bd. 2.

92 Syr. *Mĕpaššĕqānā,* arab. *al-Mafašqān, Graf,* GCAL 1, 355; 2, 386. *Graf,* Verzeichnis 107. Vgl. *Altaner* [7]1966, 319; *Chabot,* Synodicon Orientale 398 Anm. 4.

93 Belege bei *Chabot,* Synodicon Orientale 663 im Register.

94 *Chabot,* Synodicon Orientale 137, 7–8 = 398.

und von den Aposteln gepredigt worden sei.[95] Die Synode von 596 bekräftigte seine Sündenlehre[96] und lehnte die christologischen Formeln von Chalzedon schroff ab.[97] Der ostsyrische Patriarch Georg I. (661–680) sagte in einem christologischen Lehrschreiben vom Jahre 680, Theodor von Mopsuestia habe Dinge gelehrt, die der lebenspendende Mund Christi selbst verkündet habe,[98] und die Synode von 596 erklärte: „Wir verwerfen und verfluchen alle diejenigen, die da ablehnen die Kommentare und Traditionen und Lehren des berühmten Doktors, des seligen Theodor des Schriftauslegers und dafür neue und fremde Lehren einführen wollen, die voll von Erfindungen und Lästerungen sind.“ [99] Theodor von Mopsuestia war der Normaltheologe und Kirchenvater der Kirche des Ostens, deren Orthodoxie nach ihrer festen Überzeugung niemals geschwankt hatte. Wie stark seine Kommentare bis in die mittelalterliche arabische Literatur der Ostsyrer hineingewirkt haben, kann man an den exegetischen Schriften des im 11. Jahrhundert lebenden Philosophen, Arztes, Priesters und Kanonisten Ibn aṭ-Ṭaijib studieren: er schrieb nicht nur Kommentare zu den logischen Schriften des Aristoteles und sein berühmtes kanonistisches Kompendium ‚Das Recht der Christenheit‘,[100] sondern auch Kommentare zu biblischen Büchern, die ganz im Geiste der antiochenischen Theologie abgefaßt waren. In seinem Psalmenkommentar gaben persönliche Erlebnisse des Psalmisten oder die geschichtlichen Schicksale des Volkes Israel den Erklärungsgrund ab; jegliche Allegorese wurde vermieden, dafür wurden philologische und sachliche Erklärungen gegeben. An vielen Stellen seiner Kommentare nennt er Theodor von Mopsuestia als seine große Autorität.[101] Eine merkwürdige Ironie der Theologiegeschichte hat es gewollt, daß durch die Vermittlung Ibn aṭ-Ṭaijibs Theodor von Mopsuestia dann auch in die koptisch-monophysitische Bibelexegese des mittelalterlichen Ägyptens eingedrungen ist.[102]

Theodor von Mopsuestia hat Jesus Christus im Grunde als einen Erzheiligen angesehen, in dem der göttliche Logos Wohnung genommen hatte, weil der Mensch Jesus dieser Auszeichnung würdig war. Eine Personalunion von Gott und Mensch oder gar eine Vergottung des Menschen Jesus lag außerhalb seiner christologischen Vorstellungen. Jesus Christus war keine meta-

95 *Chabot,* Synodicon Orientale 137, 11–13 = 399. (Kanon 2 der Synode von 585 A. D.).
96 *Chabot,* Synodicon Orientale 196, 24–197, 3 = 456–457. (Synode von 596 A. D.).
97 *Chabot,* Synodicon Orientale 197, 13–198, 24 = 457–459. Gegen die monophysitische Christologie des Severus erklärte sich eine Bischofssynode von 612 A. D., *Chabot,* Synodicon Orientale 627.
98 *Chabot,* Synodicon Orientale 235, 10 = 500–501. *Chaine,* Chronologie 261.
99 *Chabot,* Synodicon Orientale 198, 25–27 = 459.
100 = CSCO 161. 162. 167. 168. Löwen 1956–1957 (Lit. Verz. Nr. 335).
101 *Graf,* GCAL 2, 160–177.
102 *Graf,* GCAL 2, 386 u. 430.

physische Gestalt, sondern ein großer Lehrer und Heiliger.[103] Demgemäß hat ein Schüler des Theodor von Mopsuestia, der antiochenische Priestermönch Nestorius (381–451 A. D.),[104] Christus als bloßen Menschen angesehen und folgerichtig Maria den Titel ‚Christusgebärerin' beigelegt: Maria sei nicht Gottesgebärerin, weil sie nicht die Gottheit geboren habe, und weil man die göttlichen Eigenschaften des Logos nicht ohne weiteres auch dem Menschen Jesus beilegen könne; sie sei aber auch nicht nur Menschengebärerin, weil sie zwar den mit ihr selbst konsubstantialen Menschen Jesus geboren habe, dieser aber der Tempel Gottes sei.[105]

Nestorius war von 428–431 A. D. Patriarch von Konstantinopel und ist in diesem höchsten Kirchenamt seiner Zeit mit dem Patriarchen Kyrill von Alexandria (412–444 A. D.) zusammengestoßen, der die Primatsansprüche seines Stuhles gegenüber Konstantinopel dadurch stärken wollte, daß er den Patriarchen der Reichshauptstadt als Häretiker vernichtete. Dies gelang ihm am 22. Juni 431 in Ephesus: die dort unter seinem Vorsitz tagende Bischofssynode[106] setzte Nestorius, den Ökumenischen Patriarchen von Konstantinopel, als neuen Judas wegen seiner gottlosen Predigten und seiner Blasphemie gegen den Herrn Jesus Christus ab. Da der Kaiser diesen Konzilsbeschluß bestätigte, war damit die antiochenische Theologie im Gebiet des Römischen Reiches zur Häresie erklärt; ihre Anhänger konnten von jetzt ab nur noch außerhalb des Römischen Reiches in der ostsyrischen Kirche des Reiches der persischen Sassaniden (226–642 A. D.) leben und wirken. Als der byzantinische Kaiser Zeno (474–475; 476–491 A. D.)[107] im Jahre 489 die den ostsyrischen Theologen als Ausbildungsstätte dienende Perserschule in Edessa[108] schließen und die dortigen Vertreter der antiochenischen Theologie vertreiben ließ, zerstörte er die wissenschaftlichen Bande, welche die Kirche innerhalb und außerhalb des Römischen Reiches verknüpften. In der Perserschule wurden die Werke des Theodor von Mopsuestia und auch die Werke des Aristoteles aus

103 *Wigram,* Separation 6–7; *Camelot,* De Nestorius à Eutyches 215–219 (Lit. Verz. Nr. 102).

104 RGG 4 (1960) 1405–1406; *Altaner* [7]1966, 336–338; *Amann,* Nestorius, in: Dict. Théol. Cath. 11, 1 (1931) 76–157. Vgl. *Tisserant* u. a., L'Église Nestorienne, in: Dict. Théol. Cath. 11, 1 (1931) 157–323. – Die umfassendste Darstellung der ostsyrischen (nestorianischen) Kirche ist noch immer *Assemani,* Bibliotheca Orientalis Bd. 3, Dissertatio de Syris Nestorianis (Lit. Verz. Nr. 18).

105 Über die Begriffe *Christotokos, Christipara* und *Anthropotokos* bei Nestorius sowie über die Frage, in welchem Sinne Nestorius den Begriff *Theotokos* akzeptieren konnte, vgl. *Camelot* (Lit. Verz. Nr. 102) 225–227. Für die spätere ostsyrische Theologie vgl. *Wigram,* Introduction 286–289: „Yaldath Alaha" *(= Theotokos).* Zum ganzen Problemkreis siehe *James,* The Cult of the Mother-Goddess, London 1959, bes. S. 192–227: The Mater Ecclesiae and the Madonna.

106 RGG 2 (1958) 521.

107 *Ostrogorsky,* Geschichte des byzantinischen Staates 51–53.

108 EI 3 (1936) 1073–1078 s. v. *Orfa;* über die Perserschule bes. 1074–1075. *Nau,* Édesse (École de), in: Dict. Théol. Cath. 4, 2 (1939) 2102–2103. *Vööbus,* History of Asceticism 2, 410–414. *Segal,* Edessa (Lit. Verz. Nr. 645).

dem Griechischen ins Syrische übersetzt und statt der bisher dort benutzten Schriften Ephräms des Syrers als Lehrbücher verwendet.[109] An die Stelle der Perserschule von Edessa trat jetzt die auf persischem Boden neugegründete Schule von Nisibis,[110] in der das wissenschaftliche Erbe Theodors von Mopsuestia gepflegt und an die ostsyrische Kirche weitergegeben wurde.

Die ostsyrische Kirche hatte bereits in den Jahren 484 und 486 auf den Synoden von Gondē-Šāpūr (Bēṯ Lāpāṭ) und Seleukia-Ktesiphon die Christologie des Patriarchen Nestorius zur offiziellen Kirchenlehre gemacht, nachdem sie schon lange vorher im Jahre 424 auf der Synode von Markaḇtā ḏĕ-Ṭajjājē ihre völlige jurisdiktionelle Unabhängigkeit von der Kirche des byzantinischen Reiches erklärt hatte.[111] Seit diesem Jahre 424 gibt es also eine selbständige „Kirche des Ostens" mit einem eigenen Patriarchen,[112] die sich den „Kirchen des Westens" mit ihren vier oder fünf Patriarchen (Alexandria, Antiochia, Konstantinopel, Rom, dazu seit 451 Jerusalem) gegenüber jurisdiktionell und theologisch unabhängig fühlte. Die in der Kirche des Ostens herrschende, aristotelisch bestimmte antiochenische Theologie des Theodor von Mopsuestia bildete die Voraussetzung für die spätere christlich-islamische Aristoteles-Renaissance in Bagdad unter den abbasidischen Kalifen, die dann ihrerseits die Voraussetzung für die Aristoteles-Renaissance in Paris im Zeitalter des Thomas von Aquino war.[113] Insofern ist der Theologie des Theodor von Mopsuestia auch im Westen eine einzigartige Nachwirkung beschieden gewesen. Vor allem aber ist Theodor von Mopsuestia derjenige theologische Denker gewesen, ohne den die bis heute bestehende konfessionelle Teilung des Ostens in Alexandriner und Antiochener nicht verständlich wäre.

109 *Vööbus,* History of the Gospel Text in Syriac, 1951, 80 ff.

110 *Vööbus,* Statutes of the School of Nisibis, 1961 (Lit. Verz. Nr. 783); *Vööbus,* History of the School of Nisibis, 1965 (Lit. Verz. Nr. 785).

111 Akten der Synode von Gondē-Šāpūr (Bēṯ Lāpāt): *Chabot,* Synodicon Orientale 53–60 = 299–307. Vgl. *Braun,* Synhados 57–59. *Wigram,* Introduction 160–165. *Macomber,* Christology of the Synod of Seleucia-Ctesiphon, OCP 1958 (Lit. Verz. Nr. 467). Für die spätere Zeit vgl. *Wigram,* Introduction 265–289: „Official Christology of the Assyrian Church." – Akten der Synode von Markabtā dĕ-Ṭajjājē: *Chabot,* Synodicon Orientale 43–53 = 285–298. Über diese Synode *Wigram,* Introduction 123–125.

112 Seit der Synode von 424 A. D. wird das Oberhaupt der ostsyrischen Kirche offiziell als Patriarch bezeichnet; vgl. *Wigram,* Introduction 124. Die Gesamtentwicklung dieses Patriarchates in der alten Kirche schildert *Müller,* Stellung und Bedeutung des Katholikos-Patriarchen von Seleukia-Ktesiphon im Altertum, Or. Chr. 1969 (Lit. Verz. Nr. 531).

113 *Kawerau,* Geschichte der Mittelalterlichen Kirche 18; 183–185; 193–198.

5. Dionysius Areopagita: Der Hierarch und das Myron

Bis zum heutigen Tage weiß niemand, wer der religiöse Denker gewesen ist, der sich unter dem Namen des Dionysius Areopagita verbirgt.[114] Die Gelehrten, die ihm den Beinamen Areopagita gegeben haben, meinten irrtümlich, der Verfasser des Corpus Dionysianum habe sich für jenen Dionysius ausgeben wollen, den der Apostel Paulus durch seine berühmte Rede auf dem Areopag in Athen (Apostelgeschichte 17, 16—34) für das Christentum gewonnen hatte. Aber Dionysius beansprucht nirgends in seinen Schriften diesen Beinamen und ist in Wirklichkeit ein syrischer Kirchenfürst gewesen, der etwa um das Jahr 500 A. D. geschrieben hat.[115] Außer einer Anzahl von Briefen besitzen wir von ihm vier selbständige Abhandlungen: 1. ‚Über die göttlichen Namen',[116] eine philosophisch-theologische Erläuterung des Wesens und der Eigenschaften Gottes an Hand der Bezeichnungen, die die Bibel und das menschliche Denken Gott beilegen; 2. ‚Über die mystische Theologie',[117] einen ganz kurzen, aber ungemein konzentriert geschriebenen Traktat über das göttliche Dunkel, über die Einigung des Menschen mit diesem überlichthaften Dunkel Gottes, über bejahende und verneinende Theologie und über die weder sinnlich noch begrifflich faßbare Allursache; 3. ‚Über die himmlische Hierarchie'[118] und 4. ‚Über die kirchliche Hierarchie',[119] zwei Abhandlungen, die eng zusammengehören und eine *geistliche* Kosmologie zum Inhalt haben,

114 Bibliographie: *Totok* 2, 163—167; *Doherty* (Lit. Verz. Nr. 166). Über Dionysius: *Kawerau,* Geschichte der Mittelalterlichen Kirche 180—181; Dict. de Spiritualité 2, 2 (Paris 1953) 1885—1911 s. v. *Contemplation* und 3 (Paris 1957) 244—429 s. v. *Denys l'Aréopagite* (*René Roques* u. a.); hier über die Nachwirkung des Dionysius im Orient (286—318) und im Okzident (318—430). Werke: *Altaner* ⁷1966, 501—505; englische und französische Übersetzungen: Dict. de Spirit. 3 (Paris 1957) 263—264; italienische Übersetzung aller Schriften des Dionysius: *Turolla,* Padua 1956 (Lit. Verz. Nr. 158). Russische Übersetzungen des Dionysius Areopagita: *Kern,* Traductions Russes (Lit. Verz. Nr. 389) 28—29. Die beiden wichtigsten theologiegeschichtlichen Werke über Dionysius sind: *René Roques,* L'Univers Dionysien, Paris 1954 (Lit. Verz. Nr. 632) und *Walther Völker,* Kontemplation und Ekstase bei Pseudo-Dionysius Areopagita, Wiesbaden 1958 (Lit. Verz. Nr. 774).

115 *Turolla* (Lit. Verz. Nr. 158) wendet sich S. 19 gegen die Bezeichnung „Pseudo"-Dionysius: „Nelle opere il nome non ricorre mai (un' unica volta in un' epistola) come Dionigi, mentre non si trova il nome Areopagita; colui in somma che ha composto le, diciamo senza esitazione, mirabili pagine non si nomina mai." *Turolla* nimmt S. 39 an, der unbekannte Autor dieser Schriften habe um 125 A. D. in Alexandria gelebt.

116 Text: *Migne,* PG 3, 585—996; BKV 2. Reihe Bd. 2 *(Stiglmayr);* Auswahl von *Ivánka;* neue vollständige Übersetzung von *Tritsch* (Lit. Verz. Nr. 157).

117 Text: *Migne,* PG 3, 997—1064; *Ivánka,* Einsiedeln 1957, 89—97 (Lit. Verz. Nr. 159. Auswahl); *Tritsch,* München—Planegg 1956, 159—172 (Lit. Verz. Nr. 157).

118 Text: *Migne,* PG 3, 120—369; BKV I, 2 (München 1911) 1—87 *(Stiglmayr); Tritsch,* München—Planegg 1955 (Teilübersetzung unter dem Titel „Die Hierarchien der Engel und der Kirche") (Lit. Verz. Nr. 156).

119 Text: *Migne,* PG 3, 369—569; BKV I, 2 (München 1911) 91—208 *(Stiglmayr); Tritsch,* München—Planegg 1955 (Teilübersetzung, Lit. Verz. Nr. 156).

einen geistlichen Kosmos zur Darstellung bringen.[120] Dieses Universum des Dionysius[121] ist eine in Kreise, Stufen und Ordnungen gegliederte geistig-materielle Wirklichkeit, die aus dem obersten Prinzip hervorgeht und drei heilige Hierarchien bildet, in denen und durch die die geistigen Wesen zu Gott aufsteigen, vergöttlicht werden sollen.[122] Soweit es sich dabei um reine Geistwesen handelt, bewegen sie sich in der himmlischen Hierarchie, während die noch im menschlichen Leib, im Erdenstaub befindlichen weniger reinen Geistwesen in der Hierarchie des Gesetzes und in der kirchlichen Hierarchie gelebt haben oder noch leben. Das geistliche Universum ist ein heiliger, kreisförmiger Stufenbau, der von Gott über die Chöre der Engel, die Gestalten des Alten Bundes und über die Grade des Priestertums bis hinab zu den Mönchen, den einfachen Christen und den unvollkommenen Büßern reicht: himmlische Geistwelt, alttestamentliche Gesetzeswelt und irdische Kirche sind Teile der gleichen hierarchischen Struktur der Welt, deren Sinn und Aufgabe die Vergottung aller Geistwesen ist. Im 3. Kapitel der Himmlischen Hierarchie sagt Dionysius: „Die Hierarchie ist eine heilige Ordnung,[123] ein heiliges Wissen[124] und ein heiliges Handeln[125]; sie führt zur möglichsten Angleichung an Gott und hebt entsprechend den ihr von Gott verliehenen Erleuchtungen in analoger Weise zur Nachahmung Gottes empor.“[126] Dieser Zweck der himmlischen und der kirchlichen Hierarchie wird von Dionysius sogleich noch weiter entfaltet: „Zweck der Hierarchie ist also die möglichste Angleichung und Einswerdung mit Gott, wobei sie ihn selbst zum Lehrmeister aller heiligen Wissenschaft und heiligen Tätigkeit hat und zu seiner allergöttlichsten Schönheit unverwandt hinblickt, wobei er ihr nach Möglichkeit sein Bild einprägt und auch seinen Verehrern,[127] göttliche Bilder prägend und vollendend, durchsichtigste und fleckenlose Spiegel, empfangsbereit für den aus dem Urlicht und der göttlichen Urquelle stammenden Lichtstrahl. Und von dem sich hineinergießenden Glanze heilig erfüllt, lassen sie ihn wiederum *ohne Neid* auf die folgenden weiterleuchten, gemäß den aus dem göttlichen Prinzip stammenden Satzungen.“[128]

120 Vgl. Dict. de Spirit. 3, 265: „Des Cosmologies antiques à l'Univers Dionysien.“
121 *Roques,* Univers 29 ff.
122 Vgl. die Definition des Begriffs „Hierarchie“ bei *Migne,* PG 3, 373 C.
123 Hierzu *Roques,* Univers 36–40 über Taxis et ses Dérivés.
124 Zum Begriff *Episteme Roques,* Univers 117–131: „La Science Hiérarchique“, besonders 120 ff.: „Les Caractères distinctifs de la Science Hiérarchique.“ Dazu Dict. Spirit. 3, 267–268.
125 *Energeia,* Funktion der Vergöttlichung, Dict. Spirit. 3, 266–267; *Roques,* Univers 92–116: „L'Activité Hiérarchique.“
126 *Migne,* PG 3, 164 D. *Roques,* Univers 30.
127 *Thiasotas,* wörtlich „Teilnehmer an einem Thiasos“, einem Bacchusfest.
128 *Migne,* PG 3, 165 A; *Roques,* Univers 30; BKV I, 2, 19–20. – Das Bild vom Sonnenstrahl und dem Spiegel auch Kirchl. Hierarchie 3, 14 (*Migne,* PG 3, 469 D – 472 A; BKV I, 2, 144).

Die heilige Hierarchie ist also eine den ganzen Kosmos durchwaltende Satzung Gottes, eine Ordnung, ein Abbild, eine Ikone der alles beherrschenden, alles begründenden Urschönheit Gottes. Auf jeder ihrer verschiedenen Stufen vollziehen sich die Mysterien der Erleuchtung, durch die alle Glieder der Hierarchie, ihrem Grade entsprechend, zur Vollendung gebracht, zum Abbild und zum Mitarbeiter Gottes gemacht werden.[129] „Durch die Stufenordnung der Hierarchie ist es bedingt, daß die einen gereinigt werden, die andern reinigen, daß die einen erleuchtet werden, die andern erleuchten, daß die einen vollendet werden, die andern vollenden.“ [130]

Das dionysianische Universum, diese heilige Hierarchie, baut sich also in strenger, gottgewollter Ordnung auf: die himmlische Hierarchie ist in drei Triaden reiner Geistwesen oder Engel gegliedert; es sind – in konzentrischen Kreisen und zugleich absteigend um Gott herum angeordnet – erstens die Seraphim, die Cherubim und die Throne,[131] zweitens – in etwas weiterem Abstand – die Herrschaften, Gewalten und Mächte,[132] drittens – in noch größerem Abstand vom Zentrum – die Fürstentümer, Erzengel und Engel.[133] Die erste dieser Triaden nimmt eine Sonderstellung ein: sie ist die einzige Triade im gesamten Universum, welche direkte und unmittelbare Beziehungen zu Gott selbst hat.[134] Alle andern Triaden dieses geistlichen Kosmos können nur durch die Vermittlung dieser ersten Triade Gottes Ausstrahlungen empfangen, die natürlich von Stufe zu Stufe und mit wachsender Entfernung vom Zentrum immer schwächer werden, wenngleich sie immer die gleichen Ausstrahlungen Gottes sind.[135]

An die der irdischen Welt am nächsten stehende dritte Triade der ersten Hierarchie schließen sich die beiden irdischen Hierarchien an, die unter den Menschen bestehen.[136] Es sind die Hierarchie des Gesetzes und die Hierarchie der Kirche. Alle drei Hierarchien sind wie die triadische Monas der Gottheit selbst wiederum in Triaden unterteilt, und auch die Funktionen der einzelnen Glieder dieser Triaden sind ihrerseits dreigeteilt: Dionysius Areopagita ist förmlich besessen von der Idee der Dreizahl, ob es nun Gottes Wesen und Wirken, ob es die Geheimnisse der Eucharistie, die liturgische Tätigkeit des Bischofs oder was auch immer ist: alles ist in Triaden geteilt und unterteilt und nochmals unterteilt. Der Rundgang des Bischofs durch die Kirche hat eine

129 *Migne,* PG 3, 165 B; *Roques,* Univers 30; BKV I, 2, 20.
130 *Migne,* PG 3, 165 B; BKV I, 2, 20.
131 = 1. Triade. *Migne,* PG 3, 205 B – 212 C; BKV I, 2, 34–43; Dict. Spirit. 3, 268–270.
132 = 2. Triade. *Migne,* PG 3, 237 B – 241 C; BKV I, 2, 44–50.
133 = 3. Triade. *Migne,* PG 3, 257 A – 261 D; BKV I, 2, 50–56.
134 *Migne,* PG 3, 201 A; *Migne,* PG 3, 209 D – 212 A; BKV I, 2, 41; Dict. Spirit. 3, 268–270.
135 *Migne,* PG 3, 240 C; BKV I, 2, 47.
136 *Migne,* PG 3, 257 D – 260 B; BKV I, 2, 52.

dreifache Bedeutung, seine Heilstätigkeit hat eine dreifache Bedeutung, es gibt dreimal drei synonyme Ausdrücke für „preisen", mit denen wiederum drei andere Wortwurzeln variiert werden, und so immer weiter.[137]

Die Hierarchie des Gesetzes[138] – das Alte Testament – bestand aus den Männern, die von Mose in die Geheimnisse des Zeltes eingeweiht worden waren, aus dem Gesetzeszeremoniell und aus den Weiheempfängern, die durch die Symbole des Gesetzes zu höherer Vollkommenheit geführt werden sollten.[139] Diese Hierarchie ist von Dionysius nur sehr unvollkommen und gleichsam im Vorbeigehen beschrieben worden; er hat ihr im Gegensatz zu den beiden andern Hierarchien keine eigene Abhandlung gewidmet. Es scheint, als habe er im Rahmen seines physisch-metaphysischen Weltbildes, in dem es auf Weihen, auf Erleuchtung und Heiligung ankam, mit dem Alten Testament nichts Rechtes anzufangen gewußt; durch dieses wäre eine historische, eine heils*geschichtliche* Größe in sein System gekommen, durch die es gesprengt worden wäre. Zwar konnte er die Heiligen des Alten Bundes nicht ganz übergehen, aber er vermied es, allzu genau auf sie einzugehen. Dabei kam ihm zu Hilfe, daß die Hierarchie des Gesetzes als Funktion bereits der Vergangenheit angehörte. Sie war von Gott für das Kindesalter der Menschheit geschaffen und sollte in die noch nicht erstarkten Augen ein nicht schadendes, angemessenes Licht strahlen. Deshalb bediente sie sich dunkler Bilder der Wahrheit, weit von den Urtypen entfernter Gleichnisse, schwer zu betrachtender Rätsel und Vorbilder, einführender und vorbereitender Zeremonien, durch die die zu erleuchtenden Menschen auf eine höhere Stufe der Erkenntnis gehoben werden sollten.[140]

Mit der Inkarnation Christi, der als eine der drei Hypostasen der monadischen Gottheit das oberste Prinzip aller drei Hierarchien ist,[141] ist die dritte, die kirchliche Hierarchie als Erfüllung und als heiliger Abschluß des geistlichen Kosmos ins Dasein getreten: „Es ist aber *unsere* Hierarchie zu gleicher Zeit sowohl eine *himmlische* als auch eine *gesetzliche* Hierarchie, weil sie durch ihre Mittelstellung gemeinschaftlich an den Gegensätzen beider teilnimmt, da sie mit der einen durch ihre geistigen Anschauungen Gemeinschaft hat, mit der andern aber dadurch Gemeinsames besitzt, daß sie ebenfalls vermittels sinnlich wahrnehmbarer Symbole eine bunte Mannigfaltigkeit erhält und dadurch heilig zum Göttlichen emporgeführt wird. Gleicherweise besitzt sie auch den triadischen Charakter der hierarchischen Einteilung, denn sie

137 Vgl. BKV I, 2, 124; Anm. 2 *(Stiglmayr);* Dionysius, Mystische Theologie *(Tritsch,* Lit. Verz. Nr. 157) 224. – Über die allerheiligste Dreizahl vgl. *Heiler,* Erscheinungsformen 163–166; über Triaden bei Plato, Plotin, Proclus, Jamblichus und Dionysius vgl. *Roques,* Univers 68–81.

138 *Migne,* PG 3, 501 B; BKV I, 2, 164. Ungenau Dict. Spirit. 3, 270–272.

139 *Migne,* PG 3, 501; BKV I, 2, 164–165. Unzureichend *Roques,* Univers 171–174.

140 *Migne,* PG 3, 501 B–C; BKV I, 2, 164–165 = Kirchl. Hier. 5, 2.

141 *Roques,* Univers 319–329. Vgl. *Migne,* PG 3, 373 C – 376 A; BKV I, 2, 96.

zerfällt in die heiligsten Ritualhandlungen der Weihen, in die gottähnlichen Verwalter des Heiligen und in die Abteilung derer, welche von jenen in entsprechendem Grade zu den Mysterien herzugeführt werden. Und anschließend an die Hierarchie des Gesetzes und an die göttlichere, über uns stehende Hierarchie wird jedes der drei Einteilungsglieder unserer Hierarchie wieder in eine erste, eine mittlere und eine letzte Stufe auf Grund der (einer jeden zustehenden) Gewalten geschieden und bestimmt, indem ebensosehr auf das geziemende Verhältnis (des Verschiedenen) wie auf die schöne, harmonisch abgestufte Verbindung und Gemeinschaft Bedacht genommen wird."[142]

Die kirchliche Hierarchie zerfällt also in drei Ordnungen, deren jede drei Funktionen hat: die drei Mysterien des heiligen Öls, der Taufe und des Abendmahls, die drei priesterlichen Grade des Bischofs, des Priesters und des Diakons, die drei Stände der christlichen Gemeinde der Mönche, der Gemeindeglieder und der Unvollkommenen. Jedem der drei Mysterien kommt die dreifache Funktion der Reinigung, der Erleuchtung und der Vollendung zu,[143] und da alle diesem Zweck dienenden Handlungen der Kirche wie die Wasserweihe, die Altarweihe, die Mönchsweihe, die Letzte Ölung und die Totenliturgie dem gleichen Ziele zugeordnet sind, werden sie von Dionysius ebenfalls als Mysterien bezeichnet, sind aber tatsächlich nur verschiedene Erscheinungsformen der drei eigentlichen Mysterien.

Unter diesen Mysterien ist das erste, das heilige Öl (Myron), besonders ausgezeichnet, weil es in der Rangordnung den ebenfalls an erster Stelle der jeweiligen Trias stehenden Seraphim und Bischöfen entspricht.[144] Das Myron gibt jeder in der Kirche vollzogenen, der Vervollkommnung dienenden Handlung und jeder in der Kirche gebrauchten heiligen Sache erst die wahre Heiligkeit und ist daher das Mysterium schlechthin,[145] das allen andern Mysterien zugrunde liegt und ihnen erst ihre Kraft gibt. Das gilt auch für die Taufe und das Abendmahl. Das Myron darf nur von dem mit der Vollendungsgewalt ausgestatteten obersten priesterlichen Grade, vom Bischof also, geweiht werden, und zwar nur unter Ausschluß der unvollkommenen Klassen der Gemeinde; es ist zur Konsekration aller heiligen Dinge in der

142 *Migne,* PG 3, 501 B – 504 A; BKV I, 2, 165.

143 *Migne,* PG 3, 504 A – C; BKV I, 2, 166. Vgl. *Kretschmar,* Taufgottesdienst 196 ff.; Dict. Spirit. 3, 279.

144 *Migne,* PG 3, 497 A; BKV I, 2, 159. Über das Myron: Artikel „Chrême" in Dict. Théol. Cath. II, 2, 2395; *Hofmeister,* Die Heiligen Öle (Lit. Verz. Nr. 318); *Kawerau,* Jakobitische Kirche 19 Anm. 72 (hier die Quellenbelege für die Ölweihe und die Zusammensetzung des Öls bei den Jakobiten). Dionysius Areopagita beschreibt die Myronweihe, die Zusammensetzung des Myrons und seine vielfältige Verwendung in Kirchl. Hier. 4, 1–12 (*Migne,* PG 3, 472 C – 500 B; BKV I, 2, 145–162). Das Myron ist ein Abbild Jesu, Kirchl. Hier. 4, 4 (*Migne,* PG 3, 480 A; BKV I, 2, 154).

145 *Migne,* PG 3, 497 A – 500 B; BKV I, 2, 159–162.

Kirche und zum heiligen Vollzug aller andern Mysterien und Weihen unbedingt erforderlich.

Der Bischof oder, wie Dionysius gewöhnlich mit einem aus dem Heidentum stammenden Begriff sagt, der Hierarch[146] ist zur Weihe des Myrons deshalb allein befugt, weil er allein heilig und vergöttlicht ist: „Der göttliche Stand der Hierarchen ist der erste unter den gottschauenden Ständen; er ist auch der höchste und letzte, denn in ihm ist der ganze Aufbau[147] unserer Hierarchie vollendet und abgeschlossen. Denn wie wir die Gesamthierarchie in Jesus als ihrem Ziel- und Endpunkt gipfeln sehen, so jede einzelne Hierarchie in ihrem gotterfüllten Hierarchen. Die Gewalt des hierarchischen Standes durchdringt alle heiligen Körperschaften und betätigt durch all' die heiligen Stände die Mysterien der eigenen Hierarchie. In bevorzugter Weise hat das göttliche Gesetz ihm vor den übrigen Ständen die göttlicheren Kultakte zur persönlichen Vollziehung zugewiesen. Diese sind auf Vollendung abzielende Abbilder[148] der urgöttlichen Gewalt, welche alle göttlichsten Symbole[149] und alle heiligen Ordnungen abschließend vollenden. Denn wenn auch einige der ehrwürdigen symbolischen Handlungen von den Priestern verrichtet werden, so wird der Priester doch niemals anders als durch das göttlichste Myron die heilige Geburt aus Gott[150] bewirken, noch wird er die Geheimnisse der göttlichen Gemeinschaft[151] feiern, wenn nicht die symbolischen Gestalten der Gemeinschaft auf den göttlichsten Altar gebracht worden sind, der durch das Myron geheiligt ist und heilig macht. Ja nicht einmal einen Priester selbst wird es geben, wenn er nicht durch den Weiheakt des Hierarchen für diesen Stand bestellt worden ist. Deshalb hat die göttliche Satzung die Konsekration der priesterlichen Stände, die Weihe des göttlichen Myrons und die heilige Einweihung des Altars den Vollendungsgewalten des gotterfüllten Hierarchen ausschließlich vorbehalten." [152]

Im Universum des Dionysius Areopagita ist also der Hierarch, der Bischof, der hochheilige, gottförmige, gottgleiche Mittler zwischen Gott und dem Menschen.[153] Er besitzt eine zentrale und völlig singuläre religiöse Macht und

146 Zu *Hierarches* bei Dionysius vgl. *Roques,* Univers 176–183 u. ö. sowie *Völker,* Kontemplation 80–81; es ist der von Dionysius meistens für den Bischof, daneben auch für die Seraphim als oberste Ordnung *(Taxis)* der Engel gebrauchte Ausdruck.

147 *Diakosmesis.* Vgl. *Roques,* Univers 55–56 u. ö.

148 *Eikones.* Vgl. *Roques,* Univers im Register.

149 *Symbola.* Vgl. *Roques,* Univers im Register.

150 *Theogoneia.* Vgl. *Roques,* Univers 246–256: „Le Baptême"; *Kretschmar,* Taufgottesdienst 196–198.

151 *Koinonia = Eucharistia.* Vgl. *Roques,* Univers 256–271.

152 *Migne,* PG 3, 505 A–C; BKV I, 2, 168–169.

153 *Roques,* Univers 176–183; *Völker,* Kontemplation 78–83. Zur Gottförmigkeit des Bischofs vgl. *Völker,* Kontemplation 80 und *Roques,* Univers im Register s. v. *Theoeides.* – *Migne,* PG 3, 396 A; BKV I, 2, 105. *Semmelroth* (Lit. Verz. Nr. 646) 224–229: Die kirchliche Hierarchie.

Autorität, er ist das Haupt der Kirche, auf dessen Vermittlung jeder nach größerer Vollkommenheit und Einung mit Gott strebende Mensch angewiesen ist. Es gibt keinen Weg zu Gott außer über den Bischof. Überall, wo die Gedanken des Dionysius Areopagita gewirkt haben, im monophysitischen Orient, das heißt in Syrien, in Äthiopien, in Ägypten, in Nubien, in Armenien und in Persien, sodann aber auch in der byzantinischen Kirche, in der slawischen Welt und im lateinischen Westen, hat der Bischof diese erhabene und einzigartige Stellung erhalten.[154] In der Hochschätzung des Bischofsamtes sind sich Monophysiten, Orthodoxe und Katholiken einig. Nur im antiochenisch-ostsyrischen Bereich ist man dem Dionysius weniger gefolgt, und hier hat das Bischofsamt deshalb auch eine merklich schwächere Stellung besessen.

Man hat viel darüber gestritten, ob Dionysius Areopagita Monophysit oder Dyophysit gewesen ist, ob er also heterodox oder orthodox im Sinne des Konzils von Chalzedon war.[155] Seine Formulierungen haben es beiden Konfessionen erlaubt, sich auf ihn zu berufen. Das zeigen Theologen wie Maximus Confessor[156] auf der einen und Bar Hebräus[157] auf der andern Seite, und sowohl das abendländisch-lateinische wie das byzantinisch-slawische und das syrisch-arabische Mittelalter haben seine Schriften studiert und theologisch ausgewertet.[158] Die ganze religiöse Grundstimmung der dionysischen Schriften ist aber zweifellos monophysitisch.[159] Zu den am häufigsten von Dionysius benutzten Begriffen gehört der der Einswerdung des Menschen mit Gott, der Vergöttlichung des Menschen: Unvergänglichkeit des menschlichen Wesens durch Teilhabe an Gott, an Gottes Substanz und Gottes Natur.[160] Das religiöse

154 Über das Nachwirken des Dionysius vgl. *Kawerau*, Geschichte der Mittelalterlichen Kirche 180–183; Dict. Spirit. 3, 286–429.

155 Über das Konzil von Chalzedon (451 A. D.) und die christologischen Streitigkeiten in der alten Kirche vgl. *Kawerau*, Geschichte der Alten Kirche 167–176 und *Kawerau*, Das Christusverständnis des Konzils von Chalzedon 21–28; *Loofs*, Leitfaden 1, 179–246; *Grillmeier–Bacht*, Das Konzil von Chalzedon Bd. 1–3, Würzburg 1951–1954. Monophysiten: *Krüger*, Monophysitische Streitigkeiten (Lit. Verz. Nr. 416); *Wigram*, Separation of the Monophysites (Lit. Verz. Nr. 812) (grundlegend); *Lebon*, Monophysisme Sévérien (Lit. Verz. Nr. 433); *Draguet*, Julien d'Halicarnasse (Lit. Verz. Nr. 176).

156 Vgl. die beiden Aufsätze von *Völker* über den Einfluß des Dionysius auf Maximus Confessor (Lit. Verz. Nr. 775–776).

157 Vgl. das folgende Kapitel über Bar Hebräus.

158 *Roques*, Univers 305–318; *Völker*, Kontemplation 218–263; *Baumstark*, GSL 365 im Register; *Graf*, GCAL 1, 370–371; eine altserbische Übersetzung des Dionysius von 1371 A. D. nennt *Murko*, Gesch. d. ält. südslaw. Litt. 217 Anm. 122; Dict. Spirit. 3, 286–430.

159 Das zeigen Stellen wie Kirchl. Hierar. 3, 12 (*Migne*, PG 3, 468 D – 469 B; BKV I, 2, 140). Über die Einheit Gottes bei Dionysius sehr lehrreich *Völker*, Kontemplation 151–153. Vgl. *Jugie*, Theologia Dogmatica 5, 408, der dort Anm. 2 auf die bereits von *Le Quien* (*Migne*, PG 94, 287 f.) gesammelten monophysitischen Äußerungen des Dionysius Areopagita hinweist.

160 Über *Henosis* mit Gott vgl. *Völker*, Kontemplation 193–196; *Roques*, Univers 257–271 u. ö.

Mysterium des Christentums, die Erlösung des Menschen, lag für die Monophysiten in der wesenhaften, materialen und spirituellen Einung der menschlichen mit der göttlichen Natur, wie sie in der einen gottmenschlichen Natur Christi als des Erlösers sich vollzogen hatte: durch diese Einung oder Vergöttlichung wird die Menschheit erlöst, indem ihr die gleiche Möglichkeit physischer und geistlicher Einung mit Gott geboten und garantiert wird wie Jesus Christus selbst. Diesen Gedanken hat niemand besser Ausdruck gegeben als Dionysius Areopagita, und mit ihnen ist er einer der großen Kirchenväter des monophysitischen, aber auch des dyophysitischen Christentums geworden.[161]

6. Bar Hebräus: Die monophysitische Summa theologica

Die Monophysiten, denen Gregor Bar Hebräus (1226—1286) angehörte, waren im Mittelalter die wohl größte nicht-orthodoxe christliche Konfession des Vorderen Orients. Zu ihrer Theologie bekannten sich die Kirchen von Äthiopien, Nubien, Ägypten, Syrien, Armenien sowie die syrisch-monophysitische Kirche in Persien. Im Bereich des Monophysitismus stellte die *syrische* Theologie der späteren Jahrhunderte die klassische Ausprägung monophysitischen Denkens dar; ihr bedeutendster und bis heute maßgebender Theologe war Bar Hebräus, den man mit Recht den Thomas von Aquino der monophysitischen Theologie genannt hat. Nach ihm hat das monophysitische Syrertum keinen bedeutenden Theologen mehr hervorgebracht, denn als das Mongolenreich verfiel und die Türkenherrschaft begann, blieb die syrische Renaissance, die nach der Jahrtausendwende begonnen hatte und deren letzten großen Höhepunkt Bar Hebräus repräsentiert, auf der Strecke.

Das theologische Werk des Bar Hebräus faßt all das, was die früheren Jahrhunderte erarbeitet hatten, wie in einem Brennspiegel zusammen. Vor allem bemerken wir, wie infolge der christlich-islamischen Aristoteles-Renaissance des 9. Jahrhunderts in Bagdad der Aristotelismus auch die monophysitische Theologie in seinen formalen Bann gezwungen hat. Es bietet sich uns also bei Bar Hebräus das eigentümliche Bild, daß die vom Platonismus geprägte alexandrinisch-monophysitische Theologie im formalen Gewande der aristotelischen Philosophie auftritt und deshalb so auffällig der scholastischen Theologie des abendländisch-lateinischen Mittelalters ähnelt.[162]

161 Vgl. *Sherwood*, Sergius of Reshaina and the Syriac Versions of the Pseudo-Denis (Lit. Verz. Nr. 650); *Hornus*, Le Corpus Dionysien en Syriaque (Lit. Verz. Nr. 323); *Baumstark*, GSL 277 (Johannes von Dara) und 281–282 (Mose b. Kepha) (Jakobiten), 223 (Joseph der Seher) und 261 (Anonymus) (Nestorianer).

162 Vgl. *Janssens*, Entretien (Lit. Verz. Nr. 334) 34. Über die formale Ähnlichkeit zwischen Bar Hebräus und Thomas von Aquino siehe *Koffler*, Lehre (Lit. Verz. Nr. 401) 199. *Sweetman*, Islam and Christian Theology (Lit Verz. Nr. 674) Bd. 4, 211–297: „An Introduction to the Comparable Basic Ideas in Islamic and

Der Maphrian Gregor Abu 'l-Farağ Bar Hebräus[163] (1226–1286) stammte aus Melitene[164] in Kleinasien. Bereits im Alter von 20 Jahren wurde er zum Bischof geweiht und erhielt am 16. Januar 1264 in der Kathedrale zu Sis, der Hauptstadt des christlichen Königreiches Kleinarmenien, die Maphrianswürde übertragen. Damit war er das kirchliche Oberhaupt der monophysitischen Christen im mongolischen Reich der Ilchane,[165] das von Hülägü (gest. 1265 A. D.) auf persischem Boden begründet worden war und bis zum Tode Timurs (1405 A. D.) bestanden hat. Trotz der politischen Unruhe seines Zeitalters und trotz einer umfangreichen Amtstätigkeit, die weite Reisen, eine beträchtliche kirchliche Bautätigkeit und vieles andere mit sich brachte, hat Bar Hebräus auf den Gebieten der Theologie, der Philosophie, der Ethik, der Geschichtsschreibung, der Grammatik, des Kirchenrechts, der Exegese, der Medizin, der Astronomie, der Geographie und der Dichtkunst ein staunenswertes literarisches Werk von großer Selbständigkeit geschaffen. Bar Hebräus war der letzte wahrhaft enzyklopädische Geist der syrischen Literaturgeschichte. Sein Werk ist verständlicherweise bis heute nur zum Teil in Druckausgaben zugänglich.[166]

Unter den theologischen Schriften des Bar Hebräus ragt seine Gesamtdarstellung der monophysitischen Dogmatik hervor, die den Titel ‚Kandelaber des Allerheiligsten'[167] trägt. Die genaue Abfassungszeit dieses Werkes ist nicht bekannt; es ist entweder zwischen 1267 und 1274 A. D. oder aber schon ein Jahrzehnt früher, zwischen 1258 und 1264, entstanden.[168] Im letzteren Falle wäre es in Maraga, dem Hoflager des Ilchans Hülägü, geschrieben worden. Bar Hebräus hat den Sinn des Titels seiner Dogmatik selbst erläutert: „Und weil in dem vorliegenden Werk ihre Leuchte, das heißt die Wahrheit

Christian Scholasticism." Die Unterschiede zwischen ‚christlicher', d. h. lateinisch-thomistischer, und muslimischer Scholastik behandelt *Gauthier,* Scolastique Musulmane et Scolastique Chrétienne (Lit. Verz. Nr. 237). *Oehler,* Antike Philosophie und byzantinisches Mittelalter (Lit. Verz. Nr. 565).

163 Sein Leben und seine Zeit schildert *Kawerau,* Die Jakobitische Kirche im Zeitalter der Syrischen Renaissance, Berlin ²1960 (Lit. Verz. Nr. 375). Sein literarisches Lebenswerk: *Baumstark,* GSL 312–320. Zum Titel *Maphrian* (= Primas des Orients) *Kawerau,* Jakobitische Kirche 24–25. EI ²3 (1968) 804–805 s. v. *Ibn al-'Ibrī (Segal).* DHGE 6, 792. *Jugie,* Theologia Dogmatica 5 passim.

164 Heute Malaṭya in der Türkei, unweit des oberen Euphrat, EI 3 (1936) 213–218.

165 *Spuler,* Die Mongolen in Iran. Politik, Verwaltung und Kultur der Ilchanzeit 1220–1350. Berlin 1955 (Lit. Verz. Nr. 662).

166 Druckausgaben seiner Werke: *Moss,* Catalogue (Lit. Verz. Nr. 524) 390–407 s. v. *Gĕrīghōr* (Abu'l Faraj) called Bar 'Ebhrāyā; dazu Addenda, ebenda 107–109. *Baumstark,* GSL 312–320. *Göttsberger,* Barhebräus und seine Scholien (Lit. Verz. Nr. 248) 28–56.

167 Syrisch: *Mĕnārat Qūḏšā,* PO 22, 489–628; 24, 295–439; 27, 451–626. Zum Titel des Werkes vgl. *Graf,* Verzeichnis 93 s. v. *qindīl:* es ist der goldene Leuchter, der in den heiligen Altarraum *(Haikal)* gehört. Näheres bei *Aßfalg,* Die Ordnung des Priestertums (Lit. Verz. Nr. 19).

168 *Koffler,* Lehre des Barhebräus 33–40; PO 22, 495.

der Heiligen Schriften, wie auf einen Kandelaber gesetzt worden ist, nennt es sich mit Recht den Kandelaber des Allerheiligsten. Und er ist aus den wohlbehauenen Steinen unwiderleglicher Lehrsätze erbaut, und auf die Zahl 12 ist begrenzt die Zahl seiner Fundamente und sind gegründet seine Pfeiler. Denn auch von Anfang an hat auf diese Zahl[168a] unser Herr seine Kirche gebaut und an ihr ihre Zeltseile befestigt, als er sie durch sein Blut erwarb.“[169] Dann zählt Bar Hebräus diese seine 12 Fundamente auf: „1. Über das Wissen im allgemeinen. 2. Über die Natur des Universums nach der Ordnung der 6 Tage des Schöpfungsaktes. 3. Über die Lehre von der Gottheit. 4. Über die Menschwerdung. 5. Über die Engel. 6. Über das Priesteramt. 7. Über die Dämonen. 8. Über die vernunftbegabte Seele. 9. Über den freien Willen des Menschen, über die göttliche Vorsehung und das Ende. 10. Über die Auferstehung. 11. Über das Gericht und die Strafe. 12. Über das Paradies.“[170] Das sind die 12 dogmatischen Komplexe, in denen Bar Hebräus das gesamte christliche Weltbild seiner Zeit darstellt. Obwohl Bar Hebräus ein bedeutender Historiker gewesen ist, hat doch die Welt als Geschichte oder auch als Heilsgeschichte in seiner scholastischen Summa theologica keinen Platz.

In der *Einleitung* zu dem gesamten Werk spricht Bar Hebräus in der sein ganzes Zeitalter kennzeichnenden pessimistischen Stimmung von der Verachtung des wahren Glaubens und der wahren Wissenschaft, die ihn zur Abfassung seines enzyklopädischen Werkes veranlaßt hätten. Er wolle *allen* Menschen die Möglichkeit geben, die Wahrheit der heiligen Lehren in der Naturwissenschaft und in der Theologie kennenzulernen: „Da aber jedes Wort doppelt ist, indem es einerseits zwar die eigene Meinung bewirkt, andererseits aber die entgegengesetzte Meinung beseitigt, habe ich zuerst gemäß der Lehre unseres göttlichen Führers in jedem Kapitel und Abschnitt unsere eigenen Meinungen aufgestellt; darauf habe ich versucht, die entgegengesetzten Meinungen zu beseitigen, und das alles durch umfassende Beweise der Vernunft und der Schriften.“[171] Bar Hebräus beginnt also stets mit Vernunftbeweisen; in den beiden ersten Kapiteln des 3. Fundaments ‚Über die Lehre von der Gottheit‘, in denen er von der Notwendigkeit der Existenz eines einzigen Schöpfers sprach, und auch an anderen Stellen seiner Dogmatik verwendete er überhaupt nur Vernunftbeweise. Ihnen schlossen sich Beweise aus den „Schriften“ an, unter denen Bar Hebräus nicht nur das Alte und Neue

168a d. h. auf *alle zwölf Apostel*, nicht auf einen einzelnen.

169 PO 22, 515–516. Zur Kirche als Zelt vgl. Jesaja 54, 2. Vgl. auch die geographischen Vorstellungen des Kosmas Indikopleustes, *Wolska*, La Topographie Chrétienne (Lit. Verz. Nr. 820) 245–271. Quellen u. Lit. zu Kosmas bei *Moravcsik* (Lit. Verz. Nr. 519) Bd. 1, 390.

170 PO 22, 516–517. Die Fundamente 9, 11 und 12 sind noch nicht ediert, vgl. die Übersicht PO 27, 457 und Lit. Verz. Nr. 44. Zur Darstellungsweise und zur Beweismethode des Bar Hebräus vgl. *Koffler*, Lehre des Barhebräus 198–210. Siehe auch Lit. Verz. Nr. 432.

171 PO 22, 515.

Testament, sondern auch die Kirchenväter verstand: Schrift und Tradition gehörten für ihn unlöslich zusammen. Bar Hebräus hat also den gleichen Traditionsbegriff wie Dionysius Areopagita: Schrift und Tradition decken sich; die Tradition ist nichts anderes als die von jeder Generation von Gläubigen vollzogene Aneignung der Heiligen Schrift, vermittelt durch die gotterfüllte, gottgleiche Hierarchie.[172] Das Verhältnis von Vernunft und Schriften hat Bar Hebräus mit einem Baum verglichen, dessen Wurzel die Vernunft, dessen Stamm die Schriften seien.[173] In den Fällen, in denen ein Vernunftbeweis nicht möglich sei, solle man der Mehrzahl der Väter folgen.[174]

Der Mensch, so sagte Bar Hebräus im *1. Fundament* ‚Über das Wissen im allgemeinen', ist Mensch, insofern er Vernunft und Wissen besitzt, nicht insofern er ißt und trinkt. Der wahre Mensch ist also derjenige, der an Wissen und Erkenntnis vollkommen ist.[175] Da aber die Weisheit in einer von Schlechtigkeit befleckten Seele nicht wohnt, muß sich der Mensch nicht nur in der Theorie, sondern auch in der Praxis vervollkommnen und sich durch gute Handlungen auszeichnen. Dabei wirkt die Vernunft als Führerin und Herrscherin des Menschen, auch wenn gewisse Denker auf die Fehlerhaftigkeit unserer Sinneswahrnehmungen hinweisen und bestreiten, daß der Mensch mit der Vernunft notwendigerweise Wahrheit erkennen müsse: wenn die Vernunft zur Erkenntnis der Wahrheit genüge, so argumentieren sie, dann dürfe es zwischen vernünftigen, gebildeten und klugen Menschen verschiedener Religionszugehörigkeit doch keinen Konflikt über die Wahrheit geben; auch zeige die Tatsache, daß es überhaupt ein Fortschreiten in der Erkenntnis gebe, eben dies, daß sich die Vernunft gerade nicht auf die Wahrheit stütze.[176] Dieser Ansicht gegenüber betonte Bar Hebräus, daß die Sinneswahrnehmungen durch die Vernunft kontrolliert würden[177], und daß die durch Erleuchtung von oben erfolgenden Fortschritte der Wahrheitserkenntnis ja gerade bewiesen, wie sehr man sich auf die Vernunft verlassen müsse.[178] Die wahre Religion sei im

172 Hierzu *Roques*, Univers 209–234: Écriture et Tradition. Hauptquelle des Bar Hebräus ist neben Dionysius Areopagita besonders Mose Bar Kepha (gest. 903 A. D.; *Baumstark*, GSL 281–282), siehe die Einleitungen und Quellennachweise in Patrologia Orientalis. Sehr knapp Dict. Spirit. 3, 310 (Bar Hebräus und Dionysius). – Auch Nil Sorskij (1433–1508 A. D.) faßt Bibel und Tradition unter dem Begriff „Heilige Schriften" zusammen, weil beide von „geisttragenden Vätern" geschrieben sind. *Lilienfeld*, Nil Sorskij, Berlin 1963, 126–133 (Lit. Verz. Nr. 455).

173 PO 27, 490–492.

174 *Koffler*, Lehre 202.

175 PO 22, 519. – *Koffler* 205 f.: Der Kandelaber des Allerheiligsten ähnelt schon im Aufbau den arabischen (muslimischen) Enzyklopädien, vor allem dadurch, daß er durch einen Traktat über das Wissen im allgemeinen eingeleitet wird. Die an den muslimischen Philosophen geschulte Logik des Bar Hebräus hebt *Torbey* in PO 30, 609–610 hervor.

176 PO 22, 527–534.

177 PO 22, 537.

178 PO 22, 540.

übrigen nicht nur für die Gebildeten da, denn sonst würden ja die Einfältigen sie nicht haben können. Nein: „Die wahre Religion ist die, daß wir wissen, daß die göttliche Natur nur eine ist, daß sie lebendig und vernünftig ist, und daß ihr Leben und ihr Wort existierende und ewige Personen sind. Und es ist klar, daß dieser Gedanke nicht so unermeßlich ist, daß es unmöglich wäre, die Religion des Herrn zu erwerben.“ [179]

Dieses 1. Fundament hat noch einen 2. Teil, der ein kurzes, selbständiges Kompendium der Logik im Anschluß an Aristoteles ist.[180] Es beginnt mit einer Einleitung über den Nutzen der Logik, behandelt dann in sieben Kapiteln die Isagoge des Porphyrius[181] und die 6 Bücher des Organons des Aristoteles.[182] Die Logik als zuverlässige Richtschnur für das richtige Denken, so sagt Bar Hebräus, ist notwendig, weil der Mensch durch richtiges Denken vervollkommnet wird: er lernt kennen, was wahr ist, um es zu glauben, er lernt kennen, was gut ist, um es zu tun und um sich vor dem Unwahren und Bösen zu hüten. Die Logik ist also als Wissenschaftslehre für den nach Vollkommenheit strebenden Menschen unentbehrlich, weil das Denken von sich aus nicht immer das Rechte findet und also eine zuverlässige Richtschnur braucht.[183] Logisch richtiges Denken ist darum für den Christen, ja für alle Menschen überhaupt die unerläßliche Vorbedingung für das Ergreifen des göttlichen Heils.

Das 2. *Fundament* ‚Über die Natur des Universums nach der Ordnung der 6 Tage des Schöpfungsaktes‘[184] ist ein Hexaemeron[185], in dem Bar Hebräus christlich-biblische und griechisch-antike Elemente mit den Erkenntnissen islamisch-arabischer Erdbeschreibung zu einem umfassenden naturwissenschaftlichen Weltbild des christlich-orientalischen Mittelalters zusammenfügt. Der

179 PO 22, 541.
180 *Steyer*, Buch der Pupillen (Lit. Verz. Nr. 44).
181 Über Porphyrius (232–304 A. D.) RGG 5, 463–464; Tusc. 418–419.
182 Organum graece. Ed. *Theodorus Waitz*. Bd. 1–2. Leipzig 1844–1846. Vgl. die Bibliographie zur griechischen Gestalt der Logik bei *Bocheński*, Formale Logik, 538–548. EI [2]1 (1960) 630–633 s. v. *Arisṭūṭālīs* (Lit.). *Peters*, Aristoteles Arabus (Lit. Verz. Nr. 589). *Graf*, GCAL passim (siehe das Register). Tusc. 53.
183 *Steyer* 1–2; 29.
184 PO 22, 542–628; PO 24, 297–439.
185 Syrisch *Kĕṯāḇā dĕ-šta̱t jaumē*, äthiopisch *Aksīmārōs*, *slawisch Šestodnev*. Das *Hexaemeron* ist ein altkirchlicher oder mittelalterlicher Kommentar oder eine Homilie zum Sechstagewerk der Weltschöpfung, wie sie 1. Mose 1, 1–31 beschrieben ist, also ein Teilkommentar zur Genesis. Zu dieser im gesamten ostkirchlichen Bereich verbreiteten Literaturgattung vgl. *Altaner* [4]1955, 251 (Hexaemeron-Homilien des Basilius von Cäsarea); *Tonneau*, Texte Syriaque de la Genèse (Lit. Verz. Nr. 738) gibt eine Aufzählung syrischer Hexaemeron-Kommentare von Ephräm bis Bar Hebräus; dazu *Jansma*, L'Hexaméron de Jacques de Sarug (Lit. Verz. Nr. 333); *Trumpp*, Das Hexaëmeron des Pseudo-Epiphanius. Aethiopischer Text verglichen mit dem arabischen Originaltext und deutscher Übersetzung (Lit. Verz. Nr. 751); *Jaksche*, Das Weltbild im Šestodnev des Exarchen Johannes (Lit. Verz. Nr. 330); *Lägreid*, Der rhetorische Stil im Šestodnev des Exarchen Johannes (Lit. Verz. Nr. 424).

biblische Schöpfungsbericht (1. Mose 1, 1–31) mit seiner Abfolge der 6 Schöpfungstage gibt ihm die äußere Gliederung für die Darstellung der gesamten Natur; diese wird aber zugleich mit den Mitteln griechischer Wissenschaft durchdrungen. So gibt Bar Hebräus in der Einleitung einen von Thales von Milet bis Mani reichenden Überblick über die Versuche, die Welt auf ein oder mehrere Prinzipien zurückzuführen: „Viele und verschiedene Meinungen haben die Alten über die Natur dieses Universums gehabt. Der eine von ihnen hat als bewegendes Prinzip das Wasser angenommen, wie zum Beispiel Thales von Milet, der zum ersten Male die Philosophie erfunden hat, andere dagegen die Luft, wie Anaximenes und Diogenes, andere wieder das Feuer, wie Hippasos,[186] Heraklit und Theophrast." [187] Aristoteles habe drei Prinzipien aufgestellt: Materie, Form und Negation,[188] die Stoiker hätten Gott und die Materie, Mani das Gute und das Böse als letzte Gegebenheiten angesehen. Auch Bar Hebräus verwendete solche Grundbegriffe: bei der Erörterung des 1. Schöpfungstages ging er von den 4 Elementen[189] Erde, Wasser, Luft und Feuer aus, um bei dem ersten dieser Elemente die Kugelgestalt der Erde,[190] ihre Längen- und Breiteneinteilung, ihre sieben Zonen oder Klimata[191] nach dem Almagest des Ptolemäus und nach den Ansichten der Inder und Perser sowie die Metalle und die Minerale zu besprechen. Beim Element der Luft sprach er über Erscheinungen wie Wolken, Regen und Schnee, über Blitz und Donner, über Kometen und Winde, beim Element des Feuers besprach er die Vulkane in Phrygien, Kreta und Sizilien und schloß daran einen Abschnitt über die Natur des Lichts und über die Farben.[192] Die Werke des 3. Schöpfungstages veranlaßten ihn nicht nur zu Ausführungen über den Salzgehalt und die Bewegungen des Meeres, sonden auch zu einer Beschreibung der Meeresbuchten, Binnenseen, großen Inseln und Flüsse der Alten Welt; diesem geographischen Abschnitt hatte er auch eine selbstgezeichnete Karte beigefügt. Diese Karte ist von Chabot[193] beschrieben worden: sie besteht aus konzentrischen Kreisen, in deren Mittelpunkt der Sinai liegt. Der innere Kreis ist unsere Ökumene, darum herum liegen als weitere Kreise der Ozean, die

186 Syr. *Jūpūpāsūs,* TS Suppl. 153.

187 PO 22, 542–543 (von mir gekürzt). Der folgende Abschnitt steht PO 22, 545–548.

188 Syr. *gĕlīzūṯā, wohl = steresis,* ‚Beraubung', Nichtexistenz, Negation, *Payne Smith* 71.

189 Syr. *Esṭūḵsā, stoicheion,* Element, z. B. PO 22, 570 (Erde). Über die antike Elementenlehre in der Genesisexegese vgl. *Jaksche,* Weltbild 263.

190 PO 22, 570; vgl. *Jaksche,* Weltbild 276–283.

191 Syr. *Qĕlīmē,* PO 22, 582. Weiteres über die Klimata (Erdzonen) PO 24, 314–316. *Honigmann,* Die sieben Klimata (Lit. Verz. Nr. 320). Vgl. auch *Miquel,* Géographie Humaine du Monde Musulman (Lit. Verz. Nr. 510) und *Yāqūt,* Introductory Chapters transl. by *Jwaideh* (Lit. Verz. Nr. 363) 38–52: „On the seven Climes . . . and the Etymology of the Word Iqlīm." TS 3630 s. v. *Qĕlīmā.*

192 PO 22, 621–627. Dieser Text käme als Ergänzung zu *Goethes* Geschichte der Farbenlehre in Betracht.

193 *Chabot,* Notice sur une Mappemonde syrienne (Lit. Verz. Nr. 109).

vorsintflutliche Erde und schließlich das Paradies.[194] Den am 3. Tag geschaffenen Pflanzen gilt ein längerer Abschnitt mit Klassifikationsversuchen und einer alphabetischen Liste der Pflanzen unter Angabe ihrer offizinalen Eigenschaften.[195] Den am 4. Tag geschaffenen Himmelskörpern widmet Bar Hebräus einen astronomischen Abschnitt[196] mit Angaben über Größe und Bewegung des Mondes und der Sterne, über die Himmelssphären, über den Tierkreis, die Sternbilder, die Mondphasen und über Jahr, Monat, Tag und Stunde als die Grundlagen der Zeitrechnung. Die Erörterung des 5. und 6. Schöpfungstages bringt die Zoologie: Fische, Vögel, Reptilien und sonstige Landtiere werden klassifiziert und beschrieben; der Abschnitt schließt mit vergleichenden Betrachtungen über die Tiere und den Menschen. So wird der Bau der menschlichen Geschlechtsteile eingehend mit dem gewisser Tierarten verglichen.[197] Den Abschluß dieses Hexaëmerons bildet die Beschreibung des Körperbaus des Menschen unter rein anatomischen Gesichtspunkten. Bar Hebräus schildert den Gebrauch der Teile des Kopfes, der Atmungsorgane, der Verdauungsorgane und gibt die Zahl der Knochen und Muskeln an.[198] So gibt er uns einen Einblick in die syrische Medizin seiner Zeit, in der er selbst als Arzt tätig gewesen ist.[199]

Dieses 2. Fundament der großen Dogmatik des Bar Hebräus ist wegen der Fülle verschiedenartigster naturwissenschaftlicher Mitteilungen von abendländischen Gelehrten mehrfach studiert und in Teileditionen und Teilübersetzungen zugänglich gemacht worden. Es zeigt uns, wie die Welt als Natur durch den Schöpfungsbericht einen festen Platz im christlichen Weltbild des orientalischen Mittelalters erhielt und insofern einen Bestandteil der christlichen Dogmatik bildete.[200] Das war freilich nichts völlig Neues. Schon im Altertum hat die Kirche keineswegs diese Welt zugunsten der zukünftigen ignoriert: den griechischen Kirchenvätern erschien die irdische Welt interessant, genußreich und bedeutungsvoll. Basilius von Cäsarea und Nemesius von Emesa hatten Medizin studiert, meteorologische Erscheinungen drängten sich jedem Kirchenvater von selbst auf, und Botanik, Zoologie, Astronomie fanden auch in ihren Schriften vielfältige Erwähnung. Dem Körperbau von Mensch und Tier haben viele Kirchenväter ausführliche Erörterungen gewidmet, und der Brief, in dem Basilius von Cäsarea dem Gregor von Nazianz die schöne Umgebung seiner Einsiedelei am Flusse Iris beschreibt (ep. 14), ist

194 Lit. zu diesem geographischen Abschnitt (PO 24, 304–320) und zur Karte ist PO 24, 308 Anm. 3 verzeichnet; vgl. dazu PO 24, 313. *Marinelli,* Die Erdkunde bei den Kirchenvätern (Lit. Verz. Nr. 480) 63–87.
195 PO 24, 320–347.
196 PO 24, 350–377.
197 PO 24, 406.
198 PO 24, 405–428.
199 *Kawerau,* Jakobitische Kirche 59–60 u. ö., bes. 51.
200 *Wallace–Hadrill,* The Greek Patristic View of Nature (Lit. Verz. Nr. 794); *Norris,* God and World in Early Christian Theology (Lit. Verz. Nr. 560).

ein berühmtes Beispiel christlich-antiker Naturschilderung. Man könnte das alles als Christianisierung der überkommenen antiken Bildung betrachten, aber – verglichen mit dem abendländisch-lateinischen Mittelalter – doch nur in einem sehr eingeschränkten Sinne. Denn während, um ein Beispiel zu geben, im Abendland die mittelalterliche Weltkarte sakralen Charakter hatte, der römische Orbis terrarum auf ihr zum Orbis christianus wurde, bei dem es nicht mehr auf geographische Genauigkeit, sondern nur noch auf den religiösen Sinn des Dargestellten ankam, so daß man im Kloster Ebstorf bei Celle eine Weltkarte sogar als Altarbild verwenden konnte,[201] blieb bei Bar Hebräus alles im Bereich nüchterner Welterkenntnis. Er wußte, daß der Orbis terrarum nicht christlich war und es auch niemals werden würde.

Auch in der Dogmatik des Bar Hebräus fehlt im übrigen völlig die Heilsgeschichte; es fehlt bei ihm also ein christlich-historisches Weltbild, es fehlt die Welt als Geschichte. Obwohl Bar Hebräus selbst ein bedeutender Geschichtsschreiber gewesen ist, besaß er doch ebensowenig wie andere mittelalterliche Geschichtsschreiber einen Sinn dafür, daß auch die Welt als Geschichte in der christlichen Dogmatik einen Platz beanspruchen konnte.

Das *3. Fundament* ‚Über die Lehre von der Gottheit'[202] handelt von Gott und von der Trinität. Es ist eine philosophische Abhandlung von rigoroser Logik, die, von dem Begriff des notwendig seienden einen Schöpfergottes ausgehend, zunächst die Eigenschaften und Fähigkeiten Gottes – Ewigkeit, Unkörperlichkeit, Allwissenheit, Unsichtbarkeit und Unerforschlichkeit – darstellt und entgegenstehende Meinungen widerlegt, um dann die monophysitische Hauptlehre[203] von der einen Natur Gottes und ihren drei Hypostasen ausführlich zu behandeln: „Alles, was ist, wenn seine Natur nicht an sich selbst fähig ist zum Nichtsein, ist ein notwendiges Sein, und das ist der Schöpfer des Alls."[204] Auf diesen Lehrsatz, mit dem das 3. Fundament beginnt, läßt Bar Hebräus gemäß seiner Methode die Gegenmeinung folgen: „Sie sagen: Wenn der Schöpfer zu den Wesen gehörte, die existieren, würde er mit ihnen an der Existenz teilnehmen, das heißt, an dem, was ist, und er würde verschieden sein von ihnen durch die Besonderheit seiner Existenz. Nun ist alles, was so ist, nach Genus und nach Differentia specifica zusammengesetzt[205] und ist nicht einfach. Der Schöpfer also, wenn er existiert, ist zusammengesetzt.

201 *Uhden,* Herkunft und Systematik der mittelalterlichen Weltkarten (Lit. Verz. Nr. 758); *Brincken,* Mappa Mundi und Chronographia (Lit. Verz. Nr. 88); *Uhden,* Gervasius von Tilbury und die Ebstorfer Weltkarte (Lit. Verz. Nr. 757).

202 PO 27, 453–626.

203 PO 27, 562, 25–26: *Tar'īṯā marānaitā.*

204 PO 27, 466, 8–9.

205 PO 27, 470, 2. Vgl. *Dietrich,* Die arabische Version einer unbekannten Schrift des Alexander von Aphrodisias über die Differentia specifica. Göttingen 1964 (Lit. Verz. Nr. 147). Dazu EI [2]2 (1965) 550 s. v. *Djins,* genos, wo die aristotelischen Begriffe genus, species, differentia specifica, qualitas und accidens für den islamischen Bereich erörtert werden.

Und da seine Existenz zu einer derartigen Absurdität führt, existiert er folglich nicht." [206] Diesen Einwand widerlegte Bar Hebräus mit einem Gedankengang, der auf der Unterscheidung von der Notwendigkeit der Existenz des Schöpfergottes einerseits und der bloßen Möglichkeit der Existenz der geschaffenen Wesen andrerseits beruhte: „Wir sagen, daß der Schöpfer, das notwendige Sein, eine Existenz hat, die nicht teilhat an der Existenz der möglichen Wesen, wie es notwendig wäre, wenn er nach Genus und Differentia specifica zusammengesetzt wäre, wie ihr gesagt habt, und zwar deshalb, weil, wenn die Existenz sein Genus ebenso wie das der möglichen Wesen wäre, sie in gleicher Weise und synonym sowohl von ihm wie von jenen ausgesagt werden müßte. Nun ist das keineswegs so, weil die Existenz von ihm ausgesagt wird an erster Stelle und in wörtlicher Bedeutung, von ihnen hingegen nur an letzter Stelle und nicht in wörtlicher Bedeutung, im Gegensatz zum Genus, weil der Mensch nicht vornehmlich Tier ist und noch weniger Stier. Das notwendige Wesen einerseits existiert in wörtlicher Bedeutung, da ihm das aus seiner eigenen Existenz heraus zukommt. Das mögliche Wesen andrerseits existiert nur im übertragenen Sinne, da ihm das nicht aus seiner eigenen Existenz heraus zukommt, sondern von Dem sich herleitet, der anbetungswürdig ist und hoch erhaben in seiner Existenz." [207]

Aus dieser Argumentation folgt, daß es nur einen Gott und nicht mehrere Götter geben kann: denn diese müßten ihrem Genus nach an der Notwendigkeit des Seins teilnehmen, ihrer Differentia specifica nach aber davon verschieden sein. Sie wären also zusammengesetzt; nun ist alles Zusammengesetzte möglich, aber nicht notwendig. Daraus ergibt sich: „Alles, was eine mögliche Natur besitzt, ist nicht Gott. Folglich ist die göttliche Natur, die von notwendiger Existenz ist, eine einzige aus Notwendigkeit." [208]

Von dieser Grundlage aus entfaltet Bar Hebräus dann seine streng monophysitische Trinitätslehre: die eine göttliche Natur [209] besitzt 3 Hypostasen.[210] Denn der Schöpfer ist weise und lebendig, und das ist er durch die Weisheit und durch das Leben; beides sind Bestimmungen Gottes, die sich von dem Begriff Gottes als der wesensnotwendig existierenden einen Natur unterscheiden. Aber sie sind nicht Akzidenzien, denn sonst würde der Schöpfergott der Sitz von Akzidenzien sein und Veränderungen unterliegen. Weisheit und Leben sind also Wesensbestandteile [211] Gottes, es sind Hypostasen.[212] Da nun der Begriff eines Weisen und Lebendigen etwas anderes ist als die Weisheit

206 PO 27, 468, 29 – 470, 4.
207 PO 27, 472, 26 – 474, 8.
208 PO 27, 556, 5–12.
209 *Kĕjānā*, PO 27, 562, 23.
210 *Qĕnōmē*, PO 27, 562, 23.
211 *Ūsijas*, PO 27, 564, 21 und 24.
212 *Qĕnōmē mĕqaimē*, reale Hypostasen, PO 27, 564, 1–19; 25.

und das Leben, ist also auch der Schöpfergott selbst eine reale Hypostase,[213] zu der das Leben und die Weisheit gehören: „Und von hier aus leuchtet in strahlender Weise der Glanz der Trinität der Hypostasen der einen göttlichen Natur."[214] Obwohl aber die Weisheit und das Leben ebenfalls reale Hypostasen sind, sind sie doch untrennbar und unteilbar mit der Hypostase verbunden, zu der sie gehören.[215] Denn ohne eine solche dritte Hypostase wären die Weisheit und das Leben die Weisheit und das Leben *von nichts*. Folglich sind beide weder getrennt noch geteilt, obwohl in rein logischem Verstande die Hypostasen durch ihre jeweiligen Prädikate differieren.[216] Die Theologie bezeichnet mit „Vater" die Hypostase, die weise und lebendig ist, mit „Sohn" die Weisheit[217] und mit „Geist" das Leben.[218] Sohn und Geist repräsentieren also jeweils nur eine Wesensseite Gottes des Vaters, der triadischen Monas. Und obwohl der Sohn und der Geist in gleicher Weise von der Hypostase des Vaters verursacht sind, besteht doch ein Unterschied der Hervorbringung zwischen beiden: dem Sohn ist das Gezeugtsein eigentümlich, dem Geist das Hervorgehen.[219] Gleichwohl haben alle drei Hypostasen nur eine einzige Substanz[220] oder Natur;[221] aber wenn auch jede einzelne dieser heiligen drei Hypostasen „Gott" genannt wird, so werden sie doch nicht als drei Götter oder drei Gottheiten bezeichnet, denn dieser Ausdruck würde zu einer Dreiheit der Naturen durch Zerspaltung der Substanzen führen.[222] Die drei Hypostasen sind nicht drei Götter, weil die Begriffe, die diese Hypostasen charakterisieren: Erzeugen, Erzeugtsein und Hervorgehen, relative Begriffe sind, die sich auf das Sein beziehen: „Nun ist es klar, daß die Vielzahl der Relationen nicht zur Vielzahl der Naturen führt."[223] Und folglich sind der Sohn und der Geist auch nicht geschaffen und hervorgebracht, denn dann wären sie beide Kreaturen[224] und würden sich von der Natur des Vaters unterscheiden. Die drei Hypostasen besitzen aber nur eine einzige, allen dreien gemeinsame Natur.[225]

213 PO 27, 564, 26–27.
214 PO 27, 564, 27–28.
215 PO 27, 568, 6–7.
216 PO 27, 568, 14–15.
217 Die Heilige Weisheit, Hagia Sophia, ist Christus. *Bauer,* WBzNT s. v. Sophia und ThWBzNT s. v. *Sophia* über die personifizierte Weisheit. Für die vorchristliche Zeit vgl. *Gladigow,* Sophia und Kosmos (Lit. Verz. Nr. 244) passim. Über ostkirchliche Sophiologie und Verpersönlichung der göttlichen Weisheit im Logos vgl. *v. Brockhusen,* Ikonen als künstlerischer Ausdruck des Platonismus (Lit. Verz. Nr. 93) 91–94.
218 PO 27, 568, 16–17.
219 PO 27, 572, 15–16. Also kein ‚filioque'.
220 *Ūsija,* PO 27, 572, 15.
221 *Kĕjānā,* PO 27, 572, 15.
222 PO 27, 574, 23–28.
223 PO 27, 576, 6–7.
224 PO 27, 592, 24–27. Es folgt bis 602 eine Widerlegung der Arianer und ihrer Schriftbeweise.
225 PO 27, 594, 2–4.

Das *4. Fundament* behandelt die Menschwerdung[226] des göttlichen Wortes. Es ist sowohl dem Umfange als auch der theologischen Bedeutung nach der wichtigste Teil der ganzen Dogmatik des Bar Hebräus, denn die Christologie ist die wichtigste Unterscheidungslehre aller monophysitischen Kirchen. Bar Hebräus steht hier ganz in der Tradition des Severus von Antiochia,[227] und seine Bedeutung besteht nicht so sehr in der Weiterbildung der monophysitischen Christologie als in einer zusammenfassenden und für seine Kirche abschließenden Darstellung ihres Glaubens an das inkarnierte Wort, wobei Bar Hebräus freilich jede polemische Schärfe in seiner Auseinandersetzung mit den Dyophysiten und den Antiochenern vermeidet.[228] Mit Ruhe und in gelehrter Breite entfaltet er die monophysitische Christologie, wobei allerdings die entscheidenden Begriffe wie Substanz und Akzidens, Natur, Hypostase, Existenz, Sein, Wesen, Beschaffenheit *(quidditas)*, Person, Figur und andere von ihm nicht immer bis zur letzten Konsequenz durchdacht werden.[229]

Die Möglichkeit der Menschwerdung einer der Hypostasen der Trinität, so beginnt Bar Hebräus, beruhe darauf, daß die Natur der immateriellen menschlichen Seele eine gewisse Verwandtschaft zur göttlichen Natur habe; deshalb könne die Hypostase der Trinität sich mit der Seele eines Menschen und dann auch mit deren Körper verbinden.[230] Diese mögliche Union des göttlichen Wortes mit einer menschlichen Hypostase[231] ist in Christus Realität geworden.[232] Das wird ausführlich mit den Zeugnissen der Propheten und durch die von Christus mittelbar und unmittelbar gewirkten Wunder bewiesen.[233] Entgegenstehende häretische Meinungen, von denen diese Beweise angezweifelt werden, widerlegt Bar Hebräus und setzt sich eingehend mit der Ansicht der Juden auseinander, daß, wenn Jesus der wahre Messias gewesen wäre, er niemals das mosaische Gesetz abgeändert haben würde, das nach dem Willen Gottes ewigen Bestand haben sollte.[234] Ebenso eingehend befaßt er sich mit den Muslimen, die sagen: „Christus ist zwar der Erwartete, und das, was die Propheten wahrhaftig geweissagt haben, bezieht sich wirklich auf ihn; aber er ist weder Gott noch Gottes Sohn, sondern einfach der Prophet Gottes

226 *Meṯbarnĕšanūṯā*, PO 31, 14. Das 4. Fundament steht PO 31, 1–268.
227 Über diese gemäßigte Richtung des Monophysitismus vgl. *Lebon*, Le Monophysisme Sévérien, Löwen 1909 (Lit. Verz. Nr. 433) und *Lebon*, La Christologie du Monophysisme Syrien, in: Konzil von Chalkedon 1, Würzburg 1951, 425–580 (Lit. Verz. Nr. 267). *Wigram*, The Separation of the Monophysites, London 1923, 191–206: Monophysite Christology (beruht auf *Lebon*).
228 Siehe z. B. PO 31, 130–132 u. vgl. *Kawerau*, Jakobitische Kirche 80–83.
229 PO 31, 122. – Man vermißt hier schmerzlich begriffsgeschichtliche Untersuchungen, wie sie im Bereich der biblischen Schriften längst reichlich vorhanden sind.
230 PO 31, 14.
231 *Qĕnōmā.*
232 PO 31, 30.
233 PO 31, 36–62.
234 PO 31, 62 ff.; PO 31, 94–104.

und sein Diener."[235] Bar Hebräus zählt die acht wichtigsten Einwände des Islams gegen das Christentum auf, darunter den, daß eine Dreiheit niemals zugleich eine Einheit sein könne, daß das Christentum also Polytheismus[236] sei, daß Christus als zeitliches, irdisches, endliches Wesen nicht die Attribute Gottes haben könne, und andere. Er widerlegt sie Punkt für Punkt[237] und wendet sich dann der kirchlichen Lehre von Christus zu: „Christus ist eine Natur aus zwei Naturen."[238] Die vom Vater am Anfang der Zeiten ohne Fleisch und am Ende der Zeiten von Maria nach dem Fleisch geborene Natur Christi ist nur eine; sonst gäbe es zwei Naturen und folglich auch zwei Söhne.[239] Diese Einheit der Natur folgt auch aus der Einheit der Hypostase: „Wir sagen: Wenn die Hypostase unseres Herrn eine ist, dann muß notwendigerweise auch seine Natur eine sein, denn seine Hypostase ist nichts anderes als seine Natur, vermehrt um die charakteristische Qualität."[240] Und schließlich: „Wenn Christus, unser Herr, ein einziger Sohn, ein einziger Herr, eine einzige Person ist, muß er notwendigerweise auch eine einzige Natur und eine einzige Hypostase sein."[241] Das führt natürlich zu der Lehre, daß Gott von einer Frau geboren worden ist, daß Gott gelitten hat und gekreuzigt worden ist.[242] Gott selbst kniet nieder und betet – das soll allen Dyophysiten gesagt sein, deren Lehre und ihrer Widerlegung Bar Hebräus zwei längere Abschnitte widmet.[243] Um aber die unterscheidenden Kennzeichen der göttlichen und der menschlichen Natur Christi zu bewahren und sie nicht zu vermischen, bekennt die heilige Kirche der Jakobiten[244] „eine Natur aus zwei Naturen".[245] Da die göttliche Natur weder ein Körper noch ein Akzidens ist, ist ihre Vermischung mit Körpern und Akzidenzien eine Unmöglichkeit.[246] Außerdem ist es undenkbar, daß die substantiell unveränderliche göttliche Natur die zum Wesen

235 PO 31, 104, 22–24. – Christologisch steht also der Islam den Antiochenern näher als den Alexandrinern.

236 Arabisch *Širk*, eigentlich ‚Zugesellung', dann ‚Gott einen Genossen geben', einen anderen neben Gott verehren. EI 4 (1934) 408–410 s. v. *Shirk.*

237 PO 31, 104–120.

238 PO 31, 130, 2.

239 PO 31, 130, 5–10.

240 PO 31, 138, 24–140, 2; vgl. PO 31, 126, 24–26.

241 PO 31, 144, 19–20.

242 PO 31, 150, 15.

243 PO 31, 168–200.

244 So wörtlich Bar Hebräus PO 31, 202, 3. Die Jakobiten bezeichneten sich im Mittelalter also selbst als Jakobiten, eine Bezeichung, die sie heute mit „Syrisch-orthodoxe Kirche" vertauscht haben; weitere Bezeichnungen siehe *Kawerau*, Amerika und die orientalischen Kirchen (Lit. Verz. Nr. 377) 655.

245 PO 31, 202, 2: *Ḥad Kĕjānā men tĕrēn Kĕjānē.* Vgl. *Winkler*, Probleme der Zwei-Naturen-Lehre (Lit. Verz. Nr. 819). In dieser Formel kommt der gemäßigte Monophysitismus severianischer Prägung zum Ausdruck, wie ihn Bar Hebräus vertritt, zugleich auch die innere Verwandtschaft von Monophysitismus und Dyophysitismus.

246 PO 31, 204, 3–6.

einer Vermischung gehörenden Einwirkungen und Veränderungen seitens einer andern, niedrigeren Natur erleide.[247] Das war der Irrtum der Eutychianer, gegen den sich Bar Hebräus hier wendet.[248] Ebenso unmöglich ist die Verwandlung des menschlichen Körpers in die Natur des göttlichen Wortes, wie es die Julianisten[249] lehren. Denn dann hätte dieser Körper entweder unkörperlich und unsichtbar werden müssen wie das Wort, oder er wäre zum Nichts reduziert worden.[250] Bar Hebräus geht den Gedanken der Julianisten mit besonderer Ausführlichkeit nach und widerlegt sie bis ins einzelne; vor allem betont er ihnen gegenüber, daß der Leib des Herrn erst nach der Auferstehung leidenslos, unsterblich und unverweslich geworden ist.[251] Am Schluß des 4. Fundaments wendet er sich gegen die Lehren „derjenigen Julianisten, die man auch Phantasiasten, Illusionisten und Gregorianer nennt";[252] er führt ihre Vernunft- und Schriftbeweise zunächst vor,[253] um sie dann zu widerlegen: wenn diese Richtung meine, Christus habe gewisse Züge der menschlichen Natur wie Essen, Trinken, Leiden und Sterben nur imaginär, nicht aber real manifestiert, weil das unendliche Wort und das endliche Fleisch keine Union hätten eingehen können,[254] so beweise gerade die Union der unendlichen Seele des Menschen mit dem endlichen menschlichen Leibe das Gegenteil: *finitum capax infiniti*.[255]

Das *5. Fundament* ‚Über die Kenntnis der himmlischen Wesen, der Engel, nach ihren verschiedenen Chören'[256] behandelt in 5 Kapiteln die Existenz der Engel, die Zahl der Engelschöre, die Erschaffung und die Natur der Engel, den Vergleich der Engel mit den Menschen und die Meinungen der Heiden über die Engel. Da es nur wenige spezielle Schriften orientalischer Theologen über die Engel gibt,[257] besitzt dieser Teil der Dogmatik des Bar Hebräus besonderen Wert. Zunächst wird mit rationalen und traditionellen Gründen die Existenz der Engel erwiesen: „Wir sagen: jedes Wesen, dessen Existenz nicht unmöglich ist, ist entweder an sich notwendig, und das ist Gott — Preis sei

247 PO 31, 204, 9–18.
248 PO 31, 206–212. Über Eutyches vgl. DThC 5 (Paris 1939) 1582–1602 *(Jugie)*.
249 PO 31, 214–244. *Draguet*, Julien d'Halicarnasse, 1924 (Lit. Verz. Nr. 176); RGG 3, 1061 Nr. 3.
250 PO 31, 214, 14–17. Die Julianisten waren die radikalsten Monophysiten.
251 Vgl. besonders die von Bar Hebräus angeführten Schrift- und Väterzitate, PO 31, 226.
252 PO 31, 230, 2–3. Über die Aphthartodoketen vgl. DThC 5 (Paris 1939) 1582 bis 1609 s. v. *Eutychianisme*.
253 PO 31, 230–236.
254 PO 31, 230.
255 PO 31, 236.
256 PO 30, 605–720.
257 PO 30, 608–609 nennt *Torbey* Dionysius Areopagita und Mose Bar Kepha als Hauptquellen des Bar Hebräus. — Lit.: *Torbey*, Preuves de l'Existence des Anges (Lit. Verz. Nr. 739); *Müller*, Engellehre der Koptischen Kirche (Lit. Verz. Nr. 526); *Cramer*, Engelvorstellungen bei Ephräm (Lit. Verz. Nr. 126). *Tavard*, Lit. Verz. Nr. 708.

seiner Güte –, oder an sich selbst möglich. Und dieses ist entweder ein Körper oder wohnt in einem Körper, oder es ist kein Körper und wohnt nicht in einem Körper." In letzterem Falle kann das Wesen gut sein und „Engel" heißen, oder es kann böse sein und „Dämon" heißen. Auf jeden Fall enthält diese Einteilung nichts, dessen Existenz unmöglich wäre, und daher ist die Existenz der Engel nicht unmöglich.[258] Positiv folgt die Existenz der Engel daraus, daß jedes Wesen entweder ganz gut oder ganz schlecht oder überwiegend gut oder überwiegend schlecht oder halb gut oder halb schlecht ist. Das erste trifft für Gott zu, das zweite ist unmöglich, weil der gute Schöpfergott nichts völlig Schlechtes geschaffen hat, das dritte sind die Engel, das vierte die Dämonen, das fünfte die Menschen.[259] Zahlreiche Beweise für die Existenz der Engel lassen sich ferner der Heiligen Schrift entnehmen,[260] und auch die heidnischen Philosophen haben Beweise für die Existenz der Engel geführt, indem sie zum Beispiel die Bewegung der Himmelssphären auf die Engel zurückführten.[261] Im 2. Kapitel werden von Bar Hebräus nach der kirchlichen Tradition, vor allem auf Grund des Alten Testaments, der Lehren des Dionysius Areopagita und des Mose Bar Kepha[262] drei himmlische Hierarchien mit je drei Chören von Engeln unterschieden,[263] ihre Bezeichnungen erklärt und dann dargelegt, wie die Chöre der Engel einen Stufenbau zwischen der höchsten Gottheit und den Menschen bilden: der oberste Chor der Seraphim empfängt die Manifestationen, den Glanz und die Offenbarungen Gottes direkt und leitet sie an die niederen Chöre und schließlich an die Menschen weiter. Die Einweihung in die göttlichen Geheimnisse[264] erfolgt also nur auf der obersten Stufe der Hierarchie ohne Vermittler unmittelbar durch Gott selbst; alle andern Stufen erhalten ihre Einweihung von der nächsthöheren, denn alle guten und vollkommenen Gaben kommen von oben herab, von dem Vater des Lichts.[265] An der untersten Stelle stehen die Menschen, die von den Engeln geleitet werden, sofern sie es wollen: „Wir sagen: Es sind drei: der Engel, der Dämon und der Mensch. Es ist klar, daß der Wille des Engels in Gegensatz steht zum Willen des Dämons. Der Mensch aber ist frei und Herr seiner selbst. Folglich, wenn sich sein Wille an den der Engel heftet, ist der Dämon besiegt und entfernt sich, denn zwei sind stärker als einer. Wenn sich aber der Wille des Menschen an den Willen des Dämons heftet, dann ist der Engel besiegt und entfernt

258 PO 30, 612.
259 PO 30, 612–614.
260 PO 30, 614–618.
261 PO 30, 622–628. Bar Hebräus benutzt hier Aristoteles, Al-Fārābī und Avicenna. Über sie vgl. EI [2]1 (1960) 630–633 s. v. *Arisṭūṭālīs,* EI [2]2 (1965) 778–781 s. v. *Al-Fārābī* und EI [2]3 (1969) 941–947 s. v. *Ibn Sīnā.*
262 *Baumstark,* GSL 281–282; RGG 4, 1155.
263 PO 30, 630–640. Die drei Chöre sind: 1. Seraphim, Cherubim, Throne; 2. Herrschaften, Kräfte, Mächte; 3. Fürstentümer, Erzengel, Engel.
264 *Mārzānūṯā,* PO 30, 640, 2. Vgl. *Rāzā,* TS 3871–3875.
265 PO 30, 640. Jakobus 1, 17.

sich."[266] In gleicher Weise werden auch die Völker von guten und schlechten Geistern begleitet, ja auch den vier Elementen und den Sphären stehen Engel vor, die sie bewegen.[267] Über die Erschaffung und die Natur der Engel spricht Bar Hebräus im 3. Kapitel: die Engel stehen wegen ihrer immateriellen Natur Gott näher als den Menschen und sind also vor ihnen geschaffen.[268] Dafür sprechen auch noch andere Gründe. Die Engel sind als geschaffene Wesen endlich, als unkörperliche Wesen unsterblich und unverweslich; sie besitzen Willensfreiheit[269] und sind den vollkommenen Menschen, ja selbst der menschlichen Natur unseres Herrn Jesus Christus in vieler Hinsicht überlegen.[270] Im abschließenden 5. Kapitel referiert Bar Hebräus die Theorien der heidnischen Philosophen über die Engel und die Plerophorien[271] derjenigen, die in götzendienerischer Weise den Engeln einen eigenen Kult erweisen. So meinen die Inder, jedes Volk müsse seinem Schutzengel Verehrung erweisen,[272] während andere die Verehrung einer Statue als Verehrung eines guten Geistes betrachten.[273] Diesen und andern Ansichten stellt Bar Hebräus am Ende des 5. Fundaments eine kirchliche Darlegung[274] über die Engel entgegen: Vernunft und Schrift geben uns zwar genauestens von der Existenz eines Schöpfergottes Kenntnis, über die den Ländern und Völkern vorgesetzten Engel hingegen finden wir in der Schrift nur eine einzige dunkle Andeutung. Der Kult dessen, was wir genau wissen, darf nicht vernachlässigt werden zugunsten des Kultes dessen, was wir nur durch dunkle Andeutungen kennen.[275]

Das *6. Fundament* ‚Über das irdische Priestertum'[276] ist wie das 5. Fundament ‚Über die Engel' stark von Dionysius Areopagita beeinflußt.[277] Es behandelt in 2 Kapiteln die Rangstufen des irdischen Priestertums und die

266 PO 30, 650, 12–17.
267 PO 30, 652–654. Biblische Belegstellen sind Deut. 32, 8 (LXX); Apostelgesch. 17, 26; Daniel 10, 12–13 und 20–21.
268 PO 30, 660.
269 PO 30, 670–682.
270 PO 30, 684–686.
271 PO 30, 702, 6.
272 Zur ganzen Frage vgl. RGG 2, 1298–1303 s. v. *Geister, Dämonen, Engel.* EI ²2 (1965) 546–550 s. v. *Djinn. Pauly–Wissowa* (Suppl. 3 (1918) 267–322 s. v. *Daimon. Peterson,* Frühkirche, Judentum und Gnosis (Lit. Verz. Nr. 592) 51–63: „Das Problem des Nationalismus im alten Christentum"; hier 52 über Engel, denen je eine Nation unterstellt ist. EI 3 (1936) 209–212 s. v. *Malā'ika.* Engel.
273 *Kawerau,* Geschichte der Alten Kirche 109–110: Die Verehrung von Statuen wird von Plotin als berechtigt angesehen, weil sie der Natur des Alls gemäß ist.
274 PO 30, 706, 20.
275 PO 30, 702–708.
276 *Kohlhaas,* Jakobitische Sakramententheologie (Lit. Verz. Nr. 44). Dazu *Vries,* Kirchenbegriff der späteren Jakobiten (Lit. Verz. Nr. 789). der zeigt, daß die Jakobiten die römische Lehre von der Kirche überhaupt nicht kennen und daß Bar Hebräus in Abhängigkeit von Dionysius Areopagita die irdische Kirche als die unterste Stufe der bis zu den Seraphim hinaufreichenden himmlischen Hierarchie ansieht.
277 *Kohlhaas* 10–13, der aber auch die Unterschiede zwischen beiden hervorhebt.

Weihen, die an ihnen und von ihnen vollzogen werden: „Das Priestertum ist diejenige Tätigkeit, die den Menschen, soweit es für die Menschennatur angeht, zur Angleichung an Gott führt.“ [278] „Es ist der Weg, der die Menschen, soweit es angeht, von tierischen Sitten zu den Sitten der Engel hinüberführt durch Vermittlung körperlicher Materien, in denen der Typos[279] derer abgebildet ist, die unkörperlich sind: duftendes Salböl, sage ich, und das himmlische Brot, lebenspendender Wein und zum Lied geformte Stimme, bei deren Anhören die Seele wie aus einem Traum erwacht und sich ihres ursprünglichen Ortes erinnert und sich so, wenn sie vom Joch der Stofflichkeit befreit und aus ihren Banden entlassen ist, unbehindert unter die himmlischen Wesen, wie eine Vertraute zu ihresgleichen gesellt.“ [280] Diese priesterliche Tätigkeit wird von und in drei Graden ausgeübt: den Diakonen als den Reinigern, den Priestern als den Erleuchtern und den Hohenpriestern[281] als den Vollendern der nach Angleichung an Gott strebenden Menschen.[282] An der Spitze des Klerus steht daher der Hohepriester, der allein berechtigt ist, das göttliche Myron zu konsekrieren,[283] das Jesus versinnbildlicht und darstellt und nur einmal im Jahr, am Gründonnerstag als dem Tag der Mysterien, geweiht wird. Dieses Myron ist das erhabenste aller Sakramente; es ist aus zwei Salben, Balsam und Olivenöl, zusammengesetzt:[284] diese Zweiheit versinnbildlicht die Gottheit und die Menschheit Jesu. Deshalb steht das Myron über der Eucharistie, denn dieses lebenspendende Mysterium bezeichnet nur das Geheimnis der Menschheit unseres Erlösers, seinen Leib und sein Blut. Ohne das Myron, mit dem der Altar konsekriert wird, könnte weder die Eucharistie noch irgendeine Chirotonie an oder auf dem Altar gefeiert werden, und auch bei der

278 *Kohlhaas* 17 = 84, 6–7.

279 Syrisch *Ṭūpsā*, *Kohlhaas* 84, 17.

280 *Kohlhaas* 17–18 = 84, 15–20. Zu dieser offensichtlich vom Manichäismus beeinflußten Vorstellung, die Seele löse sich durch Lieder vom Stoff und steige zu Gott auf, vgl. *Kawerau*, Geschichte der Alten Kirche 51 und das Perlenlied in den Thomasakten, *Hennecke*, Neutestamentliche Apokryphen 2 ([3]1964) 349–353 (Lit. Verz. Nr. 311).

281 Syrisch *Rīšaikāhĕnē*, Bischöfe.

282 *Kohlhaas* 20 = 86, 12–15.

283 *Kohlhaas* 23 = 89, 5. *Kawerau*, Jakobitische Kirche [2]1960, 18–19; hier Anm. 72 die zur Zeit des Bar Hebräus gültigen kirchenrechtlichen Vorschriften über die Myronweihe.

284 Rezepte für die Bereitung des Myron bei den Jakobiten: *Kohlhaas* 30; *Kawerau*, Jakobitische Kirche 19 Anm. 72. – Die Ostsyrer (Nestorianer) verwenden reines Olivenöl. – Die Kopten leiten das Myron von den Spezereien (Myrrhe und Aloe) her, mit denen der Leichnam Christi bei seiner Bestattung balsamiert worden war; diese Spezereien blieben bei der Himmelfahrt wie ein leerer Tonkrug auf Erden zurück, wurden vom Evangelisten Johannes erkannt, mit Öl vermischt und von den Aposteln zu Myron gemacht und weitergegeben; dem neuen Myron wird immer ein Teil des alten hinzugefügt. Siehe *Aßfalg*, Ordnung des Priestertums (Lit. Verz. Nr. 19) 130–131. – Vgl. ferner den Artikel *Chrême* (Saint) in DThC 2 (1932) 2395–2414 und *de Vries*, Sakramententheologie bei den syrischen Monophysiten (Lit. Verz. Nr. 787) 24–25.

Taufe wird das Myron vom Priester in das Taufwasser gegossen.[285] Bar Hebräus beschreibt den Verlauf aller Weihehandlungen: die Ordination des Bischofs, des Priesters und des Diakons, die Mönchsweihe der Könobiten,[286] ferner die Weihe des Myrons selbst, den Vollzug der Taufe und der Eucharistie und schließt mit einem Abschnitt ‚Über den Gottesdienst, der über jenen vollzogen wird, die in Christus entschlafen‘. In ihm spricht Bar Hebräus über die Hoffnung des dahingeschiedenen Gläubigen, über den Ort seiner Bestattung, über das Gebet für den Verstorbenen und schließt mit einer Betrachtung über den Segen, der von den Gräbern der Heiligen auf uns übergeht: „Wir sagen, daß die Vernunftseele, wenn sie aus dem Leibe entweicht, je nach dem Grade der Bildung, die sie mit dem Leibe erworben hat, in göttlichen Beschauungen leuchtender vollendet wird, weil jener, der wie eine düstere Wolke verdunkelt hatte, nun entfernt worden ist. Doch weil ihr Bund mit dem Leibe ein Bund jener Liebe ist, die stärker ist als jedes Verlangen, hält sie immer einen Blick auf jenen Leib gerichtet, den sie abgelegt hat, dorthin, wo sie ihn abgelegt hat. Daher erfährt, wenn wir zu dem Grabe, dem Schreine jenes Leibes kommen, unsere Seele eine Begegnung mit jener vollendeten Seele, und durch die Fülle der göttlichen Strahlen, die jene Seele aus der Nähe der Gottheit und der Engel erlangt hat, wird unsere Seele geformt wie ein Spiegel. Und so berühren uns die Gaben, und vermittels des heiligen Grabes jenes Heiligen werden uns Segensgaben geschenkt.“ [287]

Das 7. *Fundament* ‚Über die Dämonen‘[288] behandelt in zwei Kapiteln das Wesen[289] und die Existenz der Dämonen sowie ihre schlechte Natur, aber auch ihre erstaunlichen Kenntnisse. Der Dämon ist unkörperlich, geschaffen und vernünftig; er hat sich im Gefühl seiner Überlegenheit gegen Gott erhoben und ist zur Strafe aus dem Licht in die Finsternis verbannt worden.[290] Für die Existenz der Dämonen gibt es Vernunft- und Schriftbeweise. Ein rationaler Beweis ist folgender: die schlechten Gedanken, die im Innern des Menschen entstehen, haben entweder den Menschen oder jemand anders zur Ursache. Da der Mensch an ihnen oftmals kein Gefallen hat und sie be-

285 *Kohlhaas* 29–32 = 93, 21 – 96, 22; *Kohlhaas* 35 = 98, 22–99, 1.

286 Vgl. *Oppenheim*, Moenchsweihe und Taufritus (Lit. Verz. Nr. 567); *Heiming*, Der nationalsyrische Ritus tonsurae (Lit. Verz. Nr. 307); *Heiming*, Der Ordo des heiligen Mönchsschema in der syrischen Kirche (Lit. Verz. Nr. 308). – Daß das Öl Vehikel des Heiligen Geistes ist, ist altchristliche Vorstellung: *Anrich*, Das antike Mysterienwesen in seinem Einfluß auf das Christentum, Göttingen 1894, 205–210.

287 *Kohlhaas* 46–47 = 106, 17 – 107, 2. – Auch das Grab eines christlichen Heiligen kann also im Sinne des Dionysius Areopagita als Spiegel wirken, der das göttliche Licht in die Seele des Menschen wirft.

288 PO 30, 275–340. Dazu *Furlani*, La Demonologia di Barhebreo (Lit. Verz. Nr. 228).

289 Syrisch *Mānājūṯā*, Quidditas, Wesenheit; vgl. *Bakoš*, Psychologie (Lit. Verz. Nr. 44) 75: „Terme scholastique: quidditas, to ti estin d'Aristote."

290 PO 30, 284.

kämpft, müssen sie von jemand anders herrühren. Dieser andere ist weder Gott noch die Engel, denn sie sind gut und wirken nur gute Gedanken. Folglich liegt ihnen eine böse Ursache zugrunde, die wir Dämon nennen.[291] Dem entspricht auch die Aussage der Heiligen Schriften: das Alte und das Neue Testament und die Kirchenväter bezeugen vielfach die Existenz von Dämonen, so der Apostel Paulus, der vor der Gemeinschaft mit ihnen warnt.[292] Denn sie treiben den Menschen zu schändlichen Handlungen, indem sie ihm sündhafte Vergnügungen vor Augen stellen und seine Leidenschaften erwecken. Der Mensch muß deshalb genau unterscheiden, ob eine Seelenregung auf einen geistigen und seelischen Fortschritt gerichtet ist und also von Gott kommt, oder ob sie auf eine Befriedigung des Körpers zielt, besonders in dem, was der Mensch mit dem Tier und dem Wilden gemein hat: ein solcher Impuls ist dämonisch. In diesen Problemen des Lebens kann man am meisten von den in der Askese und im Dämonenkampf erfahrenen Mönchen lernen.[293] Abschließend weist Bar Hebräus auf die andersartigen Dämonen- und Teufelsvorstellungen bei den Muslimen, bei den Armeniern und bei den Türken hin, über die die Kirchenväter nichts gelehrt hätten; diese Fragen müßten daher dem göttlichen Wissen überlassen bleiben.[294]

Das *8. Fundament*[295] gilt der Seele des Menschen: ihrer Wesensbestimmung, ihrer Unkörperlichkeit, der Gleichartigkeit aller menschlichen Seelen, ihrem Erschaffensein und ihrer zeitlich begrenzten Existenz, der Unmöglichkeit der Seelenwanderung, dem Unterschied zwischen dem Menschen, der eine vernunftbegabte Seele hat, und den unvernünftigen Tieren, die keine vernunftbegabte Seele haben, dem Weiterbestehen der unkörperlichen menschlichen Seele nach dem Tode und nach dem Zerfall des menschlichen Körpers, ihrer Fähigkeit zur Erkenntnis des Allgemeinen und des Besonderen und der Frage ihres Aufenthaltsortes nach dem Tode des Menschen: „Da das Wort ‚wo' die Beziehung des Körpers zu seinem Ort bezeichnet, wie unwissenschaftlich ist es also sich zu fragen, wo, das heißt an welchem Ort die unkörperliche Seele sein wird, die überhaupt nicht an einem Ort sein kann!"[296] Nicht wo, sondern in wessen Gesellschaft sich die Seele nach dem Tode befinde, sei die richtige Frage: die Seele verweile bis zur Auferstehung bei den Engeln oder auch bei den Dämonen;[297] das sei die einhellige Meinung aller heiligen Lehrer. Während des Lebens des Menschen nimmt die vernünftige Seele Träume, Visionen und Offenbarungen wahr. Unter diesen Erscheinungen gibt es wahre und

291 PO 30, 294.
292 PO 30, 298, 16–18. – 1. Korinther 10, 20 (Peschitta).
293 PO 30, 320–326.
294 PO 30, 326, 14–28.
295 *Bakoš*, Psychologie de Grégoire (Lit. Verz. Nr. 44). Lit.: *Furlani* (Lit. Verz. Nr. 224).
296 *Bakoš* 63 = 110 (qj), 11–14.
297 *Bakoš* 63 = 110 (qj).

falsche, und deshalb bedarf der Mensch in vielen Fällen eines geistigen Führers, der sie ihm interpretiert: das sind die Propheten, Apostel und Kirchenväter, die vollkommene Seelen besitzen und den Menschen zur vollkommenen Erkenntnis und zum vollkommenen geistlichen Leben führen können. „Wir sagen", erklärte Bar Hebräus, „daß die Vollkommenheit des Menschen nichts anderes ist, als die Wahrheit zu erkennen um ihrer selbst willen und das Gute zu erkennen, um es zu tun." [298] Theorie und Praxis, Erkennen und Handeln als die zwei Kräfte oder Fakultäten der Seele sind bei manchen Menschen nur schwach oder nur mäßig ausgebildet; sie werden daher von den vollkommenen Propheten, Aposteln und heiligen Vätern vollkommen gemacht.[299] Sie sind die Seelenärzte, welche die durch Gottesferne und Nähe zur Materie kranken Seelen ihrer schwächeren Mitmenschen pflegen und heilen. Diese Seelenärzte brauchen deshalb nichts von andern Künsten wie Medizin, Geometrie und Arithmetik zu wissen; vielmehr hindern diese sie nur an ihrer eigenen Aufgabe, dem immer vollkommeneren Eindringen in die göttlichen Dinge.[300] Die Seelen dieser Vollkommenen sind von den göttlichen Strahlen erleuchtet, die Elemente gehorchen ihnen, die wilden Tiere leben mit ihnen in Frieden, und sie vollbringen unerhörte Wunder. Sie sind die Spiegel, welche die Strahlen der göttlichen Sonne in die Seelen ihrer Schüler leiten.[301]

Das *10. Fundament* ‚Über das Leben der Toten, das heißt die Auferstehung der Leiber' [302] beginnt mit der rationalen Überlegung, ob etwas, was zu existieren aufgehört habe, in die Existenz zurückkehren könne. Was existiert, existiert ohne Ende,[303] zumindest der Möglichkeit nach; folglich kann das, was zu existieren aufgehört hat, durchaus erneut in die Existenz treten: das gehört zum Wesen der Existenz,[304] denn die Möglichkeit der Existenz besteht sowohl vor als auch nach dem tatsächlichen Existieren.[305] Notwendigerweise werden die Menschen am Tage der Auferstehung wahrhaft auferstehen; selbst wenn ihre Leiber aufgelöst und zerstreut sind, wird Gott, dessen Kenntnis nichts entgeht, als Schöpfer sie erneut zusammenfügen. „Und weil im Leben hienieden die Seele mit dem Leibe zusammen sündig oder gerecht war, wird der Schöpfer sie notwendigerweise miteinander wieder vereinigen, sie, die in

298 *Bakoš* 71 = 125 (qkh), 11–12.
299 *Bakoš* 71–72 = 126 (qkw), 3–7.
300 *Bakoš* 72 = 127 (qkz), 5–17.
301 *Bakoš* 73 = 128 (qkḥ), 12–20. – Ähnliche Gedanken bei dem calvinistischen Theologen Jonathan Edwards, siehe *Kawerau*, Amerika und die orientalischen Kirchen (Lit. Verz. Nr. 377) 1–7: „Das göttliche Licht." – Zur ganzen Frage vgl. *Bieler*, Theios Aner (Lit. Verz. Nr. 73).
302 PO 35, 224–273; dazu *Koffler*, Lehre des Barhebräus von der Auferstehung der Leiber (Lit. Verz. Nr. 401). – Das 9. Fundament ist noch nicht ediert.
303 PO 35, 224, 10–11.
304 PO 35, 224, 20–22; *Koffler* 46–48.
305 PO 35, 226, 1–5; *Koffler* 48.

vollem Einvernehmen gehandelt haben."[306] Leib und Seele werden gemeinsam auferstehen, um gemeinsam für ihre Taten belohnt oder bestraft zu werden. Ohne Auferstehung und Gericht wäre die Welt ein zufälliges, sinnloses Werk, dessen Absurdität mit der Weisheit seines Schöpfers unvereinbar wäre.[307] Nach einigen Schriftbeweisen für die Auferstehung führt Bar Hebräus fünf sadduzäische Einwände gegen die Auferstehung der Leiber vor,[308] widerlegt sie dann ausführlich und schildert die Beschaffenheit des Leibes nach der Auferstehung: der Leib, der aufersteht, ist mit dem gestorbenen Leibe identisch, es ist kein geistiger oder aus Luft gebildeter Leib, es wird ihm kein Glied fehlen, alle Leiber werden in der Vollkraft des Alters von 30 Jahren[309] auferstehen, jedes Sinnesorgan wird die ihm zukommende Funktion ausüben, doch werden gewisse niedere Leibestätigkeiten fortfallen; die Rassenunterschiede werden gemäß dem Wort des Apostels aufhören,[310] doch werden sich die Leiber der Gerechten durch ihren Lichtglanz von den Bösen unterscheiden. Wie die meisten Scholastiker des 13. Jahrhunderts behandelt auch Bar Hebräus in gesonderter Weise die Frage, ob Nägel und Haare des Menschen ebenfalls auferstehen werden; er bejaht sie mit Hilfe von Vernunft- und Schriftgründen. Wie Adam und Eva vor dem Fall werden die Auferstandenen keiner Kleider mehr bedürfen. Alle Leiber werden sich nach der Auferstehung an einem Orte, und zwar dem irdischen Jerusalem, versammeln. Dafür gibt es zwar keinen Vernunftbeweis, aber eine einhellige kirchliche Tradition, der man hier folgen muß. Die Menschen werden nach der Auferstehung miteinander sprechen, sie werden sich wiedererkennen, Speise und Trank brauchen sie nicht, auch werden sie nicht heiraten, weil die irdischen Gründe für die Eheschließung – Lust und Fortpflanzung – nicht mehr bestehen. In der zukünftigen Welt wird die geistliche Wonne alles erfüllen.[311] Damit schließt Bar Hebräus das 10. Fundament seiner Dogmatik.[312] Sie bildet den Höhepunkt und Abschluß der alexandrinisch-monophysitischen Theologie des Orients.

306 PO 35, 232, 14–16; *Koffler* 59.
307 PO 35, 232, 17 – 234, 3; *Koffler* 59–60.
308 PO 35, 236–240; *Koffler* 81–106. Die Widerlegung PO 35, 244–250.
309 d. h. des Alters, das Jesus erreicht hat. Vgl. EI [2]2 (1965) 449 s. v. Djanna über die Freuden des Paradieses: „Each of the elect will have the same stature as Adam (60 cubits by 7), and the same age, 33 years, as Jesus."
310 Kolosser 3, 11.
311 PO 35, 252–272; *Koffler* 106–198.
312 Das 11. und das 12. Fundament sind noch nicht ediert; vgl. PO 30, 276 und PO 31, 7.

7. *Ebed Jesus: Der Abschluß der antiochenischen Theologie*

Etwa ein Menschenalter nach Bar Hebräus fand auch die antiochenische Theologie ihren abschließenden Systematiker in Ebed Jesus (um 1250–1318 A. D.), der als Metropolit von Nisibis und Armenien starb.[313] Ebed Jesus war der letzte große, syrisch schreibende Vertreter der antiochenisch-ostsyrischen Theologie und ist im Abendland vor allem durch seinen gereimten Katalog der syrischen Schriftsteller[314] bekannt, der um das Jahr 1300 entstanden ist und eine literarhistorische Quelle ersten Ranges darstellt. Er verfaßte zahlreiche Schriften, die den Gesamtumfang der Geisteswissenschaften seiner Zeit repräsentieren, unter anderm einen Kommentar zur ganzen Bibel, sodann einen Nomokanon, der ihn zum berühmtesten Kanonisten seiner Kirche machte, eine Schrift zur Zeitrechnung und Kalenderkunde sowie eine Reihe von philosophischen und theologischen Schriften. Unter den letzteren ist vor allem seine Dogmatik ‚Buch der Perle über die Wahrheit des Christentums'[315] zu nennen: in diesem Werk besitzen wir die abschließende mittelalterliche Darstellung der antiochenisch-ostsyrischen Theologie. Sie ist in den Jahren 1297/98 entstanden[316] und behandelt in fünf Kapiteln Gott, die Schöpfung, die christliche Heilsökonomie, die Sakramente und die Letzten Dinge.

313 Ebed Jesus (syr. ʿAḇdīšōʿ Bar Bĕrīḵā, arab. ʿAbdīšūʿ oder ʿAbd Jašūʿ, lat. Ebed Jesus oder Ebed Jesu) war 1284/85 Bischof von Siǧǧār und Bēṯ ʿArbājē, seit 1290/91 Metropolit von Nisibis und Armenien. Über ihn Dict. Droit Canon. 5 (1953) 91–134 *(Dauvillier); Baumstark*, GSL 323–325; *Graf*, GCAL 2, 214–216; RE 5, 112–113; DThC 4 (1939) 1985–86 *(Nau)*.

314 Abgedruckt bei *Assemani*, BO 3, 1, 325–361. Dazu *Baumstark*, GSL 325.

315 Druckausgaben: Dict. Droit. Can. 5, 127; zum Inhalt ebenda 127–130; *Moss* 7–9. Der syrische Titel lautet *Kĕṯāḇā ḏĕ-Marganīṯā ḏĕ-ʿal Šĕrārāh ḏĕ-Krīstjānūṯā.* Ich habe die Ausgabe von *Mai* (Lit. Verz. Nr. 186), die englische Übersetzung von *Badger* (Lit. Verz. Nr. 187) sowie MS Or fol. 3121 Preuß. Staatsbibliothek Marburg benutzt. Nicht zugänglich war mir The Book of Marganitha (The Pearl) on the Truth of Christianity. Written by Mar O'disho Metropolitan of Suwa (Nisibin) and Armenia. Translated by His Holiness Mar Eshai Shimun XXIII, Catholicos Patriarch of the East. Ernaculam, Kerala, India: Mar Themotheus Memorial Printing and Publishing House 1965. – Den Ausdruck „Perle der Wahrheit" als Bezeichnung der von den Aposteln stammenden orthodoxen (antiochenischen, nestorianischen) Theologie benutzt schon der Patriarch Timotheus I. von Bagdad (Seleukia-Ktesiphon) (780–832 A. D.), so mehrfach in seinem Lehrschreiben an die Mönche des Klosters Mār Mārōn (ed. et trad. Bidawid, Lit. Verz. Nr. 72), z. B. 124, 15 = 46, 14. Dieses Lehrschreiben ist – wie das Buch der Perle des Ebed Jesus – eine kurzgefaßte ostsyrisch-antiochenische Dogmatik.

316 ʿAmr im Turmbuch gibt 1313 A. D. als Entstehungsjahr an, *Assemani*, BO 3, 1, 360. Die von *Badger* in Übersetzung gebotene Handschrift des Buches der Perle hat am Schluß folgenden Kolophon (*Badger* 2, 422): „This useful book was written in the month of September, in the year of Alexander 1609, in the blessed city of Khlât, in the Church of the blessed Nestorians; and to God be praise, honour, thanks, and worship, forever. Amen. Written by the frail hands of the author for the Benefit of his own soul, and for the profit of all who possess it. May the Lord endue all such with wisdom. Amen." Dieser Kolophon fehlt bei *Mai* sowohl im syrischen wie im lateinischen Text.

In der Vorrede zu dieser Dogmatik erwähnt Ebed Jesus, daß er sie auf Wunsch seines Patriarchen, des Katholikos Jaballaha III. von Bagdad (1282–1317 A. D.), zu Unterrichtszwecken für dessen Schüler geschrieben habe. Sie sei daher um des praktischen Gebrauchs in der Schule willen kurzgefaßt[317] und in leichtverständlicher Sprache geschrieben, gering an Umfang, groß an Wert und Bedeutung, denn er spreche darin über die gesamte Lehre der Kirche.[318]

Im *ersten Kapitel* spricht Ebed Jesus über Gott, über seine Einheit, über seine Ewigkeit und Unerforschlichkeit, über die Trinität und über das Geschaffensein und die zeitliche Begrenztheit der Welt: da die Welt zusammengesetzt und geformt ist, und da jeder Körper aus Form und Materie besteht,[319] folgt daraus logisch die Existenz eines die Welt zusammensetzenden und formenden Schöpfers. Dieser Weltschöpfer ist notwendig Einer, denn der Welt liegt ein einheitlicher Plan und Wille zugrunde, den man nicht auf eine Mehrzahl von Willensträgern zurückführen kann: diesen Plan einer Pluralität von Weltschöpfern zuzuschreiben, die verschieden seien und doch sich in nichts voneinander unterschieden, sei genauso absurd wie sich zwei Schwärzen vorzustellen, die ununterscheidbar seien und doch zwei verschiedene Schwärzen seien. Denn entweder sei in beiden Fällen die Substanz dieselbe, oder es handele sich um eine Zusammensetzung, also um etwas Geschaffenes und nicht um den Schöpfer. Pluralität ist kein Attribut Gottes, weil sie die Identität der Substanz ausschließt. Von diesem einen Gott kann man freilich nur in negativen Aussagen sprechen: „Wenn wir also sagen ‚nicht sichtbar‘ und ‚nicht zusammengesetzt‘ und ‚nicht leidensfähig‘ und ‚nicht veränderlich‘, so beschreiben diese Worte nicht, was er ist, sondern was er nicht ist.“ [320] Dieser eine Gott ist trinitarisch; er besteht aus drei wesentlichen Eigenschaften in einem: Geist, Weisheit und Leben oder Vater, Sohn[321] und Geist. Dieses Mysterium der Trinität ist am besten im Trishagion (Jesaja 6, 3) ausgedrückt: „Der Lobpreis der Seraphim bei Jesaja: ‚Drei heilig, ein Herr‘ weist auf drei Personen in einer Natur hin.“ [322]

Im *zweiten Kapitel* ‚Über die Erschaffung der Welt‘ ist das Hexaëmeron auf wenige summarische Sätze reduziert. Ebed Jesus geht sofort zu den vorchristlichen Weltaltern[323] über, deren Beginn durch Adam, Noah und Mose bezeichnet wird. Das jüdische Weltalter war eine Art von Vorschule für das

317 Der syrische Text umfaßt knapp 25 Seiten in Quart. Allerdings hat *Mai* drei Abschnitte des 3. Kapitels (5–7) ausgelassen, weil sie der katholischen Mariologie widersprechen.
318 *Mai* 317 und 342 f.; *Badger* 2, 381.
319 *Mai* 318; 342 f.
320 *Mai* 320; 345; *Badger* 2, 385.
321 Christus ist die Hagia Sophia, die Weisheit Gottes.
322 *Mai* 321; 346. *Badger* 2, 387.
323 *Mai* 323: *Dubbārē*, ‚Läufe‘, Ordnungen.

noch im Kindesalter stehende Menschengeschlecht zum Zweck der Erlernung der Anfangsgründe der Religion und schloß mit den auf Christus bezüglichen Weissagungen.

Das *dritte Kapitel* ‚Über die durch den Messias gebrachte Heilszeit'[324] begründet das persönliche Erscheinen Gottes in der Welt damit, daß die Versuche der Propheten, die Menschen vom Götzendienst weg und zur Befolgung der göttlichen Gebote hin zu führen, vergeblich geblieben waren: der Souverän selbst mußte endlich die Ordnung in seinem Reiche wiederherstellen. Um aber die Menschen durch den unerträglichen Lichtglanz seiner Herrlichkeit nicht zu vernichten, machte er einen Menschen zu seiner Wohnung und zu seinem Tempel, vereinigte einen Sproß der sterblichen Natur in einer unauflöslichen Union mit seiner Gottheit und machte ihn zum Teilhaber seiner Souveränität und Autorität.[325] Christus ist nicht Gott, sondern ein zwar reiner, fehlerloser, aber eben irdischer Edelstein, der durch die Strahlen der göttlichen Sonne zum Leuchten gebracht wird. Darum ist alles, was Christus sagte und tat, für den Christen vorbildlich und verbindlich: Taufen, Fasten, Beten, Demut. Wie die Philosophie besteht also das Christentum aus Theorie und Praxis:[326] „Die Summe der Theorie ist Wahrheit, und die Summe der Praxis ist Tugend."[327] Leider ist, wie Ebed Jesus weiter darlegt, dieses System der Wahrheit und Tugend bei seiner sieghaften Ausbreitung über den Erdball sehr bald vom Teufel in Verwirrung gebracht worden; das zeigen die Kontroversen, Spaltungen und Sekten der Christenheit. Zwar stimmen alle Christen in der Trinitätslehre überein, denn sie alle haben ja das Nizänische Glaubensbekenntnis angenommen, und alle Christen bekennen Christus als wahren Gott und wahren Menschen, wie es die Evangelien, St. Paulus und die 318 Väter von Nizäa erklärt haben. Aber wegen der Frage nach der Art der Union des Göttlichen und Menschlichen in Christus und nach den richtigen Worten zu ihrer Bezeichnung ist die Kirche zerspalten worden. So haben weder Propheten noch Apostel Maria die „Mutter Gottes" genannt; dieser Ausdruck ist ebenso falsch wie die Bezeichnung Marias als „Mutter des Menschen". Beide Termini sind häretisch, und Paulus von Samosata[328] ist mit Recht exkommuniziert worden, weil er sagte, Christus sei ein bloßer Mensch wie einer der Propheten; auch Simon und Menander sind mit Recht exkommuniziert worden, weil sie erklärten, Gott habe keinen Leib von Maria angenommen, sein Leben und seine Taten seien nur Illusion,[329] nicht Wirklichkeit

324 *Mai* 324–329; 349–355. *Badger* 2, 393–403.
325 *Mai* 324–325; 349–350. *Badger* 2, 393–394. Christus ist Mensch *(Barnāšā)*, als solcher nur Wohnung *('Amūrjā)*, Tempel *(Nausā)*, Absteigequartier *(Bēṯ Mašrējā)* Gottes.
326 *Mai* 326; 350 f.
327 *Mai* 326; 351; *Badger* 2, 396.
328 RGG 5 (1961) 191; *Altaner* ⁴1955, 178.
329 *Mai* 328; syr. *Šěragragjāṯā* (Pl.). Über Simon Magus und seinen Schüler Menan-

gewesen. Nur der Terminus „Mutter Christi“ ist der allein richtige; er ist schriftgemäß und bezeichnet die Union nur ganz im allgemeinen.[330] Im Streit um diese Terminologie ist auf dem Konzil von Chalzedon (451 A. D.) eine Dreiteilung der Christenheit erfolgt: eine Gruppe bekennt Eine Natur und Eine Person in Christus; das sind die Jakobiten in Äthiopien, Ägypten, Syrien und Armenien. Eine zweite Gruppe bekennt Zwei Naturen und Eine Person in Christus; das sind die Melkiten im ganzen Westen: Griechen, Franken, Russen, Alanen, Georgier und so weiter. Die dritte Gruppe sind die Nestorianer:[331] sie bekennen Zwei Naturen und Zwei Personen in Christus. Die Nestorianer – eine im übrigen unglückliche Bezeichnung, denn Nestorius war nicht ihr Patriarch und sprach nicht ihre Sprache – sind die Kirche des Ostens, die den von den Aposteln überkommenen Glauben als einzige Kirche unwandelbar festgehalten hat: nicht ist sie dem Nestorius, sondern Nestorius ist ihr gefolgt, als er den orthodoxen Glauben lehrte. Dieser besagt, daß eine Union der beiden Naturen auf jeden Fall die Zerstörung entweder der göttlichen oder der menschlichen Natur bedeutet, statt Heil und Rettung also Zerstörung und Vernichtung mit sich bringt. Und wenn man Maria die Mutter Gottes nennt, dann muß sie die Trinität geboren haben, denn unter dem Worte „Gott“ verstehen wir den Vater, den Sohn und den Heiligen Geist, und nicht nur den Sohn allein. Ebed Jesus widerlegt also die monophysitische und die dyophysitische Mariologie von der Trinitätslehre aus:[332] wenn Maria die Mutter Gottes ist, dann ist Christus entweder gemäß den Evangelien wirklich gestorben und hat als real Gestorbener nicht die Möglichkeit, sich oder andere aufzuwecken, oder er ist nur scheinbar gestorben und kann dann also nicht real auferstanden sein. Dann ist also die Hoffnung auf Auferstehung

der RGG 2 (1958) 1656–1661 s. v. *Gnosis* III. Christlicher Gnostizismus, dogmengeschichtlich (Lit.).

330 Die Termini *Jāldaṯ Barnāšā, Jāldaṯ Allāhā, Jāldaṯ Měšīḥā* bei *Mai* 327–328 (Buch der Perle, Kap. 3, 4). *Diettrich,* Die nestorianische Taufliturgie (Lit. Verz. Nr. 148) S. XXX–XXXI will monophysitische und doketische Züge auch in der nestorianischen Liturgie finden und sieht darin eine Bestätigung, „daß das wahre religiöse Interesse des Orients nur durch den Monophysitismus“ gedeckt sei. Aber starke monophysitische Züge gibt es auch im westlichen Luthertum. Doch kann man, wie mir scheint, einen monophysitischen Unterton bei Ebed Jesus nicht überhören.

331 Syr. *Nesṭūrjanē, Mai* 329. Ebed Jesus gebraucht den Namen „Nestorianer“ für seine Kirche, weist ihn aber sogleich zurück, weil er für die orthodoxe Kirche des Ostens unzutreffend sei.

332 Diese und die folgenden Ausführungen (= Kap. 3, 5–7) sind von *Angelo Mai* sowohl im syrischen Text (= S. 328) als auch in der lateinischen Übersetzung (= S. 354) ausgelassen worden, weil die antiochenisch-ostsyrische Mariologie der katholischen widerspricht: „Istius sectae errores“ seien im Westen „obsoleti“ und wurden bereits von 600 Theologen widerlegt. – *Badgers* Übersetzung (= 2, 400 bis 402) bietet den vollständigen Text. Der syrische Text steht MS Or fol. 3121 Preuß. Staatsbibliothek Marburg pag. 112–114. Der 5. Abschnitt des 3. Kapitels „Über die Mutter Gottes“ hier pag. 113.

eitel. Und schließlich: wenn man Maria die „Mutter Gottes“ nennt, Petrus aber von Christus bezeugt: „Du bist Christus, der Sohn des lebendigen Gottes“, dann ist Maria nicht die Mutter Christi, sondern die Mutter seines Vaters, also die Großmutter Christi. Wenn aber Christus der Enkel der Maria ist und Maria die Mutter seines Vaters, wo ist dann die Mutter Christi? Wenn außerdem die rechtgläubige Kirche des Ostens zwei Personen in Christus bekennt und die Gegner daraus auf vier Personen in der Trinität schließen, so müssen aus der Zweinaturenlehre notwendig zwei Naturen in der Gottheit resultieren. Aber die Kirche des Ostens bekennt nur einen Sohn, einen Christus, ein Prosopon (syr. *Parṣōpā*) und begeht daher keine Blasphemie.[333]

Den Aufbau der Kirche schildert Ebed Jesus wie Bar Hebräus ganz im Sinne des Dionysius Areopagita, jedoch nur äußerst knapp.[334] Dann wendet er sich im *vierten Kapitel* den kirchlichen Mysterien zu,[335] deren es sieben gibt: 1. Das Priestertum, 2. die Taufe,[336] 3. das Salböl,[337] 4. das Opfer des Leibes und Blutes des Messias, 5. die Vergebung der Sünden, 6. den heiligen Sauerteig[337a] und 7. das Zeichen des lebenspendenden Kreuzes.[338] Von diesen sieben Sakramenten ist der Kirche des Ostens das Sakrament des heiligen Sauerteiges eigentümlich: „Die gesegneten Apostel, die heiligen Lehrer dieses Gebietes des Ostens, Thomas und Bartholomäus von den Zwölfen, und Addai und Mari von den Siebzig, haben an alle Kirchen des Ostens den heiligen und wohlverwahrten Sauerteig übergeben, damit er zur Vollendung des Mysteriums

333 *Badger*, 2, 400–402.
334 *Mai* 329; 355.
335 *Badger*, 2, 404–412; *Mai* 329–335 und 355–361.
336 *Diettrich*, Die nestorianische Taufliturgie (Lit. Verz. Nr. 148). Vgl. hier besonders S. XXIII–XXXI die dogmengeschichtlichen Ausführungen über die nestorianische Leugnung der Erbsünde und ihren Einfluß auf die liturgische Ordnung der Kindertaufe. Siehe auch 1. Kor. 7, 14. Zum Vergleich: Eine besonders archaische syrische Taufliturgie, wie sie im 5. Jahrhundert in Mesopotamien benutzt wurde, enthält das von *Guillaumont* übersetzte Gedicht des Narsai (gest. nach 503 A. D.; *Baumstark*, GSL 109–113) über die Taufe, in: L'Orient Syrien 1 (1956) 189–207. In diesem Band von L'Orient Syrien findet sich weiteres umfangreiches Material zur Frage der Taufliturgie bei den Syrern.
337 Syr. *Mešḥā ḏa-Mĕšīḥūṯā*. Das Salböl *(Myron)* besteht bei den Nestorianern Mesopotamiens aus reinem Olivenöl; nur die malabarischen Nestorianer verwenden auch Kokosnuß- oder Sesamöl zur Salbung. Vgl. *Diettrich*, Die nestorianische Taufliturgie, 31 Anm. 1.
337a Syr. *Ḥamīrā qaddīšā*. Vgl. *Jugie*, Theologia Dogmatica 5 (1935) 305–308: „De materia eucharistiae. De sacro fermento“ (bei den Nestorianern). *W. de Vries*, Sakramententheologie bei den Nestorianern (Lit. Verz. Nr. 788) 194–197: „Das fermentum“ (Lit.).
338 Syr. *Rūšmā ḏa-Ṣĕlīḇā maḥjānā*. *J. van der Ploeg*, Un Traité Nestorien du Culte de la Croix (Lit. Verz. Nr. 601) stellt fest, daß die Nestorianer im 7. Jahrhundert nicht nur gemalte Ikonen, sondern auch massive Kruzifixe (in Reliefdarstellung) besaßen. – Ein mit Edelsteinen geschmücktes Kreuz, in dem eine Partikel des wahren Kreuzes enthalten war, in einem nestorianischen Kloster um 600 A. D. erwähnt *Fiey*, Assyrie Chrétienne 3, 26.

des Leibes unseres Herrn diene bis zu seiner Wiederkunft."[339] Mit diesem heiligen Sauerteig wird bis heute von den ostsyrischen Priestern das Abendmahlsbrot in der Kirche zubereitet und gebacken. Wilhelm von Rubruk, der zu Ostern 1254 in Qara Qorum an den Vorbereitungen für eine nestorianische Abendmahlsfeier teilnahm, hat uns darüber berichtet: „Sie behaupten auch, von dem Mehl zu besitzen, aus dem das Brot hergestellt wurde, das der Herr Jesus weihte, und ebenso wie sie davon verbrauchen, ergänzen sie es wieder. Neben dem Chor befindet sich eine Kammer, und darin ist ein Ofen, in dem sie das Brot backen, das sie mit großer Ehrerbietung weihen müssen."[340] Dieses Abendmahlsbrot, so berichtet Wilhelm von Rubruk ferner, wird bereitet mit ein wenig von jenem Öl, mit dem Maria Magdalena die Füße des Herrn gesalbt hatte; immer, wenn es zur Neige ginge, würde es wieder ergänzt, so daß es mit dem echten, auf Jesus selbst zurückgehenden Öl in Berührung kommt. Daß der Westen diese Tradition nicht hat, ist für Ebed Jesus ein weiterer Beweis dafür, daß man dort den Glauben geändert hat, während ihn die Kirche des Ostens von der Urzeit bis heute rein bewahrt hat und bewahren wird bis zur Wiederkunft Christi.

Das *letzte Kapitel* des ‚Buches der Perle' spricht von der Wiederkunft Christi und von den Letzten Dingen. Ebed Jesus behandelt hier die Richtung nach Osten, die dem christlichen Gottesdienst eigen ist, die Verehrung des Kreuzes des Herrn, die Feier des ersten Wochentages, Fasten, Gebet und Almosen, den Gürtel, den die Christen beim Gebet anlegen, schließlich die Auferstehung, das Jüngste Gericht und das Ewige Leben. Die Sitte, beim Gottesdienst sich nach Osten[341] zu wenden, beruht auf dem Wort Jesu Matth. 24, 27: „Denn gleichwie der Blitz ausgeht vom Aufgang und scheint bis zum Niedergang, also wird auch sein die Zukunft des Menschensohnes." Da aber der Tag und die Stunde des Menschensohnes niemandem bekannt sind, müssen die Christen sich immer wachsam nach Osten wenden: das erinnert sie an das Ende aller Dinge und an das Jüngste Gericht und auch an das im Osten gelegene, verlorene Paradies,[342] und so werden sie zur Buße geführt.[343] Auch das Kreuz

339 *Mai* 333–334 und 359; *Badger* 2, 409–410.
340 *Herbst* 118–119; *Wyngart* 280. Vgl. Dict. Droit Canon. 5, 128–129 *(Dauvillier)* und *Dauvillier*, Guillaume de Rubrouck (Lit. Verz. Nr. 130).
341 und nicht nach Jerusalem, wie die Juden taten. Für die östlich von Jerusalem lebenden Christen war die Ostrichtung zugleich eine antijüdische Demonstration, vgl. *Dölger*, Sol Salutis 238 u. ö. Umfangreiche neuere Literaturangaben bei *Vogel*, L'Orientation vers l'Est du Célébrant et des Fidèles pendant la Célébration Eucharistique (Lit. Verz. Nr. 771).
342 Über das im Osten gelegene Paradies vgl. den Nestorianer 'Abdīšō' Bar Bahrīz (um 1000 A. D.; *Baumstark*, GSL 287), dessen Begründung (CSCO 64 und 71) bei *Dölger*, Sol Salutis [2]1925, 238–241 in deutscher Übersetzung gegeben ist. Dazu *Dölger*, Sol Salutis 220–242: „Die Gebets-Ostung als Ausdruck der Sehnsucht nach dem Paradies", ein Kennzeichen der antiochenischen Exegese, *Dölger*, Sol Salutis 235–236.
343 *Mai* 335–336 und 361; *Badger* 2, 413–414. Die christliche Gebetsostung ist hier

Christi ist ein eschatologisches Zeichen, das vor der Wiederkunft Christi am Himmel erscheinen wird. Der Gürtel,[344] den die Christen beim Gebet umlegen, hat zwar kein göttliches Gebot zur Grundlage, ist aber ein Zeichen des Dienstes und der Bereitschaft, des wachsamen Geistes in der Erwartung des kommenden Herrn. So endet diese mittelalterliche antiochenisch-ostsyrische Dogmatik mit einem Blick auf die Vollendung der Welt, auf die Wiederkunft Christi und das Gericht, durch das die Gläubigen zum ewigen Leben eingehen werden: Glaube ist ein Warten auf die Wiederlebendigmachung aller Lebewesen dieser Welt durch Christus. Am Ende ruft Christus mit seiner Leben verleihenden Stimme: „Also geschehe die Auferstehung und die Erneuerung!“ [345]

8. *Islamisch-christliche Auseinandersetzungen*

Die christliche Theologie des Orients wäre unvollständig charakterisiert, wenn man von ihrer ständigen kritischen Beziehung zum Islam absehen wollte. Die Auseinandersetzungen zwischen Islam und Christentum hatten das muslimische Dogma von der Verfälschung des Christentums zur Grundlage.[346] Der Prophet Muhammed selbst hatte zwar zu Beginn seines Wirkens, als noch der Gedanke des nahen Endgerichts im Mittelpunkt seiner Predigt stand, keine Veranlassung, das Christentum zu bekämpfen, das er genauso wie seine eigenen Offenbarungen als Fortsetzung der Religion Abrahams ansah.[347] Als später der Gedanke der absoluten Einheit Gottes für ihn bedeutsam wurde, entstand ein Gegensatz gegen die Trinitätslehre des Christentums, die jetzt als verfälschte Offenbarung erschien: *Širk*,[348] Zugesellung, Polytheismus, Unglaube wird schon im Koran als Kennzeichen des späteren, verfälschten Christentums mit seiner Heiligen- und Bilderverehrung angesehen, während die Lehre Christi selbst vom Vorwurf des *Širk* ausgenommen blieb, wie denn auch Christus bei seiner Wiederkunft am Jüngsten Tage nicht nach dem verfälschten christlichen, sondern nach dem unverfälschten Gesetz Muhammeds

mit Matth. 24, 27 in einer besonders altertümlichen Weise begründet, wie sie aus den Canones der syrischen Doctrina Apostolorum und der syrischen Didaskalia bekannt ist. Darüber ausführlich *Dölger*, Sol Salutis ²1925, 170–185 mit weiteren Literatur- und Quellenangaben; vgl. auch *Dölgers* Vorwort S. VII.

344 *Mai* 339: syr. *Zūnārā*, vom griech. *Zonarion*. Vgl. RGG 2 (1958) 1904 s. v. Gürtel. *Braun*, Liturg. Gewandung (Lit. Verz. Nr. 83) 115–117: Der liturgische Gürtel in den Riten des Orients. Vgl. *Robinson*, Monasticism (Lit. Verz. Nr. 630) 45 und Lukas 12, 35–37.

345 *Mai* 339–340; *Badger* 2, 419.

346 Das folgende nach *Fritsch*, Islam und Christentum im Mittelalter (Lit. Verz. Nr. 221) 39. Vgl. *Graf*, GCAL 5, 128 s. v. *Polemik* gegen den Islam. Zum ganzen Komplex *Sweetman*, Islam and Christian Theology. Bd. 1–4, London 1945–1967 (Lit. Verz. Nr. 674).

347 EI ²3 (1969) 980–981 s. v. *Ibrāhīm*, the Abraham of the Bible *(Paret)* (Lit.).

348 EI 4 (1934) 408–410 s. v. *Shirk* (Lit.).

richten wird. *Širk* bedeutete schon im Koran Bibelfälschung, Vergöttlichung Christi und die Annahme religiöser Autoritäten *(Arbāb)*[349] neben Gott und den Propheten. Über den kirchengeschichtlichen Zeitpunkt dieser Verfälschung gehen die Ansichten der muslimischen Apologeten auseinander: die Evangelisten, Paulus, die 318 Konzilsväter von Nizäa und andere werden als Fälscher von ihnen genannt. Vor allem Paulus erscheint als der schlimmste Verderber der christlichen Religion; seine böse Rolle wird in zahlreichen, zum Teil phantastischen Versionen ausgemalt, aber auch der Kaiser Konstantin hat die Verderbnis der christlichen Religion in Nizäa kanonisiert.[350]

Diesem islamischen Dogma von der Verfälschung der Lehre Christi entsprechend richtete sich der Angriff der Muslime zunächst gegen die Bibel. Ibn Ḥazm, ein muslimischer Polemiker in Cordoba (gest. 1064 A. D.),[351] sagte: „Wenn wir die Verderbtheit *(Fasād)*[352] ihrer Bücher nachweisen, so werden die Beweise hinfällig, die sie ihnen entnehmen.“[353] Die islamischen Autoren meinten dabei mit Verfälschung *(Taḥrīf)*[354] nicht immer Textverfälschung, sondern auch falsche Auslegung, Hinweginterpretieren des Wortlautes, Widersprüche in der Chronologie und andern Zahlenangaben sowie rationale Schwierigkeiten: wenn der Geist Gottes vor der Schöpfung über den Wassern schwebte, folgt daraus die Präexistenz des Wassers; eine solche Behauptung aber kann nicht zum geoffenbarten Gotteswort gehören. Das Evangelium,[355] das seiner literarischen Art nach weniger dem Koran als vielmehr der *Sīra,*[356] der Prophetenbiographie und den Sammlungen von Traditionen *(Ḥadīṯ)*[357] über die Taten und Aussprüche des Propheten gleicht, wurde von den Muslimen nach den Regeln ihrer eigenen, hochentwickelten Traditionskritik beurteilt: dem Evangelium fehlte die auf Jesus selbst zurückgehende Traditionskette, Lukas und Markus hatten Christus persönlich nicht gekannt, und die Apostel, die Christus verleugnet hatten, können nicht als zuverlässige Zeugen der den Christen so wesentlichen Kreuzigung Christi gelten: die christliche Kreuzigungsüberlieferung ist aus vielen Gründen eine „Willkürmeinung“, eine von den Juden aufgebrachte Fabel, die dann von Kaiser Konstantin aus Gründen der Staatsräson in die christlichen Schriften aufgenommen und verbreitet worden ist. Was die Auferstehung betrifft,[358] so

349 Vgl. EI 3 (1936) 1176 s. v. *Rabb.*
350 Hier berührt sich also der Islam mit gewissen neueren Strömungen in der protestantischen Theologie.
351 EI ²3 (1968) 790–799 (Lit.); *Fritsch* 15–17; *Brockelmann,* GAL 1, 400; *Sweetman* 2, 1, 178–262 u. ö.
352 Vgl. dazu den juristischen Terminus *Fāsid* in EI ²2 (1965) 829–833.
353 *Fritsch* 55. EI ²3 (1971) 1205–1208 s. v. *Indjīl,* bes. S. 1207 (Lit.).
354 EI 4 (1934) 669–670 s. v. *Taḥrīf.*
355 Vgl. EI 2 (1927) 535–537 s. v. *Indjīl (Carra de Vaux)* (Lit.).
356 Vgl. EI 4 (1934) 472–476 s. v. *Sīra (Lévi della Vida)* (Lit.).
357 Vgl. EI ²3 (1965) 23–28 s. v. *Ḥadīth* (Lit.).
358 *Fritsch* 71. Vgl. EI 2 (1927) 1126–1130 s. v. *Al-Ḳiyāma.*

erschien es den muslimischen Polemikern besonders kompromittierend, daß die Christen die entscheidenden Grundlagen ihres Glaubens auf die Aussage einer *Frau*[359] stützten. Sie warfen den Christen ferner vor, daß sie den Namen Muhammeds[360] und die auf ihn bezüglichen Prophezeiungen aus dem Bibeltext entfernt hätten; denn wie die Christen wollten auch die Muslime ihren Propheten durch den Weissagungsbeweis *aus der Bibel* legitimieren. Glücklicherweise war diese Ausmerzung der biblischen Prophezeiungen auf Muhammed nicht vollständig gelungen: im Dialog mit den Christen fanden die Muslime immer noch zahlreiche biblische Weissagungen auf Muhammed, unter denen die Stellen Deut. 18, 15; 18, 18, Jesaja 42, 1–4 und Johannes 14, 16 zu den gangbarsten gehörten.[361] Dazu kamen Bibelstellen, in denen der Name Muhammed oder ein anderer vom Stamm *Ḥmd* abgeleiteter Name sich fand, und auch die Abfolge der drei göttlichen Offenbarungen in den drei Religionen Judentum, Christentum und Islam fand sich in der Bibel geweissagt. Und da sich die Araber für die Nachkommen Hagars und Ismaels halten, die nach der muslimischen Legende in Mekka gewohnt haben sollen, fanden auch die Ismael-Verheißungen der Genesis die besondere Aufmerksamkeit der muslimischen Theologen. Die messianischen Weissagungen der Bibel wurden schon zur Zeit der frühislamischen Traditionsbildung auf Muhammed übertragen; sie mußten dafür umgearbeitet werden und veränderten dabei das geschichtliche Bild Muhammeds, das gar nicht zu ihnen paßte und jetzt mit Zügen des jüdischen und des christlichen Messiasbildes ausgestattet wurde.

In den dogmatischen Kontroversen zwischen Muslimen und Christen bildete die christliche Trinitätslehre den Zentralpunkt. Trinität war dem Muslim gleichbedeutend mit Tritheismus und widersprach also dem islamischen Grunddogma des absoluten Monotheismus.[362] Die christlichen Versuche, die Trinität verständlich zu machen, waren teils begriffliche Spekulationen – etwa eine Substanz mit drei Eigenschaften –, teils populäre Vergleiche – etwa Sonnenscheibe, Sonnenstrahl und Sonnenlicht. Schon für Ephräm den Syrer war in seinen Hymnen über den Glauben die Sonne mit ihrem Licht und ihrer Wärme das wichtigste, der Natur entnommene Symbol der Trinität.[363] Im Hymnus 73, 1 heißt es: „Siehe die Gleichnisse: Sonne und Vater, Licht und Sohn, Wärme und Heiliger Geist.“[364] Beides konnte die Muslime nicht über-

359 der Maria Magdalena, Joh. 20, 1.

360 Vgl. zur Bedeutung dieses Namens *Fischer*, Muḥammad und Aḥmad, die Namen des arabischen Propheten, Leipzig 1932 (Lit. Verz. Nr. 218).

361 Zu Joh. 14, 16 (Paraklet) vgl. Sure 61, 6. Siehe auch *Brockelmann*, Muhammedanische Weissagungen im Alten Testament (Lit. Verz. Nr. 90).

362 *Fritsch* 107.

363 im 40., 73. und 74. Hymnus de Fide (CSCO 154).

364 CSCO 154, 223. *Beck*, Symbolum – Mysterium (Lit. Verz. Nr. 64) 27–28. Vgl. *Loofs*, Theophilus von Antiochien (Lit. Verz. Nr. 458) 276: Afrahat bezeichnet Jesus als Licht vom Lichte; aber schon Justin hat zur Zeit seiner Bekehrung in Kleinasien Christen kennengelernt, die das Göttliche in Christo dem Licht ver-

zeugen, denn die Ratio war auf eine von den Christen behauptete Offenbarungswahrheit nicht anwendbar, und ein Vergleich scheiterte an der absoluten Unvergleichbarkeit und Transzendenz Gottes. Je mehr die Christen in diesem Punkte das Dogma abschwächten, um so leichter fiel den Muslimen seine Widerlegung: die Christen, so sagten sie, griffen willkürlich drei Eigenschaften Gottes heraus, erklärten sie für Substanzen und setzten diese drei Substanzen mit Gott in eins. Die christliche Trinitätslehre beruhe also auf einem dreifachen Irrtum.

Mit dem trinitarischen eng verbunden ist das christologische Dogma. Die muslimischen Theologen bemühten sich, die christlichen Beweise für die Gottheit Christi zu widerlegen, sie wendeten sich gegen die Möglichkeit der Einswerdung von Gott und Mensch, indem sie etwa auf die in den Evangelien bezeugten menschlichen Leiden und Schwächen Christi und auf seinen Tod hinwiesen: wenn eine körperliche Selbstdarstellung Gottes zu seiner Erkenntnis notwendig wäre, so hätten alle Propheten und Gläubigen vor Christus Gott nicht erkannt. Diese Polemik richtete sich in erster Linie gegen den Monophysitismus, nach dessen Theologie Gottheit und Menschheit Christi sich zu einer einzigen Natur verbanden, während die Nestorianer in Christus nur den Menschen sahen und die Melkiten beide Naturen Christi streng geschieden, wenn auch in der Person Christi vereint sich dachten. Aber es war doch gegen alle christlichen Theologien gerichtet, wenn Ibn Ḥazm sagte: „Christus ist doch bei euch eine Einheit zwischen göttlicher und menschlicher Natur. Es heißt auch nicht im Text: Die Hälfte Christi tut das oder sagt das.“ [365]

Gegen diese Vermengung des Ewigen mit dem Zeitlichen, gegen diese Materialisierung des reinen Geistes in der Inkarnation *(Ittiḥād)* [366] wandten die Muslime ein, daß, wenn beide Naturen ihre Wesenseigenheiten behielten, sie nicht ein Wesen seien, und wenn sie sie aufgäben, sie nicht existierten; was aber nicht existiere, könne keine Einswerdung eingehen. In beiden Fällen fände also keine Inkarnation statt.

In all diesen scholastischen Streitigkeiten wurde von den muslimischen Theologen immer der Nestorianismus am günstigsten beurteilt. So sagte ad-Dimašqī (1256–1327 A. D.): „Welch ein trefflicher Mann ist Nestorius, der sagte: Ich leugne einen Gott, der im Mutterschoß wohnt.“ [367]

Mit der Christologie verwarfen die Muslime natürlich auch die christliche Erbsünden- und Erlösungslehre, während sie in der Heilsgeschichte und in

glichen, das die Sonne ausstrahlt (dial. 128, Otto II, 460). – Über Justinus Martyr siehe *Altaner* ⁴1955, 89–95.

365 *Fritsch* 122.

366 EI 2 (1927) 604 s. v. *Ittiḥād.*

367 Über ihn *Fritsch* 33–36 und *Kawerau,* Arabische Quellen (Lit. Verz. Nr. 384) 40 (Lit.).

der Eschatologie — wenigstens bis zu einem gewissen Grade — christlichen Anschauungen näherstanden. Ein besonderer Angriffspunkt im Bereich des religiösen Brauchtums war schließlich die christliche Kreuzesverehrung, die als eine willkürliche, törichte und unnütze Neuerung galt: die Christen sollten statt des Kreuzes als des Ortes der Erniedrigung Christi doch lieber einen Esel[368] als Symbol des triumphalen Einzuges Christi in Jerusalem verehren. Auch hierbei erscheint Kaiser Konstantin als der Urheber alles Bösen: er habe die Geschichte von der Kreuzesvision und der Kreuzauffindung aus Gründen der Staatsräson erfunden.[369]

Dieser muslimischen Polemik entsprach eine christliche Streitliteratur, die sich in Byzanz ebenso wie in den unter muslimische Herrschaft geratenen Kirchen des Orients seit dem 8. Jahrhundert entwickelte und während des ganzen Mittelalters ihre Vertreter fand.[370] Johannes von Damaskus verteidigte in seiner Geschichte der Häresien die christliche Trinitätslehre gegen die Muslime, von denen die Christen Hetairisten[371] genannt würden, so als ob sie Gott einen Genossen gegeben hätten; wenn die Muslime lehrten, der Logos und der Heilige Geist bestünden getrennt von Gott, so schnitten sie der Gottheit ein ihr wesentliches Moment ab und müßten deshalb eher Gottesverstümmler genannt werden.[372] Auf die Angriffe gegen die christliche Kreuzesverehrung erwiderte er, die Muslime würfen den Christen die Verehrung des Kreuzes als Bilderdienst vor, beteten aber selbst den Stein der Chabata[373] an, weil Abraham mit Hagar auf ihm ehelich verkehrt habe, oder weil er sein Kamel daran angebunden habe. Und doch sei dieser Stein nichts anderes als das Idol einer vom Islam verehrten Göttin, deren Züge noch darauf erkennbar seien.[374]

Andere byzantinische Polemiker griffen die Prophetenwürde Muhammeds an, der jede Beglaubigung durch Wunder oder durch Prophezeiungen fehle,[375]

368 Vgl. *Dauvillier* in Dict. Droit Canon. 5, 129 s. v. *Ebedjesus:* „Les prêtres de Karakorum célébraient sur un cuir carré, qui avait été consacré avec la chrême et que le patriarche leur avait envoyé de Bagdad (on reconnait la peau d'âne qui tenait lieu d'antimension et rappelait l'entrée du Christ à Jerusalem, monté sur cette bête). Ils se servaient d'un calice d'argent et d'une patêne, qui étaient de très grande dimension (Rubrouck 282)." Dazu Rubruk (deutsch von *Herbst* 119) (= *Wyngaert* 282).

369 *Fritsch* 139.

370 Das folgende nach *Güterbock,* Der Islam im Lichte der byzantinischen Polemik (Lit. Verz. Nr. 282).

371 *Hetairistai* oder *Hetairiastai,* Migne, PG 94, 768 D. Vgl. *Širk.* Zur Geschichte der Häresien *Altaner* [4]1955, 475.

372 *Koptai tu Theu, Güterbock* 11 = *Migne,* PG 94, 768 CD (De Haeresibus Liber). Die Auseinandersetzung des Johannes von Damaskus mit dem Islam ist ein Teil der Pege Gnoseos (Fons Scientiae) und umfaßt *Migne,* PG 94, 764 A — 773 A.

373 *Chabata, Migne,* PG 94, 769 A = *Ka'ba* (Kaaba in Mekka). Vgl. EI 2 (1927) 625—633 s. v. *Ka'ba.*

374 *Güterbock* 11 = *Migne,* PG 94, 769 AB.

375 *Güterbock* 18.

und sie bestritten den göttlichen Ursprung des Korans, weil er von Lügen, falschen Angaben und Widersprüchen erfüllt sei.[376] Aber die unleugbaren Erfolge des Islams und die immer unglücklicher werdende Lage des Byzantinischen Reiches und damit der christlichen Religion im Osten führten die orthodoxen Theologen schließlich vor das Mysterium der göttlichen Vorsehung und Vorherbestimmung, die das theologische Grundproblem der christlichen Polemik gegen den Islam wurde – ein Problem, für das es keine Lösung gab.[377]

Byzanz ist durch den Islam in eine große geistige Krise geraten, durch die die byzantinischen Theologen zu immer neuen Auseinandersetzungen mit dem Islam veranlaßt wurden.[378] Der Islam mit seinen Erfolgen und mit seinem Sendungsbewußtsein bedrohte das byzantinische Gefühl des Auserwähltseins: der Glaube der Byzantiner, ihr rechtgläubiges Reich sei das neue Zion, sie selbst seien das von der Vorsehung erwählte Volk Gottes, ihr Kaiser sei der Repräsentant Gottes auf Erden – das alles wurde durch den Islam in Frage gestellt. Man hat den äußeren Erfolgen der Muslime die Jenseitshoffnung der Christen entgegengesetzt und darauf hingewiesen, daß der Fortbestand des Bösen in der christlichen Welt kein Argument gegen das Christentum sei. Aber es blieb dabei: die Wege der göttlichen Vorsehung wurden für die Christen zum undurchdringlichen Mysterium.

Man darf andrerseits freilich nicht übersehen, daß der Islam auf die orientalischen Christen zum Teil durchaus anziehend wirkte, weil er so praktisch und einfach war und auf alle übermenschlichen Anstrengungen verzichtete: den Fastenmonat halten, Almosen geben, täglich fünf kurze Gebete sprechen, eine Pilgerreise nach Mekka und der Glaube an den Einen Gott und seinen Propheten war alles, was verlangt wurde.[379] Der christliche Osten hingegen hatte die Grenzen der menschlichen Natur vergessen und sie zu überschreiten versucht: viele Christen wollten durch eine geradezu unglaubliche Askese die

376 *Güterbock* 19 u. 27.

377 Weitere Lit. zur byzantinischen Polemik gegen den Islam bei *Beck*, Kirche und theologische Literatur (Lit. Verz. Nr. 66) 337–339 u. ö. – *Gauss*, Toleranz und Intoleranz zwischen Christen und Muslimen in der Zeit vor den Kreuzzügen (Lit. Verz. Nr. 236); Manuel II Paléologue, Entretiens avec un Musulman ed. trad. *Khoury* (Lit. Verz. Nr. 478); *Khoury*, Les Théologiens Byzantins et l'Islam (Lit. Verz. Nr. 391); *Khoury*, Der theologische Streit der Byzantiner mit dem Islam (Lit. Verz. Nr. 392); *Kaegi*, Initial Byzantine Reactions to the Arab Conquest (Lit. Verz. Nr. 364).

378 *Beck* (Lit. Verz. Nr. 66) 337–339; 547: byzantinische Reichstheologie gegen islamische Expansionspolitik. – Als eigenartigen Beitrag zur heutigen orientchristlich-islamischen Auseinandersetzung siehe *Chakmakjian*, Armenian Christology and Evangelization of Islam (Lit. Verz. Nr. 113); dazu *Spuler* in Theologische Literaturzeitung 92 (Leipzig 1967) 652–653.

379 Über diese Grundlagen *(Arkān)* des Islams vgl. EI ^{2}3 (1965) 31–38 s. v. *Ḥadjdj* (Pilgerreise), EI 4 (1934) 103–112 s. v. *Ṣalāt* (Gebet), 206–214 s. v. *Ṣawm* (Fasten), 278 s. v. *Shahāda* (Glaubensbekenntnis), 1302–1304 s. v. *Zakāt* (Almosen).

Engel nachahmen und übten sich in Abtötung und Unterdrückung aller natürlichen Bedürfnisse des Leibes. Der Islam stoppte alle diese Exzesse: er schaffte das Mönchtum ab, beseitigte die typisch christliche Feindschaft gegen die Sexualsphäre des Menschen,[380] betrachtete die Askese als unnötig, beseitigte die Höllenfurcht und deckte alle innerchristlichen theologischen Streitigkeiten gleichsam mit Wüstensand zu. Auf die byzantinische Intoleranz folgte so eine gewisse islamische Beruhigung. Zwischen Konstantinopel und Bagdad konnten sich sogar enge kulturelle Beziehungen entwickeln: byzantinische Künstler arbeiteten in Damaskus, Medina, Jerusalem und Cordoba für die Kalifen, griechische Werke philosophischen, mathematischen und medizinischen Inhalts wurden ins Arabische übersetzt, wobei viele griechische Fremdwörter ins Arabische eindrangen.

Etwa mit Beginn der Kreuzzüge[381] eroberten die Seldschuken das byzantinische Kernland Kleinasien und machten dieses bis dahin rein christliche Gebiet türkisch und muhammedanisch. Jetzt wurde der nicht mehr durch die Araber und die Perser, sondern durch die Türken repräsentierte Islam zu einer wirklichen Gefahr für Byzanz. In dieser ganzen Periode, die durch das Auftreten der Kreuzfahrer, der Mongolen und der Osmanen geprägt ist und mit dem Fall von Konstantinopel im Jahre 1453 A. D. endete, gab es praktisch keine kulturellen Beziehungen zwischen Byzanz und dem Islam. Zwar wuchs mit der von den Türken drohenden Gefahr in Byzanz die Abneigung gegen den Islam und die Türken, aber noch am Vorabend des Unterganges von Konstantinopel sah man in Byzanz den wirklichen Feind nicht in den muslimischen Türken, sondern im römischen Papst und seiner Unionspolitik. Lukas Notaras,[382] ein byzantinischer Würdenträger, sagte damals die seither berühmten Worte: „Es ist besser, die Stadt Konstantinopel in der Gewalt des türkischen Turbans als der lateinischen Tiara zu sehen." Als dann 1453 Konstantinopel fiel und Muhammed der Eroberer, der „Vorläufer des Antichrists und zweite Sanherib", die Hauptstadt der christlichen Welt betrat, sahen es nunmehr die russischen Großfürsten von Moskau als ihre Aufgabe an, das orthodoxe Christentum gegen den Islam zu verteidigen.

Die Bedrängnis, in die das mittelalterliche Christentum des Ostens durch die muslimischen Türken kam, gab auch in Äthiopien den Anlaß zur Abfassung einer christlichen Apologie gegen den Islam. Es war die ‚Pforte des

380 Vgl. EI [2]2 (1965) 550–553 s. v. *Djins* (Sex): Sure 55, 56 und 70 schildert die Huris; vom Propheten wird folgendes Ḥadīt überliefert: „Each time that you satisfy the flesh, you do a deed of charity." Dazu Sure 55, 56 (*Paret*, Bd. 1, S. 448): „... darin (in den Gärten des Paradieses) befinden sich ... weibliche Wesen, die vor ihnen weder Mensch noch Dschinn entjungfert hat." Vgl. *Paret*, Bd. 2, 466–467 (Kommentar).

381 Zum Verhältnis von Christentum und Islam während der Kreuzzüge vgl. *Kawerau*, Geschichte der Mittelalterlichen Kirche 131–155.

382 *Beck*, Kirche und theol. Lit. 760–761. Quellenbeleg (Ducas, Historia 38, Editio Bonn, p. 264) bei *Meyendorff*, Église Orthodoxe (Lit. Verz. Nr. 498) 79.

Glaubens',[383] die der abessinische Mönch Enbaqom[384] (1470–1565 A. D.) um das Jahr 1532 an den muslimischen Emir Granje[385] (1506–1543 A. D.) richtete. Dieser muslimische Türke hatte sich vom einfachen Soldaten zum Emir von Harar aufgeschwungen und war im Begriff, das christliche Kaiserreich Äthiopien restlos zu vernichten; seit 1527 verheerte er das christliche Land, brannte die Kirchen nieder und jagte den christlichen Kaiser in abgelegene Berge. Eine portugiesische Flotteneinheit, die von Indien aus gegen die Türken in Sues operierte, brachte in letzter Minute die Rettung: ein nur 400 Mann starkes Expeditionskorps unter Führung des jungen Christoph da Gama, eines Sohnes des großen Vasco da Gama, zog von Massaua aus ins Innere des Landes und besiegte nach schweren Kämpfen die islamischen Streitkräfte. Sowohl Christoph da Gama als auch der Emir Granje fanden in diesen Kämpfen der Jahre 1541–1543 den Tod. Aber mit dem Siege der Portugiesen, den sie ihrem Kreuzrittergeist und ihren überlegenen Feuerwaffen verdankten, war das christliche Kaiserreich Äthiopien vor der Vernichtung durch den Islam gerettet und konnte bis ins 20. Jahrhundert weiterexistieren.

In dieser Zeit lebte und schrieb der Mönch Enbaqom. Mit seiner um 1532 verfaßten Apologie wollte Enbaqom den Emir Granje von der Wahrheit des Christentums überzeugen und ihn von der weiteren Verfolgung der Kirche Äthiopiens abhalten. Bezüglich der wichtigsten islamisch-christlichen Differenzen, der Trinitätslehre und der Christologie, stellte er einfach fest, daß der Koran die christliche Lehre enthalte: Christen wie Muslime glaubten, daß Jesus der Geist Gottes sei, und daß Jesus es sei, der zum Jüngsten Gericht erscheinen werde. Der Koran selbst verkünde schon in seiner ersten Sure diese christliche Lehre: „Und ihr alle, ihr sagt am Anfang eures Gebets, das ihr nennt *Fātiḥa:* ,Lob sei Gott, dem König der Welten, dem Milden und Barmherzigen, der herrscht am Tage des Gerichts. Du bist es, den wir anbeten, und du bist es, der unsere Hilfe ist; führe uns auf der rechten Straße, der Straße derer, denen du Gnade geschenkt hast, aber nicht (auf der Straße) derjenigen, die der Gegenstand deines Zornes sind, und nicht auf der Straße der Irrenden.'[386] Die, denen Gnade gegeben worden ist, sind die Apostel; die, welche der Gegenstand des Zorns sind, sind die verfluchten Juden; und die Irrenden – möge Gott dir offenbaren, wer die sind!"[387] Wohin Enbaqom im Koran auch blickte: überall fand er Hinweise auf die Wahrheit des Christentums. Der Koran bezeugte, daß das Evangelium von Gott offenbart

383 'Ĕnbāqom ed. trad. *Donzel* (Lit. Verz. Nr. 188); dazu *Littmann,* Die Heldentaten des Dom Christoph da Gama in Abessinien (Lit. Verz. Nr. 508).

384 = Habakuk

385 = „der Linkshändige"; über ihn *Littmann,* Heldentaten XV und EI ²1 (1960) 286–287 s. v. *Aḥmad Grāñ.*

386 = Sure 1, *al-Fātiḥa,* „die Eröffnung". Ägyptische Staatsausgabe des Korans, Kairo 1347 H. = 1928/29 A. D., S. 2. *Paret,* Bd. 1, S. 7 (Lit. Verz. Nr. 405–406).

387 'Ĕnbāqom ed. trad. *Donzel* B 31 b.

war, der Koran pries die Apostel, die Kirchenväter, die Mönche und die Christen, dem Koran zufolge war der Sohn der Maria der Sohn Gottes, die in Sure 97 geschilderte Nacht der Bestimmung[388] war die Weihnachtsnacht. Diesen und andern koranischen Zeugnissen für das Christentum standen freilich im Glauben der Muslime einige falsche Vorstellungen über die christliche Lehre entgegen, so die, daß die Christen Gott eine Gemahlin beilegten, daß sie Bäume, Steine und Bilder anbeteten und aus dem einen Gott drei Götter machten. Enbaqom tadelte sie deswegen, bestritt ihnen die Fähigkeit, den Koran richtig zu verstehen, und zählte eine Reihe von muslimischen Irrtümern, Fälschungen und Mißbräuchen auf, die ebenfalls zugunsten des Christentums sprächen.

Man muß den Mut dieses christlichen Apologeten bewundern, mit dem er dem siegreich vordringenden Islam entgegentrat und in der gefährlichsten Situation, die das christliche Äthiopien zu bestehen hatte, mit den Waffen der Theologie das Christentum verteidigte.

388 *Lailat al-Qadr,* die Nacht, in der nach Sure 97 der Koran herabgesandt wurde, gefeiert in der Nacht zum 27. Ramaḍān. Vgl. Der Koran. Übersetzung von *Rudi Paret.* Stuttgart 1966, 514: „Sure 97. Die Bestimmung. Im Namen des barmherzigen und gütigen Gottes. 1: Wir haben ihn in der Nacht der Bestimmung herabgesandt. 2: Aber wie kannst du wissen, was die Nacht der Bestimmung ist? 3: Die Nacht der Bestimmung ist besser als tausend Monate. 4: Die Engel und der Geist kommen in ihr mit der Erlaubnis ihres Herrn herab, lauter (Logos) wesen *(min kulli amrin).* 5: Sie ist (voller) Heil (und Segen), bis die Morgenröte sichtbar wird." Ägyptische Staatsausgabe des Korans S. 815. Dazu den Kommentar von *Rudi Paret,* Bd. 2 (Lit. Verz. Nr. 406) S. 516–517 (Lit.).

II. BYZANZ

1. *Euseb von Cäsarea: Politischer Monotheismus*

Am Anfang der byzantinischen Theologie steht die überragende Gestalt des Bischofs Euseb von Cäsarea[1] (um 264–339 A. D.), eines Gelehrten, der als Historiker, als Philologe, als Geograph, als Theologe und als Kenner des Kanons und des Textes der Heiligen Schrift bis heute das größte Ansehen besitzt, und dessen Werke für die Wissenschaft unentbehrlich sind. Euseb war der Zeitgenosse des ersten christlichen Kaisers von Rom, Konstantins I. (324 bis 337 A. D.), des Gründers der neuen Reichshauptstadt Konstantinopel. Ihm hat Euseb eine berühmte Biographie gewidmet. Diese Vita Constantini ist freilich weniger eine Lebensbeschreibung als vielmehr ein Lob der Tugenden des ersten christlichen Kaisers.[2] Denn Euseb dachte über den Herrscher genauso wie sein geistiger Ahnherr Plutarch (um 46–120 A. D.), der in seiner Schrift an einen ununterrichteten Fürsten[3] gesagt hatte: „Das Recht ist der Zweck des Gesetzes, das Gesetz aber ist ein Werk des Regenten. Der Herrscher aber soll ein Ebenbild der alles ordnenden Gottheit sein. Er selbst soll sich durch seine Tugend zur Gottähnlichkeit erheben und in sich ein Bild darstellen, das den schönsten und erhebendsten Anblick gewährt. Wie die Gottheit am Himmel Sonne und Mond als glänzendes Abbild von sich hingestellt hat, so ist in den Staaten ein Abglanz derselben der Regent, der ähnlich den Göttern Recht und Gerechtigkeit schützt, das heißt derjenige, der die göttliche Ver-

1 Werke: *Migne,* PG 19–24 und in der Reihe „Die Griechischen Christlichen Schriftsteller der ersten Jahrhunderte", Leipzig und Berlin, Bd. 7 (1902), 9 (1903–1909), 11 (1904), 14 (1906), 20 (1911), 23 (1913), 43 (1954–56), 47 (1956). *Schwartz,* Eusebios von Caesarea, Pauly–Wissowa 6 (1907), 1370–1439 = *Schwartz,* Griechische Geschichtschreiber (Lit. Verz. Nr. 693) 495–598 (hier alles Bio-Bibliographische). DACL 5 (Paris 1922) 747–775 *(Leclerq). Wallace-Hadrill,* Eusebius of Caesarea (Lit. Verz. Nr. 793) (Lit.). *Dvornik,* Political Philosophy (Lit. Verz. Nr. 185) passim, vgl. 952 Index. RGG 2 (1958) 739–740. *Totok,* 1971 (Lit. Verz. Nr. 741) 98–100 (Lit.). CMH 4, 2 (Lit.).

2 Vgl. die Texte bei *Hunger,* Byzantinische Geisteswelt (Lit. Verz. Nr. 325) 87–99. *Ivánka,* Rhomäerreich und Gottesvolk (Lit. Verz. Nr. 362) 49–61 über die Sakralisierung des Römischen Reiches bei Euseb von Caesarea. Grundlegend ist *Michel,* Die Kaisermacht in der Ostkirche (Lit. Verz. Nr. 506), ein Werk, das im folgenden überall vorausgesetzt ist.

3 Lit. Verz. Nr. 602.

nunft zu Lehen erhalten hat."[4] Diese politische Philosophie Plutarchs wurde von dem Bischof Euseb ins Christliche gewendet, indem er in seiner Vita Constantini den ersten christlichen Kaiser nach diesem Bilde vom Fürsten gestaltete, wenn auch mehr mit biblischen als mit hellenistischen Begriffen. Für Euseb war Konstantins Herrschaft ein irdisches Abbild der himmlischen Königsherrschaft des Logos, ein Aspekt des göttlichen Werkes der Wiederherstellung, durch das die gefallene Menschheit zu ihrer wahren Natur zurückgeführt wird.

Diese aus der hellenistischen Philosophie stammende Idee, der Kaiser sei ein Abbild Gottes, seine Herrschaft auf Erden sei eine Nachahmung, eine Mimesis der Herrschaft Gottes im Himmel,[5] wurde aber von Euseb nicht nur christianisiert, sondern auch mit seiner Anschauung vom Zweck und Ziel der menschlichen Geschichte und mit seiner theologischen Interpretation des Römischen Reiches in charakteristischer Weise kombiniert. Für Euseb war die christliche Religion ihrem Wesen nach reiner Monotheismus, und deshalb lagen für ihn die Wurzeln des Christentums nicht im Judentum, das auf dem Mosaischen Gesetz basierte, sondern in der präjüdischen Zeit der Patriarchen: die Religion der Patriarchen war recht eigentlich mit diesem Ur-Christentum identisch. *Abraham* also war der erste Christ, und sein Glaube war von Christus wiederhergestellt und von Kaiser Konstantin zur Religion der ganzen Welt gemacht worden.[6] Das Christentum besaß demgemäß das denkbar höchste Alter, es war die älteste und ehrwürdigste Religion der Welt, der gegenüber Moses und Homer, auf die sich Juden und Griechen beriefen, vergleichsweise jung waren. Die Weltgeschichte diente der Verwirklichung des göttlichen Heilsplanes: sie verlief von Abraham über Christus zum Kaiser Konstantin und hatte die Herstellung einer Theokratie zum Ziel, in der die gesamte Menschheit geeint war. Niemand dürfe meinen, sagte Euseb in seiner berühmten Kirchengeschichte,[7] unser Heiland und Herr Jesus Christus gehöre nur der neueren Geschichte an, vielmehr sei seine Lehre die allerälteste und ursprünglichste, die schon von den Gottesfreunden zur Zeit Abrahams geübt worden sei;[8] ja, sie lasse sich bis zum ersten Menschen hinauf zurückverfolgen: „Denn wenn der Name ‚Christ' sagen will, daß der Christ sich infolge der

4 Plutarch S. 15 *Apelt.*
5 *Hunger,* Reich der Neuen Mitte (Lit. Verz. Nr. 327) 61–107 über das byzantinische Kaisertum als Nachahmung Gottes. *Ivánka,* Rhomäerreich. *Peterson,* Der Monotheismus als politisches Problem, Leipzig 1935 (Lit. Verz. Nr. 590).
6 *Kawerau,* Allgemeine Kirchengeschichte und Ostkirchengeschichte (Lit. Verz. Nr. 379) 307–308 über Kaiser Konstantin I. als Antityp des Erzvaters Abraham im Denken Eusebs von Cäsarea. Dazu EI ²3 (1966) 165–166 s. v. *Ḥanīf,* den wahren Monotheisten, und EI ²3 (1969) 980–981 s. v. *Ibrāhīm,* den Erzvater Abraham als den Repräsentanten des wahren Monotheismus *(Paret)* (Lit.). Diese auffällige Beziehung zwischen Euseb und Muhammed bedürfte einer genauen Untersuchung.
7 Hist. eccl. I, 4.
8 Vgl. EI ²3 (1966) 165–166 s. v. *Ḥanīf.*

Erkenntnis Christi und infolge seiner Lehre durch Klugheit und Gerechtigkeit, durch Mäßigkeit und Standhaftigkeit sowie durch das fromme Bekenntnis *des einen und einzigen, über alle herrschenden Gottes* hervortun soll, dann sind die erwähnten Männer in all diesem nicht weniger eifrig gewesen als wir." [9]

Der Ausgangspunkt der Theologie Eusebs war der in die Welt eingegangene Gott, der *inkarnierte* Christus, der historische Jesus. Um Gottes Werke zu sehen, blickte Euseb auf die Welt, und zwar auf die Welt als Geschichte. Nichts lag ihm ferner als Weltflucht, Askese und Mönchtum. Den monastischen Bestrebungen seines Zeitalters, die mit den Namen Antonius, Pachomius und Makarius verbunden sind, stand er völlig fremd und verständnislos gegenüber. Im Weltgeschehen, im historischen Prozeß manifestierte sich für ihn der göttliche Logos, dessen Instrumente der Weltkaiser und die Weltkirche waren, die in der Welt, im Imperium Romanum, im übernationalen Staat also ihre Lebensform besaßen. Denn Euseb sah zwischen dem Ende des nationaljüdischen Königtums und der Nationalstaatlichkeit überhaupt, der Monarchie des Kaisers Augustus und dem Erscheinen Christi einen inneren Zusammenhang. Wie das Gegeneinander der polytheistischen Nationalstaaten den Krieg bedeutet hatte, so bedeutete jetzt das eine, im Monotheismus geeinte übernationale Imperium Romanum den Frieden der ganzen Welt. Vor Augustus und vor Christus hatten die Menschen in endlosem Kriegselend gelebt, aber seit Augustus und seit Christus kam der Friede: damals sind die biblischen Weissagungen vom Völkerfrieden in Erfüllung gegangen. Das Imperium Romanum war also eine Erfüllung biblischer Prophezeiungen, mit seiner Entstehung verschwanden nicht nur die Nationalstaaten, sondern auch der Polytheismus. Zum römischen Weltreich gehörten also prinzipiell der Monotheismus und die Monarchie: beide wurden mit dem Siege Konstantins über Licinius wiederhergestellt und gesichert. Kaiser Konstantin war der Vollender des Werkes des Augustus und des Werkes Christi, in seiner Person war die irdische und die göttliche Monarchie in der Welt Wirklichkeit geworden. Die Begriffe Imperium Romanum, Weltfrieden, Monotheismus und Monarchie bezeichneten im Grunde alle das gleiche: sie waren der Ausdruck für den im Gang der christlichen Religion durch die Weltgeschichte sich verwirklichenden Heilsplan Gottes.[10]

9 Hist. eccl. I, 4; BKV 31 *(Haeuser)* (Lit. Verz. Nr. 208).

10 In Wirklichkeit brachte gerade das Christentum – lange vor dem Islam – die Zerspaltung der antiken Welt in nationale Religionen: die Monophysiten in Ägypten, Syrien, Armenien; die Monotheleten, die Manichäer, die Nestorianer im Osten, die Donatisten in Nordafrika (vgl. *Frend*, The Donatist Church. A Movement of Protest in Roman North Africa. Oxford 1952. Weist hin auf *Woodward*, Christianity and Nationalism in the Later Roman Empire. London 1916), die Priscillianisten in Spanien, die arianischen Germanen. Vgl. *Fuchs*, Der geistige Widerstand gegen Rom in der antiken Welt (Lit. Verz. Nr. 223) 23–24: „Die Gedanken, mit denen Augustin als der letzte und größte Gegner des antiken Rom das Reich zu überwinden versucht hat, sind von zeitloser Unbedingtheit. Die Tat-

Diese von Euseb begründete Anschauung bildete die Grundlage des politischen, theologischen und kirchenrechtlichen Denkens in Byzanz. Dem Basileus in Konstantinopel wurde dadurch eine völlig einzigartige Stellung in der Welt und in der Kirche zugewiesen.[11] Die Macht und das Recht des Kaisers in Staat und Kirche waren von transzendentem Charakter, und deshalb war in Byzanz keine Institution denkbar, von der die Kaiserwürde hätte verliehen werden können. Dazu waren weder der Patriarch noch die Kirche in der Lage. Die Autorität des byzantinischen Kaisers rührte unmittelbar von Gott her und war unabhängig von irgendeiner kirchlichen Zeremonie oder einer kirchlichen Verleihung. Der Kaiser war der Vertreter des Pantokrator, der Herr der Welt, der durch göttliche Macht auf Erden regierte.[12] Diese Vorstellung kam besonders deutlich in den Arengen der Kaiserurkunden zum Ausdruck.[13] Gott hatte die Kaiserwürde auf die Erde gesandt, den Kaiser zum Herrscher über alle eingesetzt, und infolgedessen ahmte der Kaiser Gott in direkter Weise nach, indem er die Strahlen seiner Wohltätigkeit auf die Bedürftigen lenkte und in gottgleicher Güte seine Untertanen regierte. Als Abbild der göttlichen Vorsehung ordnete und regelte der Kaiser alles in weiser Voraussicht und vernünftiger Fürsorge, entschied Unklares und stand immer im Dienste des allgemeinen Wohles: der Kaiser gönnte sich kaum Schlaf oder Mahlzeiten, immer war er von Mühen, Sorgen und Nachtwachen

sache, daß die Christen schon seit langem zu einer Rechtfertigung Roms gekommen waren, ihre Erkenntnis, daß die gewaltsame Befriedung der Welt die Voraussetzung für das Friedensreich Christi sei, sind von Augustin bewußt übersehen worden. Aber jene andere, versöhnende Geschichtsbetrachtung, in der sich der Staat und die christliche Lehre nicht befehdeten, sondern ergänzten, war von so zwingender Überzeugungskraft, daß sie durch keinen noch so mächtigen Widerspruch erschüttert werden konnte. Der Lebenswille, der die Vernunft in der Geschichte sucht, ließ die späteren Bürger des Reiches und nicht nur diese vergessen, wieviel Roheit und Gewalt am Werke gewesen waren, um Rom zur Friedensmacht zu erheben, und welche Fülle von Unglück und Schmerzen die Welt als Preis für die Größe Roms hatte darbringen müssen. Vor dem Glauben an das Reich und seine Sendung und vor der Bewunderung römischen Heldentums verlor sich die Erinnerung, wie stark einst in den Gegnern und den Opfern Roms die Gefühle der Feindschaft und des Hasses gewesen waren." – Die Belege für Augustin bei *Fuchs* S. 91 Anm. 93.

11 *Alföldi*, Insignien und Trachten der römischen Kaiser (Lit. Verz. Nr. 5) 145 zeigt, wie seit Kaiser Konstantin I. die christlichen Kaiser ebenso wie der Erlöser selbst mit dem Nimbus abgebildet wurden; Abb. 7 auf S. 61 zeigt eine Silbermünze, auf der Kaiser Konstantius von Byzanz (337–361 A. D.) mit dem Nimbus dargestellt ist.

12 *Grabar*, L'Empereur dans l'Art Byzantin (Lit. Verz. Nr. 251) 117: „Le Christ a dû être toujours considéré comme l'initiateur de l'investiture des empereurs, et leur couronne comme un don du Seigneur Dieu. Ce sont bien les formules de ‚couronnés par Dieu' ou ‚couronnés par le Christ' qu'emploient les acclamations rituelles et les cérémonies mêmes du couronnement, et c'est pourquoi il faut considérer la Vierge et les saints, sur nos images, comme de simples intermédiaires entre Christ et l'empereur." – Vgl. auch den Artikel ‚Hand Gottes' in RBK Lfg. 14 (Stuttgart 1971) 950–960.

13 *Hunger*, Prooimion (Lit. Verz. Nr. 326) 51 ff.

in Anspruch genommen, militärische und zivile Probleme hielten den guten Hirten der allerchristlichsten Herde der Gläubigen in dauernder Anspannung. Er arbeitete an der Verbesserung der Gesetze, ließ jedem zukommen, was ihm gebührte, und brachte in allen seinen Regierungsmaßnahmen eine göttliche Güte zum Ausdruck.[14]

Neben dem in göttlichem Auftrag die Welt regierenden Kaiser hatte der Patriarch nur die Stellung eines geistlichen Ministers, der in außen- und innenpolitischen Fragen als Helfer und Berater des Kaisers wirkte.[15] Der Patriarch konnte den Kaiser bei einer persönlichen oder öffentlichen Pflichtverletzung mahnen, warnen oder auch zurechtweisen; als Ideal des Verhältnisses zwischen beiden galt die Harmonie. Der Kaiser erwies dem Patriarchen gemäß den zeremoniellen Vorschriften besondere Ehren, immer aber blieb der Patriarch dem Kaiser untergeordnet, und das galt auch für die vier andern Patriarchen des Reiches, die Patriarchen von Rom, von Alexandria, von Antiochia und von Jerusalem. Man verdeutlichte sich die Funktion dieser Pentarchie der fünf Patriarchen wohl mit der Funktion der fünf Sinne an dem einen Haupt Christus; doch ist eine so verstandene Pentarchie eigentlich immer nur ein frommes Wunschbild der Kirche geblieben, denn niemals hat ein aus diesen fünf Mitgliedern bestehendes Patriarchenkollegium, das den Kaiser zu einem bloßen Primus inter pares herabgedrückt hätte, die Kirche geleitet. Freilich hatte im Kreise der Patriarchen der Patriarch von Konstantinopel schon deshalb den Primat, weil er am Hofe des Kaisers residierte. Das höchste Kirchenamt aber war und blieb immer das Kaisertum, das über das Reich und über die Reichskirche regierte.

Diesen Vorstellungen entsprechend bezeichnete sich der damals noch nicht einmal getaufte Kaiser Konstantin I. als Bischof der Heiden;[16] er wurde als von Gott bestellter, gemeinsamer Bischof, als Apostelgleicher, ja als der 13. Apostel bezeichnet. Der Patriarch Leo I. von Rom (440–461 A. D.) dachte gut byzantinisch, als er dem Kaiser Leon I. von Byzanz (457–474 A. D.) im Jahre 458 schrieb, der Kaiser sei vom Heiligen Geist erleuchtet, er schöpfe die reine Lehre aus der Fülle des Heiligen Geistes und sei in seinem Glauben von Gott inspiriert: der Kaiser von Byzanz war auch für den Patriarchen von Rom der Hüter des wahren Glaubens.[17]

14 Über den Kaiser als Teilhaber an der Güte, dem Wohlwollen usw. der Gottheit vgl. *Synesius von Kyrene,* Discours sur la Royauté (Lit. Verz. Nr. 675) 72–73. – *Constantelos,* Philanthropia as an Imperial Virtue in the Byzantine Empire (Lit. Verz. Nr. 120).

15 Vgl. dazu *Hunger,* Byzantinische Geisteswelt 98–99. Zur Pentarchie: *Hergenröther,* Photius Bd. 2, 132–149: „Die kirchliche Pentarchie nach den Orientalen" (hier die Quellen). *Beck,* Kirche u. theol. Lit. 34.

16 *Farina,* L'Impero e l'Imperatore Cristiano in Eusebio di Cesarea (Lit. Verz. Nr. 211) 312–319 über den Begriff *Episkopos ton ektos.*

17 *Migne,* PL 54 (1846) 1143–1146: Epistola 162 vom 21. 3. 458 an Kaiser Leon I. Hier 1143 C: „Nam in vestrae pietatis alloquiis non dubie patet quid per vos in

Demgemäß besaß der Kaiser von Byzanz in der Kirche umfangreiche Rechte. Er bestimmte die Grenzen der Bistümer und Patriarchate, ihm oblag die Mission unter den Heiden, er ernannte die Missionare und rüstete sie mit den notwendigen Mitteln aus: in Byzanz war die christliche Mission Staatsangelegenheit. Der Kaiser verlieh einzelnen Bischöfen das Pallium,[18] ein ursprünglich staatliches Standesabzeichen, das allmählich in ein kirchliches sich umwandelte. Beim Ableben eines Patriarchen ernannte der Kaiser auf Grund eines von den Metropoliten gemachten Dreiervorschlages den neuen Patriarchen, und das galt vor allem auch für den Patriarchen von Rom, dessen Wahl bis zum Jahre 741 vom Kaiser in Konstantinopel oder in seinem Auftrag vom Exarchen von Ravenna bestätigt wurde. Die Ernennung der Metropoliten bedurfte ebenfalls seiner Zustimmung, und auch das Recht der Translation der Bischöfe übte der Kaiser aus.[19] In den kaiserlichen Klöstern hatte der Kaiser selbstverständlich weitgehende Bestätigungsrechte; als Stifter *(Ktitor)* neuer Klöster ernannte er den Abt *(Hegumenos)*. Auf dem Athos wurde der Vorsitzende im Rat der Äbte von den Mönchen gewählt und vom Kaiser in Byzanz bestätigt, und im Pantokratorkloster in Konstantinopel ernannte der Kaiser den Abt, wenn sich die Mönche nicht einigen konnten. Der Kaiser allein berief die ökumenischen Konzile ein, deren Vorsitz und Leitung ihm zustanden. Schon Euseb von Cäsarea hatte demgemäß den Kaiser Konstantin I. anläßlich der Einberufung der ersten ökumenischen Synode nach Nizäa als einen von Gott bestellten gemeinsamen Bischof bezeichnet.[20] Der Kaiser verlieh den Beschlüssen der Synoden Gesetzeskraft: die Theologie war in Byzanz eine Sache des Staates, für die der Kaiser die Verantwortung trug; denn die Bewahrung der Orthodoxie war das Fundament des Staates. Dementsprechend verfügte der Kaiser über die Diptychen,[21] das offizielle Verzeichnis der Rechtgläubigen, die zur Gemeinschaft der Kirche gehörten: diesem Verzeichnis kam natürlich nicht nur eine kirchliche, sondern auch eine staatlich-politische Bedeutung zu. Unmittelbar wirkte der Kaiser durch staatliche Gesetze *(Nomoi)*

totius Ecclesiae salutem Spiritus sanctus operetur." Dazu 1145 B: „Quamvis ergo multum per omnia de pietatis vestrae corde confidam, et per inhabitantem in vobis Spiritum Dei satis vos instructos esse perspiciam, nec fidei vestrae ullus possit error illudere." Epistola 165, *Migne*, PL 54 (1846) 1155–1190 vom 17. 8. 458 an Kaiser Leon I.: „Quamvis enim sciam clementiam tuam humanis institutionibus non egere, et sincerissimam de abundantia Spiritus sancti hausisse doctrinam, officii tamen mei est et patefacere quod intelligis, ct praedicare quod credis." Der Kaiser von Byzanz ist unfehlbar, und der Patriarch von Rom hat das zu predigen, was der Kaiser glaubt: das war die Überzeugung des Patriarchen Leo I. von Rom.

18 Die reiche Literatur über das Pallium in Dict. Arch. Chrét. Liturg. (DACL) 13 (1937) 931–940.

19 Vgl. *Laurent,* Les Droits de l'Empereur en Matière Ecclésiastique (Lit. Verz. Nr. 431).

20 Vgl. *Michel,* Kaisermacht in der Ostkirche (Lit. Verz. Nr. 506) 60.

21 Diptychen: Reallex. f. Antike und Christentum 3 (1957); Realex. z. byzant. Kunst 1 (1963) 1196–1203.

auf die Kirche ein. So ordnete Kaiser Justinian I. (527–565 A. D.) die Bischofswahlen, erließ Vorschriften für den Gottesdienst und Gesetze für die Klöster. Wo die kirchlichen Gesetze *(Kanones)* Lücken aufwiesen, wurden sie durch kaiserliche Bestimmungen ergänzt, nicht selten freilich auch vorhandene Kanones durch Nomoi abgeändert oder ersetzt. Der Kaiser übte also die oberste Jurisdiktionsgewalt in der Kirche aus, er war faktisch der Oberbischof der gesamten Kirche und besaß damit von jeher eine Stellung in der Kirche des Römischen Reiches, wie sie im lateinischen Bereich erst durch das I. Vaticanum (1869/70 A. D.) dem Bischof von Rom für die römisch-katholische Kirche beigelegt worden ist.

Euseb von Cäsarea hatte die Geschichte als den Prozeß der Ausbreitung des Heils angesehen: neue Völker traten nach und nach im Verlauf des historischen Heilsprozesses durch Annahme des Christentums in den Orbis christianus, in die Kirche ein, und eines dieser neuen Völker, das von Byzanz aus den christlichen Glauben erhielt, war das russische. Wir wissen aus dem „Traktat über Gesetz und Gnade“, den Hilarion (1051–1054), der erste Russe auf dem Kiewer Metropolitansitz, geschrieben hat, daß man sich Wladimir den Heiligen (980–1015 A. D.) als neue Verkörperung des Kaisers Konstantin I. dachte. Wladimir und Rußland besaßen also den gleichen heilsgeschichtlichen Rang wie der erste christliche Kaiser des Römischen Reiches und das erste christliche Weltreich von Byzanz. Dieser Gedanke, daß der Basileus von Konstantinopel der Repräsentant Gottes auf Erden sei, wirkte so im Kiewer und Moskauer Rußland kräftig weiter. So sagte Josef von Volokolamsk (1439–1515): „Der Natur nach ist der Zar allen Menschen gleich, der Macht nach aber dem höchsten Gott“,[22] und ähnlich äußerte sich später Josefs geistiger Nachfahre, der Protopope Awwakum (1621–1682 A. D.), über das Verhältnis von Gott und dem Zaren: „Die Schrift nennt Gott nicht dem Wesen der Beschaffenheit nach groß, sondern groß und allmächtig ist er durch die Gewalt der Herrschaft; in seinem Wesen ist dem Wollen eine Kraft zugespannt; was er will, das tut er auch. Der Art und Weise Gottes gemäß sage ich dir noch dazu: es regiert auf Erden der Zar, der Beschaffenheit nach nicht groß, aber überall herrscht er.“ [23] Diese Ideologie der russischen Selbstherrschaft, wie man diese Anschauung genannt hat,[24] ist also keine Schöpfung Rußlands, sondern hat ihre Wurzeln in der byzantinischen Kaiseridee, die ihrerseits auf die Theologie des Bischofs Euseb von Cäsarea zurückgeht. Der Gedanke, daß der christliche Kaiser auf Erden die Allgewalt Gottes ausübt, ist so alt wie das christliche Römerreich selbst.

22 *Hauptmann*, Altrussischer Glaube (Lit. Verz. Nr. 292) 73. Hier der Quellenbeleg.
23 *Hauptmann*, Altruss. Glaube 100; hier die Belegstelle.
24 *Hellmann*, Staat und Recht in Altrußland (Lit. Verz. Nr. 310). Zur ganzen Frage *Neubauer*, Car und Selbstherrscher (Lit. Verz. Nr. 548).

2. *Basilius von Cäsarea: Theologie des Mönchtums*

Man hat das Byzantinische Reich einen Staat der Krieger und der Mönche genannt, und das mit Recht: ohne seine Mönche ist Byzanz nicht zu verstehen. Der Vater des byzantinischen Mönchtums ist der große Kappadozier Basilius von Cäsarea (329–379 A. D.) gewesen,[25] der auf einer weiten Reise durch die monastischen Zentren des Vorderen Orients besonders das ägyptische Mönchtum kennen- und schätzen gelernt hatte. Nachdem er sich seit 358 A. D. selbst dem asketischen Leben gewidmet hatte, wurde er im Jahre 370 Bischof seiner Vaterstadt Cäsarea und starb dort neun Jahre später. In seinen asketischen Schriften,[26] vor allem in seinen beiden Mönchsregeln,[27] hat er erstmals das Mönchtum durch gewisse Richtlinien geordnet und dabei über das Mönchtum Gedanken ausgesprochen, die im Grunde bereits alles enthielten, was in den nachfolgenden Jahrhunderten im Orient und im Okzident an monastischen Idealen erstrebt und verwirklicht worden ist. Wie Pachomius in Ägypten schätzte Basilius vor allem das Könobitentum; man hat das basilianische Mönchtum geradezu als eine Adaptation und Konsolidierung des ägyptischen Mönchtums bezeichnet,[28] und es war Basilius, durch den das ägyptische Mönchtum seine weltweite Wirkung erlangt hat. Der Mensch, so sagte er, sei für das gemeinsame Leben geschaffen, nicht für das Alleinsein; es liege im Wesen des christlichen Ideals selbst, daß es nur von und in einer Gemeinschaft verwirklicht werden könne, weil nur in ihr alle Gaben des Geistes vorhanden sein könnten, die Gott den einzelnen Gliedern der Gemeinschaft verliehen habe. Daher verdiene also die Einrichtung und Organisation von Klöstern den Vorzug vor dem Eremitenleben, weil die Christen Glieder des Leibes seien, dessen Haupt Christus ist. Keinem Christen seien aber alle Geistesgaben zusammen verliehen worden und wer eine von ihnen empfangen habe, besitze sie nicht so sehr seinetwegen, als vielmehr um seiner Mitmenschen willen. Im Kloster also müsse die Wirksamkeit des Heiligen Geistes vom einzelnen auf die Gesamtheit übergehen. Wer einsam lebe, vergrabe seine Geistesgabe und mache sie unnütz und wirkungslos: „Im Zusammenleben mit mehreren aber

25 Über ihn RGG 1 (1957) 913. Bibliographie: *Totok* 100–103 (Quellen u. Lit.). Die hier benutzten Schriften siehe Lit. Verz. Nr. 45 – Nr. 49). *Kranich,* Ascetik (Lit. Verz. Nr. 412); *Laun,* Die beiden Regeln des Basilius (Lit. Verz. Nr. 430); *Murphy,* St. Basil and Monasticism (Lit. Verz. Nr. 542); *Dörries,* Symeon von Mesopotamien (Lit. Verz. Nr. 174); *Gribomont* (Lit. Verz. Nr. 262 – Nr. 263).

26 Über sie *Clarke* (Lit. Verz. Nr. 118) 63–106; *Altaner* [7]1966, 292; *Amand,* L'Ascèse Monastique de Saint Basile de Césarée (Lit. Verz. Nr. 7).

27 Zu ihrer Echtheit: *Laun* (Lit. Verz. Nr. 430); hier 55–59 über ihre Entstehungsgeschichte. Dazu *Gribomont,* Histoire du Texte des Ascétiques de Saint Basile (Lit. Verz. Nr. 262). Vgl. *Clarke,* Ascetic Works (Lit. Verz. Nr. 48) 17 (Einleitung): „The Longer Rules are ‚conferences' or discourses on the ascetic life. They read like extempore addresses, taken down by shorthand. In some instances the actual words of the monk's spokesman are preserved."

28 *Amand,* Ascèse Monastique 52.

genießt ein jeder nicht nur seine eigene Gabe, indem er sie durch Mitteilung vervielfältigt, sondern er zieht auch aus den Gaben der andern wie aus der seinigen Gewinn", sagte Basilius in den Längeren Regeln.[29] Auch für das persönliche Fortschreiten des einzelnen Mönchs in den Übungen der Vollkommenheit sei das gemeinsame Leben besser als die Anachorese, denn derjenige, der keinen Kritiker neben sich habe, bilde sich ganz zu Unrecht ein, bereits die vollkommene Erfüllung der Gebote erreicht zu haben; er kenne weder seine Mängel noch seine Erfolge in der Askese, weil ihm jede Gelegenheit zur Erfüllung der Gebote fehle.[30] Er sei gar nicht in der Lage, Tugenden wie die Demut, die Barmherzigkeit, die Geduld zu üben, kurz, er gleiche einem Manne, der wohl die Schmiedekunst erlernt habe, sie aber niemals ausübe. Das sei nicht im Sinne des Apostels Paulus, der Röm. 2, 13 gesagt habe, daß nicht die, die das Gesetz hören, gerecht sein werden, sondern die, die es tun.[31] Das Kloster also ist der ideale Ort, an dem man dieses Gebot des Apostels verwirklichen kann; es ist, so sagt Basilius, „eine Arena also des Kampfes, und für das Fortschreiten ein guter Weg und eine ununterbrochene Übung und ein Trainingsplatz für die Gebote des Herrn: das ist das Beisammenwohnen der Brüder, das zum Zweck hat die Ehre Gottes gemäß dem Gebot unseres Herrn Jesus Christus, der sagt: ‚Also lasset euer Licht leuchten vor den Leuten, daß sie eure guten Werke sehen und euren Vater im Himmel preisen'".[32]

Den Gedanken der gemeinsamen Askese haben Basilius und seine Schwester Macrina auch auf die gemeinsame Askese der beiden Geschlechter ausgedehnt und haben nach dem Beispiel des Pachomius und seiner Schwester Maria[33] die Errichtung von Doppelklöstern angestrebt, in denen unter Oberleitung des Abtes Mönchen und Nonnen zu gemeinsamem asketischem Leben verbunden sein sollten, damit die dem einen Geschlecht verliehenen Gaben des Geistes auch dem andern zugute kämen.[34] Diese Idee der Doppelklöster erwies sich freilich in der Praxis als undurchführbar, und schließlich sind die Doppelklöster von Kaiser Justinian I. (527–565 A. D.) verboten worden;[35] doch ist

29 Reg. fus. tract. 7, 2 = *Migne,* PG 31, 932 A–B; *Kranich* 79.

30 *Migne,* PG 31, 932 C – 933 A.

31 Reg. fus. tract. 7, 4 = *Migne,* PG 31, 933 A.

32 Reg. fus. tract. 7, 4 = *Migne,* PG 31, 933 B–C. – Matth. 5, 16. – Dieser Vergleich des Mönchs mit einem Sportsmann kehrt dann besonders bei Theodor von Studion wieder, vgl. dazu *Paul Speck* in seiner Ausgabe der Jamben Theodors (Lit. Verz. Nr. 722) 102–103, der auf Stellen des Neuen Testaments wie 2. Tim. 4, 7–8 hinweist.

33 Zur Frage des Einflusses des Pachomius auf Basilius vgl. *Gribomont,* Saint Basile 111–112 und *Bateson,* Origin 139.

34 Vgl. *Clarke,* The Ascetic Works of Saint Basil 37–39: „Double Monasteries" und *Bateson,* Origin and Early History of Double Monasteries 139–141. RE 3, 243; 6, 125; 13, 227.

35 Codex I 3, 43, *Beck,* Kirche und theologische Literatur 138. Hier weitere Lit. zu den Doppelklöstern.

ihre Beseitigung nie restlos gelungen: noch im Mittelalter hat es in Europa Doppelklöster gegeben.

Die Klöster des Basilius lagen nicht in der Wüste, sondern in oder bei den Städten, wo die Mönche Gelegenheit hatten, dem Staat und der Kirche ein Bild wahren christlichen Lebens zu bieten. Und während das Kloster für Pachomius nur ein äußerer Rahmen für das Zusammenleben war, wurde es durch Basilius zum lebendigen Organismus, der ein Teil der Kirche war und der Autorität des Bischofs unterstand.[36] Die basilianischen Klöster wurden zu Instrumenten der traditionellen Philanthropie der Kirche; sie sollten die Leiden der äußeren Welt erleichtern helfen: Krankenpflege, Schulunterricht und Armenfürsorge waren ihre wichtigsten Aufgaben. Von den enthusiastischen Zügen des ägyptischen Mönchtums hielt Basilius nichts: Wunder, Hellsehen, geistliche Heilungen, Visionen und Kämpfe mit den Dämonen sucht man in seinen asketischen Schriften vergeblich. Für Krankheiten waren in seinen Klöstern die Ärzte zuständig, und die Gaben des Geistes kamen nach seiner Überzeugung in einem moralischen Lebenswandel und in der sorgfältigen Verwaltung der verschiedenen Klosterämter zur Wirkung. Der Vorsteher des Klosters und seine Beauftragten besaßen daher einen geistlichen Rang, dem man Gehorsam schuldete, weil er von Gott und von Christus herrührte. So ist Basilius der große Pionier des christlichen Ideals vom gemeinsamen Leben gewesen, einem Leben freilich, in dem das Lachen streng verboten war,[37] und in dem ständig jeder durch jeden kontrolliert wurde. Basilius war es, der den Mönchsgelübden den Charakter der Unwiderruflichkeit beilegte,[38] er war der Organisator des Horengebetes, dem er die Prim und die Complet hinzufügte, und er hat diese Gebetszeiten im Mönchtum obligatorisch gemacht.[39] Auf Basilius gehen auch die Grundgedanken der orthodoxen Bildertheologie zurück, die dann von Johannes von Damaskus aufgenommen und zur Verteidigung der Bilder entfaltet worden sind.[40] Das von Basilius geprägte byzantinische Mönchtum ist darum immer der Hort der Bilderverehrung gewesen.

Die Verehrung späterer Zeiten für Basilius von Cäsarea war so groß, daß man ihn einen zweiten Petrus nannte. So hat es Theodor von Studion in seinem Epigramm auf den heiligen Basilius ausgesprochen: „Du erstrahltest im Licht deines glänzenden Lebens und erleuchtest die Welt mit Taten und Werken; du selbst aber nahmst die Schlüssel wie ein neuer Petrus und bist

36 Die erst im Mittelalter entstandenen Athosklöster haben hier eine Ausnahmestellung, vgl. RGG 1, 1957, 680 s. v. *Athos* (Lit.).

37 Reg. fus. tract. 17.

38 Reg. fus. tract. 14 = *Clarke,* Ascetic Works 174: „A man who dedicates himself to God and then springs away to another form of life has committed sacrilege, for he has stolen away himself and robbed God of his votive-offering."

39 Reg. fus. tract. 37 = *Clarke,* Ascetic Works 207–209; hier die Gebetszeiten.

40 Vgl. *Menges,* Bilderlehre (Lit. Verz. Nr. 489) 8–10, 38, 50, 88, 107, 146, 170 u. ö.

der Wächter der ganzen Kirche."[41] Es war Theodors Überzeugung, daß das von Basilius begründete Mönchtum das Fundament der Kirche sei, und die Geschichte hat die Richtigkeit dieser Überzeugung weitgehend bestätigt.[42]

3. *Johannes von Damaskus: Theologie der Bilder*

Die Niederlagen der Byzantiner im Kampf gegen die Araber seit dem 7. Jahrhundert und der damit verbundene Verlust großer, bisher christlicher Teile Vorderasiens und Nordafrikas an den Islam deuteten für den frommen christlichen Betrachter darauf hin, daß mit der Religion der Byzantiner irgend etwas nicht stimmte.[43] Wieso konnten so viele Christenstädte, die doch alle zu ihrer Verteidigung eine wundertätige Ikone besaßen, von den Ungläubigen erobert werden? Der Islam mit seinen Siegen und Eroberungen stürzte Byzanz in eine religiöse Krise, die sich unter anderm darin äußerte, daß jetzt die Frage entstand, ob das Vertrauen auf gemalte Bilder nicht etwas Unchristliches, etwas Heidnisches sei. Denn hätten die Ikonen die Wunder gewirkt, die man im militärischen Bereich von ihnen erwartete, so hätte es wohl niemals einen Bildersturm gegeben, wie er zwischen 711 und 843 A. D. mehr als 130 Jahre lang das Byzantinische Reich erschütterte. Es handelte sich im Bilderstreit letzten Endes um die Frage: War das Christentum die wahre Religion oder nicht? Zur Beantwortung dieser Frage bedurfte es einer Theologie der Bilder, die in langwierigen Kämpfen immer wieder neu durchdacht worden ist und schließlich als orthodoxe Lehre die Billigung der Kirche gefunden hat. Ihr hervorragendster und bis heute normativer Theologe ist Johannes von Damaskus.

Johannes von Damaskus[44] (um 670 bis um 750 A. D.) entstammte einer christlich-arabischen Familie, die vielleicht dem berühmten Stamme Taǵlib[45]

41 Jamben, ed. *Speck* (Lit. Verz. Nr. 722) 222–223.

42 Umfangreiche Literaturangaben zum byzantinischen Mönchtum bei *Beck*, Kirche und theologische Literatur 120–140 und CMH 4, 2, 439–443 u. ö.

43 Zum folgenden *Mango*, Konstantinopel von Justinian bis Theophilus, in: Morgen des Abendlandes ed. *Rice*, München 1965, 108–109. *Anastos*, Iconoclasm and Imperial Rule 717–842, in: CMH 4, 1, 61–104, dazu die Bibliographie 835–848. *Ladner*, The Concept of the Image in the Greek Fathers and the Byzantine Iconoclastic Controversy. Dumbarton Oaks Papers 7 (1953) 1–34.

44 Grundlegende moderne Biographie von *Joseph Nasrallah*, Saint Jean de Damas. Son Époque. Sa Vie. Son Oeuvre. Harissa 1950. Bibliographie: *Totok* 171–173. *Altaner* ⁴1955, 474–478. *Lange*, Bild und Wort, Würzburg 1969, 106–140 über Johannes von Damaskus. Die hier benutzten Schriften des Johannes von Damaskus siehe Lit. Verz. Nr. 342 – Nr. 345.

45 *Nasrallah*, Saint Jean de Damas 16: „peut-être à Kalb ou à Taǵleb." Über den Stamm Kalb vgl. EI 2 (1927) 736–737 s. v. *Kalb B. Wabara;* über den Stamm Taǵlib vgl. EI Erg. Bd. (1938) 238–243 s. v. *Taghlib*. Die älteste Vita des Johannes von Damaskus ist um 1090 A. D. von dem Melkiten *Michael as-Samʿānī* in

angehörte, der von griechisch-byzantinischer Kultur nicht unbeeinflußt geblieben war. Seine umfassende theologische Arbeit machte Johannes von Damaskus zu einem der bedeutendsten geistigen Vertreter des christlichen Arabertums, das in seiner Person zum Vorkämpfer der chalzedonensischen Orthodoxie wurde, auch wenn man einen monophysitischen Unterton in seinen theologischen Argumentationen nicht überhören darf. In seinen zwischen 726 und 730 A. D. — also etwa ein Jahrhundert nach dem Auftreten des Islams — geschriebenen drei Verteidigungsreden gegen die Bilderstürmer,[46] die bis heute die dogmatische Grundlage der orthodoxen Bilderverehrung darstellen, ging Johannes davon aus, daß der in die Welt eingegangene, menschgewordene Gott die Natur erhöht und den Menschen zum Teilhaber seiner göttlichen Natur gemacht habe. Der von Christus angenommene Leib sei göttlich,[47] aber so wie das Fleisch gewordene Wort doch das Wort blieb, so blieb auch das Wort gewordene Fleisch doch Fleisch: beide bildeten eine hypostatische Union. Deshalb, so sagte Johannes, wage er es, ein Bild des unsichtbaren Gottes zu malen,[48] nicht als des unsichtbaren, sondern als des um unsertwillen durch Fleisch und Blut sichtbar gewordenen Gottes; er male kein Bild des unsterblichen Gottes, sondern er male das sichtbare Fleisch Gottes, denn wenn es schon unmöglich sei, etwa eine Seele bildlich darzustellen, um wieviel weniger sei es möglich, Gott abzubilden, der der Seele das Leben gebe.[49] Schon Paulus habe in seiner Areopagrede Apostelgeschichte 17, 29 den Athenern erklärt, daß man den unendlichen, unsichtbaren Gott nicht bildlich darstellen könne:[50] „So wir denn göttlichen Geschlechts sind, sollen wir nicht meinen, die Gottheit sei gleich den goldenen, silbernen und steinernen Bildern, durch menschliche Kunst und Gedanken gemacht." Das müsse allen, die zum Götzendienst neigten, nachdrücklich eingeschärft werden. Gott verbiete in der Heiligen Schrift das Anfertigen von Bildern zum Zwecke des Götzendienstes, und die Bilderverehrung der Heiden, die nichts von Gott wüßten, sei ein solcher

arabischer Sprache abgefaßt: Biographie de Saint Jean Damascène. Texte original arabe. Publié pour la première fois par *Constantin Bacha.* Harissa (Libanon): Imprimerie Grecque Melchite de Saint Paul 1912. (Vorhanden: Bayerische Staatsbibliothek München, Sign. A. or. 1694h.) Dazu *Graf*, GCAL 2, 69—70.

46 *Pros tus diaballontas tas hagias eikonas, Migne*, PG 94, 1232—1420. Lit. Verz. Nr. 342 — Nr. 343. Die Kapitel 9—16, 19 der 1. Rede deutsch bei *Hunger*, Byzantinische Geisteswelt 118—123. Der griechische Text der 1. Rede bei *Geischer* (Lit. Verz. Nr. 241) 18—32.

47 *Migne*, PG 94, 1236 C. Vgl. *Menges*, Bilderlehre (Lit. Verz. Nr. 489) und *Ladner*, Concept of the Image (Lit. Verz. Nr. 423).

48 Zum Begriff *Eikon* im Bilderstreit vgl. *v. Brockhusen* (Lit. Verz. Nr. 93) 108—113; über die im *Eikon*-Begriff sich ausdrückende Platonische Ideenlehre *v. Brockhusen* 114—118: „Ohne die Inkarnationstatsache, die das sichtbare Erscheinen einer göttlichen ‚Idee' in der vergänglichen Materie bedeutet, ist jede Ikonik schlechthin unmöglich."

49 *Migne*, PG 94, 1236 C.

50 *Migne*, PG 94, 1237 C.

Götzendienst, denn ihre Bilder seien für die Dämonen errichtet, die sie fälschlich für Götter hielten, nicht aber für den ihnen ganz unbekannten wahren Gott der Christen. Die Christen jedoch, die das religiöse Kindesalter hinter sich hätten und die Fülle der Erkenntnis der Gottheit besäßen, die also zur Mündigkeit herangewachsen seien, brauchten nicht erst vor Götzendienst und Aberglauben gewarnt zu werden; sie wüßten genau, was man bildlich darstellen könne und was nicht:[51] „Wie soll man das Unsichtbare abbilden? Wie das bildlich nicht Darstellbare malen? Wie das beschreiben, was keine Menge, keine Größe und keine Grenze hat? Wie dem Gestaltlosen Form geben? Wie das Körperlose mit Farbe malen?“ Niemand also solle es wagen, ein Bild des allmächtigen Gottes zu machen, der reiner Geist, unsichtbar und grenzenlos sei. „Wenn wir ein Bild des unsichtbaren Gottes machten, sündigten wir in der Tat“, sagte Johannes von Damaskus. Eine Ikone Gott-Vaters hat es deshalb im Osten — anders als im Westen — niemals gegeben; an ihre Stelle trat schon seit dem 4. Jahrhundert das bereits vorchristliche Symbol der aus dem Himmel herabgestreckten Hand Gottes, die dem zum Himmel auffahrenden vergöttlichten Kaiser eine Krone aufsetzte.[52]

Wenn nun aber, so fuhr Johannes von Damaskus fort,[53] dieser eine, unsichtbare Gott um unsertwillen Mensch werde, dann dürfe man ihn sich auch als Menschen vorstellen und ihn als solchen abbilden: „Wenn der Körperlose um deinetwillen Mensch wird, dann darfst du das Bild seiner menschlichen Gestalt malen. Wenn der Unsichtbare im Fleisch sichtbar wird, dann darfst du ein Bild des sichtbar Gewordenen machen. Wenn er, der ohne Gestalt und Grenze, unermeßlich in der Grenzenlosigkeit seiner eigenen Natur, als Gott existierend, die Gestalt eines Knechtes in Wesen und Statur auf sich nimmt, dazu einen Körper aus Fleisch, dann darfst du sein Abbild malen und es einem jeden zeigen, der es betrachten will. Male die unaussprechliche Herablassung, die Geburt von der Jungfrau, die Taufe im Jordan, die Verklärung auf dem Tabor, die die Leidenschaftslosigkeit vermittelnden Leiden, den Tod und die Wunder, die Beweise seiner Gottheit, die Taten, die er im Fleische durch göttliche Kraft wirkte, das heilbringende Kreuz, das Grab und die Auf-

51 *Migne*, PG 94, 1237 D.

52 *Alföldi*, Insignien und Trachten der römischen Kaiser (Lit. Verz. Nr. 5) 55 zeigt ein Wiener Goldmedaillon ‚Constantinus I. durch die Hand Gottes bekränzt‘, auf dem die Hand Gottes aus dem Himmel herab dem Kaiser einen Kranz (*corona* des Herrschers) aufsetzt; das Medaillon stammt aus den Jahren 330–333 A. D. Es zeigt einen ersten Ansatz zur kirchlichen Legitimation des Kaisers in Form einer *coronatio* durch Gott, aus dem sich dann das kirchliche Krönungszeremoniell des Mittelalters entwickelt hat. Die Hand Gottes ist bereits vorchristlich: sie wird dem auf einer Quadriga durch die Luft gen Himmel fahrenden Divus entgegengereicht, *Alföldi*, Insignien 56 Anm. 2; hier Quellenbelege für die heidnische Vorgeschichte dieser Symbolik. Weiteres zur christlichen Ikonographie des Basileus bei *Grabar*, L'Empereur dans l'Art Byzantin (Lit. Verz. Nr. 251) 113–115; 117; 168; 172; 174. Vgl. RBK s. v. *Hand Gottes*.

53 *Migne*, PG 94, 1240 B.

erstehung und Himmelfahrt – das alles beschreibe, sowohl durch das Wort als auch durch Farben."

Natürlich müsse man dabei die verschiedenen Arten der Verehrung[54] bedenken: die Verehrung Gottes und die Verehrung eines verdienstvollen Menschen seien zwei ganz verschiedene Dinge. Ebenso müsse man die verschiedenen Arten der Bilder beachten[55] und erkennen, daß das Bild nicht in allem dem Archetyp gleiche; es sei keine exakte Reproduktion des Originals: der Sohn als natürliches Bild des unsichtbaren Gottes unterscheide sich vom Vater dadurch, daß er vom Vater gezeugt sei. Der Vater gehe nicht vom Sohn aus, sondern der Sohn vom Vater. Trotz dieses Unterschiedes werfe aber das Bild ein Licht auf die unsichtbare Welt, es vermittle durch die Sinne dem Denken einen gewissen Begriff, der ohne das Bild nicht vorhanden sein würde. Darum würden seit Erschaffung der Welt die unsichtbaren göttlichen Dinge durch Bilder sichtbar gemacht: wir sehen in der Schöpfung Bilder, die uns von ferne an Gott erinnern, so zum Beispiel, wenn uns die Sonne mit ihrem Licht und ihren Strahlen an die Trinität erinnere.[56] Und nicht nur die Arten der Bilder, sondern auch die Arten der Verehrung müsse man beachten: es gebe eine Art der Verehrung, die wir nur Gott erweisen dürfen, der allein ihrer würdig ist. Da aber Gott, um den Menschen zu retten, in die Materie eingegangen sei, sei auch die Materie einer – wenngleich andersartigen – Verehrung würdig: „Verachte die Materie nicht, denn sie ist nicht verächtlich. Nichts, was Gott geschaffen hat, ist verächtlich. Das ist die Einbildung der Manichäer."[57] Natürlich werde hierbei in Wahrheit nicht die Materie verehrt, sondern der Schöpfer der Materie, der um des Menschen willen Materie geworden sei.[58] Ist denn, so fragte Johannes von Damaskus, das dreimal gesegnete Holz des Kreuzes nicht Materie? Ist das heilige Evangelienbuch nicht Materie? Ist das Gold, aus dem der Abendmahlskelch gemacht ist, nicht Materie? Und vor allem: Sind der Leib und das Blut unseres Herrn Christus nicht Materie? Nichts von allem, was Gott geschaffen hat, ist also verächtlich; nur das, was wir selbst willkürlich erfinden, die Sünde also, ist verachtenswert.[59] Und weiter: Da wir Gottes Herrlichkeit von Angesicht zu Angesicht schauen, ist das Auge das vornehmste und heiligste Sinnesorgan des Menschen.[60] Für das Auge aber ist das Bild das, was für das Ohr das Wort ist. Was das Buch für den des Lesens Kundigen ist, ist das Bild für den des Lesens Unkundigen. Das Bild spricht zum Auge, wie das Wort zum Ohr: es bringt Verständnis. Die Bilder führen

54 Vgl. *Menges,* Bilderlehre 67–75: „Definition und Arten der Verehrung."
55 *Migne,* PG 94, 1337–1344.
56 *Migne,* PG 94, 1241 C.
57 *Migne,* PG 94, 1245 C. Vgl. *Menges,* Bilderlehre 91–93: „Die Abfertigung des Manichäismus."
58 *Migne,* PG 94, 1245 A.
59 *Migne,* PG 94, 1245 C.
60 *Migne,* PG 94, 1248 C.

durch göttliche Kraft zu göttlichen Dingen,[61] und diese Kraft ist auch in den Heiligen wirksam, die an Gottes Natur Anteil haben; ihren Bildern und Reliquien gebührt daher gleichfalls Verehrung.[62]

Schließlich, sagte Johannes von Damaskus weiter, müsse man auch die Tradition der Kirche berücksichtigen.[63] Denn die Augenzeugen des Wortes haben der Kirche nicht nur schriftliche, sondern auch ungeschriebene Traditionen übergeben. Woher kennen wir den Platz des Heiligen Grabes? Woher haben wir die dreifache Immersion bei der Taufe? Warum beten wir nach Osten? Warum verehren wir das Kreuz? Ist uns das nicht ohne Schrift vom Vater auf den Sohn tradiert worden?[64] Und zu dieser Tradition der Kirche gehört es, daß Christus, der inkarnierte Gott, mit allen seinen Heiligen bildlich dargestellt wird. In der Kirche gilt also nicht das falsche Evangelium nach Kaiser Leon, sondern die Tradition der Väter, und die frommen, traditionsgemäßen Bräuche der Kirche werden durch die Mißbräuche der Heiden nicht in Frage gestellt. Freilich exorzisieren auch Zauberer und Magier, aber wenn die Kirche ihre Katechumenen exorzisiert, ist das etwas anderes. Wenn die Zauberer und Magier die Dämonen anrufen, so ruft die Kirche den wahren Gott gegen die Dämonen an. Die Heiden opfern den Dämonen, Israel opferte Brandopfer, die Kirche dagegen bringt Gott ein unblutiges Opfer dar. Die Heiden stellen den Dämonen Bilder auf, Israel machte von ihnen Idole, die Kirche aber stellt die Bilder des wahren, inkarnierten Gottes auf.[65] Und gerade das entspricht der Tradition: die Bilderverehrung ist keine neue Erfindung, sondern die alte Tradition der Kirche,[66] und schon die Väter haben erklärt, daß alles heilig und gut ist, was im Namen Gottes geschieht. Eine christliche Ikone ist deshalb etwas völlig anderes als eine Statue der Venus oder des Mondes.[67]

Den Grundgedanken der Bildertheologie des Johannes von Damaskus bildet daher auch ein Wort aus der Tradition der Kirche. Es stammt von Basilius von Cäsarea und lautet: „Die Ehre, die dem Bild erwiesen wird, geht auf das Urbild zurück, sagt der göttliche Basilius.“[68] Damit waren christlicher Bilder-

61 *Migne,* PG 94, 1248 D; *v. Brockhusen* 37: „Die Bilder sind Zeugnis der Welt des Unvergänglichen und Geistigen, die sie der zeitlich-materiellen Erscheinungswelt vermitteln sollen.“

62 *Migne,* PG 94, 1249 D; 1352 C. Über die Heiligenverehrung als Voraussetzung für die Bilderverehrung vgl. *Menges,* Bilderlehre 94–109.

63 Die folgenden Traditionsbeweise stammen großenteils von Basilius von Cäsarea, *Menges,* Bilderlehre 146–151.

64 *Migne,* PG 94, 1301 C–D.

65 *Migne,* PG 94, 1304 B.

66 *Migne,* PG 94, 1305 B.

67 *Migne,* PG 94, 1376 B.

68 S. Joh. Damasc. Oratio I, 21 = *Migne,* PG 94, 1252 D: *„He gar tes eikonos time pros to prototypon diabainei, phesin ho theios Basileios.“* So auch PG 94, 1357 C (= Oratio III, 41). Bei Basilius von Cäsarea steht dieses Zitat *Migne,* PG 32, 1249 C. Es findet sich in der arabischen Vita des Johannes von Damaskus ed. *Bacha*

kult und heidnischer Götzendienst klar voneinander getrennt: für den Christen ist es unmöglich anzunehmen, ein Bild sei Gott, seitdem Gott in Christus in sichtbarer Form erschienen ist. Aber die Ikone ist gleichsam das feierliche Portal zum Reich der Verklärung, die Pforte vom Reich der Finsternis in das Reich des göttlichen Lebens: in jeder orthodoxen Kirche stellt die Ikonostasis, die Bilderwand vor dem Allerheiligsten, dem Gläubigen dies immer vor Augen.[69]

So wirkt die Bildertheologie des Johannes von Damaskus in der gesamten orthodoxen Welt bis auf den heutigen Tag nach, wenn auch die Forschung noch weit davon entfernt ist, die Wege angeben zu können, auf denen seine Nachwirkung sich vollzogen hat.

4. Theodor von Studion: Reform des Mönchtums

Theodor von Studion[70] (759–826 A. D.) entstammte einer vornehmen byzantinischen Familie; er wurde im Jahre 794 Abt des Klosters Sakkudion in Bithynien und siedelte 798 nach Konstantinopel über in das noch heute in Ruinenresten erhaltene Kloster *tu Studiu,* benannt nach dem Konsul des Jahres 454.[71] Durch Theodor ist dieses Kloster zu einem geistlichen Mittelpunkt der Orthodoxie geworden, nicht nur, weil Theodor einer der standhaftesten Verteidiger der Bilderverehrung war, sondern vor allem auch deshalb, weil Theodor der große Reformator und Reorganisator des byzantinischen Mönchtums gewesen ist. Er suchte das könobitische Ideal des Basilius von Cäsarea neu zu beleben; wir vergegenwärtigen uns die mönchische Gedankenwelt, in der Theodor lebte.

Dreimal in der Woche hat Theodor von Studion nach dem Morgengottesdienst eine Ansprache an seine Mönche gerichtet, und außerdem sprach er

(Lit. Verz. Nr. 505) 16, 2: *„Ikrāmu 'ṣ-ṣūrati wāsilun ila 'unṣuriha 'l-awwali."* Auch der Bulgare Kosmas Presbyter (um 972 A. D.) benutzt es in seinem Traité contre les Bogomils ed. trad. *H. Ch. Puech,* Paris 1945, 70: „Car le culte de l'image passe sur son original, comme a dit le grand Basile." – Vgl. *Menges* 88.

69 *v. Brockhusen* 48.

70 Seine Schriften vgl. Lit. Verz. Nr. 718 – Nr. 722. Quellen und Literatur bei *Beck,* Kirche und theologische Literatur 491–495. – Das Folgende nach *Leroy,* Saint Théodore Studite. In: Théologie de la Vie Monastique, Paris 1961, 423–436; hier S. 423 Anm. 1 die zum Teil noch nicht edierten Quellen. Vgl. ferner: *Leroy,* Les petites catéchèses de S. Théodore Studite (Lit. Verz. Nr. 443); *Leroy,* La Réforme Studite (Lit. Verz. Nr. 444); *Leroy,* La Vie quotidienne du Moine Studite (Lit. Verz. Nr. 446); *Hausherr,* Saint Théodore Studite (Lit. Verz. Nr. 295); *Guétet,* Une Récension Stoudite des Règles Basiliennes? (Lit. Verz. Nr. 277); *Lange,* Bild und Wort (Lit. Verz. Nr. 428) 217–232 (Theodors Stellung zu den Bildern).

71 Vgl. *Kawerau,* Geschichte der Mittelalterlichen Kirche 108–116; *Menthon,* Une Terre des Légendes. L'Olympe de Bithynie. Ses Saints. Ses Couvents. Ses Sites. Paris 1935.

jeden Abend nach dem Abendgottesdienst mit ihnen über Dinge des geistlichen Lebens, die für sie von Interesse waren. So sprach er über das Kirchenjahr und die Liturgie, über die Feste, die man gerade feierte, und über den Geist, in dem man sie feiern sollte. Gelegentlich mahnte er die Mönche zu strengerer Beobachtung der Regel, manchmal war es ein Vorkommnis aus dem Leben des Klosters, über das er sprach, etwa der Eintritt eines neuen Mönchs ins Kloster, eine Apostasie oder der Besuch einer hochgestellten Persönlichkeit. Diese Ansprachen waren meistens improvisiert, nur selten hat Theodor sie vorher schriftlich konzipiert; sie sind aber von seinen Zuhörern mitgeschrieben worden,[72] und diese gesammelten Ansprachen, die uns schriftlich überliefert sind, sind seine berühmten „Katechesen", eine kleine und eine große, bestehend aus Hunderten von solchen sehr lebendigen Ansprachen über die Pflichten des Mönchs.[73]

Diese Ansprachen zeigen uns, wie am Anfang des monastischen Lebens nicht ein theologischer Gedanke steht, sondern die Beobachtung äußerer Dinge, Leben und Tun also, und nur von hier aus kann man in das Innere des studitischen Geistes eindringen. Warum also geht man Theodor von Studion zufolge ins Kloster? Nicht um zu essen, zu trinken, schön gekleidet zu sein, auch nicht, um faul und untätig zu sein, erst recht nicht aus Freude an der Kalligraphie und am Chorgesang. Auch der Wunsch nach Kontemplation war nicht der rechte Grund – Theodor sprach nie über Kontemplation. Vielmehr ging man ins Kloster, um zu Jesu Füßen zu sitzen, seine Worte zu hören, also das gute Teil zu wählen. Mochten sich andere mit tausend Dingen abmühen, mit ihrer Frau, ihren Kindern, ihrem Geld und ihren Besitztümern: die Sorge des Mönchs bestand allein darin, dem Herrn zu gefallen. Das hat Theodor von Studion immer wieder betont: „Wir marschieren zusammen, in einem einzigen Geist, auf das Ziel zu, das unser einziges Verlangen ist, das einzige Ziel unserer Anstrengung: dem Herrn zu dienen, ihm zu gefallen, wie in einem neuen Paradies, in diesem engelgleichen könobitischen Leben." [74] Man dient dem Herrn, indem man seine Gebote erfüllt, und zwar alle. Theodor wollte mit diesen Hinweisen natürlich nur seine eigenen Mönche ansprechen; andere Formen des Mönchtums wie Eremiten oder Styliten interessierten ihn nicht. Ihr Ziel mochte ein anderes sein – für ihn war das Könobitentum die höchste Form des Mönchtums. In einem Epigramm auf das Kloster hat Theodor ge-

72 Vgl. *Mentz*, Geschichte der Kurzschrift (Lit. Verz. Nr. 491) 24–29: Basilius von Cäsarea war ein guter Kenner und Lehrer der Stenographie: Nachschriften geistlicher Reden und Predigten im Christentum waren in der Antike und im Frühmittelalter ganz gewöhnlich; die griechische Silbenkurzschrift mag bis zum Untergang des Byzantinischen Reiches (1453 A. D.) verwendet worden sein. Vgl. auch *Clarke*, St Basil the Great (Lit. Verz. Nr. 118) 72 über die stenographische Aufnahme der Längeren Regeln des Basilius von Cäsarea.

73 Lit. Verz. Nr. 718 – Nr. 721.

74 *Leroy* 425–426.

sagt: „Wie sicher, wie edel wird der Weg vollendet derer, die ganz und gar ein gemeinsames Leben führen." [75] Sicherheit als Motiv für das könobitische Leben der Gemeinschaft: im Kloster ist es ungefährlicher und leichter, in den Himmel zu kommen.

Bevor nun das, was das könobitische Mönchtum charakterisiert, näher präzisiert werden kann, muß die Grundbedingung erläutert werden, durch die ein Mönch überhaupt zum Mönch wird. Kirchenrechtlich besteht sie in dem öffentlichen Gelübde, das nicht nur in Gegenwart des Abtes und der Brüder, sondern auch in Gegenwart der Engel abgelegt wird, von denen es gewissermaßen bestätigt wird; es ist deshalb unwiderruflich. Sein Wesen ist ein *allgemeiner* Verzicht, eine *allgemeine* Absage. Darin unterscheidet sich der Mönch vom Asketen: der Asket will sexuelle Enthaltsamkeit, der Mönch will ein Leben, das in seiner *Gesamtheit* evangelisch ist. Darum ist der Mönchsstand ein Verzicht auf alles, was nicht vom Evangelium ausdrücklich als dem Ideal Christi entsprechend bezeichnet worden ist. Dieser Verzicht, diese Absage an die Welt ist aber nicht als eine totale Trennung von der Welt aufzufassen, denn eine solche wäre mit den Geboten des Herrn nicht vereinbar. Zwar erstreckt sich die Absage des Mönches nicht nur auf die Sünde der Welt, sondern auch auf ihre Ordnung und Schönheit, zum Beispiel auf die Freuden der Familie und der Kultur, wozu auch die Reinlichkeit und die Hygiene gehören, wie sie den Weltmenschen kennzeichnen. Aber der Mönch will, indem er seine Familie verläßt, nicht eine neue Familie im Kloster finden, sondern will in eine neue, andere Welt eingehen. Das Mönchtum ist also der Übergang aus der Welt der Schatten in die Welt des Lichts, aus der Welt der Sünde und Sklaverei in die Welt der Freiheit der Kinder Gottes, es ist der Übergang aus der Fremdlingschaft in die Heimat. Zum Zeichen dessen nimmt der Mönch einen neuen Namen an und zieht ein anderes Gewand an als die Christen in der Fremdlingschaft dieser Welt.

Man hat gelegentlich gemeint, daß der Mönch sich bereits als am Ziel der Reise angelangt betrachte, daß er bereits im himmlischen Leben stehe. Allein Theodor von Studion benutzt den Begriff des himmlischen Lebens nur selten und mit deutlicher Zurückhaltung. Denn für ihn steht der Gedanke des *Übergangs* zu stark im Vordergrund: der Mönch ist für ihn derjenige, der sich zwischen dem Roten Meer und dem Lande der Verheißung mitten in der Wüste und ihren Kämpfen befindet. Das Kloster ist für Theodor von Studion eine Zwischenstation zwischen Erde und Himmel. Die gleiche Zurückhaltung übt er gegenüber dem Gedanken der Engelsgleichheit des Mönches, von der die monastischen Schriftsteller sonst gelegentlich gern sprechen, weil der kontemplative Eremit seinen Zustand als den eines Engels ansieht, der auf Gott

75 Theodor Studites Jamben ed. trad. *Speck* 165.

hinschaut.[76] Theodor hat seine Mönche niemals aufgefordert, wie die Engel zu werden, indem sie Kontemplation übten. Wenn er von Engelsgleichheit spricht, meint er den Dienst Gottes, der das Ziel des Könobiten ist: wie die Engel soll der Mönch versuchen, den Willen Gottes zu tun. Insbesondere gibt die Arbeit, die im Tageslauf des studitischen Mönches die gewöhnlichste Form des Gottesdienstes ist, dem monastischen Leben Engelsgleichheit und verleiht dem Mönch engelhafte Seligkeit. Aber der Mönch ist noch kein Engel, und nur die ständige Praxis, die Ausübung der Tugenden kann ihn zum Engel machen, wenn Theodor auch gelegentlich meint, daß die Eintracht und Brüderlichkeit, die in der Gemeinschaft herrschen, das könobitische Leben dem Leben der Engel angleichen können.

Aus seinem Charakter als Übergang ergibt sich, daß das monastische Leben ein Kampf ist: der Übergang des Mönches in die andere Welt ist niemals ganz vollendet und gestattet kein friedevolles Leben, vielmehr bewirkt er immer neue Leiden und Anfechtungen, über die es einen endgültigen Sieg hienieden nicht gibt. Insbesondere kämpft der Mönch gegen die Dämonen: er weiß, daß wir nicht mit Fleisch und Blut zu kämpfen haben, sondern mit Fürsten und Gewaltigen, mit den Mächten, die in der Finsternis dieser Welt herrschen, mit den bösen Geistern unter dem Himmel. Unter diesen Angriffen leidet der Mönch stärker als der Laie, sein Leben ist Mühsal und Schmerz.

Von diesem Gedanken des Übergangs aus vergleicht Theodor von Studion das monastische Gelübde mit der Taufe. Der Mönch hat das Meer dieser Welt durchquert, wie Israel das Rote Meer. Deshalb nennt Theodor mehrfach das monastische Gelübde die zweite Taufe:[77] da unsere erste Taufe durch das Wasser und den Heiligen Geist infolge unserer Bosheit zum Teil unwirksam geworden ist, hat uns Gott in seiner Güte die zweite Taufe der Buße und der Absage an die Welt geschenkt. Die erste Taufe mit Wasser und Geist hat eine zweifache Wirkung oder – anders ausgedrückt – eine einzige Wirkung mit einem doppelten Aspekt: positiv in Gestalt der Erleuchtung, negativ in Gestalt der Sündenvergebung. Die zweite Taufe der Buße, also das Mönchsgelübde, hat dieselbe Wirkung: sie besteht zunächst in der Erleuchtung. Das Mönchsgewand heißt deshalb bei Theodor das Gewand der Erleuchtung: zu den Mönchen, deren Gelübde er als Abt entgegengenommen hat, sagt er, er habe sie Gott vorgestellt, er habe sie erleuchtet, durch das Mönchsgewand[78] seien sie Kinder des Lichtes geworden. Die zweite Wirkung der zweiten Taufe besteht wie bei der ersten Taufe in der Sündenvergebung: durch das Mönchs-

76 *W. Völker,* Maximus Confessor als Meister des geistlichen Lebens (Lit. Verz. Nr. 777) 469–470: Maximus Confessor kennt eine Nachahmung der Engel; überall stößt man bei ihm auf das Adjektiv *isangelos,* das als Ziel der Nachahmung aufleuchtet.

77 *Leroy* 431–433. Vgl. hierzu *Smolitsch,* Russisches Mönchtum (Lit. Verz. Nr. 654) 262.

78 Vgl. *Hausherr,* S. Théodore Studite 20–21.

gewand und das Gelübde wird der Mönch von allen Sünden gereinigt. Wer aber ungläubig das Gelübde ablegt und das Gewand empfängt, wird unnachsichtig von Gott gestraft werden, denn wer in die Sklaverei der Sünde zurückfällt, hat nach zwei Taufen gesündigt und wird also die doppelte Strafe empfangen. Theodor von Studion faßt also die Ablegung des Mönchsgelübdes zwar als ein Sakrament auf wie die Taufe, aber nicht als ein Sakrament, das ex opere operato, sozusagen absolut, total und unwiderstehlich wirkt: „Ich habe euch", so sagt Theodor, „mit der zweiten Taufe getauft, ich habe euch mit dem Gewand der Freude und Fröhlichkeit bekleidet, ich habe euch absolviert von euren Fehlern, und zwar in der Hoffnung, daß Gott von oben herab sie euch durch meine arme Absolution hier unten vergeben wird." [79] Hier spricht Theodor von der Vergebung der Sünden nach der zweiten Taufe, die aber nicht als ein automatischer Effekt hingestellt wird, sondern angesehen wird als geschehen in der Hoffnung, als eine Vermutung oder als eine Vorwegnahme, die aber keineswegs völlig sicher ist.

Wenn das Mönchtum, wie Theodor von Studion sagt, durch den Begriff der Absage an die Welt definiert wird, so genügt dieser Begriff doch nicht, um das könobitische Mönchtum vollständig zu beschreiben. Der Begriff der Absage fordert bei den *könobitischen* Mönchen notwendig seine Ergänzung durch den Begriff der Unterordnung, des Gehorsams, der Unterwerfung. Die Größe und Einzigartigkeit des könobitischen Lebens besteht eben darin, daß sie die Möglichkeit bietet, diese totale Unterwerfung zu erreichen. Wer etwa meint, das Kloster sei eine Gesellschaft von Einsiedlern, oder die Einsamkeit sei eine seelische Haltung, die für die Klostermönche wesentlich sei, der zeigt damit, daß er die Natur und das Ziel der könobitischen Lebensform nicht verstanden hat. Für Theodor von Studion ebenso wie für alle andern großen Gesetzgeber des könobitischen Mönchtums ist das Kloster eine Kirche, ein Teil des mystischen Leibes Christi: da der Leib sich nicht verhalten kann wie das Haupt, und der Körper nicht wie die Seele, die ihn regiert, so kann sich auch der könobitische Mönch nicht nach seinem eigenen Willen verhalten, sondern wird von seinem Haupt, welches Christus ist, regiert, von Christus, der selbst das Vorbild solcher Unterwerfung gegeben hat, indem er Knechtsgestalt annahm. Deshalb sollen die Könobiten sich als die Geringsten unter den Menschen und als die Knechte aller ansehen: das könobitische Leben ist dazu da, um dem Menschengeschlecht zu dienen. So meint Theodor von Studion, Christus selbst habe die Institution des könobitischen Mönchtums geschaffen, indem er sich das Zeichen des Knechtes, den Schurz, umband und den Aposteln die Füße wusch: es sei bezeichnend, daß unser Herr, als er zur Erde hinabstieg, nicht Eremit geworden sei, auch nicht Stylit, sondern den Gehorsam und die Unterwerfung auf sich genommen habe, wie er ja auch gesagt habe, er sei nicht gekommen,

79 *Leroy* 433.

um seinen eigenen Willen zu tun, sondern den Willen des Vaters. Könobitisches Mönchtum ist also für Theodor von Studion im wahrsten Sinne Imitatio Christi, deren Wesen in der Unterwerfung besteht. Diese Unterwerfung muß eine totale sein; sie übt sich darin, daß der Mönch der Diener seiner Mitbrüder ist. Deshalb heißt bei Theodor von Studion der könobitische Mönch einfach der Untergebene,[80] und wenn dieser zu eifriger Arbeit angetrieben wird, so geschieht das nicht aus Aktivismus und erst recht nicht aus materiellen Erwägungen im Interesse der Klosterwirtschaft, sondern zum Zweck der Übung der geistlichen Tugend der Unterwerfung: ein Sklave vertrödelt niemals seine Zeit, er arbeitet immer. Insofern ist die studitische Unterwerfung sehr viel weitreichender als der bloße Gehorsam, zumal ja die Unterwerfung prinzipiell die Grenzen des Klosters überschreitet, denn der Klostermönch ist der Knecht des ganzen Menschengeschlechtes, nicht nur insofern, als er häufig von den Weltkindern mit Verachtung behandelt wird, sondern auch insofern, als er sich bemüht, allen Menschen Dienste zu erweisen. Das Kloster ist also keine abgeschlossene Welt für sich, die nur für sich selbst arbeitet, sondern eine Einrichtung, die für die ganze Welt arbeitet: die Arbeit der Mönche erleichtert den Armen das Leben, das Gebet der Mönche erfolgt für die ganze Welt; vor allem aber leisten die Mönche der Welt den Dienst der Wahrheit. Theodor von Studion erläutert das so: Es ist das Werk der Mönche, nicht zuzulassen, daß irgendeine Neuerung erfolgt, die nicht im Evangelium begründet ist. Wahrscheinlich ist dies das Motiv dafür gewesen, daß die studitischen Mönche im Bilderstreit so hartnäckig die Orthodoxie verteidigt und sich auf die Seite der hergebrachten Bilderverehrung gestellt haben: nicht aus einer bestimmten Theologie heraus, nicht aus einer prophetischen Berufung heraus, sondern aus dem Gedanken der Unterwerfung, des Dienstes an der Wahrheit. Und da nach Theodors Überzeugung der Irrtum in dieser Welt einherschreitet im Verein mit der Unzucht und Unreinheit, haben die Mönche in ihrem Keuschheitsgelübde die Garantie dafür, daß sie die Wahrheit besitzen. Ihre könobitische Berufung verpflichtet sie dazu, aller Welt dienstbar zu sein, und deshalb sind sie auch verpflichtet, die Wahrheit zu proklamieren, in deren Besitz sie sich befinden. Freilich haben die Studiten in ihrem Eifer die Grenzen überschritten, die ihnen durch die Demut gezogen waren, zu der sie als Diener und Nachahmer Christi verpflichtet waren. Doch muß man zugeben, daß die Leiden, die sie in diesem Kampf für die Wahrheit zu erdulden hatten, ein Beweis für die Stärke ihrer Überzeugungen gewesen sind. Aber auch das ent-

80 *Hypotaktikos, Sophocles* 1127. *Apotage* (Abkehr von der Welt) und *Hypotage* (Unterwerfung) machen die Imitatio Christi aus und sind die Grundbegriffe der Mönchstheologie Theodors. *Apotage: Leroy* 427–428; *Sophocles* 236. *Hypotage: Leroy* 433–435; *Sophocles* 1126–1127. In der Zenturie des Kallist und Ignatius (Lit. Verz. Nr. 365–366) haben diese Begriffe später die Grundlage der hesychastischen Gebetspraxis gebildet.

sprach der mönchischen Theologie des Theodor von Studion, der immer wieder die Gleichwertigkeit von Mönch und Märtyrer betonte, indem er sagte, die volle Hingabe an die Brüder in der Arbeit und im Dienst – in der *Diakonia* – verpflichte den Mönch zu einem dauernden Verzicht auf die eigenen Wünsche und Willensregungen, so daß eben darin ein dauerndes Blutvergießen zu sehen sei, nicht materieller, sondern geistlicher Art, indem das Blut unserer Herzen fließe.[81]

Man könnte, wie Julien Leroy in seinem schönen, hier zugrunde gelegten Aufsatz über den heiligen Theodor Studites sagt,[82] dieser monastischen Theologie Theodors einen gewissen Mangel an Originalität nachsagen: das aber wäre genau im Sinne Theodors selbst, der mit seiner Reform des Mönchtums nichts anderes wollte, als den alten Sinn des könobitischen Mönchtums wiederherzustellen, wie ihn die großen Mönchsväter seit Basilius von Cäsarea gelehrt hatten: Rückkehr zur alten Tradition. Deshalb war Theodor dagegen, daß in den Klöstern Unterricht erteilt würde, wie das zu seiner Zeit sonst üblich war. Was Theodor wollte, war, daß die Mönche in den Klöstern nach dem Evangelium lebten, seinen Geist des Dienstes verwirklichten und Jesus Christus nachahmten in seiner demütigen Liebe zu Gott, zu den Brüdern und zur ganzen Menschheit.

Wie monastisch Theodor von Studion dachte, zeigt uns ein Stück aus der 27. Rede seiner Kleinen Katechese:[83] „Und: Wenn Gott für uns ist, wer kann wider uns sein? Der, wie er in früheren Jahren für unser Leben sorgte, indem er uns aus mannigfaltigen Versuchungen und Anfechtungen befreite, so auch für die kommende Zeit für uns sorgen möge. Nur laßt uns würdig des Evangeliums wandeln, indem wir unser Bürgerrecht im Himmel haben. Fremdlinge und Gäste sind wir auf Erden. Kein Anteil und auch kein Erbteil ist uns hier beschieden. Denn wer, der aus der Ewigkeit in dieses Leben kam, ist hier geblieben, damit er irgend etwas erbe? Sind nicht alle, die hereinkamen, wieder herausgegangen wie aus einem fremden Lande? Folglich ist hier nur ein Absteigequartier. Unsere wahre Heimat und unser Erbteil und unsere Wohnung ist in der zukünftigen Welt. Möchten wir, wenn wir dorthin kommen, gewürdigt werden, mit allen Heiligen zu erben das Himmelreich in Christus Jesus, unserm Herrn, dem sei Herrlichkeit und Macht mit dem Vater und dem Heiligen Geist, jetzt und immerdar und von Ewigkeit zu Ewigkeit. Amen."

Die Mönchstheologie des Theodor von Studion hat im Laufe der Jahrhunderte den ganzen byzantinischen und slawischen Osten zutiefst beeinflußt.

81 *Leroy* 436.
82 *Leroy* 436 = Lit. Verz. Nr. 445.
83 Sermo 27 Parvae Catecheseos, in: Nova Patrum Bibliotheca ed. *Mai* (Lit. Verz. Nr. 719) Bd. 9, 1 (1888) 66–67. *Migne*, PG 99, 545 D – 546 A bietet nur die lateinische Übersetzung. *Gardner* 92.

Nach der Nestorchronik soll die „Regel der Studiten“ in allen Klöstern Rußlands eingeführt worden sein, und der berühmte russische Mönch Josef (1439 bis 1515), der Abt des von ihm gegründeten Klosters Wolokolamsk bei Moskau, benutzte für die Ausarbeitung seiner eigenen Klosterregel nur zwei Quellen: Theodor von Studion und Basilius von Cäsarea.[84] In seinem Kloster lebten die alten studitischen Ideale der Absage an die Welt und der Liebe, die sich in der vollkommenen Befolgung der evangelischen Vorschriften bewährt, auch weiterhin fort: Josef von Wolokolamsk wollte mit seiner Reform des russischen Mönchtums nichts anderes als eine Erneuerung der alten bzyantinischen Mönchsideale, wie sie in der Nachfolge des Basilius von Cäsarea der Abt Theodor von Studion gelehrt hatte.[85]

5. *Gregor Palamas: Der Hesychasmus*

Die letzte Phase der byzantinischen Theologiegeschichte ist geprägt durch Gregor Palamas[86] und den Hesychastenstreit; sie ist nicht nur an sich sehr interessant, sondern besitzt auch eine ganz allgemeine Bedeutung für die christliche Theologie überhaupt. Noch vor hundert Jahren war sie so wenig durchforscht, daß kein Geringerer als Konstantin Jireček[87] in seiner Geschichte der Bulgaren (1876) sie in folgenden Worten schildern konnte: „Um die Mitte des 14. Jahrhunderts entwickelte sich am Athos ein Mysticismus eigener Art. Seine Anhänger, die sogenannten Hesychasten, vertieften sich in dunklen Klosterzellen in die Betrachtung ihres Nabels, bis sie um ihn herum ein übernatürliches Licht zu erblicken wähnten, das sie mit himmlischer Wonne erfüllte. Aus dieser Faselei entstanden furchtbare theologische Stürme, Con-

84 *Špidlík*, Joseph de Volokolamsk (Lit. Verz. Nr. 659) 95; vgl. Kleine Slav. Biographie (Lit. Verz. Nr. 395) 247 s. v. *Iosif Voloċkij.*

85 Vgl. *Smolitsch*, Russ. Mönchtum (Lit. Verz. Nr. 654) 247 u. 477 (Athosregel = Bearbeitung der Studionregel, um 975 A. D.), 62 u. 246 (Pečerskij-Kloster, um 1060 A. D.), 251 (Josef von Volokolamsk, gest. 1515); vgl. Register 552–553 s. v. *Sergij* und *Theodor*. *Špidlík*, Joseph de Volokolamsk (Lit. Verz. Nr. 659) 153 s. v. *Théodore Studite* (Règle des Studites). Hier viele Belege. Siehe auch *Onasch*, Russische Kirchengeschichte (Lit. Verz. Nr. 566) 34–36 über die Frage des Klosterbesitzes bei Nil Sorskij und Iosif Volokolamskij.

86 Über ihn: Thresk. Enzykl. 4 (Athen 1964) 775–794 (Lit.); Dict. Théol. Cath. 11 (Paris 1932) 1735–1818 über Palamas und die palamitische Kontroverse *(Jugie)*; *Beck*, Kirche u. theol. Lit. 232 ff., 712 ff. u. ö.; Tusc. 375–376; RGG 2, 1958, 1845 bis 1846 s. v. *Gregor* Nr. 7 u. RGG 3, 1959, 298–299 s. v. *Hesychasten*. Schriften: Lit. Verz. Nr. 574 – Nr. 578. *Kern*, Les Éléments de la Théologie de Grégoire Palamas. In: Irénikon 20 (1947) 6–33; 164–193. *Ivánka*, Hesychasmus und Palamismus. In: Plato Christianus, 1964, 387–445. *Wassilij (Krivocheine)* (Lit. Verz. Nr. 798). *Meyendorff*, Introduction à l'Étude de Grégoire Palamas, Paris 1959 (Lit. Verz. Nr. 496). Grundlegend. Enthält zwei wichtige Appendizes „1. L'Oeuvre de Grégoire Palamas. Analyse sommaire“ 331–399 und „2. Sources Contemporaines“ 401–415.

87 Über ihn Kleine Slavische Biographie (Lit. Verz. Nr. 395) 268.

cilien und Bannflüche."[88] Zwar hat schon Heinrich Gelzer in seinem Abriß der byzantinischen Kaisergeschichte in der 2. Auflage von Karl Krumbachers Geschichte der byzantinischen Litteratur (1897)[89] seinem Zorn über dieses Unverständnis Luft gemacht: „Während dieser ideenlose, nur dem persönlichen Ehrgeiz eines Einzelnen[90] seinen Ursprung verdankende Bürgerkrieg die letzten Kräfte des senilen Romäerstaates aufzehrte, war gleichzeitig im Reiche der Geister ein kirchlicher Kampf ausgebrochen, der zu den merkwürdigsten und kulturhistorisch interessantesten Phänomenen aller Zeiten gehört, obgleich die konventionelle Fabel, welche unter dem Namen Kirchengeschichte an Universitäten und Seminarien tradiert wird, ihn lediglich mit wohlfeilem Spott zu übergießen pflegt. Sie offenbart damit freilich nur ihre völlige Verständnislosigkeit für die wichtigsten Probleme der Geistesgeschichte." Noch im Jahre 1918 konnte Herzog Max zu Sachsen eine Kirchengeschichte Griechenlands unter dem Titel „Das Christliche Hellas"[91] erscheinen lassen, in der der Name des Gregor Palamas nicht ein einziges Mal erwähnt wurde. Und auch heute noch kann man an der mit russischer Kirchengeschichte sich befassenden theologischen Literatur des Westens bemerken, wie ihre Autoren erschrecken, wenn sich ihnen palamatische Einflüsse auf Rußland zeigen oder auch nur zu zeigen scheinen.

Dabei ist der Mann, der solchen Schauder hervorruft, Gregor Palamas (1296–1359 A. D.), Erzbischof von Saloniki gewesen und wurde bereits neun Jahre nach seinem Tode von der Orthodoxen Kirche des Byzantinischen Reiches heiliggesprochen. Seine Theologie ist auf den beiden Konzilien von 1347 und 1351 in Konstantinopel feierlich als orthodoxe Lehre kirchlich gebilligt worden. Die Anathematismen, die bis heute am Sonntag der Orthodoxie, dem 1. Sonntag der Großen Fastenzeit, gegen bestimmte falsche Lehren ausgesprochen werden, sind geradezu klassische Formulierungen der palamitischen Theologie. Es kann also nicht der geringste Zweifel daran bestehen, daß wir es bei der Theologie des Gregor Palamas mit der offiziellen Kirchenlehre der Orthodoxie zu tun haben.

Gregor Palamas erblickte im Jahre 1296 zu Konstantinopel das Licht dieser Welt und lebte nach ausgedehnten Studien etwa 15 Jahre als Mönch auf dem Athos und im mazedonischen Beröa. Die politischen Wechselfälle des Bürgerkrieges in Byzanz[92] brachten ihm zeitweise Verbannung und Kerkerhaft. Schließlich wurde er 1350 Erzbischof von Saloniki, zu jener Zeit also, in der

88 *Jireček,* Geschichte der Bulgaren, Prag 1876, 310–311.
89 *Krumbacher,* GBL 1058.
90 Johannes VI. Kantakuzenos, Kaiser von Byzanz 1347–1354 A. D. Über ihn *Weiss,* Joannes Kantakuzenos, Wiesbaden 1969 (Lit. Verz. Nr. 803).
91 Lit. Verz. Nr. 484.
92 Vgl. *Weiss,* Kantakuzenos (Lit. Verz. Nr. 803), bes. 103–137 über die Zusammenhänge zwischen dem palamitischen Streit, dem Bürgerkrieg in Byzanz und den persönlichen Schicksalen Gregors.

seine Theologie die offizielle Billigung seiner Kirche fand. Die letzten Jahre seines Lebens waren mit bischöflichen Aufgaben erfüllt, nur einmal noch unterbrochen durch eine neue Gefangenschaft: auf einer dienstlichen Seereise zwischen Konstantinopel und seinem Amtssitz geriet der Erzbischof von Saloniki in die Gewalt der von Gallipoli aus operierenden Türken und mußte die Zeit von März bis Juli 1355 als Gefangener der Türken in Kleinasien verbringen, bis er von Serben und Dalmatinern losgekauft wurde.[93] Gregor Palamas starb am 14. November 1359 und wurde in seiner Kathedrale zu Saloniki beigesetzt. Im Jahre 1368 wurde er heiliggesprochen, und der 2. Sonntag in den Großen Fasten, der Sonntag also, der unmittelbar auf das Fest der Orthodoxie folgt, wurde seinem Gedächtnis geweiht.[94]

Die gesamte Theologie des Gregor Palamas hat sich in der Auseinandersetzung mit dem süditalienischen Mönch Barlaam[95] entwickelt. Er kam etwa 1327 von Kalabrien nach Konstantinopel, um sich hier mit der wahren Frömmigkeit und mit den Originalschriften der griechischen Philosophen vertraut zu machen. In Konstantinopel wurde Barlaam Abt des Soter-Klosters und Professor an der Universität.[96] In seinem Wunsche, die griechischen Originalhandschriften zu studieren, zeigte sich, daß Barlaam bereits von einem ersten Hauch der italienischen Renaissance berührt war; er ist als der Griechisch-Lehrer Petrarcas auch im Westen bekannt geworden.[97] Barlaam war ein überzeugter Orthodoxer und beteiligte sich an der anti-lateinischen Polemik seiner Zeit. Da er den Westen kannte, benutzte ihn der Kaiser auch

93 Vgl. *Arnakis,* Gregory Palamas among the Turks. In: Speculum 26 (1951) 104 bis 118. Der Bericht, den Gregor Palamas über seine Gefangenschaft geschrieben hat, ist eine wichtige Quelle für die Datierung der Eroberung Gallipolis durch die Türken (März 1355 A. D.) und damit für die endgültige Festsetzung der Türken in Europa. Dazu *Werner,* Die Geburt einer Großmacht (Lit. Verz. Nr. 805) 131 bis 150: „Die Osmanen und Byzanz in der ersten Phase der türkischen Landnahme." Hier 134 über die Eroberung Gallipolis durch die osmanischen Türken. Über die Beziehungen Gregors zu Serbien vgl. auch *Murko,* Gesch. d. ält. südslaw. Litt. (Lit. Verz. Nr. 541) 146.

94 Über das byzantinische Kirchenjahr siehe *Beck,* Kirche u. theol. Lit. 253–262; über den 1. und 2. Fastensonntag (= 1. und 2. Sonntag der Orthodoxie) 255 und die dort angegebene Literatur. – Das offizielle Dokument, durch das die orthodoxe Kirche die Theologie des Gregor Palamas approbierte, ist der Tomos der Synode von Konstantinopel 1351 (Blachernensynode), *Migne,* PG 151, 717–763; dazu das Glaubensbekenntnis des Gregor Palamas für diese Synode, *Migne,* PG 151, 763–768 *(Homologia tes orthodoxu Pisteos). Beck,* Kirche u. theol. Lit. 59–60 (Lit.). *Migne,* PG 151, 679–764 enthält Tomi synodici tres in causa Palamitarum: 1) Tomus contra Barlaam et Acindynum, 679–692; 2) Tomus contra Prochorum Cydonium, 693–716; 3) Tomus contra Barlaamitas et Acindynianos, 717–764.

95 Über Barlaam (um 1290–1348 A. D.) vgl. Dict. Théol. Cath. 2 (1932) 407–410 *(Vernet)* (Lit.); Tusc. 66–67 (Lit.); *Beck,* Kirche u. theol. Lit. 717 ff. u. ö.

96 Über die Universität Konstantinopel im Mittelalter vgl. CMH 4, 2 (1967) 265–273 (Lit.).

97 *Mandalari,* Fra Barlaamo Calabrese, Maestro del Petrarca, Rom 1888 (Lit. Verz. Nr. 474).

in diplomatischen Angelegenheiten, so im Jahre 1339, als er ihm eine Gesandtschaft nach Avignon übertrug, um dort mit dem Papst über die Kirchenunion zu verhandeln und den Westen zu einem Kreuzzug gegen die osmanischen Türken zu veranlassen. Hier in Avignon hat Barlaam auch Petrarca (1304–1374 A. D.) in die griechische Sprache eingeführt.[98]

Um das Jahr 1333, vielleicht schon früher, wurde Barlaam mit Gregor Palamas und seiner Theologie bekannt. Palamas schrieb ihm in zwei Briefen seine Ansichten vom Wesen der Theologie.[99] Barlaam als Universitätsprofessor fand die Anschauungen Gregors zwar richtig, war aber überrascht von dem selbstsicheren Ton dieses Mönches, den er für theologisch völlig ungebildet hielt. Er begann sich deshalb für diese Mönche zu interessieren und erfuhr schließlich von einem Novizen Näheres über die von den Mönchen geübte Gebetsmethode und über die Schau des Taborlichtes.[100] Damit drang Barlaam in die Theologie der Hesychasten ein, und was er von deren Praktiken hörte, schien ihm so bedenklich, daß er einige Streitschriften gegen sie in Umlauf setzte. Er nannte sie *Omphalopsychoi,* Leute, die ihre Seele im Nabel haben, Nabelseelen. Die angegriffenen Mönche riefen Palamas zu Hilfe, und dieser verfaßte jetzt die erste Triade seines großen Werkes „Abhandlungen zur Verteidigung der heiligen Hesychasten".[101] Diese Traktate haben die Form von Fragen, die die Mönche an Palamas gerichtet hatten. Barlaam selbst wird in der ersten Triade überhaupt nicht erwähnt. Damit nahm eine der folgen-

98 Zu Barlaams Zeit wurde Griechisch in Kalabrien noch vom Volk gesprochen und war die Kirchensprache, *Mandalari* 31. Über Barlaams Einfluß auf Petrarca, Boccaccio und die italienische Renaissance vgl. *Mandalari* 98–119.

99 Die Korrespondenz zwischen Palamas und Barlaam hat nach Meyendorff zwischen 1335 und 1337 stattgefunden.

100 Zum Taborlicht vgl. *Heiler*, Erscheinungsformen 64–67 über das Licht als „heiliger Gegenstand"; *Klein,* Die Lichtterminologie bei Philon von Alexandrien (Lit. Verz. Nr. 394); *Joannou,* Christliche Metaphysik in Byzanz. I. Die Illuminationslehre des Michael Psellos und Joannes Italos (Lit. Verz. Nr. 341); *Bauer,* WBzNT s. v. *Phos. Holl,* Enthusiasmus und Bußgewalt (Lit. Verz. Nr. 319) 38–42 schildert die Schau des göttlichen Lichtes bei Symeon dem Neuen Theologen (949–1022 A. D.): Anblick eines wunderbaren Lichts von unsagbarem Glanze und unendlicher Ausdehnung; die Welt entschwindet, man fühlt sich wie in einer andern Sphäre, unsagbare Freude überkommt das Herz, ein Strom von heißen Tränen bricht aus den Augen. Ist das die Herrlichkeit Christi, die *Doxa Theu?* Ja: ein Vergleich mit den Berichten des Neuen Testaments und die Befragung der Väter zeigt, daß es dasselbe ist. Schließlich befragt Symeon die Lichterscheinung selbst, und Christus in Person bestätigt, daß er es ist, der sich im Lichte zu schauen gibt. – Vgl. damit den Exkurs bei *Klein,* Lichtterminologie (Lit. Verz. Nr. 394) 192 ff.: Die Kirchenväter haben die Lichtterminologie benutzt, um das Verhältnis Gottes und des Menschen zueinander zu bezeichnen; doch fehlen noch weitgehend durchlaufende Untersuchungen. – Über das Taborlicht bei Ephräm dem Syrer vgl. CSCO 155, 23 = De Fide 7, 3. Vgl. auch *Ivánka,* Plato Christianus 397.

101 *Logoi hyper ton hieros Hesychazonton,* Lit. Verz. Nr. 576. *Meyendorff,* Défense 1, VIII weist darauf hin, daß sich dieser Titel streng genommen nur auf die beiden ersten Triaden bezieht.

reichsten theologischen Kontroversen der gesamten Kirchengeschichte ihren Anfang. Auf die Einzelheiten dieser Kontroverse brauchen wir hier nicht einzugehen.[102] Barlaam wurde im Jahre 1341 auf einer Synode in Konstantinopel wegen seiner Angriffe auf die Hesychasten zum Schweigen verurteilt und ging nach Italien zurück, wo er 1348 als griechisch-unierter Bischof von Gerace an der Küste Kalabriens starb.[103]

Bei den Hesychasten im weiteren Sinne handelte es sich zunächst ganz allgemein um Mönche: als Hesychasten *(Hesychastai, Hesychazontes)* bezeichnete man in Byzanz schon seit ältester Zeit die Mönche, die in heiliger Stille *(en Hesychia)* ein strenges Einsiedlerleben führten. Das Wort *Hesychastes* in der Bedeutung von Einsiedler oder Mönch kommt schon um das Jahr 420 A. D. bei Palladius in der Vita des Chrysostomus vor.[104] Im engeren Sinne bezeichnet man mit Hesychasmus diejenige mystische Richtung, die im byzantinischen Mönchtum des 13. und 14. Jahrhunderts lebendig war, sich aber auf alte Traditionen berufen konnte, die durch die Namen Euagrius Pontikus,[105] Makarius den Ägypter,[106] Gregor von Nyssa,[107] Maximus Confessor[108] und Symeon den Neuen Theologen[109] bezeichnet werden kann. An dem Entstehen dieser hochmittelalterlichen hesychastischen Bewegung hatte insbesondere Anteil Gregor Sinaita,[110] der als Mönch auf Zypern, auf dem Sinai, auf Kreta und schließlich auf dem Athos lebte. Auf dem Athos hat er eine neue Gebetsmethode eingeführt, deren Erläuterung seine Schriften dienten. Diese Gebetsmethode wurde von Barlaam angegriffen und von Gregor Palamas verteidigt. Der Kontroverse, die jetzt entstand, lag die Frage nach dem Wesen der geistlichen Erfahrung zugrunde, die die Mönche bei dieser Gebetsmethode hatten: war das Taborlicht, das die Mönche beim Gebet sahen, das ewige, ungeschaffene und doch mitteilbare Licht der Gottheit, oder war es das nicht, weil ein solches Licht das Wesen der Gottheit selbst hätte sein müssen; dann aber wäre dieses Wesen der Gottheit selbst – entgegen allem Glauben der Kirche – in den

102 Darüber *Jugie* in Dict. Théol. Cath. 11, 1735–1818.

103 Die Lage von Gerace zeigt *Streit,* Atlas Hierarchicus (Lit. Verz. Nr. 705) Karte 5 L 9. Barlaams Nachfolger als Bischof von Gerace war Symeon Atumanos (1348–1366).

104 Belege: *Sophocles* 567 s. v. *Hesychastes.* Palladius: *Altaner* ⁴1955, 188–189 (Quellen u. Lit.); Tuscul. 376.

105 Euagrius Pontikus (346–399): *Altaner* ⁴1955, 226–228 u. ö.; Tuscul. 150. – Vgl. hierzu und zum Folgenden die Références Patristiques bei *Meyendorff,* Défense 2, 738–746, wo alle von Gregor Palamas in den Triaden zitierten Vätertexte verzeichnet und verifiziert sind.

106 Makarius der Ägypter (gest. um 390): *Altaner* ⁴1955, 224–226. Vgl. dazu *Beck,* Kirche u. theol. Lit. über Symeon Metaphrastes, 570–575 u. ö.

107 Gregor von Nyssa (4. Jahrhundert): *Altaner* ⁴1955, 261–266 u. ö.; Tuscul. 195.

108 Maximus Confessor (580–662): *Altaner* ⁴1955, 470–473 u. ö.; Tuscul. 327–328.

109 Symeon der Neue Theologe (949–1022): *Beck,* Kirche u. theol. Lit. 360–363; 585–587 u. ö.; Tuscul. 476.

110 Gregor Sinaita (um 1300): *Beck,* Kirche u. theol. Lit. 694–695; *Smolitsch,* Russisches Mönchtum 473 (Lit.); Tuscul. 195.

Kreis menschlicher Wahrnehmung herabgezogen worden. Die Triaden des Palamas haben demgemäß einerseits die Entfaltung einer Lehre über die Erkenntnis Gottes, anderseits die Verteidigung der von Barlaam angegriffenen Mystik der Mönche zum Gegenstand.

Die Triaden Gregors bestehen aus dreimal drei Abhandlungen, von denen die ersten drei, also die erste Triade, vermutlich im Frühjahr 1338 geschrieben ist, die zweite Triade 1339, die dritte Triade Anfang des Jahres 1341. Alle drei Triaden sind jeweils Antworten auf Angriffe Barlaams, die er in seinen Briefen und Traktaten gegen die Hesychasten vorgetragen hatte. Palamas wollte also nicht so sehr eine persönliche mystische Erfahrung mitteilen, als vielmehr die Wahrheit, die der Kirche von Anfang an offenbart war, in Übereinstimmung mit den Vätern formulieren und damit den Hesychasten zu Hilfe kommen. Unter Verwendung eines reichen patristischen Materials entwickelte er dabei eine originale Synthese der orthodoxen Tradition, die dann auch von seiner Kirche als rechtgläubig anerkannt wurde.

Wir fassen zunächst die drei Triaden als Ganzes ins Auge. Die erste Triade besteht aus der Antwort auf drei Fragen:[111] man beschuldigt die Mönche der Unwissenheit; was soll man antworten?[112] In der Antwort erörtert Palamas den Unterschied zwischen griechischer Philosophie und göttlicher Weisheit und zeigt Christus als den Inbegriff der christlichen Philosophie.[113] Die zweite Frage der Mönche lautet: Ist es richtig, wenn der Mönch den Geist in sich hineinleiten will, und ist es etwas Schlechtes, wenn der Geist in den Körper eingeschlossen wird? Palamas antwortet, daß der Körper an sich nicht schlecht sei, daß der ganze Mensch die Gnade empfangen könne, und erörtert die hesychastische Methode, nach der dies geschehe. Die dritte Frage der ersten Triade ist die nach den wahren Zeichen der göttlichen Gegenwart. In seiner Antwort spricht Palamas über das Licht, über die göttliche Erleuchtung, über die heilige Glückseligkeit und über die Vollendung in Christus. Er erörtert die Begriffe Vereinigung mit Gott, Sehen des Unsichtbaren, Verklärung des Leibes, wahre und falsche Visionen und die Gnade der Vollkommenheit. Die zweite Triade[114] besteht aus drei Abhandlungen gegen Barlaam. Die erste behandelt die wahre, heilbringende Erkenntnis und widerlegt diejenigen, die behaupten, daß weltliche Erziehung zum Heil führen könne. In der zweiten Abhandlung bespricht Palamas das Gebet und seine körperlichen Begleiterscheinungen wie Schmerzen, Tränen und Überwindung der Leidenschaften.

111 Über die gerade auch im Mönchtum besonders beliebte altkirchliche und byzantinische Literaturform der *Erotapokriseis*, der „Fragen und Antworten", „Fragestücke" oder „Fragantworten", deren berühmtestes Beispiel die Regeln des Basilius von Cäsarea sind, vgl. *Dörries*, Symeon von Mesopotamien (Lit. Verz. Nr. 174) passim.
112 *Meyendorff*, Défense 1, 5.
113 *Meyendorff*, Défense 1, 9.
114 *Meyendorff*, Défense 1, 225–2, 555.

Die dritte Abhandlung ist dem heiligen Licht gewidmet; sie zeigt, daß es nicht mit dem Wesen Gottes identisch ist, und belegt diese Anschauung mit Väterzitaten. Die dritte Triade[115] besteht aus drei Abhandlungen, die alle gegen eine bestimmte Schrift Barlaams gerichtet sind, nämlich gegen seinen Traktat ‚Wider die Messalianer'[116] vom Jahre 1340, in dem Barlaam die Gebetsmethode der Hesychasten als Messalianismus[117] hingestellt hatte.

Diese Inhaltsskizze aller drei Triaden zeigt, daß ihnen kein durchgehender Plan zugrunde liegt: gewisse wesentliche Themen erscheinen immer wieder. Palamas kommt von ganz verschiedenen Seiten immer von neuem auf die gleichen Gegenstände zurück. Die erste und die zweite Triade behandeln in paralleler Weise dieselben Fragen nach der heilbringenden Erkenntnis, dem Gebet und dem heiligen Licht. In jeder Triade handelt der erste Traktat von der profanen Weisheit, der zweite von der Teilnahme des Körpers am Gebet, der dritte vom Ziel des hesychastischen Lebens, dem Schauen des Lichtes Christi. Es genügt daher, hier nur auf die erste Triade näher einzugehen.

In der ersten Triade[118] zeigt Palamas zunächst, daß die Weisheit der Philosophen nur eine relative ist, daß sie nicht die Weisheit Gottes ist, und daß zwischen weltlicher Bildung und christlichem Wege ein großer Unterschied besteht. Das Prinzip derjenigen Erziehung, die die Seele reinigt, ist die Furcht Gottes, die nicht mit irgendeinem andern Gefühl in der Seele zusammen bestehen kann. Die griechische Bildung dient nur der natürlichen Erkenntnis und kann niemals eine geistliche werden, denn es steht geschrieben: Der natürliche Mensch vernimmt nichts vom Geiste Gottes, denn es ist ihm eine Torheit, und er kann es nicht erkennen. Aber die weltliche Bildung ist von der wahren und geistlichen Erkenntnis nicht nur verschieden: sie ist ihr vielmehr völlig entgegengesetzt. Sie enthüllt uns die Weisheit Gottes nicht, denn die Welt kennt Gott nicht.[119] Infolgedessen sind die Philosophen zwar zu

115 *Meyendorff*, Défense 2, 557–727.

116 Vgl. dazu *Meyendorff*, Introduction (Lit. Verz. Nr. 496) 76–77 u. 410; *Beck*, Kirche u. theol. Lit. 717–719; Tuscul. 66–67.

117 *Mĕṣallĕjānē*, Beter (TS 3403), Euchiten, eine altkirchliche Bewegung im Mönchtum. Über sie Dict. Théol. Cath. 10, 792–795; RGG 2 (1958) 722 *(Dörries)*; *Sophocles* 546; *Du Cange* 451.

118 *Meyendorff*, Défense 1, 9–223.

119 Der wissenschaftsfeindliche Zug des östlichen Mönchtums, der sich hier zeigt, ist vielen westlichen Beobachtern aufgefallen. *Fallmerayer*, Fragmente aus dem Orient 2, 393: Auf die Frage, wie man den häretischen Gedanken einer Slavinisierung ganz Griechenlands überhaupt fassen könne, „antworte ich mit den guten Hagion-Oros-Mönchen, daß wie allzeit so auch dieses Mal das Unheil und der Widerspruch vom Bücherlesen entstanden ist". Dazu ebenda 2, 99–101 über die Buch-Feindschaft des Athos. Für die Gegenwart vgl. *Spunda*, Griechische Mönche, 1928, 48: „Verlangt man die Klosterbibliothek zu sehen, so wird man über die Armut an Büchern erstaunt sein. Das Kloster Meteoron hat wohl einige wertvolle Manuskripte, die aber in einem Holzverschlag unbeachtet verschimmeln. Von neuen Büchern sind nur belanglose Athener Drucke, Gebetbücher, Kalender und Erbauungsschriften zu finden. Das bei frommen Mönchen an-

einem gewissen Gottesbegriff gekommen, indem sie die sinnlichen Dinge untersuchten, aber nicht zu einem Gottesbegriff, der Gottes würdig wäre und seiner glückseligen Natur entspräche. Das liegt daran, daß die weltliche Philosophie eine Gabe der Natur ist und nicht eine Gabe der Gnade. Die christliche Theosophie hingegen ist eine Gabe Gottes und nicht eine Gabe der Natur; sie formt den Menschen um, sie macht aus einem Saulus einen Paulus, und auch wir können durch sie dem Bilde Gottes konform werden und dies auch nach dem Tode bleiben. An der Tatsache, daß die profane Philosophie schon vor der Ankunft Christi vorhanden war, ohne daß wir durch sie transformiert worden wären, zeigt sich, daß wir nicht einen Lehrer der Philosophie brauchen, die nur von dieser Welt ist, sondern daß wir denjenigen brauchen, der die Sünde der Welt wegnimmt und eine wahre und ewige Weisheit gibt: „Siehst du nun klar, daß es nicht das Studium der profanen Wissenschaft ist, das das Heil bringt, das Erkenntnisvermögen der Seele reinigt und dem göttlichen Archetyp ähnlich macht?“ [120] So beantwortet Palamas die erste Frage der Mönche.

Die zweite Frage der ersten Triade war die, ob es richtig sei, daß der Mönch den Geist in seinem Körper hineinleiten wolle, und ob es etwas Schlechtes sei, daß der Geist im Körper eingeschlossen werde. Dieser Frage lagen Angriffe Barlaams zugrunde, daß die Hesychasten ihren Geist in einem Teil ihres Körpers eingeschlossen hielten und die göttliche Gnade mit der Nase einzögen. Damit spielte Barlaam auf die hesychastische Gebetsmethode an. Bei seiner Beantwortung dieser zweiten Frage mußte Palamas also die hesychastische Gebetspraxis verteidigen, in der der Mönch sich auf sich selbst richtete. Palamas antwortete zunächst mit dem Wort des Apostels: [121] Wisset ihr nicht, daß euer Leib ein Tempel des Heiligen Geistes ist, der in euch ist? Ist der Leib etwa etwas Schlechtes? Es sind die Häretiker, die behaupten, der Leib sei eine Schöpfung des Satans. Aber der Leib ist nichts Böses. Nach der Schrift verlangen Leib und Seele nach Gott; Leib und Seele freuen sich in dem lebendigen Gott. Schlecht ist nicht der Leib, sondern das Gesetz, das im Fleische wohnt und das gegen das Gesetz des Geistes kämpft. Gerade deshalb vertreiben wir dieses Gesetz der Sünde aus dem Leib und lassen im Leib statt dessen die Autorität des Geistes wohnen. Durch diese Autorität richten wir im Leib die Werke des geistlichen Gesetzes auf, zum Beispiel *Enkrateia, Agape* und *Nepsis*.[122] Und wessen Leib so gereinigt sei, in dessen Herz könne dann der helle Schein gegeben werden, damit durch ihn entstünde die Erleuchtung von der Erkenntnis der Klarheit Gottes in dem Prosopon Jesu Christi. Das

gesehenste Buch ist die Philokalie, ein Sammelbuch mystischer Erbauungsschriften, die zu dem Tiefsten gehört, was der christliche Osten hervorgebracht hat.“

120 *Meyendorff*, Défense 1, 63.
121 *Meyendorff*, Défense 1, 75.
122 *Meyendorff*, Défense 1, 79–81.

Herz ist zugleich der Sitz der Vernunft *(Nus)* und das erste körperliche vernünftige Organ, das *proton sarkikon Organon logistikon,* das *hegemonikon Organon,* der *Thronos tes Charitos,* das leitende Organ, der Sitz der Gnade.[123] Auf diesen Zentralpunkt muß sich also der Hesychast richten, denn es steht geschrieben: Das Reich Gottes ist inwendig in euch; Gott hat den Geist seines Sohnes in eure Herzen gesandt, der schreit „Abba, lieber Vater". Dabei muß man jedoch unterscheiden zwischen der *Usia* und der *Energeia* des *Nus,* und man muß unterscheiden zwischen der geradlinigen und der kreisförmigen Bewegung des Geistes: in gerader Richtung beobachtet der Geist die Dinge außerhalb seiner selbst, in kreisförmiger Richtung beobachtet er sich selbst:[124] er unterscheidet sich hierin vom Auge, das zwar auch geradlinig die sichtbaren Dinge wahrnimmt, sich aber nicht selbst sehen kann. Diese kreisförmige Bewegung ist die höchste Tätigkeit des Geistes; sie ist irrtumslos und führt zur Union mit Gott. Deshalb sucht der Vater des Irrtums den Menschen immer wieder von dieser Bewegung des Geistes abzuziehen. Aber der wahre Mönch, besonders der Anfänger, kann dem entgegenwirken, indem er mit Hilfe der Atmung den Geist in sich festhält. Die Kontrolle des Aus- und Einatmens, die Überwachung der Atmung ist für den Anfänger zweckmäßig, weil er damit den flüchtigen und beweglichen Geist festhalten, regulieren, besänftigen kann, bis er den geistlichen Sabbat feiert und jede von seinem Willen abhängige Aktivität weitgehend vermindert hat. Dann kann er weiterhin seinen Geist in die Kreisbahn zwingen, indem er seinen körperlichen Blick nicht umherschweifen läßt, sondern ihn auf Brust und Nabel heftet als auf einen Stützungspunkt. Wenn er sich so äußerlich im Kreise einsammelt, ahmt er die innere Bewegung seines Geistes nach und zieht durch diese Körperhaltung die Kraft seines Geistes, den der Blick nach außen verflüchtigt, ins Innere seines Herzens ein.[125] Außerdem wird so das Fleisch bewacht, und zwar gerade diejenige Zone des Leibes, in der die Macht des inneren Tieres ihren Sitz hat, wo das Gesetz der Sünde wirkt. Das Lob des Leibes darf auch bei Palamas nicht über seine Feindschaft gegen die Sexualsphäre des Menschen hinwegtäuschen. Als Beispiel für eine solche Haltung nennt er den Propheten Elia, der in gottseliger Schau verklärt sein Haupt auf die Knie legte und seinen Geist in sich sammelte, wodurch er einer mehrjährigen Dürre ein Ende setzte. Es ist die Haltung des Zöllners, der betend seine Augen niederschlug, und dessen Gebet erhört wurde. Diejenigen aber, die die Hesychasten wegen dieser Gebetshaltung spöttisch Omphalopsychen nennen, das heißt Leute, die ihre

123 *Meyendorff,* Défense 1, 79–81.

124 *Meyendorff,* Défense 1, 83–85. Vgl. *Leisegang,* Denkformen 60–135: „Der Gedankenkreis"; hier S. 79: „Hierüber berichtet Sextus Empiricus: ‚Diesen göttlichen Logos nun ziehen wir nach der Lehre des Herakleitos durch den Atem ein und werden dadurch verständig ...' Wer also Luft einatmet, zieht mit ihr den Logos in sich hinein."

125 *Meyendorff,* Défense 1, 83–91.

Seele im Nabel tragen, sind einfach Verleumder, denn wer hat jemals die Seele in den Nabel verlegt?[126] Man könnte dann die Hesychasten ebensogut Köliopsychen, Bauchseelen nennen, denn Jesaja 16, 11 heißt es: „Mein Bauch klagt wie eine Harfe."[127] Und man könnte dann mit dem gleichen Recht alle diejenigen verleumden und verfolgen, die sich die unsichtbaren Wirklichkeiten mit Hilfe körperlicher Symbole vorstellen. Schließlich beruft sich Gregor Palamas auf das, was er selbst bei seinen hesychastischen Lehrern gelernt hat, unter denen sich große Bischöfe und Patriarchen befanden. So wird die zweite Frage der ersten Triade, ob man den Geist in den Körper hineinleiten dürfe, mit dem Hinweis auf die Notwendigkeit eines solchen Tuns beantwortet: „Laß den Geist nach dem Rat der Väter in dich hineindringen!"[128]

Die dritte Frage der ersten Triade lautete: Welches sind die wahren Zeichen der göttlichen Gegenwart?[129] In seiner Antwort spricht Gregor über das Licht, über die göttliche Erleuchtung, über das heilige Glück und über die Vollendung in Christus.[130] Zunächst belegt er mit Väterzitaten, daß das wahre Gebet des Herzens immer begleitet ist von einer Lichtempfindung und einem Gefühl der Süßigkeit in der Seele.[131] Auf dem Gesicht des Betenden erscheint ein Ausdruck der Freude, es gibt also einen *theios Photismos*, eine göttliche Erleuchtung,[132] und in dem Maße, in dem durch diese göttliche Erleuchtung Erkenntnis mitgeteilt wird, wird auch die Erkenntnis Licht genannt.[133] Das Licht der Erkenntnis wird durch die *Parusia* des Lichtes der Gnade mitgeteilt und befreit uns von der Unwissenheit. Die menschliche Erkenntnis ist dabei genau zu unterscheiden von dem geistig wahrnehmbaren Licht, durch das sie hervorgerufen wird.[134] Dieses Licht ist himmlisch, überirdisch, transzendent, und der menschliche Geist, der von Leidenschaften gereinigt ist, kann dieses

126 *Meyendorff*, Défense 1, 93–95.
127 *Meyendorff*, Défense 1, 97.
128 *Meyendorff*, Défense 1, 101.
129 *Meyendorff*, Défense 1, 103.
130 *Meyendorff*, Défense 1, 103–219.
131 *Meyendorff*, Défense 1, 109–111. Vgl. dazu *Mahrholz*, Der deutsche Pietismus (Lit. Verz. Nr. 470) 41–42 (Lebens-Lauff des Hemme Hayen): „Nämlich im Jahre 1666 am 4. Februar, des Morgens vor Tag, wurde ich durch die Kraft dieses Lichts aufgeweckt, und meine Gedanken fielen sofort auf gewisse Sprüche aus der Schrift, welche ich jetzt nicht mehr genau angeben kann, die ich aber damals alsbald geistig verstund, und ich hatte darinnen ein sehr tief Gesicht, so, als mir zuvor niemals geschehen war. Ich dachte auf mehrere Stellen der Heiligen Schrift und verstund diese alsbald auch sehr klar. Ja, worauf auch nur meine Sinne fielen, das begriff ich alsobald auf eine geistliche Weise und hatte dabei eine übernatürliche, ganz unaussprechliche und wohl aufs höchste übermenschliche, himmlische Süßigkeit in meiner Seele und eine Gemeinschaft mit dem allgemeinen Wesen, so daß ich durch den Überfluß von dieser Freude laut aufschrie und mich dessen nicht enthalten konnte."
132 *Meyendorff*, Défense 1, 109.
133 *Meyendorff*, Défense 1, 123.
134 *Meyendorff*, Défense 1, 113, 17–18: *Allo men he Gnosis, allo de to noeton Phos, ho parektikon estin autes.*

Licht sehen und kann einer übernatürlichen Vision Gottes gewürdigt werden, wobei er aber nicht das Wesen, die *Usia* Gottes sieht, sondern Gott sieht durch eine Manifestation, eine *Ekphantoria,*[135] die ihm analog ist, durch eine Analogie also, die man mit Worten nicht bezeichnen kann. Dieses Licht sehen die Heiligen in sich selbst; es ist ein Glanz, der auf dem Antlitz erscheint. Seine Voraussetzung ist ein gereinigter Geist. Denn so wie das Feuer, wenn es von einer undurchsichtigen Materie bedeckt ist, diese zwar erwärmen kann, aber kein Licht auszusenden vermag, so kann auch der vom undurchsichtigen Schleier der bösen Leidenschaften verhüllte Geist zwar Kenntnisse erwerben, aber kein Licht.[136] Der gereinigte Geist hingegen ist das Auge der Seele, ein Organ der Wahrnehmung. Aber so wie das äußere, leibliche Auge nur sehen kann, wenn Licht vorhanden ist, so kann auch der Geist nur sehen, wenn ihn das göttliche Licht erleuchtet. Und da Gott Licht ist, wie der theologischste Ausspruch des Johannes besagt,[137] so manifestiert er sich in dem reinen Geist wie in einem Spiegel, wobei er selbst unsichtbar bleibt, denn es ist unmöglich, zugleich das Spiegelbild und das ihm zugrunde liegende Objekt zu sehen.[138] Hier setzt sich nun Palamas mit den Gegnern dieser Lichttheorie auseinander. Diese Gegner erklären: Niemand hat Gott je gesehen, nur der Sohn, und wem es der Sohn will offenbaren; befinden sich also diejenigen nicht in offenbarem Irrtum, die da sagen, sie könnten Gott wie ein Licht in sich wahrnehmen? Ist das geistige Sehen Gottes im Licht nicht die Frucht einer Einbildung? Ihnen antwortet Palamas mit der Frage: Meint ihr, daß auch der Heilige Geist nicht imstande ist, Gott zu sehen, der Geist, von dem geschrieben steht, er erforschet alle Dinge, sogar die Tiefen der Gottheit? Wenn jemand sagen würde, er sähe das Licht außerhalb des Geistes, dann hättet ihr mit eurer Opposition recht. Aber wenn jemand sich ganz von der Welt abkehrt, sich von allem Eigenwillen reinigt, die Kräfte seiner Seele sammelt, in seinem Geiste über das meditiert, was der Natur Gottes gemäß ist, und wenn er so über sich selbst hinausgelangt und in sich den Geist empfängt, der von Gott kommt und die Dinge Gottes kennt —, wenn er also diesen Geist aus Gott empfängt, daß er, wie Paulus sagt, wissen kann, was uns von Gott gegeben ist, wie sollte ein solcher Mensch nicht durch den Geist das unsichtbare Licht sehen können? Denn gerade solche Menschen können wahrnehmen, was kein Auge gesehen, was kein Ohr gehört hat, was in keines Menschen Herz gekommen ist. Solche Menschen bekommen geistliche Augen und besitzen den Geist Christi. Sie können das Unsichtbare sehen und das Unverständliche verstehen. Ja, noch

135 *Meyendorff,* Défense 1, 113, 30.
136 *Meyendorff,* Défense 1, 127: *Gnosis* im Gegensatz zu *Phos.* — Das Fehlen einer russischen Renaissance kommt sicher auch aus der wissenschaftsfeindlichen palamitischen Theologie her, die nur der Psychologie günstig sein konnte.
137 *Meyendorff,* Défense 1, 127, 22: 1. Joh. 1, 5.
138 *Meyendorff,* Défense 1, 127, 25—29.

mehr: es entsteht eine Union *(Henosis)* und Vergöttlichung *(Ektheosis)*,[139] in der die Heiligen zusammen mit den himmlischen Mächten eine glückselige Reinheit empfangen.[140] In dieser Union, in der Gott in der Seele des Menschen wohnt,[141] teilt Gott nicht seine Natur mit, sondern seine *Doxa* und seine *Lamprotes*. Aber nicht nur die Seele, sondern auch der Leib des Menschen nimmt an diesem Glück teil.[142] Die Hesychasten wissen das, und wer es leugnet, der leugnet auch das leibliche Leben in der zukünftigen Welt. Dionysius Areopagita hat ausdrücklich gesagt, daß die Leiber der Heiligen in der zukünftigen Welt erleuchtet werden durch das Licht Christi, das auf dem Tabor erschienen ist.[143]

Dieses Tabor-Licht ist ein Ausdruck für den starken eschatologischen Grundzug der Theologie Gregors: er bezeichnet seine Gotteserfahrung als Tabor-Licht, und die Realität, die sich ihm darin manifestiert, ist ihm identisch mit dem Licht, das den Jüngern des Herrn auf dem Tabor bei der Verklärung Jesu aufleuchtete. In Übereinstimmung mit der Tradition der griechischen Väter ist Palamas der Ansicht, daß die Verklärung eine Vorwegnahme der Parusie, der zweiten Wiederkunft Christi, ist, und das bedeutet, daß für ihn – und für alle Hesychasten – die Parusie im Tabor-Licht bereits jetzt eine lebendige, erfahrene Wirklichkeit ist: das zukünftige Reich der Herrlichkeit ist bereits jetzt im Innern des erleuchteten Menschen vorhanden, die hesychastische Erfahrung ist realisierte Eschatologie.[144]

Damit ist die dritte Frage der ersten Triade beantwortet; sie lautete: Welches sind die Zeichen der göttlichen Gegenwart? Gregor Palamas antwortet: Diese Zeichen bestehen in dem Tabor-Licht, das der Mensch durch den Geist Gottes sieht.

Diese Grundgedanken der ersten Triade kehren in der zweiten und dritten Triade in immer neuen Variationen und Kombinationen und unter immer

139 *Meyendorff*, Défense 1, 147, 13. *Ektheosis* = *Apotheosis*.
140 Vgl. *Meyendorff*, Défense 1, 223: Reinheit als Bedingung für den Empfang des Lichtes. Dazu *Völker*, Maximus Confessor 481–482: Die *Theosis* wird von Maximus als enges Verbundensein mit Gott gekennzeichnet, als Teilhabe an dessen Gütern. Daraus folgt die *Homoiosis* mit Gott, die ihrerseits wiederum die *Henosis* mit ihm ermöglicht, die *Tautotes*, die natürlich niemals eine *Tautotes kat'Usian* sein kann. Ihr Wesen ist komplexer Art. Sie ist zunächst eine unmittelbare Gottesschau, deren Träger der *Nus* ist. Dieser hat sich Gott ganz angepaßt, ist *amorphos* und *aschematistos* geworden. Es entspricht alter Überlieferung, daß Gott Licht ist, und auch der *Nus*, der das Abbild des göttlichen Urbildes ist, hat die Eigenschaft des *photoeides*. Er kann den überirdischen Strahlenglanz erfassen. Das Verbundensein mit Gott ist erfahrbar.
141 *Meyendorff*, Défense 1, 159, 12: *Psyche theophoros*.
142 *Meyendorff*, Défense 1, 177–179.
143 *Meyendorff*, Défense 1, 181–223. Vgl. die Liste der vielen Zitate, die Gregor Palamas aus Dionysius Areopagita entnimmt, bei *Meyendorff*, Défense 2, 739–740. Über Palamas und Dionysius Areopagita vgl. *André Rayez* in Dict. de Spir. 3 (Paris 1957) 311–318.
144 *Meyendorff*, Défense 1, 203–207.

neuen Gesichtspunkten wieder. Palamas untersucht etwa die Frage, ob sich die griechische Philosophie mit dem Evangelium vereinbaren läßt, ob Aristoteles und Plato mit den Aposteln vergleichbar sind, er spricht über die Gaben des Gebetes, über das falsche Verständnis der Kirchenväter bei Barlaam, über die Frage, wie und in welchem Sinne der Leib Geist werden und an den Gaben der Gnade teilhaben kann, er erörtert die Visionen des Paulus und des Stephanus, er exegesiert Vätertexte über das Tabor-Licht, er spricht über die Frage, ob Gott irgendwelchen sichtbaren Dingen ähnlich ist, und wie sich die Energie Gottes und das Wesen Gottes unterscheiden.

Die Theologie Gregors ist die Theologie der Immanenz Gottes im Menschen. Indem der Mensch an der unerschaffenen Gnade Gottes Anteil erhält, wird er selbst Gott, gemäß dem Wort des Apostels Paulus: „Ich lebe aber: doch nun nicht ich, sondern Christus lebt in mir.“ [145] Jedoch unterscheidet Palamas dabei zwischen dem Wesen und den Energien Gottes: Gott von Angesicht zu Angesicht schauen bedeutet nicht, das göttliche Wesen zu sehen, denn der überwesentliche Gott kann niemals mit erschaffenen Begriffen wie dem des Seins oder des Wesens erfaßt oder identifiziert werden. Gott ist transzendent, und jede seiner Offenbarungen ist ein freiwilliger Akt, eine Energie Gottes. Aber Gott identifiziert sich niemals völlig mit einem seiner Akte. Dabei betont Palamas immer zwei Gedanken, die beide der Tradition entsprechen: einmal den Gedanken, daß die Offenbarung Gottes in Christus eine vollständige Offenbarung ist, die zwischen Gott und dem Menschen eine enge Verbindung und Einheit schafft und dem Menschen gestattet, Gott von Angesicht zu Angesicht zu sehen; und sodann den Gedanken, daß Gott seiner Natur nach unerkennbar ist. Die theologische Denkleistung Gregors bestand darin, daß er beide Gedanken als den adäquaten Ausdruck des göttlichen Mysteriums verstehen lehrte: Gott ist einerseits das unzugängliche Wesen, alleiniger Schöpfer, er allein unerschaffen; er offenbart sich dort und in dem Maße, wie er es will. Und Gott ist anderseits der lebendige Gott, der sich dem Menschen ganz in seinem Sohn offenbart hat und ihm seine eigene, ungeschaffene Existenz mitteilen will. Gregors Gegner haben gesagt, Palamas führe in die Gottheit einen Dualismus ein, denn die Unterscheidung zwischen Wesen und Energie bedeute in Wahrheit die Behauptung, es gäbe zwei Götter.[146] Palamas und seine Schüler betonten demgegenüber immer wieder, Gott sei in beidem ganz gegenwärtig.

In den folgenden Jahrhunderten, in denen sich der Islam über das ehemalige Byzantinische Reich ausbreitete, blieb der Athos ein Hauptzentrum der

145 Galater 2, 20. Vgl. *Meyendorff*, Introduction (Lit. Verz. Nr. 496) 223–256: Le Christ et l'Humanité déifiée: Rédemption, Déification et Ecclésiologie. – Zu den folgenden Sätzen vgl. *Meyendorff*, Introduction 279–310: Une Théologie existentielle: Essence et Énergie.

146 Über „Ditheismus“ als Vorwurf gegen Palamas vgl. *Meyendorff*, Défense 1, XXI und *Meyendorff*, Introduction 293: „Une ‚divinité inférieure‘?“

palamitischen Theologie. Die Bibliotheken des Athos lieferten den wenigen gelehrten Theologen jener Jahrhunderte das nötige patristische Material für ihre Studien, die ihren Höhepunkt in der Philokalie des Mönches Nikodemus Hagiorita (1748–1809) erreichten und der Theologie des Gregor Palamas ihren tiefen Einfluß auf die russische Frömmigkeit im 19. und 20. Jahrhundert sicherten.[147]

Bei der geschichtlichen Beurteilung der Theologie des Gregor Palamas muß man berücksichtigen, daß Gregor im Jahre 1359 A. D. starb, also fast genau ein Jahrhundert vor dem endgültigen Untergang von Byzanz im Jahre 1453. Seine Theologie also war es, mit der das byzantinische Christentum die jetzt beginnende Herrschaft der muslimischen Türken überdauern mußte. Die Tatsache, daß die orthodoxe Kirche diese 400 Jahre türkischen Islams überlebt hat, stellt der palamitischen Theologie das beste Zeugnis aus.

6. Byzanz und Europa

Von Byzanz aus ist im Jahre 989 A. D. Rußland christianisiert worden,[148] und als 1453 – also 464 Jahre später – Konstantinopel in die Hände des Islams fiel, wurde Rußland sich dessen bewußt, daß nur es allein in der Lage sei, das Erbe von Byzanz anzutreten und all das zu verteidigen, was Konstantinopel, das zweite Rom, nicht mehr verteidigen konnte. Man hatte in Rußland also das völlig richtige Gefühl, eine byzantinische Erbschaft zu besitzen, die es nun zu verteidigen galt.[149] Um diese byzantinische Erbschaft Rußlands abzuschätzen, muß man die historischen Zusammenhänge im Auge behalten. Im Jahre 860 unternahmen die Normannen den Dnjepr hinab ihren ersten Angriff auf Konstantinopel. Kaiser Michael III. (842–867), von dem gelehrten Patriarchen Photius (858–867) wirkungsvoll unterstützt,[150] schlug den

147 Darüber eingehend *Meyendorff*, St Grégoire Palamas et la mystique orthodoxe, Paris 1959. *Schultze*, Die Bedeutung des Palamismus in der russischen Theologie der Gegenwart (Lit. Verz. Nr. 689). Über den Einfluß des Gregor Palamas auf Andrej Rublëv (1360–1430, Kl. Slav. Biogr. 595) und auf den Protopopen Awwakum (1621–1682, Kl. Slav. Biogr. 27) siehe *Hauptmann*, Altrussischer Glaube (Lit. Verz. Nr. 292) 101–103.

148 Über ältere christliche Spuren in Südrußland seit der Antike vgl. *v. Rauch*, Saeculum 1956 (Lit. Verz. Nr. 613).

149 Das Folgende nach *v. Meyendorff* u. *Baynes*, The Byzantine Inheritance in Russia, in: *Baynes*, Byzantium (Lit. Verz. Nr. 54) 369–391. Vgl. ferner *Obolensky*, Byzantium, Kiev and Moscow (Lit. Verz. Nr. 564), *Iorga*, Byzance après Byzance (Lit. Verz. Nr. 348), *Dölger*, Byzanz als weltgeschichtliche Potenz (Lit. Verz. Nr. 168), *Döpmann*, Einfluß der Kirche (Lit. Verz. Nr. 172) 11–22 sowie *Runciman*, The Place of Byzantium in the Medieval World, in CMH 4, 2, 354–375 mit den umfangreichen Lit.-Angaben 474–476 u. ö.

150 *Ostrogorsky*, Geschichte des Byzantinischen Staates 184 (Quellen, Lit.); *Graber*, Längst hätten wir uns bekehren müssen. Die Reden des Photius beim Russenangriff auf Konstantinopel 860. Innsbruck 1960; *Hergenröther*, Photius 1, 531 ff.

gefährlichen russischen Angriff ab, und Photius faßte sofort den Gedanken einer Christianisierung Rußlands.[151] Er weihte einen Bischof für Rußland,[152] und des Photius Nachfolger, Patriarch Ignatius (867–877), bestellte sogar einen Erzbischof für die russische Kirche.[153] Aber für die endgültige Christianisierung Rußlands war die Zeit noch nicht reif. Erst um die Mitte des 10. Jahrhunderts trat die Großfürstin Olga als erste russische Fürstin zum Christentum über und wurde 957 in Konstantinopel vom Kaiser empfangen; bei der Taufe nahm sie den Namen Helena an. Um diese Zeit gab es bereits russische Christen in Kiew, die dort auch eine eigene Kirche besaßen. Schließlich hat dann 989 Wladimir (980–1015) in Cherson (Korsun) auf der Krim die Taufe angenommen, erhielt als Lohn für seine den Byzantinern geleistete militärische Hilfe die Schwester des Kaisers von Byzanz zur Frau und führte das Christentum als Staatsreligion in Rußland ein.[153a] Die russische Kirche folgte natürlich von Anfang an dem byzantinischen Vorbild: die byzantinische Dogmatik und die byzantinische Liturgie wurden von ihr übernommen, und da das jetzt christlich gewordene Rußland ein noch völlig barbarisches Land war, ist auch die gesamte übrige Kultur durch die byzantinische Kirche nach Rußland gekommen: byzantinische Baumeister planten die ersten russischen Kirchen, byzantinische Handwerker bauten sie; Mosaiken und Ikonen gaben byzantinische Muster und byzantinische theologische Vorstellungen wieder, wenn die Russen später auch im Kirchenbau ihre eigenen charakteristischen Zwiebeltürme entwickelten. Trotzdem war natürlich die russische Kirche von Anfang an etwas anderes als die byzantinische. Im Römischen Reich hatte der christliche Glaube jahrhundertelang alles durchdrungen, bevor er Staatsreligion wurde; in Rußland dagegen war er eine fremde Religion, die in eine barbarische, heidnische Welt verpflanzt wurde: das slawische und normannische Volkstum besaß keine eigenen kulturellen Traditionen. Der christliche Klerus in Rußland war deshalb ganz auf die Hilfe der Kiewer Großfürsten angewiesen. Die Fürsten gründeten Klöster und Kirchen, sie halfen den Bischöfen bei der Unterdrückung des Heidentums, und umgekehrt bedurften die Fürsten der Unterstützung durch die Bischöfe, denn diese waren die einzigen Träger der Kultur. Bei der Thronbesteigung mußte der Bischof den Fürsten konsekrieren: da es im Kiewer Rußland keine Krone als Symbol des Reiches gab, kam der

151 *Hergenröther*, Photius 1, 531 ff.; 2, 594 ff. Die in die Zeit des Photius weisende älteste arabische Quelle für christliche Russen bei *Hrbek*, The Russians in Baghdād in the 9th Century (Lit. Verz. Nr. 324).

152 Quelle für die Entsendung eines Bischofs nach Rußland durch Photius ist dessen Epistola 13, *Migne*, PG 102, 736 C – 737 A. Vgl. *Ostrogorsky* 190 und 225.

153 Theophanes Continuatus Lib. 5, 97 (= Corp. Script. Hist. Byzantin. Vol. 22, Bonn 1838, 343). *Bonet-Maury*, Les Premiers Témoignages de l'Introduction du Christianisme en Russie (Lit. Verz. Nr. 80). *Ericsson*, The Earliest Conversion of the Rus' to Christianity (Lit. Verz. Nr. 202).

153a *Kawerau*, Arabische Quellen zur Christianisierung Rußlands, Wiesbaden 1967 (Lit. Verz. Nr. 384).

Inthronisation des Fürsten im Dom der Hagia Sophia zu Kiew besondere Bedeutung zu.[154] Die Kirche übernahm alle sozialen Aufgaben, und so waren Staat und Kirche in Rußland von Anfang an eng miteinander verbunden.

Welcher Art die Beziehungen der russischen Kirche zum Ökumenischen Patriarchen in Konstantinopel in der ersten Zeit nach Wladimirs Taufe gewesen sind, wissen wir nicht. Auf jeden Fall hatte Rußland einen Metropoliten, der Konstantinopel unterstand, wenn wir auch aus der vormongolischen Zeit Rußlands über ihn kaum etwas sagen können. Ob sich diese Metropoliten im alten Rußland mit seinen ewigen Fehden und Kämpfen, verbrannten Klöstern und eingesperrten Bischöfen wirklich wohl fühlten, mag dahingestellt bleiben. Von einem Metropoliten von Kiew ist aus jener Zeit bekannt, daß er abdankte und völlig entmutigt nach Konstantinopel sich zurückzog.

Natürlich entstammte auch die gesamte altrussische Literatur jener Zeit der Kirche als der einzigen Quelle der Kultur, und diese Literatur hatte selbstverständlich einen rein religiösen, rein monastischen Charakter. Sie bestand entweder aus slawischen Übersetzungen griechisch-byzantinischer Werke oder aus originalen Schöpfungen, die nach byzantinischen Vorbildern abgefaßt waren. Von 240 russischen Schriftstellern, die vor dem Jahre 1600 bekannt sind, waren 190 Mönche, 20 waren Weltgeistliche, und nur 30 waren Laien – und das in einem Zeitraum von rund 600 Jahren.[155] So viel also verdankt Rußland der Kirche. Man kann den Einfluß von Byzanz deutlich in der altrussischen Nestorchronik spüren, die unsere Hauptquelle für die Geschichte des vormongolischen Rußlands ist.[156] Ihr Verfasser war ein Mönch des Kiewer Höhlenklosters,[157] und seine Idee, eine fortlaufende, zusammenhängende Geschichte der Russen zu schreiben, hat er wahrscheinlich in Byzanz bekommen, während er die annalistische Form seiner Darstellung wohl slawischen Übersetzungen byzantinischer Chroniken verdankt: so wird der byzantinische Chronist Georgius Hamartolus zweimal in der Nestorchronik zitiert.[158] Aber die tatsächliche Abhängigkeit der Nestorchronik von Georgius reicht viel weiter und erstreckt sich natürlich auch auf andere griechisch-byzantinische und syrische Quellen. So stammt das Glaubensbekenntnis, das nach der Nestor-

154 Erst vom 4. Februar 1498 datiert das älteste russische Krönungszeremoniell, das nach byzantinischem Muster geschaffen war, *Schaeder,* Moskau das Dritte Rom 53; 85 ff.

155 Vgl. *Stender–Petersen,* Geschichte der russischen Literatur 1 (1957) 3–215; *Gudzij,* Geschichte der russischen Literatur. 11.–17. Jahrhundert (Lit. Verz. Nr. 276).

156 *Trautmann,* Die altrussische Nestorchronik Povest' Vremennych Let in Übersetzung herausgegeben. Leipzig 1931. Über die Nestorchronik *Gudzij,* Geschichte der russischen Literatur 54–96.

157 *Goetz,* Das Kiever Höhlenkloster (Lit. Verz. Nr. 245).

158 Über Georgius Hamartolus (= Georgius Monachus) siehe *Moravcsik,* Byzantinoturcica 1, 277–280. Über slawische Übersetzungen des Georgius Hamartolus vgl. *Murko,* Gesch. d. ält. südslaw. Litt. 232 im Register.

chronik dem Wladimir beigebracht wird, von einem byzantinischen Autor namens Michael Synkellus (um 850), einem Freunde des Theodor von Studion in Konstantinopel.[159] Die gleiche Abhängigkeit Rußlands von Byzanz zeigt sich auf dem Gebiet der Hagiographie. Jeder, der byzantinische Heiligenviten kennt, fühlt sich bei der Lektüre russischer Heiligenleben auf vertrautem Boden: bis in die Einzelheiten kehren hier Motive der byzantinischen Hagiographie wieder und zeigen, mit welcher Treue die Russen ihren byzantinischen Vorbildern folgten.[160]

Ähnliches gilt für die Bereiche des weltlichen und kirchlichen Rechts. Hier war der Einfluß des Byzantinischen Reiches durch kirchliche Vermittlung auf Rußland am größten. Man spürt ihn natürlich am meisten im Kirchenrecht: die *Kormčaja Kniga*[161] basierte auf einem byzantinischen Nomokanon, also auf kaiserlichen und kirchlichen Gesetzen, verbunden mit Kirchengesetzen, die von Wladimir und Jaroslaw stammten. Das Zivilrecht Rußlands, das in der berühmten *Russkaja Pravda*[162] niedergelegt ist, entstammt zwar zum Teil dem slawischen Gewohnheitsrecht, ist aber als juristisches Handbuch nach dem Muster byzantinischer Rechts-Summarien verfaßt und zeigt schon in seiner ältesten Redaktion den starken Einfluß byzantinischer Rechtsvorstellungen.

Ein besonders wichtiger Vermittler des byzantinischen Einflusses auf Rußland war ferner das Mönchtum. Eine der frühesten Klostergründungen in Rußland war das Höhlenkloster in der Nähe von Kiew.[163] Das asketische Leben, das sich hier entwickelte, folgte der Regel des Theodor von Studion und war im ganzen mehr einer gemäßigten Form der Askese zugeneigt: ganz im Sinne des Theodor von Studion galt das Kloster als eine Zwischenstation zwischen Himmel und Erde. Aus den Klöstern kamen die Bischöfe, die in monastischen Vorstellungen lebten und dachten und ihrerseits bestrebt waren, neue Klöster zu gründen. Bis zum Jahre 1250 sind so etwa 70 neue Klöster entstanden, und zwar wurden sie in dieser Zeit nach studitischer Art fast nur in oder bei Städten gegründet. Die monastische Kolonisation des Nordens von Rußland im Zuge der Einsiedlerbewegung gehört erst einer späteren Periode an. Kiew und Nowgorod allein besaßen damals etwa je siebzehn Klöster. Genau wie in Byzanz hatte auch in Rußland der Klostergründer *(Ktitor)* ge-

159 Über Michael Synkellus vgl. *Beck*, Kirche u. theol. Lit. 503 ff. u. ö.; Tuscul. 339–340.
160 *Döpmann*, Einfluß 11–21.
161 *Žužek*, Kormčaja Kniga. Studies on the Chief Code of Russian Canon Law. Rom 1964 (Lit. Verz. Nr. 833).
162 Russkaja Pravda: *Žužek* 117–133 (Quellen u. Lit.); *Randa* 929; *Hellmann*, Staat und Recht in Altrußland (Lit. Verz. Nr. 310). Zum ganzen Komplex: *Aemilius Herman*, De Fontibus Iuris Ecclesiastici Russorum Commentarius Historico-Canonicus. Città del Vaticano 1936 (beste Geschichte des russischen Kirchenrechts).
163 *Goetz*, Das Kiever Höhlenkloster (Lit. Verz. Nr. 245); *Bunin*, Geschichte des russischen Städtebaues (Lit. Verz. Nr. 99); *Smolitsch*, Russisches Mönchtum (Lit. Verz. Nr. 654).

wisse Vorrechte, die nicht selten das religiöse Leben des Klosters beeinträchtigten. Wie in Byzanz war das Kloster zugleich das Mausoleum des Klostergründers und seiner Familie, und wie in Byzanz zog sich der Fürst vor seinem Tode in sein Kloster zurück und legte hier das Mönchsgewand an, um mit besseren Hoffnungen in die andere Welt einzugehen. Wie in Byzanz war das Kloster der Zufluchtsort für Prinzessinnen, für Witwen, für alle im Leben gescheiterten Existenzen, und es war auch das Gefängnis für besiegte Feinde, denen man die Tonsur erteilte und sie hinter Klostermauern einsperrte.

Das vormongolische Rußland hatte natürlich bald auch Beziehungen zum Athos. Im Jahre 1143 besaßen die Russen bereits das Kloster Xylurgu[164] auf dem Athos als ihr Eigentum; ein bekanntes russisches Athos-Kloster der späteren Zeit war St. Panteleimon.[165] Der Einfall der Mongolen in Rußland im Jahre 1237[166] beeinträchtigte diese Beziehungen zum Athos natürlich sehr, aber gegen Ende des 14. und im 15. Jahrhundert entwickelte sich erneut ein reger Verkehr zwischen Rußland und dem Athos. Auf dem Athos ist Nil Sorskij (1433—1508)[167] mit dem Hesychasmus bekannt geworden und hat später das russische Mönchtum in diesem Sinne zu reformieren gesucht. Wie hoch in Rußland das Mönchtum in Gunst stand, das zeigte sich an den Heiligen, die man in Rußland kanonisierte: unter den 146 Heiligen, die in Rußland zwischen 1547 und 1721 kanonisiert wurden, befanden sich 74 Gründer oder Obere von Klöstern: mehr als die Hälfte entstammten dem Mönchtum.

Wie beim Mönchtum, so ist auch in der Kunst der byzantinische Einfluß auf Rußland unverkennbar. Mosaiken und Ikonen spiegeln diese Abhängigkeit und die Übereinstimmung in den Grundtendenzen wider. Eine weitere Gabe von bleibendem Wert, die Byzanz an Rußland schenkte, war die byzantinische Liturgie in slawischer Sprache. Diese slawische Liturgie war wohl einer der wichtigsten Faktoren, um in der russischen Nationalkirche das Gefühl der Einheit zu fördern; aber diese Liturgie enthob auch den russischen Klerus der Notwendigkeit, Griechisch oder Latein zu lernen, und schloß damit Rußland in gleicher Weise gegen die klassische Antike wie gegen den lateinischen Westen ab: eine russische Aristoteles-Renaissance wie im syrisch-arabischen Orient oder im Abendland hat es nicht gegeben.

Das alte Kiewer Reich kannte keine Krone und keine Krönung. Erst das Moskauer Rußland hat beides eingeführt. Die erste russische Krönungsordnung stammt aus dem Februar 1498 und ist nach byzantinischen Vorlagen abgefaßt. Anläßlich der Krönung des Zaren Iwan IV. im Jahre 1547 erfuhr dann die

164 *Meyer,* Haupturkunden (Lit. Verz. Nr. 502) 92.
165 *Meyer,* Haupturkunden 94.
166 *Spuler,* Die Goldene Horde. Die Mongolen in Rußland (Lit. Verz. Nr. 663).
167 *Lilienfeld,* Nil Sorskij (Lit. Verz. Nr. 455); *Döpmann,* Einfluß der Kirche (Lit. Verz. Nr. 172); *Onasch,* Grundzüge der russischen Kirchengeschichte 34—38; *Smolitsch,* Russisches Mönchtum. Kl. Slav. Biogr. 478.

erstaunte Welt, daß die Regalia bereits vom byzantinischen Kaiser Konstantin IX. Monomach (1042–1055) nach Rußland gesandt worden seien, und daß die Dynastie Ruriks ihren Ursprung vom Bruder des Kaisers Augustus herleite. Solchen Wert legte Rußland auf seine byzantinische Herkunft,[168] denn es war der Erbe von Rom und Byzanz, der Verteidiger des orthodoxen Glaubens, das Heilige Rußland: der christliche Zar und die christliche Kirche bildeten jetzt eine Einheit, der eine gemeinsame Mission in der Welt zukam.

Der Einfluß von Byzanz auf Südosteuropa[169] wird in Westeuropa meistens unterschätzt. Wenn man an Jugoslawien, Bulgarien oder Albanien denkt, dann denkt man an die türkisch-islamische Vergangenheit dieser Länder. Bei Rumänien steigen Erinnerungen an den Kaiser Trajan und seine römischen Legionen auf, und Griechenland schließlich ist das Land der klassischen Antike, angesichts deren so gut wie niemand an die römische, die byzantinische, die fränkische oder die türkische Periode der Geschichte dieses Landes denkt. Aber der moderne Grieche fühlt sich zwar als Enkel des antiken Hellas, viel mehr aber noch fühlt er sich als Kind und Erbe von Byzanz; deshalb hat die Erforschung der byzantinischen Geschichte, der byzantinischen Literatur und der byzantinischen Kunst gerade im modernen Griechenland eine besondere Pflegestätte.

In Griechenland ist deshalb der byzantinische Einfluß am stärksten. Hier lebt noch heute die „Große Idee", das heißt die Auffassung, daß Athen nur die vorübergehende Hauptstadt Griechenlands ist, so lange, bis einmal Konstantinopel wieder die Hauptstadt sein wird. Es war kein Zufall, daß der im Jahre 1913 zur Regierung gekommene König in der Taufe den Namen Konstantin (1913–1917) erhalten hatte: man sah in ihm den zukünftigen Eroberer der Stadt, die nach dem ersten Kaiser dieses Namens genannt und von dem letzten Kaiser dieses Namens so ruhmvoll und tapfer verteidigt worden war. Man kann so von einem byzantinischen Einfluß auf die neuere griechische Politik sprechen.

Während der Zeit der türkischen Herrschaft über Griechenland unterstand die orthodoxe Kirche in Griechenland direkt dem Ökumenischen Patriarchen in Istanbul. Das bedeutet also, daß ein griechischer Geistlicher der Ethnarch oder Nationalchef aller orthodoxen Christen im türkischen Reich war, gleichviel ob es sich dabei um Griechen, Rumänen, Slawen, Syrer oder Kopten handelte, denn für die Türken war die Religionszugehörigkeit und nicht die Volkszugehörigkeit das entscheidende Kennzeichen ihrer Untertanen. Jeder orthodoxe Christ galt in der Türkei als Grieche. Als die Kirche des König-

168 *Ivánka,* Rurik und die Brüder des Augustus (Lit. Verz. Nr. 358).
169 Das Folgende nach *Miller,* The Byzantine Inheritance in South-eastern Europe, in: *Baynes,* Byzantium (Lit. Verz. Nr. 54) 326–337; dazu die Lit. oben Anm. 149 und *Angelov,* Die gegenseitigen Beziehungen und Einflüsse zwischen Byzanz und dem mittelalterlichen Bulgarien (Lit. Verz. Nr. 11).

reiches Griechenland im Jahre 1833 autokephal wurde, verminderte sich der Einfluß des Ökumenischen Patriarchen in Istanbul. Heute hat der Metropolit von Athen und ganz Griechenland eine sehr viel größere Diözese als der Ökumenische Patriarch in Istanbul. In Griechenland blühen die byzantinischen Studien, zu denen die vielen byzantinischen Stätten Griechenlands einladen: die byzantinischen Kirchen in Athen, das benachbarte Kloster Daphni, Hosios Lukas, die Meteora-Klöster, die Kirchen in Saloniki und in Chios, nicht zu vergessen Mistra, die mittelalterliche Nachfolgerin des antiken Sparta und Hauptstadt eines byzantinischen Despotats.[170] Auch Zypern, das noch lange nach dem Fall Konstantinopels unter der Herrschaft des Hauses Lusignan stand,[171] und Kreta, das bis 1669 venezianisch war, haben eine Fülle byzantinischer Traditionen bewahrt, ganz zu schweigen vom Athos, der heute als theokratische Republik unter griechischer Oberhoheit das bedeutendste Beispiel griechisch-byzantinischen Mönchtums ist, wie es sonst überall im Lande am Verschwinden ist. Byzantinische Musik ist noch heute in den Gottesdiensten der griechischen Kirche zu hören, die griechischen Maler der türkischen Zeit standen in der byzantinischen Tradition, und noch heute gibt es griechische Familien, die sich von byzantinischen Kaisern herleiten. Einen besonders engen Zusammenhang zwischen Byzanz und dem heutigen Griechenland bildet natürlich die griechische Sprache und Literatur: dieses Band fehlt in anderen ehemals byzantinischen Gebieten Südosteuropas. Aber auch die slawischen Völker des Balkans sind tief von Byzanz und von der orthodoxen Kirche beeinflußt.

Bulgarien, der von Byzanz aus nächstgelegene slawische Balkanstaat,[172] hat im Mittelalter zweimal gegen die griechisch-byzantinische Fremdherrschaft revoltiert; als Ergebnis haben wir das erste und das zweite bulgarische Reich vor uns, bis schließlich die Türken alles ihrem Staate einverleibten. Aber da Christianisierung und Byzantisierung bei den Balkanslawen das gleiche bedeuteten, wurde Bulgarien durch die Christianisierung von byzantinischer Kultur und griechischer Sprache durchdrungen. Als dann slawische Priester an die Stelle der griechischen traten und Slawisch statt Griechisch die offizielle Sprache des bulgarischen Staates und der bulgarischen Kirche wurde, blieb der byzantinische Einfluß trotzdem bestehen, wenn auch weniger augenfällig. Griechische Bücher waren es, die übersetzt wurden, byzantinisches Hofzeremoniell war am bulgarischen Hof maßgebend, und im späteren Mittelalter drang der byzantinische Hesychasmus in die bulgarische Kirche ein. Von 1396 bis 1878

170 *Hauschild*, Mistra – die Faustburg Goethes (Lit. Verz. Nr. 294); *Nicol*, Meteora. The Rock Monasteries of Thessaly (Lit. Verz. Nr. 549).

171 *Maier*, Cypern (Lit. Verz. Nr. 471); hier 69–99 über das Königreich der Lusignans.

172 *Angelov*, Gegenseitige Beziehungen (Lit. Verz. Nr. 11); *Runciman*, History of the First Bulgarian Empire (Lit. Verz. Nr. 636); *Macdermott*, History of Bulgaria 1393–1885 (Lit. Verz. Nr. 466). Umfangreiche Literaturangaben bei *Stavrianos*, Balkans (Lit. Verz. Nr. 694) passim.

war Bulgarien eine türkische Provinz; aber während dieser Zeit – also fast ein halbes Jahrtausend lang – unterstand die bulgarische Kirche dem Ökumenischen Patriarchen in Istanbul und blieb so unter griechisch-byzantinischem Einfluß. Natürlich wurde der Ökumenische Patriarch, schon weil er in der Hauptstadt residierte, vom türkischen Sultan als Instrument der osmanischen Politik auf dem Balkan benutzt, und eine Folge davon war, daß ebenso wie Griechenland auch Bulgarien sofort nach Erringung der politischen Unabhängigkeit auch das geistliche Joch des Ökumenischen Patriarchen abwarf.

Die Geschichte der Südslawen in Jugoslawien ist in tiefster Weise beeinflußt durch die Spaltung zwischen der griechischen und der lateinischen Kirche: die Kroaten und Slowenen gehören zum lateinischen Kulturkreis und zur Jurisdiktion Roms, die Serben zum griechisch-byzantinischen Kulturkreis und zur Jurisdiktion Konstantinopels. Jugoslawien ist so zwischen Ost und West gespalten. Die christliche Mission in Slowenien geht auf den Bischof Virgilius von Salzburg (767–784 A. D.)[173] zurück, die kroatische auf Kaiser Heraklius von Byzanz (610–641)[174] und auf Karl den Großen (768–814). Bis auf den heutigen Tag wirkt so der mittelalterliche Kampf zwischen Rom und Byzanz um die südslawische Welt nach. Als im 19. Jahrhundert die Balkanstaaten neu erstanden, blickten sie natürlich auf ihre mittelalterlichen Vorläufer, auf das serbische und bulgarische Reich und die byzantinischen Traditionen des Mittelalters zurück. Sechsmal hatten serbische Könige byzantinische Prinzessinnen geheiratet und byzantinische Titel in ihrem Reich eingeführt, so daß der byzantinische Historiker Nikephorus Gregoras[175] meinte, es sei, als ob Affen und Ameisen sich wie Adler und Löwen benähmen.

Bosnien und die Herzegowina haben im Mittelalter eine gesonderte kirchliche und politische Entwicklung durchgemacht. In Bulgarien hatte sich um das Jahr 950 die nach ihrem Organisator Bogomil genannte dualistische Sekte der Bogomilen gebildet, in deren Lehren sich manichäische, messalianische und paulikianische Elemente mischten. Wann der Bogomilismus in Bosnien und der Herzegowina zuerst auftrat, ist unbekannt; auf jeden Fall wurde er im Jahre 1199 durch den Übertritt des Herrschers in Bosnien zur Staatsreligion. Der Umstand, daß Ungarn 1241 von den Mongolen heimgesucht wurde, rettete die bogomilische Kirche Bosniens vor der Vernichtung durch das katholische Ungarn; sie erreichte in den folgenden Jahrhunderten ihren Höhepunkt und trieb zusammen mit der bogomilischen Kirche von Trogir

173 Über Virgil: RGG [3]6 (1962) 1407.
174 Quelle: Konstantin Porphyrogenitus, De Administrando Imperio (ed. *Moravcsik*, Lit. Verz. Nr. 403) c. 31, p. 149, 21 ff.: *„Ho de Basileus Herakleios . . . tus Chrobatus ebaptisen."* Dazu *Dvornik*, Slavs, Byzance et Rome (Lit. Verz. Nr. 182) 71 und *Dvornik*, L'Évangélisation des Slaves (Lit. Verz. Nr. 184). Zu Konstantin Porphyrogenitus vgl. *Moravcsik*, Byzantinoturcica 1, 356–390 (Ausgaben, Übersetzungen, Literatur).
175 Über ihn *Moravcsik*, Byzantinoturcica 1, 450–453 (Ausgaben, Literatur).

eifrig Mission. Aber trotz allen Gegensatzes zur griechisch-byzantinischen Orthodoxie ahmte auch der Herrscher von Bosnien den Kaiserhof von Konstantinopel nach und verlieh seinen Adligen klangvolle byzantinische Titel. Der Gegensatz der Bogomilen sowohl gegen die lateinische wie gegen die griechische Kirche führte dazu, daß bei der Besetzung Bosniens durch die osmanischen Türken im Jahre 1463 die meisten Bogomilen zum Islam übertraten. Bosnien wurde so für die vier Jahrhunderte muslimisch-türkischer Herrschaft der Löwe, der die Tore Istanbuls bewachte, und noch heute ist der bosnische Islam neben dem Christentum ein machtvoller Faktor im sozialistischen Jugoslawien.[176]

Byzantinische Traditionen fanden sich auch in Ragusa (Dubrovnik), aber im ganzen blieb diese Stadtrepublik, das ‚südslawische Athen', immer mehr eine slawische als eine griechisch-byzantinische Stadt. Albanien mit seiner autochthonen Bevölkerung und seinen unzugänglichen Bergen blieb von der byzantinischen Kultur ziemlich unberührt; seine Hafenstadt Durazzo (Dyrrhachium) freilich war immer ein byzantinisches Bollwerk gegen den lateinischen Westen, bis 1501 die Türken kamen. Die Albaner wurden meist Muslime; die wenigen orthodoxen Albaner konnten erst im 20. Jahrhundert das Joch des Ökumenischen Patriarchen in Istanbul abschütteln und die Autokephalie erlangen.[177]

Rumänien[178] hat so lange mit Byzanz und dem Griechentum in Verbindung gestanden, daß beide Donaufürstentümer – Moldau und Walachei – von griechisch-byzantinischen Einflüssen tief durchdrungen sind. Die Fürsten datierten ihre Urkunden nach dem byzantinischen Kalender, nach dem das Jahr am 1. September anfing; in der Walachei unterzeichneten die Fürsten ihre Urkunden wie der byzantinische Kaiser mit Purpurtinte, und aus den vornehmen griechischen Familien des Phanar, eines am Goldenen Horn gelegenen Stadtteils von Konstantinopel, wurden in osmanischer Zeit bis zum Ausbruch der griechischen Revolution die Fürsten (Woiwoden) der Moldau und Walachei gewählt, die den alten Urkundentitel Hospodar[179] führten. So hielt also griechischer Einfluß in Rumänien auch in türkischer Zeit noch an. Es

176 Über die Bogomilen: *Kawerau*, Geschichte der Mittelalterlichen Kirche 213–216; *Obolensky*, The Bogomils (Lit. Verz. Nr. 563); *Runciman*, The Medieval Manichee (Lit. Verz. Nr. 637); *Conybeare*, The Key of Truth (Lit. Verz. Nr. 123), Introduction p. CXXXVII–CXCVI passim. Chronologie der Herrscher Bosniens bei *Grumel*, Chronologie 392–393.

177 Lit. über Albanien bei *Stavrianos*, The Balkans (Lit. Verz. Nr. 694) 898–899; 923–924; 938–940. Chronologie der Herrscher Albaniens bei *Grumel*, Chronologie 412.

178 Herrscherliste für Rumänien 1457–1856 (Moldau) bzw. 1493–1858 (Walachei) bei *Spuler*, Regenten 439–442. Lit. bei *Stavrianos*, Balkans 910–912; 938 u. ö.

179 In rumänisch-kirchenslawischen Urkunden seit dem 14. Jahrhundert; der Titel entspricht dem griechischen *Despotes* und dem lateinischen *Dominus*. *Du Cange* 283: „Titulus Imperatoribus peculiaris."

war kein Zufall, daß der griechische Freiheitskampf gegen die Osmanen am Pruth begonnen hat.

So haben nicht nur in Griechenland, sondern auch in den slawischen und romanischen Staaten des südöstlichen Europas byzantinische Formen und Traditionen das nationale Leben weitgehend mitgestaltet. Am stärksten hat dabei die byzantinische Kirche gewirkt, neben ihr und eng mit ihr verbunden die byzantinische Kunst, die byzantinische Musik und die byzantinische Literatur, die weitgehend eine theologische war.

III. SÜDOST- UND OSTEUROPA

1. Johannes Exarches: Die Lehre von der Schöpfung

Um das Jahr 850 erstreckte sich die weite Welt der Slawen von der Elbe bis zur Wolga und von der Ostsee bis zum Mittelmeer.[1] Ihre Kultur und Literatur wurde von den griechischen Brüdern Kyrill und Method aus Saloniki im Großmährischen Reich begründet[2] Kyrill schuf – und zwar ohne Zweifel noch vor seiner Abreise nach Mähren in der Stadt Konstantinopel selbst – das erste slawische Alphabet, die Glagoliza,[3] die von der griechischen Kursive abgeleitet war. Die Sprache, in der die ersten Übersetzungen der Brüder abgefaßt waren, war der südslawische Dialekt der Umgebung von Saloniki. Aus dieser südslawischen ist später auch die russische Literatur hervorgegangen.

Die Annahme der byzantinischen Form des Christentums durch die Bulgaren im Jahre 865 brachte es mit sich, daß etwa 20 Jahre lang zunächst das Griechische die Kirchensprache der Bulgaren wurde. Mit der Ankunft der aus

1 *Kristanov,* Sciences (Lit. Verz. Nr. 415) 610–626. Zur Kirchengeschichte Bulgariens vgl. *Randa* 887–923; RGG 1 (1957) 1506–1509 (Lit.); DHGE 10 (1938) 1120–1194 (Lit.); *Runciman,* History of the First Bulgarian Empire (Lit. Verz. Nr. 636) (Lit.); *Jugie* 1, 632–635: „Theologia Bulgarorum" (hier ältere Lit.); *Murko* 57–100: „Die altkirchenslawische Litteratur in Bulgarien." – Der Artikel *Bulgarie* von *S. Vailhé* in DThC 2 (1932) 1174–1236 beschränkt sich auf die römisch-bulgarischen Beziehungen und erwähnt Johannes Exarches nicht.

2 *Großmähren* und die christliche Mission bei den Slawen, Wien 1966 (Lit. Verz. Nr. 272); *Vlasto,* The Entry of the Slavs into Christendom, 1970 (Lit. Verz. Nr. 770).

3 Hauptquelle ist Kap. 14 der Vita des Konstantin-Kyrill, deutsch bei *Bujnoch,* Zwischen Rom und Byzanz, Graz 1958, 66–68: „Bald offenbarte ihm Gott ... die Schrift. Und dann setzte er die Buchstaben aneinander und begann den Wortlaut des Evangeliums aufzuschreiben." Der byzantinische Kaiser schrieb darauf nach Mähren: „Gott wirkte auch jetzt in unserer Zeit und offenbarte für eure Sprache eine Schrift – was vorher niemals gewährt ward, außer in den ersten Zeiten –, damit auch ihr zu den großen Völkern gezählt werdet, die Gott in ihrer Sprache lobpreisen. Und deshalb sandten wir dir diesen ehrwürdigen und gottesfürchtigen Mann, den Philosophen (= Konstantin-Kyrill), der sehr gelehrt ist und dem Gott die Schrift geoffenbart hat." Der slawische Text bei *Grivec-Tomšič,* Constantinus et Methodius Thessalonicenses. Fontes. Zagreb 1960, 129–131 (Lit. Verz. Nr. 268). Die älteren Textausgaben verzeichnet *Potthast* 2, 1261–1262; dazu *Bujnoch* 19–26. – Vgl. *Samilov,* Das glagolitische Alphabet (Lit. Verz. Nr. 644).

Mähren vertriebenen Schüler Methods, unter ihnen Klemens, Gorazd, Sawa und Naum, wurde Bulgarien das Zentrum des kirchenslawischen Kulturkreises. In der Nähe von Preslaw entstand das Pantaleimon-Kloster, in dem Naum und der in Konstantinopel ausgebildete spätere Zar Simeon der Große (893–927 A. D.) wirkten. Klemens und andere Schüler Methods gründeten in Kutmečeviza bei Ohrida ein zweites literarisches Zentrum, an dem nicht nur Theologie, sondern auch profane Wissenschaften gelehrt wurden. Die Wirksamkeit dieser beiden Zentren ermöglichte es dem bulgarischen Nationalkonzil von Preslaw 893, das Bulgarische zur offiziellen Staats- und Kirchensprache zu erklären und wenigstens insofern Bulgarien aus der Abhängigkeit von Byzanz zu lösen.

Zur Zeit des Zaren Simeon des Großen, der die Seele dieses Kreises bulgarischer Gelehrter und Schriftsteller war, entstand in diesen beiden Zentren eine umfangreiche religiöse und profane Literatur in bulgarischer Sprache, von der freilich nur ein Teil auf uns gekommen ist: sie bildete eine wichtige Quelle für die Anfänge literarischer Tätigkeit bei den Serben und den Russen.[4]

Zar Simeon der Große[5] hatte in Konstantinopel studiert, er hatte selbst Stücke aus Johannes Chrysostomus ins Altbulgarische (Altkirchenslawische) übersetzt und hatte auch die Anregung zur Abfassung des Simeonov Shornik gegeben, eines Sammelwerkes, in dem wir die erste mittelalterliche Enzyklopädie Bulgariens zu sehen haben. Aus dem Kreis von Übersetzern, den der Zar um sich versammelte, ragt die bedeutende Gestalt des Johannes Exarches,[6] des Oberhauptes der bulgarischen Kirche, hervor. Johannes hat den Bulgaren nicht nur das dogmatische Hauptwerk des Johannes von Damaskus, die ‚Pege Gnoseos', in einer slawischen Teilübersetzung vermittelt,[7] sondern er hat auch ein zumindest teilweise selbständiges theologisches Originalwerk geschaffen, den Šestodnev, das ‚Buch von den sechs Tagen', also ein Hexaemeron,[8] eine

4 Vgl. *Murko* 57–100: „Die altkirchenslawische Litteratur in Bulgarien."

5 Über ihn Kl. Slav. Biogr. 632; *Murko* 65; *Sergheraert,* Syméon le Grand, Paris 1960 (Lit. Verz. Nr. 647).

6 Über ihn Kl. Slav. Biogr. 268 s. v. *Joan Ekzarch; Murko* 63–65; *Jaksche,* Weltbild (Lit. Verz. Nr. 330) 301 (Lit.); *Lägreid,* Rhetorischer Stil (Lit. Verz. Nr. 424) 89 (Lit.); *Puech,* Traité (Lit. Verz. Nr. 408) 22–23 (Lebensdaten des Johannes Exarches); *Istorija na Bŭlgarskata Literatura* 1, Sofia 1962, 127–140 (Lit. Verz. Nr. 351). *Kindlers Literatur Lexikon* 6, Zürich 1971, 1216–1217 s. v. *Šestodnev* (Ausgaben und Lit.). Zum Titel „Exarch" (Statthalter des Kaisers oder des Patriarchen): RGG 2, 816; *Du Cange* 395–397; *Kristanov,* Sciences 55; *Dujčev,* Medioevo Bizantino-Slavo 1, Rom 1965, 318–320.

7 Er übersetzte aus den 100 Kapiteln des 3. Teils der ‚Pege Gnoseos', der ‚Ekthesis' (= ‚De fide orthodoxa' = ‚Bogoslovie') eine Auswahl von 48 Kapiteln; Einzelheiten über die von ihm getroffene Auswahl in der Ausgabe von *Sadnik* (Lit. Verz. Nr. 347) XII–XV. Vgl. *Kotter,* Die Überlieferung der Pege Gnoseos des hl. Johannes von Damaskos, Ettal 1959, 219. *Altaner* [7]1966, 526–527.

8 Zur Literaturform des Hexaemerons und seiner theologischen und naturwissenschaftlichen Auslegungsgeschichte vgl. *Güttler,* Art. ‚Hexaëmeron' in Wetzer-Welte, Kirchenlexikon 5 ([2]1888) 1980–1988.

theologisch-philosophische Erklärung der Schöpfungsgeschichte, die, den sechs Schöpfungstagen entsprechend, in sechs Kapitel[9] eingeteilt ist.[10] Er benutzte dabei die griechischen Auslegungen des Schöpfungsberichtes von Basilius von Cäsarea[11] und von Severianus von Gabala[12] sowie einige andere griechische Autoren, unter ihnen Aristoteles und Johannes von Damaskus,[13] die er teils übersetzte, teils kompilierte. In seiner Vorrede zum Šestodnev wies er den Zaren ausdrücklich auf seine Quellen hin: „Diese sechs ‚Reden', mein Herr, haben wir nicht selbst zusammengestellt, einmal haben wir vom Hexaemeron des hl. Basilius den genauen Wortlaut, ein andermal auch seine Ideen übernommen; ebenso auch von Johannes (von Damaskus), und anderes wieder von anderen, so wie wir es jeder einmal irgendwann gelesen haben." Er hätte gleichsam als armer Mann bei den Reichen das Material für dieses Haus zusammengebeten, von dem einen Marmor, von den andern Ziegel und Säulen.[14] Natürlich hatte Johannes Exarches mit großen sprachlichen Schwierigkeiten zu kämpfen, um die klassizistische Rhetorik der griechischen Kirchenväter, dieser geborenen dogmatischen Theologen der Christenheit, ins Altbulgarische zu übersetzen.[15] Er verglich in der Vorrede seine eigenen Worte mit Stroh und Holzstangen, die er aus seinem eigenen Häuschen herbeigetragen habe, und bat den Herrscher, dies alles gnädig als seine eigene Arbeit anzunehmen:[16] „Wir wollen hier nicht Eigenes zugrunde legen — dazu sind wir nicht würdig —, nein, das, was wir von diesen heiligen Männern gehört haben, das wollen wir zusammenfügen." Sollte aber irgendein Eckstein wackeln, so würde er ein eigenes kleines Steinchen zur Festigung unterlegen.[17]

9 ‚Reden', *Slovesa, Glava.*

10 Ausgabe von *Aitzetmüller,* Lit. Verz. Nr. 346. Aitzetmüller bietet den slawischen Text, eine deutsche Übersetzung und (soweit vorhanden oder bekannt) die griechischen Paralleltexte. Ich zitiere nach der Übersetzung von *Aitzetmüller.* Literatur: *Lägreid,* Der rhetorische Stil im Šestodnev des Exarchen Johannes, 1965 (Lit. Verz. Nr. 424); *Jaksche,* Das Weltbild im Šestodnev (Lit. Verz. Nr. 330).

11 Vgl. *Altaner* [7]1966, 290–298; hier 292–293 über die Hexaemeron-Homilien des Basilius von Cäsarea (Ausgaben u. Lit.).

12 Gest. nach 408 A. D. Über ihn *Altaner* [7]1966, 332; hier die Ausgaben u. die Lit. zu seinen sechs Homilien zur Genesis. Eine dem 14. Jahrhundert angehörende mittelbulgarische Übersetzung des Hexaemerons des Severianus von Gabala erwähnt *Murko* 129.

13 *Aitzetm.* 1, 50.

14 *Aitzetm.* 1, 44–46; vgl. *Lägreid,* Rhetor. Stil (Lit. Verz. Nr. 424), wo eine Analyse der aus Theodoret, Severian, Basilius übersetzten Stellen sowie der von Johannes Exarches selbständig verfaßten Stücke gegeben wird.

15 Vgl. seine Klagen im Prolog des ‚Bogoslovie' ed. *Sadnik* 2–28 (Lit. Verz. Nr. 347), aber auch die anerkennende Wertung seiner Leistung als Übersetzer durch *Sadnik* ebenda IX–XI und XXVIII–XXIX. Vgl. *Weiher,* Studien zur philosophischen Terminologie des Kirchenslavischen (Lit. Verz. Nr. 801) und *Fabricius,* Der sprachliche Klassizismus der griechischen Kirchenväter (Lit. Verz. Nr. 209) sowie *Moravcsik,* Byzantinoturcica 1, 191–193.

16 *Aitzetm.* 1, 48.

17 *Aitzetm.* 1, 58.

Im *1. Kapitel* des Šestodnev weist Johannes die Versuche der griechischen Philosophie zurück, die Welt auf gewisse Grundprinzipien wie Wärme und Kälte, Feuer und Erde, Undichte und Dichte zurückzuführen,[18] und arbeitet demgegenüber die biblische Lehre von dem einen Weltschöpfer heraus, der am ersten Tage die Materie für diese ganze Schöpfung geschaffen habe, an den folgenden Tagen deren Formen.[19] Damit wendet er sich sofort gegen die dualistischen Häretiker seiner Zeit, die dann Bogomilen genannt wurden und behaupteten, Gott habe im Schöpfungsakt nur die Form des Kosmos geschaffen; die Materie aber sei schon vorher dagewesen und stamme von einem andern, bösen Weltschöpfer.[20] Alle philosophischen Theorien über die Weltentstehung, so sagt Johannes, mögen sich gegenseitig zu Fall bringen: dem Wort des Mose gegenüber „Im Anfang schuf Gott Himmel und Erde" sind Parmenides, Thales, Demokrit und Diogenes mit ihren Redereien doch nur leere Schwätzer.[21] Gott ist die unursächliche Ursache aller (sekundären) Ursachen, der anfanglose Anfang, unsichtbar, unbeschreiblich, unerforschlich, ein unermeßliches Licht und eine unbegreifliche Schönheit. Wie töricht, wenn Aristoteles die Sonne, die den armseligen Augen auch des geringsten Lebewesens sichtbar ist, mit dem unsichtbaren, unbegreiflichen und unbeschreiblichen Gott gleichsetzt.[22] Die sichtbare Welt ist nicht Gott selbst, sondern nur eine Schöpfung Gottes,[23] wobei die Erschaffung des Lichtes die erste, die Erschaffung des Menschen die letzte Schöpfertat Gottes war: Gott begann den Kreis der Schöpfung mit dem Licht und endete ihn auch mit dem Licht: „Wieso aber kommt es, daß der Mensch mit dem Lichte gleichgesetzt wird? Horch zu! Das Licht zeigt alles Seiende, das Licht dieser Welt aber ist der Mensch; in sie eingetreten, läßt er das Licht der Kunstfertigkeit und Geschicklichkeit leuchten. Das Licht zeigt den Weizen, der Verstand ersinnt, wie das Brot zu bereiten ist; das Licht zeigt die Weintraube, das Licht des Verstandes aber

18 *Aitzetm.* 1, 64.
19 *Aitzetm.* 1, 88.
20 *Aitzetm.* 1, 218; vgl. 1, 210–212.
21 *Aitzetm.* 1, 146. Das altslawische Schrifttum ist von Anfang an der Antike gegenüber feindselig eingestellt; hier konnten sich keine Renaissance und kein Humanismus entwickeln.
22 *Aitzetm.* 1, 148–152; weitere polemische Stellen gegen Aristoteles u. a. 1, 164. Trotzdem wollen *Aitzetm.* 2, 166 und *Jaksche*, Weltbild 264 und 278 bezüglich der Gestalt der Erde Anschauungen des Aristoteles bei Johannes Exarches wiederfinden. Vgl. *Kristanov*, Sciences 54–57: „Nachrichten aus dem Gebiet der Naturwissenschaft im Werk des Johannes Exarches" (bulgar.) und *Leskien*, Der aristotelische Abschnitt im Hexaemeron des Exarchen Johannes (Lit. Verz. Nr. 448). Letzterer bezweifelt, ob Johannes Exarches einen zusammenhängenden aristotelischen Text vor sich hatte. Jedoch nennt Johannes Exarches im 4. Slovo des Šestodnev (*Aitzetm.* 4, 248–256) als Autorität für die Erklärung der Kugelgestalt des Mondes aus den Mondphasen den weisen Philosophen Aristoteles, der trefflich beobachtet und entschieden hat. Vermutlich hat Johannes Exarches aristotelische Anschauungen aus der kirchlichen Tradition übernommen.
23 *Aitzetm.* 1, 54.

bereitet den Wein, der sich in der Traube befindet." Der Mensch ist das Licht der Welt,[24] und wie das Licht des Abends untergeht und des Morgens wieder erscheint, so geht der Mensch im Grabe unter und erscheint wieder am Tage der Auferstehung.[25] Zwar ist das Leben des Menschen nur kurz, aber es geht in ein ewiges Leben über,[26] das einer anderen, vor dieser sichtbaren Schöpfung bereits vorhandenen kosmischen Ordnung angehört, die überzeitlich, zeitlos und ewig ist; in ihr und ihrem Licht bewegen sich die Rangordnungen der Engel und die himmlischen Heerscharen in aller geistlichen Wonne als in der ihnen zukommenden Zuständlichkeit.[27] Man kann sie als geistiges Licht, als Ort der körperlosen, geistigen und unsichtbaren Naturen bezeichnen, doch vermag unser Geist sie nicht klar zu erfassen und keinen Namen dafür zu finden,[28] wenn er auch aus der Schönheit dieser Schöpfung und dieses Lichtes jenes unvergleichliche Licht in Gedanken erkennen kann: „Wenn schon dieses Licht da vom Schöpfer so schön geschaffen wurde, wie unvergleichlich ist dann erst die Schönheit des Schöpfers, prachtvoll, wunderbar und wundervoll." [29] Diesem Licht sind auch die Nacht und die Finsternis untertan, und darum irren die dualistischen Häretiker, die einen andern, bösen Schöpfer neben Gott, dem einzigen und guten Schöpfer behaupten[30] und meinen, die Finsternis sei eine selbständige Macht, die ihren Ursprung in sich selbst und nicht in der Güte Gottes habe.[31] „Denn Gott ist gütig und schafft nichts Böses. Das Leben zeugt nicht den Tod, die Finsternis ist nicht Urheber des Lichtes, und die Krankheit bewirkt nicht Gesundheit." Zwar könnten sich Gedanken in ihr Gegenteil verändern, bei der Schöpfung aber entstehe ein jegliches aus seiner eigenen Art. Freilich existiere das Böse, aber es sei ein Seelenzustand, der der Tugend entgegengesetzt ist, weil die Seele vom Guten abgefallen ist: „Suche also das Böse nicht außer dir, und glaube nicht, daß es zu Anfang von einem bösen Wesen geschaffen wurde; es suche vielmehr jeder das Böse in sich selbst, weil es ja von ihm selbst stammt." [32]

So erweist sich der Šestodnev bereits in seinem 1. Kapitel als eine große, die theologischen Traditionen der Byzantiner selbständig benutzende, wohldurchdachte Kampfschrift gegen die Gnostiker, Manichäer, Paulikianer, bulgarischen

24 Vgl. *Aitzetm.* 1, 168–170: „Die wahrhafte Stimme ist die, die vom Verstand des Menschen ausgeht, so ist das Wort ja auch im Griechischen gebildet: *phone,* d. i. *phos nu,* was ins Slavische übersetzt ‚Licht des Verstandes' bedeutet."
25 *Aitzetm.* 1, 116–120.
26 *Aitzetm.* 1, 126–128.
27 *Aitzetm.* 1, 242.
28 *Aitzetm.* 1, 130.
29 *Aitzetm.* 1, 196–198. *Aitzetm.* 2, 12 und 2, 142 unterscheidet Johannes Exarches daher einen ersten und einen zweiten Himmel.
30 *Aitzetm.* 1, 210–212. Über diese Häretiker vgl. *Runciman,* The Medieval Manichee (Lit. Verz. Nr. 637) und *Obolensky,* The Bogomils (Lit. Verz. Nr. 563).
31 *Aitzetm.* 1, 230.
32 *Aitzetm.* 1, 232–236.

Häretiker, Bogomilen oder wie immer man die Häresie des Dualismus nennen will, die das Christentum seit seiner Entstehung wie sein eigener Schatten begleitet.[33] Johannes Exarches schließt dieses 1. Kapitel mit einer Fürbitte für den Zaren Simeon: Der Vater des wahren Lichts und der Sohn, das Licht der Wahrheit, ausgehend vom wahren Licht zusammen mit dem Heiligen Geist, kurz gesagt Gott, der eine, dreifaltige, das Licht, das die Sonne überstrahlt, der Schöpfer der ganzen Welt, möge dein Herz erleuchten, mein Herr und König, großer Simeon, der du Christus liebst, und auch deine Mannen und Untertanen, daß du im Lichte ehrbar wandelst, Werke des Lichts vollbringst und würdig wirst des Tages, auf den wir warten, der keine Finsternis in sich hat.[34]

Im 2. *Kapitel* werden die Werke des zweiten Schöpfungstages erklärt. Immer wieder weist Johannes Exarches auf die in ihnen sich erweisende Weisheit des Schöpfergottes hin,[35] die von den antiken Philosophen nicht verstanden wurde, weil sie nicht in den Gedankengängen des wahren Glaubens zur Erkenntnis Gottes kamen.[36] Das zeigt sich etwa bei dem Problem, welche Gestalt die Erde habe.[37] Johannes Exarches selbst nimmt nach der Erörterung aller möglichen Theorien die Gestalt der Erde als rund an.[38] Aber wenn er auch im Vorbeigehen über den Bau des menschlichen Kopfes spricht,[39] die Frage erörtert, warum es auf der Erde so viel Wasser geben muß,[40] oder im Anschluß an Basilius ein paar Angaben über die Flüsse und Meere macht[41] — nie verliert er sein theologisches Ziel aus den Augen, den in der Bibel be-

33 Vgl. *Schmaus,* Der Neumanichäismus auf dem Balkan (Lit. Verz. Nr. 680) und *Werner, Theophilos*-Bogumil (Lit. Verz. Nr. 806). ***Obolensky,*** Bogomils spricht 111–167 über den Bogomilismus im 1. Bulgarischen Reich, streift aber Johannes Exarches nur ganz kurz auf S. 118 Anm. 4: die Tatsache, daß er die bogomilische Lehre vom Teufel als dem ältesten Sohn Gottes erwähnt, „is scarcely proof that the sect already existed in Bulgaria at that time". Vgl. dazu *Runciman,* Medieval Manichee 66: „The Bulgarian John the Exarche, writing of the glories of Tsar Symeon's latter years, told ominously of the presence of Manichaeans amongst the Tsar's subjects. (Shestodniev ed. Moscow 1879 book 4 p. 115 [rhei] coll. 3 and 4.) But it was a few decades later, in the middle of the tenth century, that the peasantry became articulate." Das ist die einzige Erwähnung des Johannes Exarches bei Runciman. Johannes Exarches spricht im übrigen nur gelegentlich von Manichäern, meistens von Häretikern.

34 *Aitzetm.* 1, 270–274. Wenn man dieses Gebet mit seiner Entsprechung bei Basilius von Cäsarea, Hex. II, 8 genau vergleicht, kann man die Traditionsgebundenheit des Johannes Exarches ebenso studieren wie seine große Selbständigkeit. Aber man bemerkt auch den weiten historischen Abstand: zwischen Basilius (gest. 379 A. D.) und Johannes Exarches liegt über ein halbes Jahrtausend kirchen- und dogmengeschichtlicher Entwicklung.

35 z. B. *Aitzetm.* 2, 12; 18; 106; 3, 2; 3, 88; 3, 128; 4, 118.

36 *Aitzetm.* 2, 140.

37 *Aitzetm.* 2, 164–172 u. ö.

38 *Aitzetm.* 2, 204.

39 *Aitzetm.* 2, 50–56.

40 *Aitzetm.* 2, 240–248.

41 *Aitzetm.* 2, 250–258.

zeugten einen Gott als den Urheber einer harmonischen und schönen Weltschöpfung zu beschreiben, der schon vor der Zusammensetzung der Welt die Schönheit, den Sinn und den Endzweck jedes Einzelteils kannte: „So wird auch hier Gott als Künstler beschrieben, der die einzelnen Werke lobt. Folgerichtig spendet er das gebührende Lob der ganzen Schöpfung, daß sie vollendet ist. Hier aber wollen wir die Worte über den zweiten Tag beenden, um den eifrig bemühten Zuhörern Zeit zu geben, über das, was sie hier gehört haben, nachzudenken und, wenn sie etwas Nützliches darin gefunden haben, es auch im Gedächtnis zu bewahren und, wenn sie es mit Mühe ihrem Gedächtnis einverleibt haben, gleichsam wie bei einer guten Verdauung davon ein gutes Aufstoßen zu haben." [42]

Im *3. Kapitel* benutzt Johannes Exarches die Worte Genesis 1, 10 „Und Gott sah, daß es schön war" zu einem neuen Angriff auf die Dualisten: „Und schon im voraus kannte Gott den Sinn der ruchlosen Manichäer, daß sie den (wahren) Glauben verdrehen und diese ganze Schöpfung lästern würden, indem sie sagen, daß die geschaffenen Dinge von einem schlechten Schöpfer (und daher) schlecht seien. Aus diesem Grund tadelt er im vorhinein ihre Verirrung und ihren Wahnsinn und lobt dem zuvorkommend das, was er selbst zur Existenz gebracht hat und dem er (selbst) befohlen hat, zum Nutzen und Vorteil zu sein, daß es eine schöne Wesenheit und gute Ordnung habe; so ist allen, die dazu neigen, zu Gott in die Höhe die Unwahrheit zu sagen, der Mund verstopft." [43] Die ganze Schöpfung ist ein Lobpreis der Weisheit des Schöpfers: an jedem Getreidehalm kann man die Größe der göttlichen Weisheit studieren.[44] Der Exarch findet dabei öfter Anlaß, vor unfruchtbarer wissenschaftlicher Neugierde gegenüber den Problemen der Natur zu warnen. So spricht er beim *vierten Schöpfungstag* auch über die schwierigen Bewegungen von Sonne und Mond am Himmel und erklärt: „All diesen Dingen nachzugehen und zu erzählen, welche Irrtümer, welch lautes Gerede, welche nutzlosen Lehren die sogenannten Mathematiker ausgesonnen haben, das können wir uns ersparen." [45] Sofern diese Bemühungen für das praktische Leben Bedeutung haben, wollen wir sie annehmen; was an ihnen überflüssig ist, verwerfen wir. Auch die astronomischen Termini der Heiden wollen wir zur Erklärung nur heranziehen, damit wir den allweisen Schöpfer, der das so angeordnet und so benannt hat, um so mehr preisen und rühmen.[46] Demgemäß läßt Johannes Exarches auch meteorologische Beobachtungen nur aus Gründen der Nützlichkeit für Landwirtschaft, Land- und Seereisen zu, warnt aber davor, aus der Farbe der Sonne auf die Nähe des Weltendes zu schlie-

42 *Aitzetm.* 2, 286–288.
43 *Aitzetm.* 3, 76–78.
44 *Aitzetm.* 3, 88–94.
45 *Aitzetm.* 4, 72.
46 *Aitzetm.* 4, 90.

ßen.[47] Er schildert die fünf Gürtel oder Klimazonen der Erde, um die unfaßliche, allweise und unerforschliche Weite und Größe der Güte des Schöpfers, seinen Verstand und seine unvergleichbare Macht seinen Zuhörern einprägsam zu machen[48] und die verkehrten astronomischen und astrologischen Ansichten aller wahnsinnigen und ruchlosen Manichäer und aller heidnischen Slawen und der irrgläubigen Völker anzuprangern,[49] die aus Tierkreisbildern, Planeten, Aspekten, Konstellationen und Horoskopen Eigenschaften und Schicksale des Menschen berechnen wollen, wo doch der mit Verstand begabte Mensch höher steht als die ganze sichtbare Schöpfung.[50] In einer an Bardesanes' ‚Buch der Gesetze der Länder' erinnernden Weise beweist Johannes Exarches die Freiheit des Menschen und seine Unabhängigkeit vom Einfluß der Gestirne.[51] Der Schöpfungsbericht soll den Menschen nicht zur Astrologie verleiten, sondern zum Glauben: „Im ganzen Bericht ist das Dogma der Theologie geheimnisvoll eingestreut."[52] Wenn Gott am ersten Tage das Licht schuf und erst am vierten Tage die Gefäße des Lichts, so besagt das, daß das wahre Licht dieser Welt ein anderes ist als die Lichter in dieser Welt. Und wenn auch wir Menschen nur in Gedanken das Licht der Sonne von der Sonne selbst trennen können, so ist es doch dem Schöpfer auch in der Wirklichkeit möglich: niemand, der den Schöpfungsbericht versteht, wird also die Sonne für den Urheber des Lichts ansehen und sie für den Schöpfergott halten.[53] Das von Mose aufgezeichnete Sechstagewerk ist also eine einzige Widerlegung des Manichäismus. Nach langen Ausführungen über Sonne und Mond, ihre sinnvollen Funktionen im Ablauf der Jahreszeiten, der Tage, Monate und Jahre und im Wechsel von Tag und Nacht, über die Gezeiten des Meeres und die Größe der Schöpfung, die nicht an unserm armseligen Verstande gemessen

47 *Aitzetm.* 4, 298–306. – Ganz allgemein gelten für die altbulgarische Literatur die Worte von *Murko* 76: „Vom weltlichen Wissen der Byzantiner gelangte jedoch sehr wenig in die Anfänge und Grundlagen des slawischen Schrifttums"; so auch *Murko* 81: „Besonders zu bedauern ist die Tatsache, daß vom klassischen Altertum so gut wie gar nichts in den dauernden Besitz der Slawen übergegangen ist." Dazu passen die Angriffe des Johannes Exarches auf Plato, „der die Worte des Moses gestohlen", aber verdreht habe, *Aitzetm.* 6, 156–160. Ganz ähnlich war es später in Rußland. Vgl. z. B. *Gudzij,* Geschichte der russischen Literatur (Lit. Verz. Nr. 276) 583 über die selbstzufriedene Unbildung des Protopopen Awwakum, der sich allerlei abfällige Bemerkungen über Plato, Pythagoras und Aristoteles erlaubte, die antike Wissenschaft mit Spott übergoß und den Schweinen und Kühen mehr Befähigung zur Wettervorhersage beimaß als den Verfassern von Almanachen und den Astrologen, d. h. den klassisch gebildeten Gelehrten.

48 *Aitzetm.* 4, 104–118.

49 *Aitzetm.* 4, 124.

50 *Aitzetm.* 4, 156–180; ebenda 310–320 ausführlich über die Unmöglichkeit, den von den Astrologen geforderten genauen Zeitpunkt der Geburt eines Kindes exakt anzugeben.

51 *Aitzetm.* 4, 234–246.

52 *Aitzetm.* 4, 278. Diese Formulierung erinnert stark an das Verständnis des Begriffes „Dogma" bei Basilius von Cäsarea.

53 *Aitzetm.* 4, 282.

werden dürfe, fragt Johannes Exarches: „Wer ist der Meister von all dem? Wer hat das geschaffen? Der Vater? Niemand sagt nein. Nicht etwa der Sohn? Und die Häretiker sagen ja; aber nicht gut. Es sagen nämlich die Häretiker, daß der Vater den Sohn schuf, der Sohn aber das All. Sollen wir diesen Frevel glauben?“ [54] Gott verzeihe uns, daß wir solche Blasphemien überhaupt in den Mund nehmen. Aber wir müssen wie die Ärzte unsere Hände in die Wunden legen, um den Eiter wegzuwischen.[55]

Im *5. Kapitel* führt Johannes Exarches zunächst den Gedanken durch, daß es nicht schwieriger sei, sich vorzustellen, daß das Wasser auf den Befehl Gottes hin so vielerlei ganz verschiedene Lebewesen hervorgebracht habe, als anzuerkennen, daß eine Jungfrau, ein Wesen mit Seele und Vernunft, Gottes Befehl gemäß ein Kind ohne Mann geboren habe.[56] Die Art der Geburt des Gottessohnes können wir sowieso nicht erkennen: „Denn die wahre Erkenntnis ist es, das, was unsere Natur übersteigt, zu bekennen, auch wenn wir es nicht erkennen. Den Geborenen wollen wir verehren, seiner Natur aber nicht zu sehr nachforschen. Wenn sein Erzeuger ein Mensch wäre, dann hätte er auch wie ein Mensch gezeugt.“ [57] Gott aber, der jede menschliche Natur übersteige, dürfe man keine menschlichen Affekte beilegen. Der Sohn war von Anfang an mit ihm zusammen: das gibt Gott mit den Worten Genesis 1, 26 „Wir wollen den Menschen erschaffen nach unserm Ebenbild und unserer Ähnlichkeit“ zu erkennen. Dieses Wort war nicht an die Engel, sondern an den Sohn gerichtet: „Wie er nun den Menschen schaffen will, da läßt er, wie durch ein Fensterchen, das Wissen um den göttlichen Sohn durchblicken und so sehen, wer es ist, der von Anfang an mit ihm zusammen wirksam war.“ Hier sehen wir einen Lichtstrahl des orthodoxen Glaubens hervorbrechen: die drei Hypostasen und die Einheit des Wesens.[58]

Das *6. Kapitel* befaßt sich in sehr selbständiger Weise mit dem Wesen des Menschen, der als Gottes Ebenbild und Ähnlichkeit erschaffen ist: der Mensch hat im Unterschied zu den Tieren, deren Seele körperlich und sterblich ist, eine Seele, die ein Pneuma ist: sie ist nicht körperlich und nicht sterblich. Darin liegt die Gottebenbildlichkeit des Menschen begründet,[59] dessen Geist im Gebet sich über die Himmel emporhebt zu den gotteswürdigen, süßen, prachtvollen und hellen Räumen, in denen die Heiligen Gott preisen.[60] Aber nur diejenigen Menschen sind Ebenbilder Gottes, die das Gute, die Wahrheit und Reinheit tun; jene also, die Bosheit, Schmutz, Lügen und jegliches Falsche

54 *Aitzetm.* 4, 410–412.
55 *Aitzetm.* 4, 412.
56 *Aitzetm.* 5, 4–32.
57 *Aitzetm.* 5, 190–194.
58 *Aitzetm.* 5, 208–224.
59 *Aitzetm.* 6, 56–58.
60 *Aitzetm.* 6, 62.

tun, haben keine Ähnlichkeit mit Gott.[61] Wer nicht ist wie sein Urbild, der vernichtet seine Ebenbildlichkeit.[62] Weiter zeigt Johannes, daß der Körper des Menschen nach dem Zeugnis der Bibel und der Natur vor seiner Seele geschaffen ist,[63] und wendet sich damit gegen die Häretiker, die behaupten, daß die Seelen früher da seien als die Körper und „aus irgendeiner Verwirrung, freiwilliger Dummheit und Trägheit herabgestiegen wären von ihrem körperlosen Dasein und ihrer besseren Struktur und in die menschlichen Körper hineingingen. Sobald sie aber in ihnen sind und sich lieber zu ihrem (früheren) besseren Dasein (rück)verbessern wollen, dann kehren sie in ihren alten Stand zurück. Wenn sie aber mehr die sichtbaren Dinge dieses Lebens lieben und ihnen anhangen und sich zum Niedrigeren neigen, dann steigen sie wiederum herab in die schlechtere Kategorie der Tiere und von da wieder in die Pflanzen und jegliche Hölzer und schließlich gehen sie hinweg in das Nichtsein und hören auf zu existieren."[64] Gegen diese gnostisch-dualistische Lehre, nach der die Materie das Gefängnis und schließlich das Grab der Seele ist, weist Johannes Exarches auf die Schöpfungsgeschichte hin: Gott hat zuerst den Körper des Menschen geschaffen und erst zum Schluß die Seele hineingeblasen. Also ist die häretische Lehre, die Seele sei früher da als der Körper, falsch, und ihre Verfechter gleichen den Nachtraben und Fledermäusen, die in der Finsternis der Unwissenheit dahinleben.[65]

Aber der Mensch hat nicht nur einen hohen, vernunftbegabten Rang und eine Ähnlichkeit zu Gott, sondern er ist auch armselig und niedrig: sein Wesen ist zweifach:[66] der Mensch steht über dem Tode und ist doch schnell sterblich; er strebt zur höchsten Ruhe und kehrt doch zum Staube zurück.[67] Während alle Tiere nach abwärts schauen, geht der Mensch zwar auch auf der Erde, ist aber so von Gott geschaffen, daß er als einziges Lebewesen mit den Augen und dem Verstand zum Himmel blickt:[68] Anthropos, der empor Blickende, heißt er deshalb, und diese Erklärung besagt, daß der Mensch zu den Scharen und Mächten des Himmels eine natürliche, verwandtschaftliche Ähnlichkeit hat; er steht außerhalb der andern Lebewesen und soll nicht aus Trägheit hinabgleiten in das Niedere.[69]

Daran schließt Johannes Exarches eine Erklärung über die Einrichtung und Natur des Menschen, „damit man nicht meine, wir wüßten davon überhaupt

61 *Aitzetm.* 6, 80.
62 *Aitzetm.* 6, 82.
63 *Aitzetm.* 6, 86–100.
64 *Aitzetm.* 6, 108.
65 *Aitzetm.* 6, 114; dazu 6, 162: Gott schuf selbst zuerst die ganze Materie, dann die Formen und Arten.
66 *Aitzetm.* 6, 150.
67 *Aitzetm.* 6, 152.
68 *Aitzetm.* 6, 164.
69 *Aitzetm.* 6, 166.

nichts".[70] Er spricht über die Teile und Glieder des Körpers, zuerst über das Haupt,[71] dann über den Rumpf[72] mit seinen Organen, besonders über das Herz als den Fürsten und Beherrscher der Natur[73] und erörtert die Frage, warum die Welt in sechs Tagen und nicht in einem, zwei, drei, vier oder fünf Tagen von Gott geschaffen wurde: an zwei Tagen deshalb nicht, damit nicht vom Wort derer her, die zwei Prinzipien annehmen, der Glaube an einen ursprünglichen Dualismus hergeleitet werden könne.[74] Sowohl aus der Zahl der Schöpfungstage als auch aus der gesamten Einrichtung der Natur, besonders der Tierwelt, läßt sich die unendliche Weisheit des Schöpfergottes erkennen, der nichts Böses geschaffen hat: „Das Wissen von der Natur ist die Wurzel des Wissens um Gott."[75] Den Abschluß des Hexaemerons bildet die Adam-Christus-Typologie, in der der alte und der neue Mensch, Schöpfung und Erlösung in Parallele zueinander gesetzt werden. So wird in der Auseinandersetzung mit dem damals sich ausformenden dualistischen Bogomilismus der Schöpfungsbericht der Genesis in der Hand des Johannes Exarches zu einer Waffe, mit der die Orthodoxie gegen die Häretiker verteidigt wird.[76]

Die altbulgarische Theologie der Folgezeit wird vor allem durch den Presbyter Kosmas[77] repräsentiert, der wohl noch zu Lebzeiten des Exarchen Johannes[78] seine Abhandlung gegen die Bogomilen[79] schrieb. Dieser berühmte Traktat besteht aus drei Teilen: im ersten bekämpft Kosmas die Häresie der

70 *Aitzetm.* 6, 170.
71 *Aitzetm.* 6, 172.
72 *Aitzetm.* 6, 226.
73 *Aitzetm.* 6, 230–236.
74 *Aitzetm.* 6, 242–260.
75 *Aitzetm.* 6, 356.
76 Der Šestodnev des Johannes Exarches hat später in Rußland z. B. auf den Protopopen Awwakum eingewirkt, der u. a. eine theologische Schrift über die Erschaffung der Welt schrieb, *Hauptmann,* Altrussischer Glaube 16 und 55.
77 Über Kosmas Kl. Slav. Biogr. 332 s. v. *Kozma; Kulman,* Streitschrift gegen die Bogomilen, in *Kindlers Literatur Lexikon* 6, Zürich 1971, 2013–2015 (Ausgaben u. Lit.); *Puech* et *Vaillant,* Le Traité contre les Bogomils de Cosmas le Prêtre. Traduction et Étude. Paris 1945 (Lit. Verz. Nr. 408); *Murko* 71. Die neuere bulgarische, russische und serbokroatische Literatur zu Presbyter Kosmas und den Bogomilen verzeichnet *T. Todorov* in seinem Aufsatz über den Presbyter Kosmas als Schriftsteller und Prediger (1962/63), besprochen von *Horst Röhling* in Kirche im Osten 9 (1966) 175–176.
78 *Puech* 20 u. 24 datiert das Erscheinen der Abhandlung auf etwa 972 A. D. Zur Chronologie des Kosmas vgl. auch *Obolensky,* The Bogomils 268–270. *Dujčev,* Zur Datierung der Homilie des Kosmas, in: Medioevo Bizantino-Slavo 1 (Lit. Verz. Nr. 179) 317–320.
79 Hier (= *Puech* 54) die bekannte Stelle über Bogomil: „C'est ce qui est arrivé en pays bulgare: sous le règne du bon chrétien l'empereur Pierre, il y a eu un prêtre nommé Bogomil, ‚digne de la pitié de Dieu', mais à dire vrai indigne de la pitié de Dieu, qui pour la première fois a commencé de prêcher l'hérésie dans le pays de Bulgarie. Nous exposerons plus loin ses égarements." – Zar Peter regierte 927–969 A. D., *Grumel* 388.

Bogomilen, im zweiten tadelt er gewisse Irrtümer der Orthodoxen, die sie mit den Bogomilen gemeinsam haben, und im dritten fordert er die Gläubigen und die Kleriker zum Kampf gegen diese Irrtümer auf.

Den Bogomilen wirft Kosmas im *ersten Teil* pharisäerhaften Hochmut vor,[80] sie sind schlimmer als die blinden und tauben Götzenbilder, weil sie trotz ihres menschlichen Geistes die Wahrheit nicht erkennen wollen:[81] „Ihr Häretiker, wer hat euch gesagt, daß Gott nicht der Urheber dieser gesamten geschaffenen Welt ist?“[82] Sie lästern das Kreuz, weil es der Feind Gottes ist, denn an ihm haben die Juden den Sohn Gottes aufgehängt. Sie erklären die Eucharistie für eine ganz gewöhnliche Speise wie alle andern auch, sie lästern die von den heiligen Aposteln überlieferte Liturgie, sie beschimpfen das Priestertum und die ganze kirchliche Hierarchie, sie verwerfen das gesamte Alte Testament und erweisen weder der heiligen Jungfrau noch den heiligen Ikonen ihre Verehrung. Die Welt ist für sie eine Schöpfung des Teufels, zu der die Ehe und der Genuß von Fleisch und Wein ebenso gehören wie die Kindertaufe.[83] Kosmas richtet an die Bogomilen die Frage: „Wenn der Teufel diese ganze sichtbare Welt – gemäß eurem Wahnsinn – geschaffen hat, warum eßt ihr dann Brot und trinkt Wasser, da das alles doch die Schöpfung des Teufels ist? Und warum tragt ihr dann unsere Kleider?“ In Wahrheit ist jedoch Gott der Schöpfer alles Sichtbaren und Unsichtbaren, und da der Teufel in dieser Welt Gottes keinen Platz fand, hat er sich in den Herzen der Häretiker eingenistet und dort die bösen Gedanken und Lehren wie Küken ausgebrütet.[84]

Im *zweiten Teil* seines Traktates zeigt Kosmas, wie auch unter den guten Christen irrige Ansichten über die Ehe herrschen, wie von ihnen eine falsche Möncherei mit Tonsur und sinnlosen Wallfahrten nach Jerusalem und sogar nach Rom getrieben wird, und wie wenig sie die Anweisungen der Heiligen Schrift zum Leben in dieser Welt wirklich kennen.[85] Daran schließt er Ausführungen über das wahre und das falsche Mönchtum und über die christliche Ehe; sie sind wie sein ganzer Traktat Auslegungen von Worten der Heiligen Schrift:[86] „Das also ist unser Beweis, und wir haben den Häretikern und allen, die die Wahrheit beschimpfen, den Mund gestopft, nicht nur indem wir unsere eigenen Worte vorführten, sondern indem wir die Lehre Christi verkündeten.“ In einem Schlußkapitel zählt er dann noch einmal alle Irrlehren der Bogomilen auf und spricht über jede einzelne von ihnen ein feierliches Anathema.[87]

80 *Puech* 57. Zum Folgenden vgl. *Obolensky,* Bogomils 121–143.
81 *Puech* 58.
82 *Puech* 59.
83 *Puech* 59–82. Zusammenfassende Darstellung bei *Puech* 168–213: „Les Doctrines du Bogomilisme.“
84 *Puech* 83.
85 *Puech* 93–99.
86 *Puech* 99–110.
87 *Puech* 110–112; *Murko* 71.

Der kurze *dritte Teil* enthält in biblischen Wendungen Ratschläge an die Orthodoxen, wobei Kosmas immer wieder auf früher Gesagtes zurückkommt. Eltern und Kinder, Männer und Frauen, Priester und Bischöfe werden – im Hinblick auf die mönchische Askese der Bogomilen – an ihr schriftgemäßes Leben und an die besonderen Pflichten ihres Standes erinnert. Möge niemand, so schließt Kosmas, ihm seine Unwissenheit und Unverständigkeit vorwerfen; denn wie Bileams Esel durch die wunderbare Gnade Gottes mit menschlicher Stimme geredet habe,[88] so habe Gott auch ihm, der unwissend und ungebildet sei, das Wort der Lehre gegeben, auf daß jedermann wisse, daß hier nicht ein Philosoph oder sonst ein geschickter Mensch rede; denn der Geist wehe, wo er wolle. Ihm sei Preis in Ewigkeit.[89]

In die Lebenszeit des Presbyters Kosmas fiel das wichtige Ereignis der Taufe des Großfürsten Wladimir von Kiew und der Christianisierung Rußlands.[90] Damit erschloß sich der in Mähren entstandenen und in Bulgarien zur Blüte gelangten kirchenslawischen Kultur das große ostslawische Siedlungsgebiet als neuer Raum. Von Kiew aus gewann die kirchenslawische Kultur schließlich in Moskau einen neuen Kristallisationspunkt, an dem sich eine streng traditionalistische kirchliche Kultur entfalten konnte.[91] Der Moskauer Staat des 15. und 16. Jahrhunderts erhob denn auch bald politische und kirchliche Ansprüche auf die führende Stellung in der orthodoxen Welt. Die vom Ökumenischen Patriarchen in Konstantinopel gebilligte und persönlich vollzogene Errichtung des Patriarchats Moskau im Jahre 1589 gab dem Selbstbewußtsein der nunmehr unabhängig gewordenen russischen Zaren sichtbaren Ausdruck.[92] Um die Mitte des 17. Jahrhunderts war die kulturelle Entwicklung Rußlands an einen Punkt gelangt, an dem drei starke geistige Richtungen in Moskau um die Führung rangen: erstens der altrussische kirchenslawische Traditionalismus, zweitens der auf das griechische Erbe zurückgreifende byzantinische Traditionalismus und drittens der vom Geist des Abendlandes angehauchte Okzidentalismus. Dem Kampf zwischen den beiden erstgenannten, traditionalistischen Richtungen, der im Lebensschicksal des russischen Protopopen Awwakum sichtbar wird, wenden wir uns jetzt zu.

88 4. Mose 22, 28.
89 *Puech* 123–128.
90 *Kawerau*, Arabische Quellen zur Christianisierung Rußlands (Lit. Verz. Nr. 384); *Randa* 944–951 (mit Karte).
91 Vgl. *Schaeder*, Moskau (Lit. Verz. Nr. 677) 1–12 über das Ende des bulgarischen Staates (1393 A. D.) und die bulgarische Emigration in Rußland.
92 Vgl. *Randa* 958–963: Beginn der moskauischen Großmachtpolitik (1462–1604 A. D.) (mit Karte). *Schaeder*, Moskau 20 ff. über das Erwachen des Nationalbewußtseins in Moskau. *Neubauer*, Car und Selbstherrscher, Wiesbaden 1964.

2. *Awwakum: Russisches Altgläubigentum*

Der Protopope Awwakum (1621–1682) hat uns eine Autobiographie hinterlassen, die eines der bedrückendsten Dokumente der Kirchengeschichte ist.[93] In den Literaturgeschichten zwar wird sie gelobt wegen der Kraft und Urwüchsigkeit ihrer sprachlichen Gestaltung, wegen des individuellen und realistischen Stils und des einzigartigen russisch-kirchenslawischen Stilgepräges;[94] der Individualismus, so sagt man, feiere darin geradezu Orgien, wenngleich natürlich auch einige traditionelle Züge der Hagiographie wie wunderbare Episoden, typische Verfolgungsmotive und märtyrerhafte Taten nicht fehlten, die dem Verfasser eine fast blasphemisch zu nennende Heiligkeit verliehen:[95] den Literarhistorikern dient also Awwakum als Gegenstand stil- und formgeschichtlicher Studien, und im heutigen Rußland betrachtet man Awwakums Vita als ein Muster demokratischer Literatur, in dem die sozialen Bewegungen und die Idee der Gleichheit zu Worte kämen.[96] Aber Awwakum hat seine Autobiographie nicht als Werk der Literatur und auch nicht als Heiligenvita zum liturgischen Gebrauch in der Kirche geschrieben, sondern zur Erbauung der Rechtgläubigen, damit die Sache Gottes nicht der Vergessenheit anheimfalle.

Awwakum (Habakuk) stammte aus dem Dorf Grigorowo an der Kudma, einem kleinen Nebenfluß der Wolga,[97] heiratete Anastasija, die Tochter des Dorfschmiedes Marko, wurde wie sein Vater Priester und wirkte an verschiedenen Orten, unter anderm auch in Moskau, als Protopope. Bald geriet er mit dem Patriarchen Nikon von Moskau (1652–1658)[98] in Streit, weil dieser gewisse liturgische Reformen[99] begann, so etwa die Zahl der Verneigungen[100]

93 Ein Verzeichnis der Schriften Awwakums bei *Hauptmann*, Altrussischer Glaube 16–22; dazu 13 ff. die Forschungsgeschichte. Verzeichnisse russischer Druckausgaben der Vita Awwakums bei *Hauptmann* 135 und *Malyšev*, Materialy (Lit. Verz. Nr. 473) 402–404. Dazu die Ausgabe von *Robinson* 1963 (Lit. Verz. Nr. 31). Deutsche Übersetzungen von Jagoditsch (Lit. Verz. Nr. 30) und *Hildebrandt* (Lit. Verz. Nr. 32). Nach letzterer wird hier zitiert; der russische Grundtext ist nach *Robinson* angegeben. Vgl. auch den Literaturbericht von *V. I. Malyšev* in Russkaja Literatura 2 (Leningrad 1969) 119–125.

94 *Lettenbauer* 51–53. Hauptmann hat daher Awwakums Russisch in die Sprache der Lutherbibel umgegossen, *Hauptmann*, Altruss. Glaube 12–13.

95 *Stender–Petersen* 1, 246–248. Dagegen mit Recht *Hauptmann*, Altrussischer Glaube 109–110.

96 *Pascal*, Avvakum et les Débuts du Raskol (Lit. Verz. Nr. 581) VII.

97 *Hauptmann*, Altruss. Glaube 25 ff. beschreibt eingehend den Lebensgang Awwakums.

98 *Onasch*, Grundzüge der russischen Kirchengeschichte (Lit. Verz. Nr. 566) 70–77: „Der Patriarch Nikon und das innerrussische Schisma" (Lit.). – Listen der Patriarchen von Moskau bei *Le Quien*, Oriens Christianus (Lit. Verz. Nr. 442) 1, 1299 bis 1302; *Ammann*, Abriß (Lit. Verz. Nr. 8) 685; *Hauptmann*, Altruss. Glaube 77.

99 Vgl. *Ammann*, Abriß 258–299 ausführlich über den Beginn des Raskol, Nikon und die Fragen „östlicher" und „westlicher" Orientierung der russischen Kirche

während des Gebetes Ephräms des Syrers[101] verminderte, das Kreuzeszeichen nicht mehr nur mit Zeige- und Mittelfinger als Symbol der zwei Naturen Christi, sondern auch mit dem Daumen als Symbol der Trinität ausführen ließ[102] und andere vermeintliche Neuerungen einführte. Mehrfach wurde auf Moskauer Synoden über diese Reformen und über die Einwände gegen sie verhandelt.[103] Awwakum wurde wegen seines Widerstandes gegen diese Reformen mit seiner Familie zunächst nach Tobolsk in Sibirien verbannt und 1655 an die Lena weiterverschickt. Von hier aus mußte er den Woiwoden Paškow auf einer Expedition nach Transbaikalien begleiten. Endlich durfte er nach Moskau zurückkehren, war dann erneut von August 1664 bis März 1666 in Mezen an der Küste des Weißen Meeres in der Verbannung und befand sich von März 1666 bis August 1667 in verschiedenen Klöstern bei Moskau in Haft. Nach vergeblichen theologischen Verhandlungen wurde er am 26. August 1667 nach Pustozersk verbannt, einem Ort an der Mündung der Pečora in das Nördliche Eismeer. Hier hat er seine letzten Lebensjahre mit emsiger literarischer Arbeit in elender Gefangenschaft verbracht. Am 14. April 1682 ist er in Pustozersk mit zwei Leidensgefährten auf dem Scheiterhaufen verbrannt worden.

Seine Lebensbeschreibung, die er in Pustozersk um 1672/73 abgeschlossen hat, begann Awwakum mit einer Reihe von Zitaten aus Dionysius Areopagita, Athanasius, Basilius von Cäsarea und andern Kirchenvätern, die alle das unbedingte Festhalten am orthodoxen Glauben als heilsnotwendig bezeichnet hatten. Dann schilderte er kurz seinen Lebensgang bis zu dem Tage, an dem er von rechtgläubigen Erzbischöfen in das Amt des Protopopen eingeführt wurde.[104] Aus seiner priesterlichen Tätigkeit erzählte er eine für seine Persönlichkeit charakteristische Begebenheit: Als ein junges Mädchen ihm in der Kirche seine sexuellen Verfehlungen beichtete, entbrannte er in Begierde zu ihr. Von seiner Leidenschaft befreite er sich auf eine Weise, die er selbst mit folgenden Worten schildert: „Da zündete ich drei Kerzen an, klebte sie ans Betpult, hielt meine rechte Hand über die Flammen und nahm sie so lange nicht weg, bis in mir das böse Feuer verloschen war." Daheim weinte er vor

(mit Quellen und Lit.). Literatur zu „Das Raskol und das Mönchtum" bei *Smolitsch,* Russisches Mönchtum (Lit. Verz. Nr. 654) 30–32.

100 Über Verneigungen beim Gebet vgl. *Prière* 129 Anm. 86.

101 Hierzu *Jos. Sim. Assemani,* S. Patris nostri Ephraemi Syri Opera omnia. Bd. 1–3, Graece et Latine, Rom 1732–1746. Das *Gebet Ephräms* hier Bd. 3, 523 E. Vgl. 2, 234.

102 Vgl. *Hauptmann,* Altruss. Glaube 86–103: „Das ‚Fünffingerkreuz' im theologischen Denken Avvakums." *Koch,* Slavisierung (= Kl. Schriften, Lit. Verz. Nr. 399) 94–103: „Das Kreuzeszeichen."

103 Die Quellen für die 15 Moskauer Synoden zwischen 1649 und 1690, auf denen (unter anderm) über diese Reformen beraten wurde, verzeichnet *Aemilius Herman,* De Fontibus Iuris Ecclesiastici Russorum, Rom 1936, 59–65 (Lit. Verz. Nr. 314).

104 *Hildebrandt* 15; *Robinson* 143.

dem Bilde des Herrn, bis ihm die Augen anschwollen und er besinnungslos zu Boden fiel.[105] Seine harte Persönlichkeit, die uns an manche Gestalt unter den deutschen Wiedertäufern der Reformationszeit erinnert,[106] geriet natürlich häufig in Konflikte zu ihrer Umwelt. So ließ ihn ein Načalnik (Oberst, Vogt) in dem Dorf Lopaticy bei Nižnij-Nowgorod in der Kirche fast zu Tode würgen und schleifte ihn im Priesterornat an den Füßen durch die Kirche, wobei Awwakum Gebete sprach. Der Versuch eines anderen Načalnik, ihn auf der Straße zu erschießen, mißglückte zwar, doch wurde Awwakum schließlich aus Lopacity vertrieben.[106a] Auf Befehl des Zaren wurde er in Jurewec an der Wolga eingesetzt: „Aber auch dort", so erzählte er, „konnte ich mich nur kurze Zeit halten – nur acht Wochen. Der Teufel behexte die Popen, die Männer und die Weiber: sie zogen vor die Kirchenkanzlei, wo ich gerade mit geistlichen Dingen beschäftigt war, sie zerrten mich aus der Kanzlei heraus auf die Straße, und die ganze Meute – es mögen so bei tausendfünfhundert gewesen sein – schlug mitten auf der Straße mit Knüppeln auf mich ein und trat mich mit Füßen; sogar die Weiber taten mit ihren Ofengabeln mit. Meiner Sünden wegen schlugen sie mich fast zu Tode und warfen mich dann in eine Hausecke."[107] Awwakum mußte auch aus diesem Ort weichen. Inzwischen war Nikon, der Metropolit von Nowgorod, Patriarch von Moskau geworden und begann seine Reformmaßnahmen. Awwakum berichtete von einem Schreiben,[108] in dem Nikon anordnete: „Nach der Überlieferung der heiligen Apostel und der heiligen Väter ist es nicht zulässig, die Verbeugungen auf den Knien liegend zu verrichten; ihr sollt die Verbeugungen vielmehr nur bis zum Gürtel tun, und ihr sollt euch mit drei Fingern bekreuzigen."[109] Diese Anordnung rief bei Awwakum und seinen Freunden Entsetzen hervor: „Da kamen wir zusammen und verfielen in tiefes Nachdenken, denn wir erkannten alle, daß uns ein harter Winter bevorstehe; das Herz erstarrte vor Kälte, und die Füße begannen zu zittern." Eine Christus-Ikone im Čudow-Kloster im Kreml zu

105 *Hildebrandt* 15–16; *Robinson* 143.

106 Man denke etwa an Jakob Huter, RGG 3, 495–496, oder an Balthasar Hubmaier, RGG 3, 464–465. Einen Vergleich zwischen Awwakum und seinen schottischen Zeitgenossen Alexander Peden (1626–1686) und Patrick Walker (1666–1745), also zwischen Raskol und Covenant (RE 4, 313–314), zieht *Catherine B. H. Cant,* The Archpriest Avvakum and his Scottish Contemporaries (Lit. Verz. Nr. 105).

106a *Hildebrandt* 17–20; *Robinson* 144–145.

107 *Hildebrandt* 20; *Robinson* 145.

108 Die erste Reformverordnung Nikons erging am 11. Februar 1653, *Hauptmann,* Altruss. Glaube 61.

109 Über die byzantinische Form des Segensgestus hat es, wie die Kunstgeschichte zeigt, niemals eine eindeutige Tradition gegeben. Vgl. *Reallexikon zur byzantinischen Kunst,* Lfg. 13 (Stuttgart 1970) 775–778. Awwakums Kampf gegen das Dreifingerkreuz war also, historisch gesehen, gegenstandslos. Wie kompliziert überhaupt das Problem des „Reformerischen" bei Nikon und des „Konservativ-Orthodoxen" bei Awwakum war, hat am besten herausgearbeitet *Maximilian Braun,* Das Eindringen des Humanismus in Rußland im 17. Jahrhundert (Lit. Verz. Nr. 84) 35–49, bes. 44 ff.

Moskau[110] begann zu sprechen: „Die Zeit der Leiden ist herangekommen, ihr werdet hinfort unablässig weinen müssen." [111] Wie andere Priester wurde auch Awwakum vom Gottesdienst weg verhaftet und im Patriarchenhof in Ketten gelegt. „Als der nächste Tag, ein Sonntag, heraufdämmerte, setzte man mich auf einen Wagen, zerrte mir die Arme auseinander und band sie an den Seitenstangen fest. So wurde ich vom Patriarchenhof in das Andronew-Kloster[112] gefahren. Hier warf man mich in eine finstere Zelle tief unter der Erde; da saß ich drei Tage ohne Nahrung, nicht einmal zu trinken gab man mir. Gefesselt saß ich im Finstern und wußte nicht einmal, ob ich mich beim Gebet nach Osten oder nach Westen neigte. Kein Mensch kam zu mir, wohl aber Mäuse und Schaben; Grillen zirpten, und Flöhe waren in Massen da." Das Erscheinen eines Engels, der ihm Kohlsuppe und Brot zu essen gab, rettete ihn vor dem Hungertod.[113] Zwar bewahrte ihn das persönliche Eingreifen des Zaren zunächst vor der Ausstoßung aus dem Priestertum,[114] doch wurde er jetzt nach Sibirien verbannt.[115] Der Woiwode Paškow, dem er hier unterstand, ließ ihn mit der Knute auf den nackten Rücken peitschen, bis er zusammenbrach,[116] hielt ihn im Winter ohne Kleider in einem kalten Turm gefangen, in dem er unter Flöhen und Läusen nur auf dem Bauch liegen konnte, denn sein Rücken war voller Schwären. Im Sommer ging die Reise flußaufwärts weiter: „Da steckte Paškow mich in den Schleppgurt; ein qualvolles Gehen war das! Nicht einmal Zeit zum Essen gab er uns, an Schlafen war schon gar nicht zu denken. Den ganzen Sommer quälten wir uns so. Durch das mühevolle Waten mit dem Schleppgurt gingen die Leute zugrunde, und mir wurden die Beine und der Bauch ganz blau. Zwei Sommer lang wateten wir so durch die Gewässer, und winters schleiften wir die Kähne über Land von einem Fluß zum andern." [117] Dazu kamen der Hunger und die Foltern, an denen die Verbannten scharenweise zugrunde gingen. „Im Winter gab's nur die Kiefer;

110 Über dieses Kloster vgl. *Denisov* (Lit. Verz. Nr. 135) Nr. 461 (= S. 423–427) und *Jagoditsch* (Lit. Verz. Nr. 30) 193 Anm. 40.

111 *Hildebrandt* 22; *Robinson* 146. Vgl. *Hauptmann*, Altruss. Glaube 61.

112 Über das 1360 gegründete Spaso-Andron'ev-Kloster am Stadtrand von Moskau vgl. *Denisov* (Lit. Verz. Nr. 135) Nr. 459 (= S. 419–422, mit Abbildung). Dazu *Bunin*, Geschichte des russischen Städtebaues (Lit. Verz. Nr. 99) 69 Abb. 26: Befestigungsanlagen Moskaus mit dem System der außerhalb der Stadt gelegenen befestigten Klöster im 17. Jahrhundert. Die Karte ‚Moskau und Umgebung' in *Großer Historischer Weltatlas* 2 (Mittelalter), München 1970, 107 C zeigt die Moskau umgebenden Wehrklöster.

113 *Hildebrandt* 23–24; *Robinson* 147.

114 Später wurde Awwakum aber doch seines Priesteramtes entkleidet, wobei man ihm in der Mariä-Himmelfahrtskathedrale in Moskau nach dem Großen Umzug das Haupthaar schor und den Bart abschnitt, *Hildebrandt* 62–63; *Robinson* 165.

115 *Hildebrandt* 26; *Robinson* 147.

116 *Hildebrandt* 31; *Robinson* 149–150.

117 *Hildebrandt* 34; *Robinson* 151. Dazu *Parker*, Historical Geography of Russia, London 1968, 19: „A very important consequence of (Russia's) relative uniformity of relief and structure has been the evolution of a system of long navigable

manchmal aber bescherte Gott uns ein Stück Stutenfleisch, zuweilen fanden wir auch Knochen von einem Tier, das die Wölfe zerrissen hatten – was der Wolf liegen ließ, das aßen wir auf. Einige aßen sogar die erfrorenen Wölfe und Füchse, ja was immer man nur finden konnte, jeglichen Unrat. Eine Stute hatte ein Fohlen geworfen, und da haben die Ausgehungerten in aller Heimlichkeit das Fohlen mitsamt dem Unflat aufgegessen. Als Paškow davon erfuhr, schlug er sie mit der Knute fast zu Tode. Auch die Stute ging ein – sie krepierte, weil man das Fohlen nicht nach der Ordnung aus ihr gezogen hatte: kaum hatte sich das Köpfchen gezeigt, als sie auch schon mit Gewalt das Fohlen herauszerrten und das ekelhafte Blut tranken. Ach, was waren das für Zeiten! In jener großen Notzeit sind auch uns zwei Söhnlein gestorben" – Awwakums Familie war auch diesmal mit ihm in die Verbannung gegangen –, „wir übrigen aber quälten uns weiter, indem wir nackend und barfuß durch die Berge und über spitze Steine irrten, und schlugen uns mit Gräsern und Wurzeln jämmerlich durch. Auch ich Sünder habe, getrieben von der großen Not, von dem Stutenfleisch und von dem verendeten Wild und den Vögeln gegessen. O weh meiner sündigen Seele!" [118] Einmal, als sie sich fünf Wochen lang mühsam über blankes Eis dahingeschleppt hatten und dabei immer wieder hingestürzt waren, sagte Awwakums Frau: „Wie lange, Protopope, sollen denn diese Qualen noch dauern?" Und ich sage: Markowna – bis zum Tode!" Darauf seufzte sie und sprach: „Schon gut, Petrowič, laß uns weiterziehen!" [119]

Die Leiden, die Awwakum und seine Freunde erdulden mußten, erschienen ihm als Werk des tückischen Satans,[120] des Teufels, der schlecht zu ihm war,[121] und der sich das helle Rußland von Gott ausgebeten hatte, um es mit dem Blut der Märtyrer purpurrot zu färben.[122] Aber der Teufel war nur böse, weil Christus es zuließ.[123] Die Kirchenreform Nikons war ein Werk des Teufels: „Ist es euch doch schon in den Sinn gekommen, in Gemeinschaft mit dem Teufel die Bücher neu zu drucken, alles zu verändern – das Kreuz auf der Kirche und

rivers. The importance of these to Russian history is immense, especially before the spread of railways."

118 *Hildebrandt* 35–36; *Robinson* 151–152, dazu 250, wo *Robinson* mit Quellen- u. Lit.-Angaben auf das „Gebet über die, die Unreines essen" und auf die Bußbestimmungen des *Nomokanon* für das Essen von unreinem Fleisch hinweist. Über russische Übersetzungen und Überarbeitungen des *Nomokanon* vgl. *Neubauer*, Car 17 Anm. 36. *Jagoditsch* 199–200 Anm. 85: „Nach den altrussischen religiösen Speisegesetzen ist Pferde-, Katzen- und Hundefleisch und Fleisch von Raubtieren zu essen nicht erlaubt; und gar Leichen zu verzehren war sündhaft." *Aem. Herman*, De Fontibus Iuris Ecclesiastici Russorum (Lit. Verz. Nr. 314) 102 s. v. *Nomocanon*.

119 *Hildebrandt* 40–41; *Robinson* 154–155.

120 *Hildebrandt* 24–25; *Robinson* 147. Zu Awwakums Vorstellungen vom Teufel vgl. auch *Gudzij*, Geschichte der russischen Literatur (Lit. Verz. Nr. 276) 581.

121 *Hildebrandt* 55; *Robinson* 161.

122 *Hildebrandt* 63; *Robinson* 165.

123 *Hildebrandt* 64; *Robinson* 165.

auf den Weihbroten habt ihr geändert, das Priestergebet im Altarraum habt ihr hinweggetan, das Fürbittegebet habt ihr verändert; bei der Taufe gebieten sie ganz deutlich, zum Geist des Teufels zu beten — ich möchte ihnen und dem Teufel in die Augen spucken — und beim Umzug um das Taufbecken führt der Teufel sie gegen den Lauf der Sonne, bei der Kirchweih ebenfalls gegen die Sonne; auch das Paar nach der Trauung führen sie gegen die Sonne — was eine offensichtliche Zuwiderhandlung ist — und bei der Taufe schwören sie dem Satan nicht einmal ab. Aber wie könnte es auch anders sein? Sind sie doch des Teufels Kinder: würden sie ihren eigenen Vater etwa verleugnen wollen?"[124] Der Teufel verfügte nach Awwakums Auffassung über eine unheimliche Macht: er konnte Pferde derart quälen, daß sie dem Verenden nahe waren, er konnte über einen Menschen herfallen und ihm so zusetzen, daß er tobte, schrie, am ganzen Leibe zitterte und um sich schlug.[125] Awwakum hat als Priester mehrfach Teufelsaustreibungen vorgenommen, bei denen er mit Gebeten, Kerzen, Weihwasser, geweihtem Öl und Räucherfäßchen und unter standenlangem Weinen mit dem Teufel raufte wie mit einem Hund, bis er ihn verjagt hatte.[126]

Die verschiedenartigen Aktivitäten des Teufels, der besonders auch in den Kirchen sein Wesen trieb, Tische hüpfen ließ und Särge öffnete,[127] waren aber nur möglich, weil Gott oder Christus sie zuließen.[128] Hinter dem Teufel stand in Wirklichkeit Gott, und Gott der Herr konnte deshalb wohl gar den Teufel über einen Menschen schicken, um ihn zu läutern,[129] Gott konnte zulassen, daß einem Menschen die Hand abgehackt und die Zunge herausgeschnitten wurde, um ihn dann wunderbar zu heilen, und auf Gottes Geheiß konnte ein Huhn täglich zwei Eier legen, um Awwakum in seiner Not zu helfen.[130] „Ist doch Gott der alte Wundertäter auch heute noch, aus dem Nichtsein führt er ins Sein. So wird er am Jüngsten Tage alles menschliche Fleisch in einem Augenblicke auferwecken. Wer vermag das zu begreifen? So ist Gott: Er schafft das Neue und macht das Alte neu. Gepriesen sei Er in allem!" [131] Diesen Wundertäter, der die kranken Hühner der Bojarin wieder gesund werden ließ, der in Transbaikalien das zu spät ausgesäte Korn noch reifen ließ, und der ihn selbst, als seine Feinde ihn in der Kirche fast zu Tode gewürgt hatten, durch ein Wunder wieder lebendig gemacht hatte,[132] hat Awwakum unermüdlich gepriesen. Und weil er mit der Erzählung seiner Lebensschicksale nicht eigenen

124 *Hildebrandt* 78; *Robinson* 171.
125 *Hildebrandt* 80; *Robinson* 172. *Hildebrandt* 92; *Robinson* 177–178.
126 *Hildebrandt* 80–83; *Robinson* 172–173.
127 *Hildebrandt* 92; *Robinson* 178.
128 *Hildebrandt* 64, 89, 31; *Robinson* 165, 176, 150.
129 *Hildebrandt* 89; *Robinson* 176.
130 *Hildebrandt* 41; *Robinson* 155.
131 *Hildebrandt* 75–76; *Robinson* 170.
132 *Hildebrandt* 17; *Robinson* 144.

Ruhm suchte, sondern den Ruhm Gottes und Christi, hat er seinen Lesern am Schluß seiner Autobiographie versichert: „Wir aber wollen für die, so dies lesen und hören, zu Gott beten; unser werden sie bei Christo dort oben sein, und wir gehören ihnen in alle Ewigkeit. Amen.“ [133]

Für Awwakum bestand das Christentum nicht aus theologischen Begriffen und Lehrsätzen, sondern aus einer im Grunde furchtbaren Wirklichkeit, die ständig den Einsatz aller menschlichen Kräfte erforderte, bis an die Grenze des Ertragbaren, ständig am Rande des Untergangs entlang. Religion war nicht Freiheit und Erlösung, sondern eine unerhörte Anforderung an den Menschen. Diese furchtbare Wirklichkeit war aber zutiefst mit Trost erfüllt, weil hinter allem Schrecklichen Gott der Herr stand, der seine wahren Gläubigen niemals verließ und sie dereinst für ihre irdischen Leiden belohnen würde.

Awwakums kirchlich-traditionalistische Frömmigkeit ist aber nur eine Seite der russischen Religiosität. Neben ihr bemerken wir noch eine ganz andere Seite, die in der neueren Zeit ihre tiefen Wirkungen auf Rußland ausgeübt hat und in der Gegenwart auch auf den Westen übergreift. Wir vergegenwärtigen sie uns im einzelnen.

3. *Die Philokalie und das Jesusgebet*

Für die neuere russische Religionsgeschichte hat das Jahr 1782 eine besondere Bedeutung: in diesem Jahre erschien zu Venedig die von dem Athos-Mönch Nikodemus von Naxos [134] in griechischer Sprache herausgegebene ‚Philokalie der heiligen Nüchternen‘, [135] eine Sammlung von Texten griechischer Kirchenväter des Altertums und des Mittelalters, die, wie es auf dem Titelblatt der Philokalie heißt, in die Theorie und in die Praxis der ethischen Philosophie einführen und den Geist reinigen, erleuchten und zur Vollkom-

133 *Hildebrandt* 94; *Robinson* 178.

134 = Nikodemus Hagiorita (1748–1809 A. D.). Über ihn *Knös* (Lit. Verz. Nr. 397) 521–522; DThC 11, Paris 1931, 486–490 *(V. Grumel)* (Lit.); *Smolitsch*, Russ. Mönchtum 476; *Prière* 50–54, dazu die Quellenangaben 127: er wurde 1955 vom Ökumenischen Patriarchen Athenagoras heiliggesprochen. *Viller*, Nicodème l'Hagiorite (Lit. Verz. Nr. 768). Seine von *Euthymius* verfaßte Vita erschien in *Gregorios ho Palamas* 4 (1920) 636–641; 5 (1921) 210–218. Die theologische Bedeutung des Nikodemus Hagiorita wird besonders von *Ph. Meyer*, Beiträge (Lit. Verz. Nr. 501) 573–576 und in RE 14 (1904) 62–63 herausgearbeitet.

135 Lit. Verz. Nr. 596 – Nr. 600. Griechische Ausgaben der Philokalie Konstantinopel 1861, Athen 1893, Athen 1900 nennt *Istina* 5 (1958) 310 Anm. 23. Der vollständige Titel in moderner griechischer Schrift in DThC 9, 1451 und bei *Schmidt*, Geistiges Gebet (Lit. Verz. Nr. 681) 10–11. Der Originaltitel der Ausgabe von 1782 in Faksimile bei *Kadloubovsky*, Writings (Lit. Verz. Nr. 164) nach S. 8 und in *Philokalia* [3]1 (Athen 1957) nach dem Titel (Lit. Verz. Nr. 600). Zum Begriff *Nepsis* vgl. Thresk. Enkykl. (Lit. Verz. Nr. 733) 10 (Athen 1966) 471–474 *(Mantzarides)*.

menheit bringen sollten. Auf dem Titelblatt war außerdem vermerkt, daß der Druck dieses – außerordentlich umfangreichen – Werkes auf Kosten des hochgeehrten und gottesfürchtigen Herrn Johannes Maurogordatus[136] zum gemeinen Nutzen der Orthodoxen erfolgt sei. Dieser Mann gehörte der vornehmen griechischen Phanariotenfamilie[137] der Maurokordati[138] an, deren Glieder in türkischen Diensten hohe Hofämter innehatten und mehrere Hospodare der Moldau und Walachei gestellt hatten.[139]

Mit dem Ausdruck „Philokalie" wird seit der Antike eine unter bestimmten Gesichtspunkten angefertigte Sammlung von Exzerpten aus den Schriften eines oder mehrerer Schriftsteller bezeichnet.[140] Einer Philokalie lag also immer ein leitender Gedanke zugrunde, als dessen Ergebnis man sie betrachten konnte.[141] Schon die erste noch erhaltene christliche Philokalie zeigt diesen Charakter; es ist die von Basilius von Cäsarea und seinem Freund Gregor von Nazianz aus den Werken des Origenes zusammengestellte Philokalie,[142]

136 *Jean Gouillard,* Kleine Philokalie (Lit. Verz. Nr. 599) 16: Die genaue Identifizierung dieser Persönlichkeit ist nicht möglich. – Die im Text gegebene Schreibweise dieses Namens entspricht der des Originaltitels der Philokalie von 1782.

137 Über die Phanarioten: *N. Iorga,* Histoire des Roumains 7, Bukarest 1940, 7–18; *N. Iorga,* Byzance après Byzance, Bukarest 1935, 220–241: „Le Phanar"; *Held,* Die Phanarioten (Lit. Verz. Nr. 309); *Gottwald,* Phanariotische Studien (Lit. Verz. Nr. 249); allgemein politisch ist *Filitti,* Role Diplomatique des Phanariotes (Lit. Verz. Nr. 217).

138 *Legrand,* Généalogie des Maurocordato (Lit. Verz. Nr. 434); seine Angaben erlauben keine zweifelsfreie Identifizierung des Förderers der Philokalie. Das gilt auch für *Stourdza,* L'Europe Orientale (Lit. Verz. Nr. 704), dessen genealogische Angaben auf *Legrand* beruhen.

139 Vgl. *Seton–Watson,* History of the Roumanians, London 1934, Reprint 1963, 126–143: „The Phanariot Regime (1714–1821)." *Spuler,* Regenten 440 verzeichnet die Hospodare der Moldau.

140 So spricht Euseb von Cäsarea (Hist. Eccl. VI, 20, 2 = *Migne,* PG 20, 572 B) von den „verschiedenen Philokalien", die der Bischof Beryll von Bostra (um 250 A. D.; über ihn RGG 1, 1957, 1089) neben Briefen und Abhandlungen hinterlassen habe.

141 Der Astrologe Vettius Valens (um 150 A. D.) benutzte „Philokalie" im Sinne von Berechnung, Rechenmethode. *Vettii Valentis* Anthologiarum Libri primum edidit *Guilelmus Kroll,* Berlin 1908, 361, 22. Übersetzungen wie „Tugendliebe", „verschiedene schöne Schriften", „beautiful compositions", „love of the beautiful", „varia elegantis ingenii monumenta" (PG 20, 571 B und Anm. 35), „amour de la beauté" (*Prière* 51–52), „la beauté spirituelle" (*Irénikon* 20, 1947, 392), „Dobrotoljubie", „Liebe zum Guten" sind unzutreffend, weil es sich nicht um Liebe zum Guten, sondern um die Methode des Jesusgebetes handelt. Auch fehlen Tugend- oder Lasterkataloge in der Philokalie vollständig. Eher passen Begriffe wie Florilegium, Anthologie, Chrestomathie; auch an Zenturien, Kephalaia, Capita, Erotapokriseis usw. als verwandte Begriffe kann man denken. Vgl. *Ivánka, Kephalaia,* eine byzantinische Literaturform (Lit. Verz. Nr. 360), der freilich bei der Literaturgattung der Kephalaia (Meditationsgespräche) gerade das Uneinheitliche, Zufällige solcher Spruchsammlungen hervorhebt, zugleich aber an Euagrius zeigt, wie dieser „*eigene* Lehre in dieser ungewöhnlichen Form" vorgetragen habe, diese Literaturform also – ganz im Sinne des Begriffs „Philokalie" – zur Darstellung eines einheitlichen Systems benutzt hat.

142 The Philocalia of Origen. The Text revised with a critical Introduction and Indices by *J. Armitage Robinson.* Cambridge 1893.

eine Frucht ihres gemeinsamen Origenes-Studiums in der Einsiedelei an den Ufern des Iris im Jahre 358. Hier haben zwei der besten theologischen Denker ihrer Zeit eine ausgezeichnete Einführung in das Studium des Origenes geschaffen, indem sie in 27 Kapiteln Texte aus den verschiedensten Schriften des Origenes unter dem Gesichtspunkt auswählten, den Leser zur verständnisvollen Erfassung des theologischen Standpunktes des Origenes hinzuführen. Der einer Philokalie zugrunde liegende methodische Gedanke findet gewöhnlich in den Vorreden der neueren Philokalien seinen Ausdruck, in denen der jeweilige Kompilator die ihn leitenden Prinzipien der Weglassung und Hinzufügung von Vätertexten mit den frommen Zwecken begründet, die seine Philokalie hat. Demgemäß stimmt keine Philokalie inhaltlich mit der andern überein. Das zeigen gerade die für die orthodoxe Welt wichtigsten Philokalien der neueren Zeit.[143]

Unter ihnen steht an erster Stelle die um das Jahr 1400 geschriebene ‚Methodos kai Kanon' der Mönche Kallistus und Ignatius, die aus 100 Kapiteln besteht und deshalb meist als „Zenturie" bezeichnet wird.[144] Was ihre Verfasser betrifft, so ist uns über Ignatius nicht das geringste bekannt. Kallistus war im Jahre 1397 einige Monate lang Ökumenischer Patriarch von Konstantinopel.[145]

Die Zenturie des Kallistus und Ignatius ist aus der geistigen Welt des palamitischen Hesychasmus des 14. Jahrhunderts hervorgegangen und will unter ständiger Heranziehung von Zeugnissen derjenigen Väter, die schon in der Antike hesychastisch und monastisch gelebt haben, eine ganz genaue Anleitung geben, welche großen Güter die *Hesychia* demjenigen bietet, der mit Vernunft in sie eingeht.[146] Sie ist also eine Einführung in den Hesychasmus, dessen Wesen im Leben der Ruhe in Gott, der Vergöttlichung des Menschen besteht, und zwar des einzelnen Menschen ohne Rücksicht auf die ihn umgebenden gesellschaftlichen Verhältnisse. Die Tatsache, daß der eine der beiden Verfasser der Zenturie Ökumenischer Patriarch von Konstantinopel gewesen ist, verbietet jeden Zweifel an der Orthodoxie dieser Einführung in den Hesychasmus. Wir vergegenwärtigen uns ihren Gedankengang.

143 Der traditionelle Topos der westlichen Theologie, in der Orthodoxie gäbe es nie etwas Neues, trifft in gar keiner Weise zu. Vgl. z. B. *Schmidt,* Das geistige Gebet (Lit. Verz. Nr. 681) 11 als Beispiel für diesen Topos: Es gäbe eigentlich keine Entwicklung der griechischen Mystik, Nikodemus Hagiorita wolle gar nichts Neues bringen, er zitiere nur immer; aufs Ganze gesehen hätten die Erscheinungen der griechischen Mystik vom 14.–18. Jahrhundert keine wesentlichen Veränderungen erfahren. Solche Äußerungen scheinen von der Annahme auszugehen, als ob die östliche Christenheit außerhalb des in ständiger Wandlung begriffenen Stromes der Geschichte stehe.

144 Lit. Verz. Nr. 365 – Nr. 371.

145 = Kallistus II. Xanthopulus. Über ihn *Ammann,* Gottesschau (Lit. Verz. Nr. 368) 14–16; *H. G. Beck,* Kirche und theologische Literatur 784–785.

146 *Migne,* PG 147, 635–636; *Ammann,* Gottesschau 18–19 und 193–194.

Der Weg zur *Hesychia* ist ein Kreislauf, der von der dem Menschen im heiligen Taufbecken umsonst gegebenen Gnade ausgeht und zu ihr zurückkehrt, das heißt zu einer Umwandlung des alten Adam in den neuen geistlichen Menschen führt, welcher ist der Herr Jesus Christus.[147] So heißt es in der Zenturie: „Sobald wir getauft werden, leuchtet die Seele vom Geist gereinigt heller auf als die Sonne, und wir schauen nicht nur die Herrlichkeit Gottes, sondern wir empfangen auch von da einen gewissen Abglanz." [148] Im göttlichen Mutterschoß, im Taufbecken nämlich, empfangen wir also die vollendete Gabe, die göttliche Gnade.[149] Geht diese uns dann im Laufe des Lebens durch Mißbrauch der zeitlichen Dinge, durch Sorge für das irdische Leben und durch Verfinsterung der Leidenschaften verloren, so können wir sie durch Gesinnungsänderung, durch Erfüllung der Gebote, vor allem aber durch Anrufung des Namens unseres Herrn Jesus Christus wiedererlangen: „Der Beginn jeder gottliebenden Tätigkeit ist die gläubige Anrufung des heilbringenden Namens unseres Herrn Jesus Christus, wie Er selbst gesagt hat (Joh. 15, 5): ‚Ohne mich könnt ihr nichts tun', und zugleich der Friede. ‚Man muß nämlich', sagt er (Philipper 2, 14), ‚beten ohne Zorn und ohne Zweifel', und die Liebe, denn (1. Joh. 4, 16) ‚Gott ist die Liebe; und wer in der Liebe bleibt, der bleibt in Gott und Gott in ihm'. Dieser Friede aber und diese Liebe machen das Gebet nicht nur wohlangenommen, sondern sie ersprießen auch wiederum aus diesem selben Gebete und sprossen auf wie zwillingsartige aus Gott kommende Strahlen und nehmen zu und kommen zur Vollendung." [150] Diese Dreiheit – Anrufung des Namens Jesu, Friede und Liebe – ist das von Christus uns hinterlassene letztwillige Vermächtnis, wie es aus zahlreichen Worten Jesu in den Evangelien hervorgeht.[151] „Darum lehren auch unsere bekannten Führer und Lehrer sehr klug unter dem Einfluß des ihnen innewohnenden ganz Heiligen Geistes, zwar alle zusammen, vor allem aber doch diejenigen, die sich auf die Kampfbahn dieser vergöttlichenden Ruhe *(Hesychia)* begeben und sich Gott verschrieben haben, die von der Welt sich trennen und im Geiste ruhen *(hesychazein)* wollen, daß wir vor jeder andern ausgezeichneten Tat und Bemühung im Herzen beten, voll Vertrauen Gottes Barmherzigkeit anrufen und Seinen ganz heiligen und süßen Namen zum unablässigen Gegenstand alles Tuns und Bemühens machen sollen; so daß wir ihn unablässig im Herzen und im Geist und auf den Lippen tragen, in ihm und mit ihm atmen, leben, im Schlafen und Wachen uns bewegen, essen und trinken und, um es

147 *Migne,* PG 147, 640 A; *Ammann,* Gottesschau 53.
148 *Migne,* PG 147, 640 BC; *Ammann,* Gottesschau 54. Daher *Baptisterion* = *Photisterion, Sophocles* 2, 1157; *F. W. Deichmann,* Art. ‚Baptisterium', RAC 1 (1950) 1157–1167.
149 *Migne,* PG 147, 641 CD; *Ammann,* Gottesschau 55.
150 *Migne,* PG 147, 644 D – 645 A; *Ammann,* Gottesschau 57.
151 *Migne,* PG 147, 645 A – 649 A; *Ammann,* Gottesschau 57–60.

in einem Wort zu sagen, alles in dieser Art zu tun uns bemühen sollen.[152] Wie nämlich, wenn der Name Jesu fehlt, alles Unheimliche hereinstürzt, richtiger noch nichts Nützliches uns zur Hand ist, so wird, wenn Er bei uns ist, alles Widrige vertrieben; ganz besonders aber fehlt es dann an nichts Gutem, und nichts gibt es mehr, was zu tun unmöglich wäre; wie ja auch unser Herr selber sagt (Joh. 15, 5): ‚Wer in Mir bleibt und Ich in ihm, der bringt viele Frucht, denn ohne Mich könnt ihr nichts tun.' Dieses jeglicher Kreatur Scheu und Ehrfurcht einjagende Werk der Anrufung des Namens, das alle Namen und alles Tun übersteigt, wollen wir Unwürdige voll Vertrauen selber ausüben und dabei den Faden der gegenwärtigen Darstellung festhaltend, zu weiteren Erklärungen fortschreiten." [153]

Die folgenden Abschnitte der Zenturie des Kallistus und Ignatius geben dementsprechend Anweisungen, wie der Hesychast alle Dinge aus sich entlassen und ganz unterwürfig und demütig werden müsse. Wer in der Gott wohlgefälligen *Hesychia* leben wolle, müsse friedsam, unbewegt, ohne Sorgen, schweigsam, geruhsam, dankbar in allem, bewußt seiner eigenen Schwachheit sein. Wer so lebt, der glaubt in einer Weise, die freilich immer nur die Sache einiger weniger ist, und dieser Glaube ist die Wurzel und der Ursprung der hier behandelten vergöttlichenden Ruhe; das meint Paulus mit dem Wort Röm. 1, 17: „Der Gerechte wird seines Glaubens leben." Darum sagt Johannes Klimakus: „Wie kannst du ruhen, wenn du nicht glaubst!" [154] Der Glaube richtet sich nicht auf die anbetungswürdigen göttlichen Personen und nicht auf die eigentliche Natur der Gottheit, sondern sprießt in der Seele aus dem Licht hervor und macht das Herz unberührbar.[155] *Darin besteht der Glaube.* Die Zenturie führt dann im einzelnen aus, wie man die Bestandteile dieses Glaubens erringen, wie man friedsam, unbewegt, ohne Sorgen, schweigsam und so weiter wird, wie man also ein vollkommener Hesychast wird. Dazu gehört auch, daß man die Methode des sehr heiligen Nikephorus[156] erlerne, auf dem Weg über das Einatmen durch die Nase in Verbindung mit dem dabei geübten Jesusgebet zur inneren Sammlung, zur *Hesychia* zu kommen: „Du weißt, Bruder, daß der Atem, den wir einatmen, diese unsere Luft ist. Wir atmen sie aber für nichts anderes ein als für unser Herz. Denn dies ist die Ursache unseres Lebens und der Wärme unseres Leibes. Das Herz zieht die kühle Luft an sich, die warme aber stößt es aus und hält sich auf diese Weise unverbrüchlich an den Dienst, dessenthalben es zur Erhaltung des Lebens eingerichtet wurde. Du aber sitze in der stillen Zelle und sammle deinen

152 Daß das Beten unaufhörlich erfolgen müsse, gleichsam zum Dauerzustand des Frommen werden müsse, hatte bereits Maximus Confessor (580–662 A. D.) eindringlich gelehrt, *W. Völker,* Maximus Confessor, 1965, 450–459.

153 *Migne,* PG 147, 649 BD; *Ammann,* Gottesschau 61.

154 *Migne,* PG 147, 665 C; *Ammann,* Gottesschau 73.

155 *Migne,* PG 147, 665 D – 668 A; *Ammann,* Gottesschau 73–74.

156 *Migne,* PG 147, 963–966 AB.

Geist, führe ihn hinein, den Geist natürlich, auf dem Wege über die Nase, wo der Atem zum Herzen eingeht, und treibe ihn an und zwinge ihn mit der eingeatmeten Luft ins Herz hinab zu steigen. Wenn er dorthin eingegangen ist, wird das, was folgt, nicht ohne Lust und ohne Freude für dich sein."[157] So soll der Geist aus dem Herumirren und der Zerstreuung ins Herz geleitet werden; das ist der Sinn des Jesuswortes Lukas 17, 21: „Denn sehet, das Reich Gottes ist inwendig in euch."

Diese Atemtechnik soll mit dem Jesusgebet verbunden sein und führt am besten zum Erfolg, wenn man in einer stillen und finsteren Zelle sitzt, weil das die natürlichste Vorbereitung dafür ist.[158] Mit dem Einziehen des Atems durch die Nase ins Herz übe man das Gebet: „Herr Jesus Christus, Sohn Gottes, erbarme dich meiner", indem man zugleich mit dem Atem in einer Art von Vereinigung[159] die Worte des Gebets einzieht. Es ist möglich, daß der Betende dabei der Gabe der Tränen gewürdigt wird.[160]

Die folgenden Kapitel 26 bis 100 der Zenturie führen dann in immer neuen Anläufen unter ständigem Bezug auf die alten Kirchenväter aus, daß man mehr an Gott denken müsse, als man atme, daß man sich vernünftig und mäßig ernähren müsse, daß man die Zahl der Kniebeugungen genau nach den Vorschriften der Väter bemessen solle, wie man es mit dem Psalmengesang, mit der Meditation und der Handarbeit halten solle, und welche besonderen Ratschläge man dem Anfänger geben solle. Weder das unablässige Herzensgebet noch das, was darauf folgt, kommt einfachhin oder mit geringer Mühe zustande; körperliche und seelische Kämpfe sind unvermeidlich. Und wenn der Geist des Hesychasten schließlich, ohne daß er es sucht, Licht sieht, so soll er nicht geruhsam darin verweilen, sondern versuchen, einen erleuchteten und irrtumsfreien Lehrer darüber zu befragen, der das gut und heilig machende Licht zu deuten vermag.[161] „Wir aber reden jetzt von dem vollendeten wesenhaften Aufleuchten, in welchem die Auserwählten unter den

157 *Migne*, PG 147, 680; *Ammann*, Gottesschau 83.

158 *Migne*, PG 147, 681 D – 683 A; *Ammann*, Gottesschau 86.

159 *Henomenos pos;* dazu *Liddell-Scott* 775: „*henomenos* Adv. pf. part. Pass. *(henoo)* in one word; in a unity; together."

160 *Migne*, PG 147, 684 D – 685 D; *Ammann*, Gottesschau 87–88. Über die Tränen des Herzens vgl. *Migne*, PG 147, 741 AB. – *M. Lot-Borodine*, Le mystère du ‚don des larmes' dans l'Orient chrétien. In: La Vie Spirituelle 48 (Juvisy 1936) 65–110. – *B. Steidle*, Die Tränen, ein mystisches Problem im alten Mönchtum. In: Benediktinische Monatsschrift 20 (Beuron 1938) 181–187. – *Arent Jan Wensinck*, Über das Weinen in den monotheistischen Religionen Vorderasiens. In: Festschrift Eduard Sachau zum 70. Geburtstag. Hrsg. v. *Gotthold Weil*. Berlin 1915, 26–35. – Dazu die Worte des Isaak von Ninive über die Tränen im Gebet, unter denen der Mensch wiedergeboren wird, deutsch bei *N. v. Arseniew*, Das Mönchtum und der asketisch-mystische Weg. In: Der Christliche Osten, Regensburg 1939, 168 bis 169. Über Isaak von Ninive: *Baumstark*, GSL 223–225 und *Moss* 495–499. Über das Weiterwirken Isaaks und die „Gabe der Tränen" vgl. *v. Lilienfeld*, Nil Sorskij 141–143.

161 *Migne*, PG 147, 744 B – 745 A; *Ammann*, Gottesschau 136–137.

Aposteln, nämlich die, welche mit Jesus auf den Berg Tabor gestiegen, unaussprechlicherweise die schöne und in Wahrheit selige Entäußerung *(Allaiosis)* erlitten haben und gewürdigt wurden mit ihren sinnlichen, zu etwas Göttlicherem verwandelten Augen – sie waren ja unter der Rechten des ganz Heiligen Geistes geistig geworden –, die unschaubare Herrlichkeit der Gottheit zu sehen." [162]

Diese im 68. Kapitel der Zenturie beschriebene Schau des Taborlichtes stellt den gedanklichen Höhepunkt der Zenturie des Kallistus und Ignatius dar. Die restlichen Kapitel handeln dann von den Kräften der Seele, vom Wesen des Geistes und des reinen Gebetes und von der wahren Tröstung, die aus der geistlichen Freude und göttlichen Süßigkeit des Herzens entquillt. Die Zenturie schließt mit einem *Ethikon,* einer moralischen Nutzanwendung, in der der Leser aufgefordert wird, die kurze Zeit, die ihm hienieden gegeben ist, dazu zu benutzen, ein Kind Gottes zu werden: „Gott gibt die Möglichkeit – Er zieht nicht wie ein Tyrann und zwingt uns gegen unsern Vorsatz. Dadurch will Er die grundlegende Würde unserer Selbständigkeit ehren und erreichen, daß das Gute ganz und gar durch Sein Wohlgefallen und Seine Gnade bewirkt werde, daß es aber den Anschein habe, als ob Seine Vollbringung das Werk unseres Eifers und unserer Bemühungen wäre." Gott hat alle in gleicher Weise geschaffen, er ist für alle gestorben, um in gleicher Weise alle zu retten. Uns aber wurde überlassen, zu Gott hinzutreten und die Freiheit vom Bösen anzunehmen, die er uns erworben hat. Mögen wir alle dies erreichen durch die Gnade unseres guten und barmherzigen Gottes und Erlösers! [163]

Die Zenturie des Kallistus und Ignatius bildet das Kernstück aller Ausgaben der griechischen Philokalie und ihrer slawischen Übersetzungen. Ihre Editio princeps fand sie in der Philokalie des Nikodemus Hagiorita Venedig 1782, in der sie etwa ein Zwölftel des ganzen Werkes ausmacht. Auch in der 3. Auflage der Philokalie Athen 1957–1963 ist sie vollständig abgedruckt, und man hat in dieser neuesten griechischen Ausgabe die Beliebtheit des Kallistus noch dadurch besonders hervorgehoben, daß man auch seine in der Philokalie von 1782 nicht enthaltenen *Kephalaia peri Proseuches* im Anschluß an die Zenturie abdruckte. In der russischen Bearbeitung der Philokalie, dem Dobrotoljubie, hat sie in der Einleitung zum 5. Bande (Moskau 1889) ein besonderes Lob erhalten: „Das Buch des Kallistus und Ignatius enthält für sich allein eine systematische Darstellung des ganzen geistlichen Lebensweges mit allem, was dabei zu tun sich gebührt, wie dies darzustellen bis zu ihrer Zeit und, man kann hinzufügen, auch nach ihrer Zeit niemand mehr unternommen hat." [164] Der erste deutsche Übersetzer der Zenturie des Kallistus und Ignatius, Albert

162 *Migne,* PG 147, 752 CD; *Ammann,* Gottesschau 144.
163 *Migne,* PG 147, 809 C – 812 C; *Ammann,* Gottesschau 190–192.
164 *Ammann,* Gottesschau 13. Vgl. Lit. Verz. Nr. 372.

Maria Ammann, hat sie 1938 und 1948 mit dem bezeichnenden Untertitel „Ein Handbuch der spätbyzantinischen Mystik" veröffentlicht,[165] und auch in Kadloubovskys englischer Teilübersetzung der russischen Bearbeitung der Philokalie, des Dobrotoljubie, ist die Zenturie des Kallistus und Ignatius vollständig enthalten.[166]

Der Name Jesu,[167] der im Jesusgebet die zentrale Stelle einnimmt, war dem Evangelium zufolge durch einen Engel vom Himmel her der Maria verkündet worden als der Name dessen, der sein Volk selig machen werde von seinen Sünden (Matth. 1, 21). Demgemäß sagte die Apostelgeschichte (4, 12), daß in keinem andern Namen Heil sei und auch kein anderer Name unter dem Himmel den Menschen zur Seligkeit gegeben sei. Von dieser biblischen Grundlage aus kam es um 450 A. D. im Mönchtum zu der Mahnung an den nach geistlicher Vollkommenheit strebenden Christen, er solle unentwegt rufen: „Herr Jesus", weil dadurch das Herz geläutert und entflammt werde.[168] Als ältester Repräsentant dieser Gebetspraxis gilt Diadochus, Bischof von Photike in Epirus (um 458 A. D.);[169] geographisch ist also das Jesusgebet im Nordwesten des heutigen Griechenlands beheimatet.[170] Diadochus lehrte, das Gebet rufe im Herzen die Erinnerung an dasjenige wach, was es nie hätte vergessen dürfen, nämlich die ständige Erinnerung an Gott, die durch die immerwährende Anrufung Jesu gleichzeitig zum Ausdruck gebracht und lebendig erhalten werde:[171] „Wenn wir durch das Gedenken an Gott alle Ausgänge des Intellekts versperrt haben, fordert er dringend nach einer Aktivität, die seine ganze Aufmerksamkeit beansprucht. Man wird ihm infolgedessen den ‚Herrn Jesus' als einzige Beschäftigung geben, die ganz seinem Wunsch entspricht. ‚Niemand, so steht geschrieben, kann sagen: ›Jesus ist der Herr‹, als nur im Heiligen Geiste' (1. Kor. 12, 3). Aber unaufhörlich soll er mit höchstmöglicher Inbrunst in seinen inneren Behausungen diese Worte betrachten, um nicht in Wahnbilder abzugleiten. Denn wer immer unaufhörlich diesen heiligen und ruhmreichen Namen in den Abgründen seines Herzens überdenkt, wird auch

165 Lit. Verz. Nr. 368.

166 *Kadloubovsky*, Writings from the Philokalia, London 1951 (Lit. Verz. Nr. 164) 164–270; vgl. ferner die deutsche Einzelausgabe Lit. Verz. Nr. 370.

167 Zur Anrufung nur des Namens Jesu (Monologie) vgl. *Viller*, Aszese 162, 165, 192, 226, 300–302; dazu *Prière* 7–19: „L'Invocation du Nom de Jésus dans l'Écriture et la Tradition Patristique." Weitere Lit. zum Jesusgebet bei *v. Lilienfeld*, Nil Sorskij 21–38 passim. Siehe auch die Artikel ‚Iesus' und ‚Onoma' in ThWBzNT 3, 1957, 284–294 bzw. 5, 1954, 242–283. *Hausherr*, Noms du Christ (Lit. Verz. Nr. 301); *Schmidt*, Geistliches Gebet (Lit. Verz. Nr. 681).

168 Belege: *Prière* 21; *Bacht* 329.

169 Über Diadochus vgl. *Viller*, Aszese 216–228; *Beck*, Kirche und theol. Literatur 350. *Ammann*, Gottesschau ²1948, 61 Anm. 1 weist auf eine mir nicht zugängliche Abhandlung von *Popov* über das Jesusgebet bei Diadochus (Kiew 1902, russ.) hin.

170 Lage von Photike: *Großer Histor. Weltatlas* 1, 18/19 a, B 3.

171 *Gouillard*, Kleine Philokalie, 1957, 62 (Lit. Verz. Nr. 599).

eines Tages zur Erkenntnis des Lichtes seines Intellektes kommen."[172] Aber es kommt alles darauf an, daß man auch nicht einen einzigen Augenblick das Beten unterbricht: Beten soll die einzige Tätigkeit und ununterbrochene Arbeit dessen sein, der sein Herz reinigen will.[173]

Der um das Jahr 670 als Abt des Sinai-Klosters gestorbene Johannes Klimakus empfahl dann die Kombination des Jesusgebetes mit dem Rhythmus des Atmens,[174] und diese Weise des Betens hat sich demgemäß vor allem im Sinai-Kloster weiterentwickelt:[175] Einmal in der Weise, daß man eine eigentümliche psychophysische Gebetsmethode empfahl, die sich erstmals in der vielleicht von Symeon dem Neuen Theologen[176] (949–1022) abgefaßten „Methode des heiligen Gebetes"[177] findet: Der Beter soll sich in einer stillen Zelle in die Ecke setzen, die Tür schließen, den Geist von allen eitlen und vergänglichen Dingen abwenden, den Bart auf die Brust stützen und das körperliche Auge mit dem Geist auf die Mitte des Bauches, den Nabel, richten, den Atem mäßigen und sich geistig in seinem Innern an den Ort des Herzens versetzen und nun die Anrufung Jesu Christi vollziehen und ständig wiederholen. Dann wird er nach einiger Übung mit Gottes Hilfe Jesus im Herzen halten.[178] Sodann in der Weise, daß man später die Anrufung des Namens Jesu dadurch erweiterte, daß man die Formel „Herr Jesus Christus, Sohn Gottes, erbarme dich meiner" gebrauchte. Diese vollständige Form des Jesusgebetes begegnet uns bei Nikephorus Monachus[179] (gest. um 1300) in seinem kurzen *Logos peri Nepseos kai Phylakes Kardias,*[180] den er gegen Ende seines Lebens geschrieben hat. Er fordert darin, daß der Beter jeden andern Gedanken aus seinem Innern verbannen und sich nur zu diesem kurzen Gebet „Herr Jesus Christus, Sohn Gottes, erbarme dich meiner" zwingen solle. Dann werde durch diesen einen, unaufhörlich wiederholten Gebetsruf der ganze Chor geistlicher Tugenden im Herzen Einzug halten.[181]

172 Diadochus, Kephalaion Nr. 59, Oeuvres spirituelles, Paris ²1955 (Lit. Verz. Nr. 139) 119: ‚Souvenir de Dieu, Invocation du Nom de Jésus.' *Gouillard,* Kl. Philokalie (Lit. Verz. Nr. 599) 67. *Migne,* PG 65, 1167–1212 enthält nur eine lateinische Übersetzung. Tusc. 120 verzeichnet eine weitere griechische Textausgabe von *Weis–Liebersdorf* 1912. *Beck,* Kirche u. theol. Lit. 350 u. ö. Die Editio princeps der Kephalaia in *Philokalia,* Venedig 1782, siehe Lit. Verz. Nr. 137.

173 Diadochus, Kephalaion Nr. 97, *Gouillard,* Kl. Philokalie 73–74.

174 *Prière* 23.

175 *Prière* 20–37: „La Prière de Jésus dans l'Hésychasme Sinaïte."

176 Über ihn *Beck,* Kirche u. theol. Lit. 586; Tusc. 476. RGG 6, 554.

177 Ediert von *Irénée Hausherr,* La Méthode d'Oraison Hésychaste, Rom 1927 (Lit. Verz. Nr. 296), 97–209. *Hausherr* bestreitet die Verfasserschaft Symeons.

178 *Hausherr,* Méthode 164–165; *Prière* 26–37; 105–107.

179 Über Nikephorus Monachus (Athonita) (Eremita) *J. Patinot* in Thresk. Enkykl. 9 (Athen 1966) 483–484 (Lit.); *Beck,* Kirche u. theol. Lit. 693; *Jugie,* Note sur le moine Nicéphore (Lit. Verz. Nr. 355).

180 Lit. Verz. Nr. 551 – Nr. 553; *Migne,* PG 147, 945 A – 966 A (Abdruck aus der Philokalia, Venedig 1782). Teile deutsch in Kleine Philokalie ed. *Dietz* (Lit. Verz. Nr. 598) 121–133; *Gouillard,* Kl. Philokalie (Lit. Verz. Nr. 599) 142–156.

181 *Migne,* PG 147, 965 A – 966 A. *Bacht* 331.

Nach der Tradition des Athos hat Nikephorus Monachus auf dem Athos gewirkt, wo er, wie erwähnt, um die Wende zum 14. Jahrhundert gestorben ist. Aber nicht er, sondern sein Schüler, der um ein Menschenalter jüngere Mönch Gregorius Sinaita[182] (gest. 1346), gilt als der abschließende Vertreter des sinaitischen Hesychasmus und zugleich als Begründer der von den Athosklöstern ausgehenden athonitischen Phase des Jesusgebetes, das dann in der Neuzeit vom Athos aus eine ungeahnte Wirkung und Verbreitung finden sollte. Gregorius Sinaita stammte aus der Gegend von Klazomenai in Kleinasien, wurde Mönch auf dem Sinai und hat später auf dem Athos das damals dort nur noch von wenigen Mönchen geübte Jesusgebet zu neuem Leben erweckt. In seiner kleinen Abhandlung ‚Wie der Hesychast beim Beten sitzen und nicht eilig aufstehen soll'[183] weist er den Beter an, still und geduldig auf seinem Stuhl zu sitzen, den Geist ins Herz zu lenken und den Herrn Jesus zu Hilfe zu rufen. Geduld und Ausdauer in allem sei dabei die Mutter der Leistungen des Körpers und der Seele.[184] Ob man die etwas kürzere oder die längere Formel des Jesusgebets[185] verwende, sei unwesentlich, jedoch müsse das Beten mit dem Mund und dem Geist allmählich zum rein geistigen Beten führen.[186] Je vollkommener der Beter werde, um so weniger lasse er seine Gedanken herumwandern und abschweifen,[187] um so mehr könne er körperliche Leidenschaften und ablenkende Gedanken, die ihn überfielen, mit der Energie des Gebets niederschlagen und zum Verschwinden bringen, denn kein Novize *(Archarios)* könne jemals einen Gedanken vertreiben, es sei denn, Gott vertreibe ihn.[188] Im übrigen empfahl Gregor, immer und in allem das rechte Maß zu halten: „In allem ist das Maß das beste", sagte er.[189] So dürfe man zwar psalmodieren, aber nur unregelmäßig und vor allem nicht des Nachts; das bereite nur Störungen und lenke den Geist von seiner friedevollen Ruhe

182 Über ihn Thresk. Enkykl. 4, Athen 1964, 703–707 (Lit.); *Beck*, Kirche u. theol. Lit. 694–695; *Bois* (Lit. Verz. Nr. 79). *Prière* 38–49: „La Prière de Jésus dans l'Hésychasme Athonite." *Bacht* 332–335. Die russische Literatur über Gregorius Sinaita bei *Smolitsch*, Leben und Lehre der Starzen, 1936, 265–266; hier auch Handschriften-Kataloge zu den kirchenslawischen Übersetzungen der Schriften des Gregorius Sinaita.

183 Lit. Verz. Nr. 257 – Nr. 261. *Gouillard*, Kl. Philokalie 195–202.

184 *Migne*, PG 150, 1329 A.

185 In den Quellen begegnen u. a. folgende Formen des Jesusgebetes: 1. „Jesu, Sohn Gottes, erbarme dich meiner" (*Migne*, PG 150, 1329 B); 2. „Herr Jesu Christe, Sohn Gottes, erbarme dich meiner" (*Migne*, PG 150, 1329 B); 3. „Jesu, Sohn Gottes, erbarme dich meiner, des Sünders" (Nil Sorskij bei *Smolitsch*, Leben und Lehre der Starzen, 1936, 83); 4. „Herr Jesus Christus, Sohn und Wort des lebendigen Gottes, durch die Gebete deiner allerreinsten Mutter und aller Heiligen erbarme dich unser und erlöse uns" (*Prière* 129 Anm. 86). 5. „Herr, erbarme dich" (Wladimir Monomach). Weitere Abwandlungen siehe unten bei Nil Sorskij.

186 *Migne*, PG 150, 1329 B – 1332 A.

187 *Migne*, PG 150, 1332 A–C.

188 *Migne*, PG 150, 1332 C – 1333 A.

189 *Migne*, PG 150, 1333 B: *Pan gar metron ariston.*

ab: „Gott nämlich ist Friede, jenseits von Tumult und Lärm.“ [190] Darum sei die Praxis der *Hesychia* ein Ding, und ein anderes die des *Koinobions.*[191] Das gelte für Nachtwachen, das gelte für den Bauch, den Gehilfen der Dämonen und Wohnsitz der Begierden: der Hesychast solle frei sein im Essen und Trinken, dabei aber niemals die Grenze überschreiten, die Gregor so bezeichnete: „Der Hesychast soll immer etwas hungrig sein, niemals vollgegessen.“ [192] Der Hesychast solle immer den Königsweg[193] des rechten Maßes gehen. So mahnt Gregor am Schluß seiner kleinen Abhandlung: „Drei sind die Tugenden der Hesychia, die es sorgsam zu bewahren und zu jeder Stunde zu prüfen gilt, ob wir immer in ihnen verweilen, damit wir nicht, von der Vergeßlichkeit getäuscht, außerhalb ihrer dahin wandeln. Es sind aber diese: die Enthaltsamkeit, das Schweigen und die Unzufriedenheit mit sich selbst, das heißt die Demut. Sie sind allumfassend und schützen eine die andere, aus denen das Gebet geboren wird und unaufhörlich wächst.“ [194]

Gregor Sinaita hatte so das Jesusgebet auf dem Athos reaktiviert. Zu seinen Schülern gehörte Gregor Palamas, der 1359 als Erzbischof von Saloniki starb und durch seine Verteidigung der Hesychasten des Ostens gegen die Angriffe des süditalienischen Mönches Barlaam ebenso berühmt geworden ist wie durch seine Theologie des Taborlichtes. Die Tatsache, daß die Theologie des Gregor Palamas auf den Synoden zu Konstantinopel 1347 und 1351 feierlich zur orthodoxen Lehre erklärt und er selbst 1368 heiliggesprochen wurde, hat natürlich auch dem Jesusgebet genutzt und seine Übung und Verbreitung gefördert. Vom Athos aus drang es nach Rußland, wo es zuerst im Munde des „Fürst-Heiligen“ Nikola Svjatoša[195] des Kiewer Höhlenklosters im Jahre 1106 zu hören ist. Dann findet es sich als Stoßgebet in der berühmten Belehrung des Wladimir Monomach,[196] Großfürsten von Kiew (1053–1125), in der es heißt:

190 *Migne,* PG 150, 1333 C. Ähnlich Nil Sorskij, *F. v. Lilienfeld* (Lit. Verz. Nr. 455) 212 (Ustav, Slovo 2).

191 *Migne,* PG 150, 1333 D.

192 *Migne,* PG 150, 1336 B – 1337 C. Vgl. die gleichen Anweisungen bei Nil Sorskij, Ustav, Slovo 5 bei *v. Lilienfeld,* Nil Sorskij 222: „Über das Maß der Nahrung.“ Siehe auch *Schmidt,* Das geistige Gebet 28–29.

193 *Basilike Hodos, Migne,* PG 150, 1344 B. Vgl. *Taillez* (Lit. Verz. Nr. 706) und *J. Pascher,* He Basilike Hodos, der Königsweg zur Wiedergeburt und Vergottung bei Philon von Alexandreia. In: Studien zur Geschichte und Kultur des Altertums 18, Heft 3/4, Paderborn 1931. – Der Ausdruck „Königlicher Weg“ auch in der Zenturie des Kallistus und Ignatius, PG 147, 808 CD: *He Basilis Hodos.*

194 *Migne,* PG 150, 1344 BC. Vgl. *Schmidt,* Das geistige Gebet 19–23.

195 Nikola Svjatoša wurde am 17. Februar 1106 Mönch des Kiewer Höhlenklosters. Über ihn: Das *Paterikon* des Kiever Höhlenklosters (Lit. Verz. Nr. 582) 113–119. *M. D. Priselkov,* Očerki po cerkovno-političeskoj istorii Kievskoj Rusi X–XII vv., St. Petersburg 1913, 246–247. Vgl. *Behr–Sigel,* Prière et Sainteté (Lit. Verz. Nr. 69) 38–54 über die „Saints Princes de Kiev“.

196 Über ihn: Kl. Slav. Biogr. 761 s. v. *Volodymyr; Sovetskaja Istoričeskaja Enciklopedija* 3, Moskau 1963, 524–525; vgl. im übrigen die Geschichten der altrussischen Literatur.

„Wenn ihr so dahinreitet und mit niemand etwas zu regeln habt, so sprecht, falls ihr keine anderen Gebete herzusagen vermögt, ständig im stillen vor euch hin: ‚Herr, erbarme dich!' Denn dieses Gebet ist das beste. Dies ist viel besser, als beim Reiten über ungereimtes Zeug nachzugrübeln." [197]

Einen großen Förderer fand das Jesusgebet in dem bedeutenden Starzen Nil Sorskij [198] (1433–1508). Ganz im Sinne der hesychastischen Tradition lehrte er: [199] „Und darum ist gesagt, daß den guten Gedanken die bösen folgen und in uns eindringen. Darum muß man bestrebt sein, in Gedanken zu schweigen, auch vor scheinbar rechten Gedanken, und ständig in die Tiefe des Herzens zu schauen und immer zu sprechen: ‚Herr Jesu Christe, Sohn Gottes, erbarme dich meiner!' Das ist das ganze Gebet, manchmal aber soll man nur die Hälfte sprechen: ‚Herr Jesu Christe, erbarme dich meiner!' Und wiederum ändere man die Worte: ‚Sohn Gottes, erbarme dich meiner!' Dieses ist für den Anfänger passender, sagt Gregorius Sinaita. Er sagt aber, man solle nicht häufig wechseln, sondern nur, wenn es angebracht ist. Die Väter aber schlagen heutigentags für das Gebet den Satz vor, den ich gesagt habe: ‚Herr Jesu Christe, Sohn Gottes, erbarme dich meiner!' – und man setzt hinzu: ‚des Sünders'. Und dieses ist Gott angenehm; denn es paßt am besten für uns Sünder." Das sagte Nil Sorskij im 2. Kapitel *(Slovo)* seines Hauptwerkes ‚Ustav' (Reglement, Statut) unter der Überschrift: „Von unserm Kampf, den wir mit den Leidenschaften zu führen haben, und daß wir sie durchs Eingedenksein Gottes und Bewahrung des Herzens, das heißt durch Gebet und *Hesychia* des Sinns besiegen sollen, und wie wir dieses vollbringen sollen. In diesem Kapitel auch über die Geistesgaben." [200] Nil Sorskij zitiert in diesem Kapitel viele der byzantinischen Väter, die für die Geschichte des Jesusgebetes Bedeutung haben: Johannes Klimakus (gest. um 649),[201] Symeon den Neuen Theologen (949–1022),[202] Petrus Damascenus (um 1160),[203] Gregor Sinaita (gest. 1346) [204] und viele andere, wie denn überhaupt der ganze Ustav eine Sammlung von

197 *Graßhoff*, O Bojan (Lit. Verz. Nr. 255) 386.

198 Über ihn: Kl. Slav. Biogr. 478; *Smolitsch*, Leben und Lehre der Starzen (Lit. Verz. Nr. 653) 71–89; *v. Lilienfeld*, Nil Sorskij (Lit. Verz. Nr. 455) 133–154, hier 133–140 über das Jesusgebet in Rußland und über die Methode des Jesusgebets bei Nil Sorskij. Vgl. auch *Ammann*, Gottesschau 9–10.

199 *F. v. Lilienfeld*, Nil Sorskij 89–98: „Nil Sorskijs literarischer Nachlaß"; 201–255: „‚Elf Kapitel aus den Schriften der heiligen Väter', der sogenannte ‚Ustav' des Nil Sorskij." Daraus Slovo 2: S. 208–217. Die im Text zitierte Stelle auch bei *Smolitsch*, Leben und Lehre der Starzen 82–83.

200 *Lilienfeld*, Nil Sorskij 208–209.

201 *Lilienfeld*, Nil Sorskij 212 u. ö.

202 *Lilienfeld*, Nil Sorskij 210 u. ö.

203 *Lilienfeld*, Nil Sorskij 208 u. ö.; *Beck*, Kirche u. theol. Lit. 644. Die beiden Werke des Petrus Damascenus „Hypomnesis" und „Alphabetum" wurden später als Biblion A' und Biblion B' in die *Philokalia*, Venedig 1782, 555–698 aufgenommen.

204 *Lilienfeld*, Nil Sorskij 209 u. ö.

Zitaten aus Väterschriften über das Thema des geistigen Tuns ist.[205] Selbstverständlich spricht Nil Sorskij in dieser Sammlung auch seine eigenen Gedanken aus, die er mit den treffendsten Formulierungen der heiligen Schriften wiederzugeben und ihnen dadurch zugleich die ganze Autorität der Tradition zu verleihen weiß.[206] Der Ustav ist also ebenfalls in die Reihe der orthodoxen Philokalien zu rechnen, freilich eine Philokalie von geringem Umfang und begrenzter Thematik.

Die Praxis des Jesusgebetes ist also in Rußland seit etwa 1100 immer nachweisbar gewesen. Aber erst im 18. Jahrhundert kam vom Athos her[207] der entscheidende Anstoß, der zur Neubelebung des Hesychasmus und besonders des Jesusgebetes im neuzeitlichen Rußland führte. Bis dahin hatte in Rußland einfach ein Lehrbuch der hesychastischen Frömmigkeit und des Jesusgebetes gefehlt, das umfangreich genug war, um auch dem Fortgeschrittenen ein Leben lang alle frommen Fragen des inneren Lebens zu beantworten, und das zugleich geeignet war, dem hesychastischen Novizen das Eindringen in diese Form der Religionsübung zu ermöglichen. Denn bisher gab es nur verstreute Hinweise, einzelne Abschnitte in den Schriften russischer Erbauungstheologen, aber kein Werk der theologischen Tradition, das gewichtig genug und mit der nötigen Autorität ausgestattet gewesen wäre, um diese Aufgabe zu erfüllen. Dieser Mangel wurde im Jahre 1782 durch das Erscheinen der Philokalie des Nikodemus Hagiorita behoben. In seiner Vorrede[208] beklagte Nikodemus die Vernachlässigung des unablässigen Herzensgebetes sogar bei den Mönchen[209] und forderte alle Anhänger des orthodoxen Glaubens, Laien wie Mönche, auf, herbeizueilen und den im Acker des Herzens verborgenen Schatz, den süßen Jesus Christus, zu finden: durch die unaufhörliche ehrfürchtige Anrufung unseres Herrn Jesus Christus und durch die Ausübung der übrigen in diesem Buche gelehrten Tugenden sollten sie sich untereinander und dadurch auch mit Gott vereinigen, auf daß wir, wie die tröstliche Verheißung sagt, alle eins seien.[210]

205 *Lilienfeld,* Nil Sorskij 201; vgl. 124–126: „Die Väterzitate Nil Sorskijs. Übersicht."

206 Vgl. dazu *v. Lilienfeld,* Nil Sorskij 133, wo auf *I. Herwegens* Untersuchung der Bibelzitate in der Regula Benedicti hingewiesen wird; *Herwegen* sagt: „Die Worte der Heiligen Schrift sind in diesem Sinne Worte des hl. Benedikt, der geeignetere nicht finden konnte." *Ildefons Herwegen,* Vom Geiste Römischen Rechtes in der Benediktinerregel. In: Christliche Verwirklichung (1. Beiheft der „Schildgenossen") Rothenfels 1935, 185. Auch das ist eine Widerlegung des Dogmas von der Unveränderlichkeit der orthodoxen Theologie.

207 Über die umfangreiche alt- und neugriechische Mönchsliteratur, die im 18. Jahrhundert auf dem Athos gelesen wurde, vgl. *Meyer,* Beiträge (Lit. Verz. Nr. 501) 433–435.

208 *Philokalia* 1. Athen [3]1957 ith' – kd' (19–24).

209 Ebenda kb' (22).

210 Ebenda kd' (24).

Dieses Werk sollte für die neuere ost- und südosteuropäische Geistes- und Religionsgeschichte die größte Bedeutung erhalten. Aus welcher Gedankenwelt die Philokalie hervorgegangen ist, zeigt eine spätere Schrift des Nikodemus Hagiorita, sein ‚Encheiridion symbuleutikon' von 1801, zu dem die Philokalie das historische Fundament geliefert hat. Philipp Meyer hat diese Schrift in seinen Beiträgen zur neueren Geschichte der Athosklöster eingehend analysiert.[211] Das Ziel alles menschlichen Lebens, sagt Nikodemus, ist die Vereinigung mit Gott; sie wird erreicht durch Askese und Gebet, vor allem durch das geistige, das Herzensgebet. Da der Mensch aus Leib und Geist besteht, der Leib sich immer nach dem Materiellen sehnt, der Geist aber nach dem wahrhaft Guten strebt, kann das Lebensziel der Vereinigung mit Gott nur dadurch erreicht werden, daß die fünf Sinne des Menschen in genaue Zucht genommen werden und der Geist dadurch die Möglichkeit erhält, sich von sinnlich-schädlichen Einflüssen freizuhalten. Unter diesem Gesichtspunkt behandelt er der Reihe nach die fünf Sinne: dem Auge droht die größte Gefahr aus dem Anblick des Weibes, dem Ohr aus der Stimme des Weibes, dem Geruchssinn aus Wohlgerüchen und aus dem Tabakrauchen, dem Geschmack aus der Maßlosigkeit im Essen, dem Tastsinn aus der Berührung des Leibes anderer Menschen, namentlich junger Leute. In dem Maße, wie diese Disziplin der fünf Sinne geübt wird, wird der Geist frei und strebt nach der Verbindung mit dem Herzen, das das Organon des Geistes ist: der Geist muß im Herzen gesammelt werden.[212] Das geschieht nach Anweisung der Väter im geistlichen, inneren Herzensgebet, durch das sich alle Geisteskräfte im Herzen sammeln: der Geist tritt damit aus der sinnlichen Sphäre in die Sphäre, wo Gott ist. Daher eint das Gebet mit Gott. Ist nun das neue und vollkommene Leben durch eine momentane Einigung mit Gott in dem Gebet in Erscheinung getreten, so muß es jetzt in positiver Weise für die Dauer erhalten und gefördert werden durch das Erfüllen aller göttlichen Gebote, durch die Erwerbung aller Tugenden und durch die Lektüre der heiligen Schriften. Das höchste Ziel ist das Schauen des göttlichen Lichtes, das heißt dessen, was von Gott schaubar und begreifbar ist. Von hier aus strebt der Mensch zum Unbegreifbaren Gottes, doch kann er nicht über seine Schranken hinaus und endet in heftiger Liebe, durch die er Gott zu sich herabzieht.[213]

211 *Meyer,* Beiträge (Lit. Verz. Nr. 501) 395–435; 539–576. Der vollständige Titel des ‚Encheiridion symbuleutikon' findet sich S. 575 f. Anm. 4; es erschien in 1. Aufl. ohne Druckort (Wien?) 1801, in 2. Aufl. Athen 1885 (vgl. Irénikon 1947, 392).

212 Über die Notwendigkeit einer Disziplinierung der fünf Sinne ähnlich bereits Diadochus von Photike (um 458 A. D.): vgl. die Texte aus Diadochus bei *Gouillard,* Kl. Philokalie zum Gebet des Herzens, Zürich 1957, 61–74 (Lit. Verz. Nr. 599). Eine ganz andere Interpretation der Sinne des Menschen bei Dionysius Areopagita, Himmlische Hierarchie 15, 3.

213 *Meyer,* Beiträge 426.

Nikodemus Hagiorita war also keineswegs ein bloßer Kompilator, als der er bei einem nur flüchtigen Blick auf seine Philokalie angesehen werden könnte, sondern ein bedeutender moderner griechischer Theologe, der die Philokalie nur deshalb schreiben konnte, weil er ein geschlossenes theologisches System besaß, das er ihr zugrunde legen konnte.[214] Dieses moderne System war freilich uralt und durch und durch mönchisch gedacht.

4. Das Dobrotoljubie und der russische Pilger

Die weitere Geschichte der Philokalie ist mit dem Namen des russischen Mönches Paisij Veličkovskij (1722–1794)[215] verbunden, der, nachdem er viele Jahre auf dem Athos verbracht hatte, in der Moldau, dem langjährigen Fürstentum der Maurokordati, und zwar im Njamec-Kloster in der Nähe von Tiraspol, lebte. Er übersetzte etwa zwei Drittel der Philokalie ins Kirchenslawische und gab diese Übersetzung 1793 zu Moskau unter dem Titel ‚Dobrotoljubie'[216] im Druck heraus. Dieses Dobrotoljubie hat auf die Russen noch stärker gewirkt als die Philokalie auf die Griechen, denn es hat nicht nur die Mönche, sondern vor allem auch das einfache Volk auf den Dörfern mit den byzantinischen Kirchenvätern und mit dem Jesusgebet vertraut gemacht.[217] Veličkovskij selbst hatte bereits 1764/65 eine Erläuterungs- und Verteidigungsschrift ‚An die Gegner und Verleumder des geistigen Gebets, das ist des Gebetes Jesu'[218] geschrieben, die den Widerstand einiger Mönche in der Moldau gegen die Einführung des Jesusgebetes beheben sollte. Veličkovskij stellte darin den Mönchen einige Fragen: Findet ihr es etwa unnütz, den Namen Jesu anzurufen? Ist es eine Schlechtigkeit, wenn ein Mensch aus der Tiefe seines Herzens mit dem Verstand ein Gebet zu Jesus schickt? Oder bekämpft ihr es, weil es heimlich im Herzen und nicht laut mit dem Munde gesprochen wird?

214 Vgl. *Meyer* in ZKG 1890, 575 (Lit. Verz. Nr. 501). Nikodemus war Hagiograph, Theologe, Hymnograph, Kanonist und Editor. *Gedeon* nannte ihn „eine Enzyklopädie der athonitischen Wissenschaft seiner Zeit". Ein von *Viller,* Nicodème l'Hagiorite (Lit. Verz. Nr. 768) genanntes Verzeichnis der Werke des Nikodemus Hagiorita umfaßt 18 gedruckte und 58 ungedruckte Werke.

215 Über Veličkovskij *Smolitsch,* Russ. Mönchtum (Lit. Verz. Nr. 654) 482–490; *Kologriwow,* Das andere Rußland (Lit. Verz. Nr. 402) 326–339; *Prière* 63; *Ammann,* Gottesschau 10; hier und bei *Smolitsch,* Leben und Lehre der Starzen (Lit. Verz. Nr. 653) 270 Anm. 98 die Druckausgaben der Vita des Veličkovskij; dazu *Smolitsch,* Starzen 98–127.

216 Über diese Druckausgabe siehe British Museum, General Catalogue of Printed Books (Lit. Verz. Nr. 89) Vol. 53 (1960) 881, Signatur C 54 i 7. – Zum Terminus „Dobrotoljubie" vgl. *Miklosich,* Lexicon Palaeoslovenico-Graeco-Latinum (Lit. Verz. Nr. 509) 167 und *Sreznevskij,* Materialy (Lit. Verz. Nr. 672) 1, 677 unten.

217 Vgl. *Smolitsch,* Starzen 98 ff.

218 Lit. Verz. Nr. 764, dazu *Smolitsch,* Starzen die Anm. S. 270. *Kologriwow,* Das andere Rußland 336 erwähnt ein großes, 1763/64 – also kurz vorher – abgefaßtes Werk Veličkovskijs über das „Innerliche Gebet".

„Das göttliche geistige Gebet hat seine unerschütterliche Grundlage in den Worten unseres Herrn Jesus Christus: ‚Wenn du aber betest, so gehe in dein Kämmerlein und schließe die Tür zu und bete zu deinem Vater im Verborgenen, und dein Vater, der in das Verborgene sieht, wird dir's vergelten öffentlich.'" [219] Daß diese Worte sich auf das Herzensgebet beziehen, wird von den Vätern bestätigt; freilich muß man wissen, „daß es nach den Schriften der heiligen Väter zwei geistige Gebete gibt: das eine für die Anfänger, das dem Tun – der ‚Praxis' – gleichzusetzen ist, und das andere für die Vollkommeneren, das dem Schauen – der ‚Theoria' – entspricht. Das erste ist der Anfang, das zweite das Ende, denn das Tun ist ein Aufsteigen zum Schauen." [220] Die Anfängerstufe des Tuns ist ein asketisches Streiten für die Liebe zu Gott und zum Nächsten, für Fasten, Wachen und sonstige Ermüdungen des Leibes, für Einhaltung der Gottesdienste, für Weinen und Nachdenken über den Tod. Aber all dieses Tun, diese *Praxis* ist noch lange kein Schauen. Erst wenn der Verstand des Menschen durch Askese gereinigt ist, führt ihn, dem Grad seiner Reinheit gemäß, die Gnade Gottes von Stufe zu Stufe bis zur Offenbarung der unaussprechlichen und unbegreiflichen Gottesgeheimnisse – „und das nennt man richtig nun das wahre geistige Schauen",[221] die *Theoria.* Nur dieses von Gott geschenkte schauende Beten ist Gottschauen, alles andere sind keine Schauungen, sondern Wahnvorstellungen, die der Irrbildgeist des Erzlügners vortäuscht. Deshalb ist es unrichtig, dem geistigen Gebet die Schuld zu geben, wenn jemand Schaden an seinem Verstand nimmt oder einen Trug für die Wahrheit hält.[222]

In diesem Verteidigungsschreiben gab Paisij Veličkovskij auch eine geschichtliche Schilderung des Kampfes Satans gegen dieses göttliche Tun des heiligen geistigen Gebetes: als ersten Verleumder habe der Erzlügner von den Fluren Italiens die kalabrische Schlange, den Erzketzer Barlaam, herbeigeholt, um unsern orthodoxen Glauben zu verlästern. Aber die hagioritischen Väter, vor allem der heilige Gregor Palamas, damals noch in der Würde eines Priestermönches, später als Erzbischof von Thessalonike, traten als machtvolle und erfolgreiche Verteidiger auf, „und so blieb das heilige Gebet Jesu, das mit dem Verstand im Herzen und nicht nur mit den Lippen gesprochen wird, ungetrübt von den ketzerischen Anwürfen, leuchtend wie eine Sonne und wurde von der ganzen heiligen Kirche als ein göttliches Tun verherrlicht".[223]

Paisij Veličkovskij hat mit dieser Verteidigungsschrift von 1764 und seinem Dobrotoljubie von 1793 also nicht nur dem Jesusgebet, sondern auch der Theo-

219 *Smolitsch,* Starzen 120.
220 *Smolitsch,* Starzen 121.
221 *Smolitsch,* Starzen 122.
222 *Smolitsch,* Starzen 122 u. 120.
223 *Smolitsch,* Starzen 125.

logie des Gregor Palamas einen Weg vom Athos über die Moldau[224] nach Rußland gebahnt. Ohne Veličkovskij wäre die Renaissance des Jesusgebetes und des Palamismus in Südost- und Osteuropa im 19. und 20. Jahrhundert nicht denkbar.[225]

Zu den großen Förderern des Jesusgebetes und des Hesychasmus in Rußland gehörte im 19. Jahrhundert vor allem Ignatius Brjančaninov (1807 bis 1867),[226] der von 1857 bis 1861 Bischof der Diözese Stavropol am Nordhang des Kaukasus war und nicht nur eine eigene, erweiterte Ausgabe des Dobrotoljubie des Paisij Veličkovskij zu St. Petersburg 1857 veranstaltete, sondern auch zahlreiche eigene asketische Schriften veröffentlichte, unter denen sich eine weitverbreitete Abhandlung über das Jesusgebet befand, die 1952 und 1965 in englischer Übersetzung auch im Westen bekannt wurde.[227] Der Name Jesu, so sagte Brjančaninov darin, sei eine Quelle der Freude und des Lebens, er sei Geist, der belebe, transformiere, reinige und vergöttliche und in vollkommener Weise das laute Beten und Psalmodieren ersetze.[228] Brjančaninov konnte sich für seine Hochschätzung des Jesusgebetes nicht nur auf die byzantinischen Theologen, sondern auch auf eine Reihe von russischen Vätern berufen, so vor allem auf Nil Sorskij, Paisij Veličkovskij und Seraphim von Sarov.[229] Das Studium ihrer Schriften sollte der Lektüre der in der Philokalie vereinigten byzantinischen Theologen unbedingt vorausgehen, weil die Russen klarer und einfacher im Ausdruck seien als die zwar tiefschürfenden, aber doch oft sehr rhetorisch, philosophisch und poetisch schreibenden Byzantiner.[230]

Dem hier spürbar werdenden Bedürfnis nach einer russischen Übersetzung der Philokalie entsprach denn auch ein russischer Mönch, Theophan Govorov (1815–1894),[231] der von 1859 bis 1863 Bischof der Diözese Tambov war und von 1877 bis 1889 in fünf Bänden eine russische Übersetzung der griechischen Ausgabe der Philokalie edierte.[232] Im Vorwort zu diesem russischen Dobrotol-

224 Über Veličkovskijs Tätigkeit im Zusammenhang mit den rumänischen Reformbestrebungen zwischen 1775 und 1800 vgl. *Iorga*, Histoire des Roumains (Lit. Verz. Nr. 349) 7, Bukarest 1940, 384–416: „Oeuvre des Réformes ‚Philosophiques' dans les deux Pays Roumains libres", bes. 391.

225 Zur unmittelbaren Nachwirkung Veličkovskijs vgl. *Smolitsch*, Starzen 126 ff. – *Schultze*, Die Bedeutung des Palamismus in der russischen Theologie der Gegenwart (Lit. Verz. Nr. 689) behandelt nur das 20. Jahrhundert und erwähnt Veličkovskij nicht.

226 Über ihn *Smolitsch*, Russisches Mönchtum 521–524 (Quellen und Lit.); *Smolitsch*, Starzen 168–177; vgl. 273.

227 Lit. Verz. Nr. 86.

228 *Brjančaninov*, Prayer 39.

229 Über Seraphim von Sarov (1759–1833) *Smolitsch*, Starzen 209–257; *Smolitsch*, Russ. Mönchtum passim; *Prière* 64 f.; *Kologriwow*, Das andere Rußland 357–377.

230 *Brjančaninov*, Prayer 41.

231 Über ihn *Smolitsch*, Russ. Mönchtum s. v. *Feofan (Govorov)* der Klausner *(Zatvornik)* passim; *Smolitsch*, Starzen 178–193; 273–274 (Quellen und Lit.); *Bubnoff*, Russ. Frömmigkeit 23–30 (beruht auf *Florovskij*, Puti, Lit. Verz. Nr. 219).

232 Lit. Verz. Nr. 163. *Ammann*, Gottesschau 10–11.

jubie[233] gab Theophan eine Erläuterung des Titels „Philokalie“ oder „Dobrotoljubie“: Es sei damit eine Darlegung des geheimen Lebens in unserm Herrn Jesus Christus gemeint, also des wahrhaft christlichen Lebens, zu dem durch Gottes Gnade alle Menschen berufen seien. Dieses Leben gleiche einer Reise in das Land des Geistes, auf der der Mensch einen Führer brauche, der ihn schrittweise durch alle zweifelhaften und verwirrenden Umstände geleite. Hierbei vertreibe oftmals der eine oder andere Spruch der Väter die Dunkelheit, indem er wie ein Blitzstrahl die Nacht erhelle. Und so, wie das Verlangen des wahren Christen nach geistlicher Führung berechtigt sei, so sei die Erfüllung dieses Verlangens eine Pflicht derjenigen, die es könnten. Deshalb habe es in der Vergangenheit Gesamtausgaben geistlicher Schriftsteller wie Ephräms des Syrers oder des Johannes Klimakus gegeben,[234] aber auch Sammlungen von Auszügen aus solchen Schriftstellern, unter denen die wohlbekannte Philokalie die beste sei. Damit sei also klar, was Philokalie sei: es sei die Lehre von der heiligen Nüchternheit, das heißt Abhandlungen und Aussprüche über das innere, geistliche Leben mit allen seinen Manifestationen und Aktivitäten. Manches in der Philokalie sei aber infolge der veralteten Übersetzung unverständlich geblieben, auch fehle in der griechischen Philokalie manche wichtige Väterstelle. Was hier also geboten werde, sei eine russische Übersetzung der griechischen Philokalie, nur vermehrt um weitere Texte der schon in der griechischen Philokalie enthaltenen Väter und bereichert durch geistliche Texte anderer Väter, die bisher nicht in der Philokalie vertreten waren.[235] Das einzige Ziel dieses so erweiterten Dobrotoljubie sei es, dem Leser nichts vorzuenthalten, was zur Führung seines Lebens in Gott von Wert sein könne.[236]

233 *Kadloubovsky,* Writings from the Philokalia (Lit. Verz. Nr. 164) 13–17.
234 Vgl. *Kern,* Les Traductions Russes des Textes Patristiques (Lit. Verz. Nr. 389).
235 So hat Theophan Govorov in den 4. Band des *Dobrotoljubie* ausschließlich Werke des Theodor von Studion aufgenommen, der für Koinobiten schrieb und deshalb gar nicht zu den Hesychasten paßt. Das weist auf eine innere Problematik des Hesychasmus hin, die bereits in der Zenturie des Kallistus und Ignatius Kap. 14 (*Migne,* PG 147, 653 CD) zum Ausdruck kam: der Mönch soll zur *Hesychia* und zur *Theoria* kommen; Grundlage der *Hesychia* (Ruhe) ist die *Hypakoe* (Gehorsam), Grundlage der *Theoria* (Gottesschau) ist die *Praxis* (Askese und Gebetsmethode). Gehorsam kann nur dem Vorgesetzten im Kloster gegenüber geübt werden, die hesychastische Gebetsmethode aber nur vom einzelnen in seiner stillen Zelle. So zitiert die Zenturie (*Migne,* PG 147, 653 D) den Prediger Salomo 4, 10 „Weh dem, der allein ist“, warnt vor *Idiorrhythmia* (Eigenwillen) und fordert zugleich in Kap. 25–26 (*Migne,* PG 147, 684–688) eremitenhafte Einsamkeit für die Gebetspraxis. Im Dobrotoljubie wird also der Versuch gemacht, das studitische und das palamitische Mönchsideal auf einen Nenner zu bringen. – Zu den im Dobrotoljubie weggelassenen Vätern gehört z. B. Petrus Damascenus.
236 *Kadloubovsky,* Writings from the Philokalia (Lit. Verz. Nr. 164) 13–17. Vgl. das Verzeichnis *Kadloubovsky,* Early Fathers (Lit. Verz. Nr. 165) 416–418: „List of Writers“ der *Philokalia* 1782, des *Dobrotoljubie* 1793 und des *Dobrotoljubie* 1877–1889. In Wirklichkeit ist das Verhältnis des Dobrotoljubie zur Philokalia wesentlich komplizierter, als es nach dieser Vorrede Theophan Govorovs scheint.

Ein berühmtes Zeugnis des 19. Jahrhunderts für diese Frömmigkeit der Philokalie und des Dobrotoljubie sind die in russischer Sprache geschriebenen „Aufrichtigen Erzählungen eines russischen Pilgers", die zuerst um 1865 in einer schlechten und fehlerhaften Ausgabe in Kasan an der Wolga erschienen und erst 1884 mit kirchlicher Druckerlaubnis in einer korrekten 3. Auflage ebenfalls in Kasan neu herausgegeben wurden.[237] Man hat mit Recht die Philokalie als die hesychastische Bibel und den russischen Pilger als ihre volkstümliche Praktizierung bezeichnet.[238] Es handelt sich bei diesen „Aufrichtigen Erzählungen" um eine russische Imitatio Christi, in der ein heimatloser Pilger[239] zunächst in vier Erzählungen einen Bericht von seinen Wanderungen durch das europäische und asiatische Rußland gibt; er beginnt die *1. Erzählung* mit den Worten: „Ich, nach der Gnade Gottes ein Christenmensch, meinen Werken nach ein großer Sünder, meiner Berufung nach ein heimatloser Pilger, niedersten Standes, pilgere von Ort zu Ort. Folgendes ist meine Habe: auf dem Rükken trage ich einen Beutel mit trockenem Brot und auf der Brust die Heilige Bibel; das ist alles." [240] In einem kirchlichen Gottesdienst traf ihn die Verlesung der Schriftstelle 1. Thess. 5, 17 „Betet ohne Unterlaß" so ins Herz, daß er fortab dieses Ideal des unablässigen Gebets verwirklichen wollte. Ein Starez wies ihn auf das unablässige innerliche Jesusgebet als das ununterbrochene, unaufhörliche Anrufen des göttlichen Namens Jesu Christi mit den Lippen, mit dem Geist und mit dem Herzen, allerorts, zu jeder Zeit, sogar im Schlafe hin; es fände seinen Ausdruck in den Worten: „Herr, Jesus Christus, erbarme dich meiner!" [241] Dann fuhr der Starez fort: „Wie man dieses Gebet lernt, wollen wir hier in diesem Buch lesen. Dieses Buch heißt ‚Dobrotoljubie'.[242] Es enthält die vollständige und genaue Wissenschaft über das unablässige innere Gebet, dargelegt von fünfundzwanzig heiligen Vätern." [243] Es sei zwar nicht höher und heiliger als die Bibel, aber wie man die Sonne, das größte, glänzendste

Vgl. darüber *Gouillard* in seiner Einleitung zur Kl. Philokalie, Zürich 1957, 19 (Lit. Verz. Nr. 599). Über die Sprache Theophan Govorovs im Dobrotoljubie vgl. *Smolitsch*, Russ. Mönchtum 489–490.

237 Lit. Verz. Nr. 20 – Nr. 28. Ich zitiere nach *v. Walter*, 1961 (Lit. Verz. Nr. 28) und nach *Otkrovennye Razskazy*, 1930 (Lit. Verz. Nr. 21). Ein Verzeichnis aller Ausgaben und Übersetzungen bei *Hausherr*, Noms du Christ (Lit. Verz. Nr. 301) 10–11.

238 *Wunderle*, Psychologie (Lit. Verz. Nr. 822) 63.

239 Vgl. dazu *H. v. Campenhausen*, Die asketische Heimatlosigkeit, Tübingen 1930 (Lit. Verz. Nr. 103). Das Ideal des wandernden Eremiten *(Peregrinus, Xeniteuon, 'Aksĕnājā, Ḥāḏūrā, Strannik)* gab es im Orient, im Okzident (hier besonders bei den Iren) und in Rußland gleicherweise. Vgl. *Vööbus*, History of Asceticism (Lit. Verz. Nr. 781) 2, 269–275, vgl. 1, 103–108. Syrische Bezeichnungen für Mönche bei *Kawerau*, Jakobitische Kirche (Lit. Verz. Nr. 375) [2]1960, 122–123.

240 *Aufr. Erz.* 11; *Otkrov. Razsk.* 11. – Die 1. Erzählung in *Otkrov. Razsk.* 1930, 11–27.

241 *Aufr. Erz.* 19.

242 *Otkrov. Razsk.* 18.

243 *Aufr. Erz.* 20.

und vornehmste Himmelslicht, nicht mit einfachem, unbewaffnetem Auge betrachten könne, so brauche auch unser kurzsichtiger Verstand ein Hilfsmittel, um das, was es an Geheimnisvollem in der Bibel gäbe, zu erklären: „Also ist auch die Heilige Schrift eine glänzende Sonne, das Dobrotoljubie aber ist jenes erforderliche Glas, das einem den Zugang zu jener erhabensten Leuchte ermöglicht."[244] Der Starez führte dann den Pilger in die Äußerungen verschiedener Väter über das innere Herzensgebet ein, schenkte ihm eine Zählschnur[245] und wies ihn an, damit zunächst dreitausend mündliche Jesusgebete pro Tag zu verrichten.[246] Nach zehn Tagen wurde diese Zahl auf zwölftausend Gebete am Tag gesteigert.[247] Nachdem dies dem Pilger tatsächlich gelungen war, erhielt er von seinem geistlichen Vater die Erlaubnis, das Jesusgebet zu verrichten, so oft er wolle, soviel als möglich, ohne Zahl; er solle aber doch möglichst alle wachen Stunden dem Gebet widmen.[248] Als der Starez schließlich starb, setzte der Pilger seine Wanderschaft fort, verdiente sich im Sommer als Wächter eines Gemüsegartens zwei Rubel und beschloß, für dieses Geld das Dobrotoljubie zu erwerben. „Ich kam in eine Gouvernementsstadt und fragte in verschiedenen Handlungen nach dem Dobrotoljubie; in einem Geschäft fand ich es auch, doch verlangte man dafür drei Rubel, ich besaß aber nur deren zwei; ich versuchte zu handeln, doch wollte mir der Kaufmann das Buch nicht billiger geben. Schließlich sagte er: ‚Geh mal in jene Kirche drüben und frage nach dem Kirchenältesten; er besitzt ein ganz altes Exemplar dieses Buches; möglichenfalls wird er es dir für zwei Rubel abtreten.' Ich ging hin und kaufte das Dobrotoljubie – ein ganz altes, zerlesenes Buch – tatsächlich für zwei Rubel; da freute ich mich. Ich flickte es notdürftig zusammen, nähte es in einen Lappen ein und legte es in meinen Beutel neben die Bibel. So ziehe ich nun meiner Wege und verrichte unablässig das Jesusgebet, das mir wertvoller und süßer ist als alles andere in der Welt. Mitunter gehe ich meine siebzig Werst[249] am Tage, manchmal auch mehr, und fühle gar nicht, daß ich gehe; ich fühle aber nur, daß ich das Gebet verrichte. Fährt mir eisige Kälte durch die Glieder, so beginne ich das Gebet angespannter herzusagen und bin bald vollkommen erwärmt. Martert mich der Hunger, so rufe ich den Namen Jesu Christi häu-

244 *Aufr. Erz.* 20–21. Vgl. damit Dionysius, Kirchliche Hierarchie II, 1 über die Gefahr, mit unsern schwachen Augen die Sonne anzuschauen.

245 *Aufr. Erz.* 23; *Otkrov. Razsk.* 21. Die Zählschnur der russischen Mönche *(Čětki* oder *Lestvica)* ist eine lange Schnur aus Seide oder Wolle, auf der sich Knoten zum Abzählen der verrichteten Gebete befinden; diese Knoten bestimmen nicht wie beim Rosenkranz der katholischen Kirche die Art des jeweiligen Gebetes. Die in den Wörterbüchern angegebene Bedeutung „Rosenkranz" für *Čětki* ist deshalb irreführend. Siehe dazu *Hauptmann* in Kirche im Osten 10, 1967, 198 und *Gauvain,* Récits (Lit. Verz. Nr. 24) 139.

246 *Aufr. Erz.* 23.

247 *Aufr. Erz.* 25.

248 *Aufr. Erz.* 27.

249 1 Werst = 1,067 Kilometer.

figer an und vergesse, daß ich essen wollte. Bin ich krank oder fühle ich ein Reißen im Rücken und in den Beinen, so beginne ich, auf das Gebet hinzuhorchen und spüre den Schmerz nicht mehr. Wenn mich jemand beleidigt, so denke ich nur daran, wie süß das Jesusgebet ist; sogleich ist die Kränkung und aller Zorn geschwunden, und ich habe alles vergessen. Ich bin gleichsam närrisch geworden;[250] um nichts sorge ich mich mehr. Zwar habe ich das unablässige, selbsttätige innere Gebet im Herzen noch nicht erlangt, doch danke ich Gott, denn ich verstehe jetzt klar, was das Wort bedeutet, das ich in der Epistel hörte: Betet ohne Unterlaß."[251]

In der 2. *Erzählung*[252] berichtet der Pilger, wie er das Dobrotoljubie nun selbst zu studieren begann und sich, um möglichst ungestört zu sein, deshalb in die Wälder Sibiriens zurückzog. Hier gelang es ihm, die Worte des Jesusgebetes mit dem Schlagen seines Herzens in Einklang zu bringen. Im Dobrotoljubie suchte er Klarheit darüber, ob das dabei auftretende Wärmegefühl in der Brust eine natürliche Wirkung oder eine Gnadenwirkung sei.[253] Einmal erschien ihm sein verstorbener geistlicher Vater des Nachts im Traum und gab ihm dazu die Anweisung, das Dobrotoljubie nicht in der Reihenfolge zu lesen, in der die Schriften der heiligen Väter angeordnet seien: „Die Anordnung ist dort eine theologische; der nichtgelehrte Mensch aber, der das innere Gebet aus dem Dobrotoljubie erlernen will, muß sie in dieser Reihenfolge lesen: 1. er lese zuvor das im zweiten Teil enthaltene Buch des Mönches Nikephorus, dann 2. das ganze Buch des Gregor Sinaita mit Ausnahme der kurzen Kapitel, 3. Symeon, den Neuen Theologen, über die drei Arten des Gebets und seine Schrift über den Glauben, und hierauf 4. das Buch des Kallist und Ignatius. In diesen Vätern ist eine vollständige, für jedermann verständliche Unterweisung und Lehre über das innere Herzensgebet enthalten. Wenn du aber eine noch leichter verständliche Belehrung über das Gebet haben willst, so schlage im vierten Teil auf, was der heiligste Patriarch Kallist von Konstantinopel[254] in Kürze über die Art des Betens sagt."[255] Nach diesen Anweisungen verfahrend bemerkte der Pilger nach einiger Zeit, daß die Folgen des Herzensgebetes sich in dreifacher Weise kundtaten: im Geiste durch innere Ruhe, im Gefühl durch Erwärmung des Herzens, in den Offenbarungen durch Erleuchtung der Vernunft, Eindringen in die Schrift und Verstehen des Geistes

250 Vgl. *Gerhart Hauptmann*, Der Narr in Christo Emanuel Quint, 1910.
251 *Aufr. Erz.* 29–30; *Otkrov. Razsk.* 25–27.
252 *Aufr. Erz.* 31–83; *Otkrov. Razsk.* 28–70.
253 *Aufr. Erz.* 31–32; *Otkrov. Razsk.* 28–29.
254 Kallistus I., Patriarch von Konstantinopel 1350–1353 und 1355–1363. Über ihn *Beck*, Kirche und theol. Lit. 774–775; er war ein besonders energischer Verfechter der palamitischen Theologie, *Beck* 774. Kallists 14 *Kephalaia peri Proseuches* in der *Philokalia*, Venedig 1782, 1100–1102; *Philokalia* 4, Athen [3]1961, 296–298; *Migne*, PG 147, Paris 1865, 813–817 (14 Capitula de Precatione). *Dobrotoljubie* 5, Moskau 1889, 457–462 *(Glavy o Molitvě)*.
255 *Aufr. Erz.* 52–53; *Otkrov. Razsk.* 45–46.

der Schöpfung. Schließlich fühlte er, daß das Jesusgebet ganz von selbst ohne irgendeine Nötigung seinerseits sich in ihm vollzog und von seinem Geist und Herzen nicht nur in wachem Zustand, sondern auch im Schlaf verrichtet wurde. Auf der langen Wanderung nach Irkutsk war das selbsttätige Herzensgebet sein Trost und seine Freude: „Wenn ich irgendeine Arbeit vorhabe und das selbsttätige Gebet im Herzen wirkt, geht die Arbeit schneller von der Hand; wenn ich aufmerksam hinhorche oder lese, hört das Gebet doch nicht auf, und ich fühle gleichzeitig sowohl das eine wie das andere, als wäre ich gleichsam gespalten oder als hätte ich zwei Seelen in meiner Brust. Mein Gott! Wie geheimnisvoll ist doch der Mensch!“ [256]

In der *3. Erzählung* [257] berichtet der Pilger kurz über seine Herkunft und sein Leben vor Beginn der Pilgerschaft, in der *4. Erzählung* [258] schildert er Begegnungen mit frommen Menschen, mit denen er über die hesychastische Auslegung des Vaterunsers und über weitere Erfahrungen mit dem Jesusgebet spricht. Die 4. Erzählung schließt mit dem Aufbruch des Pilgers zu einer Wallfahrt nach Jerusalem.

Im Jahre 1911 wurden in den Manuskripten des Ambrosius von Optina (1812–1891) [259] *drei weitere Erzählungen* des Pilgers aufgefunden und veröffentlicht.[260] Sie sind in einem mehr lehrhaften Ton gehalten und behandeln grundsätzliche Fragen des Jesusgebetes in der Form von Gesprächen des Pilgers mit verschiedenen Personen, so mit einem griechischen Mönch vom Athos, der in Rußland Gaben für sein Kloster sammelte: „Da habe ich“, erzählt der Pilger, „so mancherlei über seelenrettende Dinge zu hören bekommen. Er erzählte vom heiligen Athos, von den frommen Gebetshelden, von vielen Klausnern und Eremiten. Er hatte auch das Dobrotoljubie bei sich, aber in griechischer Sprache, und das Buch Isaaks des Syrers.[261] Wir lasen zusammen und verglichen die slawische Übersetzung des Paisij Veličkovskij mit dem griechischen Original, und er meinte, man könne gar nicht genauer und richtiger aus dem Griechischen übersetzen, als Paisij die Philokalie ins Slawische übersetzt habe. Als ich merkte, daß er unablässig betete und im inneren Herzensgebet wohl erfahren war (auch sprach er ein reines Russisch), befragte ich ihn dieserhalb.

256 *Aufr. Erz.* 57–58.
257 *Aufr. Erz.* 85–90; *Otkrov. Razsk.* 71–75.
258 *Aufr. Erz.* 91–138; *Otkrov. Razsk.* 76–116.
259 Über Ambrosius und das Kloster Optina vgl. *Kologriwow,* Das andere Rußland 340–356; *Smolitsch,* Leben und Lehre der Starzen 194–206; *Smolitsch,* Russ. Mönchtum 440–442; hier 38 seine Schriften (Briefe) und zwei Viten; *Meyendorff,* St Grégoire Palamas (Lit. Verz. Nr. 497) 161–164 (mit zwei Abbildungen des Klosters); hier 164: „Le cadre et l'atmosphère d'Optino sont minutieusement décrits par Dostoïevsky dans les *Frères Karamazov* qui voulut dépeindre, en la personne de Zosima, le célèbre starets Ambroise.“
260 Lit. Verz. Nr. 23, 25 und Nr. 27. *Gauvin,* Récits 10.
261 Über den nestorianischen Bischof Isaak von Ninive (um 670 A. D.) siehe *Baumstark,* GSL 223–225; *Moss* 495–499.

Er gab mir gern und bereitwillig Antwort, und ich hörte ihm aufmerksam zu, und so manches seiner Worte habe ich mir auch aufgeschrieben." [262] Der Leser erfährt in diesen Lehrgesprächen zum Beispiel die richtige Intonation des Jesusgebetes, er lernt das Jesusgebet als Sinn und als alleinigen Inhalt des ganzen Neuen Testaments kennen und als das mächtigste Mittel zur Heilung aller Krankheiten des Leibes und der Seele.

Diese Erzählungen sind ohne den Namen ihres Verfassers erschienen. Nach dem Vorwort der 3. Ausgabe Kasan 1884 [263] hat Paisij (gest. 1883), der Abt des Klosters des hl. Erzengels Michael der Tcheremissen,[264] den Text bei einem uns dem Namen nach unbekannten russischen Athos-Mönch abgeschrieben. Wahrscheinlich hat ein gelehrter russischer Mönch die Erzählungen auf Grund seiner Unterhaltungen mit dem Pilger niedergeschrieben und offensichtlich auch erweitert, aber das nimmt besonders den ersten vier Erzählungen nichts von ihrer Ursprünglichkeit.[265]

Der Verfasser dieser Erzählungen ist sich völlig im klaren darüber, daß das Herzensgebet keine spezifisch orthodoxe Übung ist. So läßt er einen polnischen Amtmann zu dem im Dobrotoljubie lesenden Pilger sagen: „Ach, das ist das ‚Dobrotoljubie'. Ich habe dieses Buch bei unserm Priester gesehen, als ich noch in Wilna lebte; man hat mir aber gesagt, daß es allerhand seltsame Kunststücke enthält und Kniffe, wie man beten müsse; griechische Mönche haben es geschrieben; es ist so ähnlich, wie es in Indien und in Buchara Fanatiker gibt, die da sitzen und sich aufblasen, um dadurch einen Kitzel im Herzen zu verspüren, und in ihrer Dummheit halten sie dieses natürliche Gefühl für ein Gebet, das ihnen von Gott gleichsam verliehen wurde." Man solle morgens ein Vaterunser beten, wie es uns Christus gelehrt habe, dann sei man für den ganzen Tag in Ordnung, und außerdem sei das immerwährende Gebet für das Herz und den Verstand schädlich.[266]

262 *Walter,* Russische Mystik (Lit. Verz. Nr. 27) 123.

263 Wiederabgedruckt in *Otkrov. Razsk.* 1930, 8–10; vgl. *Gauvin,* Récits 10; *Hausherr,* Hésychasme et Prière (Lit. Verz. Nr. 304) 2.

264 Dieses Kloster wurde 1868 unweit der Wolga etwa 150 Kilometer nordwestlich von Kasan als Missionszentrum für die oberen Tscheremissen gegründet, *Denisov* (Lit. Verz. Nr. 135) 244 Nr. 267.

265 *Gauvain,* Récits 1948, 10. Der Verfasser ist jedenfalls nicht mit dem ungelehrten Pilger identisch. Er kennt noch andere literarische Quellen als die Bibel und das Dobrotoljubie, so die koptische Legende von der hl. Marina, die in einem Männerkloster ihre Seele rettete (*Aufr. Erz.* 69; *Otkrov. Razsk.* 58). Diese Legende koptisch und deutsch bei *Walter Till,* Koptische Heiligen- und Martyrerlegenden (Lit. Verz. Nr. 734) 1, 26–33; nach *Gauvain,* Récits 140 ist Marinas Heiligentag in der lateinischen Kirche der 17. Juli, in der griechischen Kirche der 12. Februar, *Acta Sanctorum (Boll.)* Juli T. IV, pp. 278–287. – Auf Übereinstimmungen zwischen den *Aufr. Erz.* und *al-Ġazzālī* weist *L. Gardet* hin, EI [2]2, 1965, 225 Ziffer 2 *(Dhikr of the Heart)* (im Sufismus). Vgl. *Hans Wehr,* Al-Ġazzālīs Buch vom Gottvertrauen. Das 35. Buch des Iḥyā' 'Ulūm ad-Dīn, Halle (Saale) 1940, 6–39: „Das Wesen des Einheitsbewußtseins, das die Grundlage für das Gottvertrauen bildet", eine Schilderung der „Stationen des Gottvertrauens".

266 *Aufr. Erz.* 76–77; *Otkr. Razsk.* 64–65.

Dieser Hinweis auf Indien und Buchara, auf Hinduismus und Islam als Heimstätten des unablässigen Herzensgebetes ist von der neueren westlichen Forschung mehrfach erörtert worden. So hat man die Frage aufgeworfen, ob die Hesychasten eine Art byzantinischer Yogis seien, und ob man an Einflüsse aus dem ferneren Osten zu denken habe.[267] Ein Vergleich der Quellen zeigt, daß im Hinblick auf die Methode tatsächlich überraschende Ähnlichkeiten bestehen: Hesychasmus und Yoga sind körperliche Exerzitien zur Unterdrückung der Leidenschaften und Begierden, beide besitzen Anweisungen zur Atembeherrschung, Meditation und Konzentration sowie zur Einhaltung der sittlichen Gebote. Doch besteht neben diesen und anderen Analogien auch eine wesentliche Verschiedenheit, und zwar in der Zielsetzung: der Hesychast will Gott anbeten und der vom Vater kommenden Gabe des Heiligen Geistes teilhaftig werden, strebt also Vergöttlichung an, der Yogi will Selbsterlösung durch Destruktion des psychischen Seins. Eine direkte Beeinflussung des Hesychasmus durch das Yogatum ist aber auf jeden Fall historisch nicht nachweisbar.[268]

Auch im Islam gibt es ein Herzensgebet, das sich auf Koran 18, 23 beruft: „Und rufe dir deinen Herrn in Erinnerung, wenn du vergißt."[269] Dieses Sich-Erinnern wird zur unaufhörlichen mündlichen Nennung Gottes und schließlich zur Technik eines solchen ständigen Stoßgebetes, des *D̲ikr al-Qalb,* der Erinnerung des Herzens, wie es besonders im Sufismus lebendig war, um die höchsten Grade *(Aḥwāl)* im Streben nach der Vereinigung mit Gott *(Ittiḥād)* zu erreichen.[270]

Diesen religionsgeschichtlichen Analogien zum östlichen Herzensgebet lassen sich aus der Kirchengeschichte noch andere hinzufügen. Im syrischen Christentum verbreitete sich seit etwa 400 A. D. eine Bewegung, die unter Berufung auf die Jesusworte von der Weltverleugnung ganz dem irdischen Wesen absagte und sich nur dem unablässigen Gebet widmete. Diese Messalianer[271]

267 Vgl. *Ivánka,* Byzantinische Yogis? (Lit. Verz. Nr. 359). Über Yoga vgl. *Jan Gonda,* Die Religionen Indiens I, Stuttgart 1960, 308 ff. u. ö.; II, 1963, 338 ff.: das Wort Yoga bedeutet wahrscheinlich „methodische Anstrengung".

268 *Nölle,* Hesychasmus und Yoga (Lit. Verz. Nr. 558). – Über Analogien zum buddhistischen *Nembutsu* („an Buddha denken") vgl. *Gouillard,* Kl. Philokalie 29 und *L. Gardet* in EI 2, ²1965, 223–224.

269 *Wad̲kur rabbaka id̲ā nasīta.* Ägyptische Staatsausgabe des Korans, Kairo 1347 H. S. 384. Vgl. *Paret,* Koran. Übersetzung. Stuttgart 1966, 240. *Gardet,* La Mention du Nom divin (D̲hikr) (Lit. Verz. Nr. 229) bes. 669–671: „Le ‚d̲hikr du coeur'."

270 *Gardet,* Artikel *D̲hikr* in EI 2, ²1965, 223–227 (Quellen und Lit.) – *Gouillard,* Kleine Philokalie 237–241 gibt in deutscher Übersetzung einen Auszug aus dem ‚Tanwīr al-Qulūb' des *Muḥammad Amīn al-Kurdī al-Naqšbandī* (gest. 1332 A. D.). Vgl. dazu *Wehrs* Übersetzung des Al-Ġazzālī (Lit. Verz. Nr. 238). – *Hausherr,* Noms du Christ (Lit. Verz. Nr. 301) 156–162: „Le ‚Souvenir de Dieu'." Dazu den Art. *Darwīs̲h̲* in EI 2, ²1965, 164–165; über pausenloses Rezitieren des Gottesnamens zur Erregung religiöser Stimmung bei dem Derwischorden der Rufāʿī vgl. *Klaus Müller,* Kulturhistorische Studien (Lit. Verz. Nr. 539) 48 u. ö.

271 Syrisch *Měṣallějānē,* TS 3403, Beter, Euchiten; über sie RE 12, ³1903, 661–664

oder Euchiten haben besonders auf Armenien eingewirkt und scheinen dort in der Sekte der Paulikianer[272] aufgegangen zu sein. Vereinzelte Äußerungen über die Notwendigkeit des ständigen Gebetes wird man im übrigen wohl bei jedem christlichen Theologen finden können. So hat Martin Luther gefordert, man solle kurz beten, aber oft und stark; das bewirke ein Gebet ohne Unterlaß: „Wo ein Christ ist, da ist eigentlich der Heilige Geist, der da nichts anderes tut als immerdar beten." [273] Bei Luthers Zeitgenossen Ignatius von Loyola (1491–1556), der aus Spanien stammte, dem Lande, in dem der Kampf zwischen Christentum und Islam sieben Jahrhunderte angedauert hat, hat man die Frage der Abhängigkeit seiner soldatischen ‚Exercitia spiritualia' [274] von muslimischen Regeln für die Verrichtung des *D̲ikr al-Qalb* und von muslimischen Anleitungen für die Gewissensprüfung schon im 19. Jahrhundert aufgeworfen.[275] Der gelehrte Jesuit Irenäus Hausherr hat zwischen der hesychastischen Gebetsmethode und den Anweisungen des Ignatius von Loyola insofern eine Gemeinsamkeit festgestellt, als beide die Idee einer Teilnahme des Körpers an der Psychologie des Gebets haben; weitere Übereinstimmungen bestreitet er.[276]

Das Emblem des Jesuitenordens JHS, das eine Abkürzung des Namens Jesu ist, zeigt uns die auch im lateinischen Westen geübte Verehrung des Namens Jesu, für die es in der römischen Kirche seit dem Jahre 1721 auch ein besonderes Fest des Heiligen Namens Jesu gibt: an ihm wird den Gläubigen alles vergegenwärtigt, was Jesus Christus ist, was er für uns getan hat und noch tun wird.[277] Diese westliche Verehrung des Namens Jesu lenkt unsere Blicke noch einmal in den Osten zurück.

(Bonwetsch); RGG 2, ³1958, 722 s. v. *Euchiten (H. Dörries);* DThC 10, 792–795 *(É. Amann); Viller,* Aszese 216–218 (Lit.); *Altaner* ⁴1955, 225–226 u. ö.

272 *Conybeare,* The Key of Truth. A Manual of the Paulician Church of Armenia (Lit. Verz. Nr. 123); über das ständige Gebet z. B. S. 82. RGG 5, ³1961, 165–166 *(C. Colpe). Runciman,* The Medieval Manichee (Lit. Verz. Nr. 637). *Obolensky,* The Bogomils (Lit. Verz. Nr. 563). Russische Literatur zu den Paulikianern (1945 bis 1962) in: *Travaux et Mémoires* 2, Paris 1967, 251 (Lit. Verz. Nr. 747).

273 RGG 2, ³1958, 1231 (WA 32, 418, 18. WA 45, 541, 27 ff.) *(H. Beintker).*

274 RE 5, ³1898, 691–695; RGG 2, ³1958, 816–817.

275 RE 8, ³1900, 743 und 748; *Müller,* Les Origines de la Compagnie de Jésus (Lit. Verz. Nr. 538) 40–51 „Double origine des Exercices Spirituels: Emprunts faits aux Ordres religieux musulmans" erwähnt den D̲hikr nicht und gibt nur allgemeine Hinweise auf Kontakte zu Muslimen.

276 *Hausherr,* Exercices (Lit. Verz. Nr. 300) 144 und 150. Vgl. *Viller,* Nicodème (Lit. Verz. Nr. 768).

277 *Prière* 109–112: L'Invocation du Nom de Jésus en Occident. *Wetzer–Welte* 9, 1895, 27–28. *Burckhardt,* Siena (Lit. Verz. Nr. 100) 85–96: „Das Wappen Gottes", über die Namen-Jesu-Verehrung Bernhardins von Siena (1380–1444) und das von ihm geschaffene Monogramm des Namens Jesus (Abb. S. 91).

5. Hilarion: Die Göttlichkeit des Namens Jesu

Im Jahre 1907 hat der im Kaukasus als Eremit lebende russische Mönch Hilarion zu Batalpašinsk[278] ein Buch veröffentlicht, das den Titel hatte: ‚Auf den Bergen des Kaukasus. Unterhaltungen zweier Einsiedler-Starzen über die innere Vereinigung mit dem Herrn unserer Herzen durch das an Jesus Christus gerichtete Gebet oder geistliche Tätigkeit zeitgenössischer Einsiedler. Zusammengestellt vom Einsiedler der Kaukasusberge Mönch der großen Weihe Hilarion.‘[279] Dieses Buch fand in den Kreisen der Mönche weite Verbreitung, erregte aber bald Anstoß, weil Hilarion darin von der göttlichen Mitgegenwart *(Soprisutstvie)* sprach und den im Jesusgebet angerufenen Namen „Jesus" als „Gott selbst" bezeichnete.[280] Es entstand eine umfangreiche Streitliteratur,[281] und auf dem Athos, auf dem Hilarion im russischen Panteleimon-Kloster gelebt hatte, bevor er sich in den Kaukasus begab, brach ein förmlicher Aufruhr aus, der mit Gewalt unterdrückt werden mußte und mit der Deportation zahlreicher Mönche vom Athos nach Rußland endete.[282]

Hilarions Lehre, daß im Namen Gottes Gott selbst gegenwärtig sei, trug er im 3. Kapitel seines Buches vor:[283] „Im Namen Gottes ist Gott selbst zugegen, mit seinem ganzen Wesen und (allen) seinen unendlichen Eigenschaften. Selbstredend muß man dies geistig verstehen." Christi anbetungswürdiger und allmächtiger Name ist nach Hilarion gleichsam er selber: „Anders kann es auch nicht sein. Gott ist ein gedankliches, geistiges, geistiger Schau zugängliches Wesen, und derart ist auch sein Name; in gleicher Weise sind auch unsere Seelen geistige, gedankliche Wesen; nur ist der Abstand zwischen ihnen und Gott unendlich, wie es sich eben zwischen Gott und Geschöpf geziemt; und auf Grund dieses ganzen Tatbestandes ist unsere Beziehung zu ihm und geschieht unsere Annäherung an ihn geistig, für leibliche Augen unsichtbar, durch die inneren Kräfte der Seele. Mit einem Wort, alles geschieht auf dem Gebiete des Geistes, wo keinerlei Leibliches am Platze ist. Von diesem Standpunkt her ist nun jedem deutlich, daß der Name des Herrn Jesus Christus

278 Stadt am Nordhang des Kaukasus, etwa 90 Kilometer südlich von Stavropol. Das Folgende nach *Schultze*, Streit um die Göttlichkeit (Lit. Verz. Nr. 688).

279 Lit. Verz. Nr. 316. Die Kapitel 1, 2, 29 (über Naturschönheiten als Offenbarungen Gottes) bei *Schultze*, Auf den Bergen des Kaukasus (Lit. Verz. Nr. 691) 93–107 in deutscher Übersetzung. Der russ. Titel bei *Florovskij*, Puti 571.

280 *Schultze*, Streit um die Göttlichkeit (Lit. Verz. Nr. 688) 322–323.

281 Verzeichnet bei *Schultze*, Streit um die Göttlichkeit 323 ff.; vgl. *Schultze*, Bedeutung des Palamismus (Lit. Verz. Nr. 689) 395 Anm. 27, wo auf die bibliographischen Angaben bei *Florovskij*, Puti (Lit. Verz. Nr. 219) Anhang S. 571–572 hingewiesen wird, besonders auf *S. V. Troickij*, Ob imenach Božiich i imjabožnikach, St. Petersburg 1914, sowie auf *Antonius Bulatovič*, der theologisches Material dazu veröffentlicht hat.

282 *Schultze*, Streit 323.

283 In deutscher Übersetzung zum Teil bei *Schultze*, Streit 326–328.

unmöglich von seiner heiligsten Person abgetrennt werden kann."[284] Im Vollzug des Jesusgebetes wird die Seele durch den in seinem allgöttlichen Namen wesenden Herrn Jesus erleuchtet und zur höchsten Stufe der geistlichen Vollkommenheit emporgehoben, geistig geheiligt und mit Gott verbunden. „Der Name des Herrn Jesus Christus wird sozusagen gleichsam Fleisch, der Mensch fühlt deutlich mit dem inneren Gefühl seiner Seele im Namen Gottes Gott selbst. Dieses Erfühlen des Herrn selbst und seines Namens verschmilzt zur Identität, derzufolge es unmöglich ist, eins vom andern zu unterscheiden."[285] Christi Gottheit wohnt in seinem Fleische körperlich und sichtbar, in seinem heiligen Namen geistig und unsichtbar, und wenn der Mensch diesen Namen in sein Herz aufnimmt, berührt er das Wesen Christi selbst und wird in dieser inneren, tiefsten Herzenseinigung ein Geist mit ihm (1. Kor. 6, 17), nimmt an Christi Eigenschaften teil und wird nach dem Bilde dessen, der ihn geschaffen hat, gut, liebevoll, demütig und fühlt in sich das ewige Leben. „Und nur ein solcher Mensch, der um seiner Herzens-Verbindung mit dem Herrn willen nicht getäuscht wird, da er deutlich durch seinen Geist im Namen Jesus Christus seine göttliche Gegenwart fühlt, (ihn selbst), kann vor der ganzen Welt bezeugen, daß der Name des Herrn Jesus Christus er selber ist, Gott der Herr; daß sein Name nicht trennbar ist von seinem heiligsten Wesen, sondern mit ihm eins ist, indem er sich hierin nicht auf Verstandeserwägungen stützt, sondern auf das Gefühl seines vom Geist des Herrn durchdrungenen Herzens."[286]

In immer neuen Wendungen dieses Grundgedankens hat Hilarion von dem Erfühlen der gnadenhaften Gegenwart des Herrn Jesus im Herzen als im Tempel des inneren Menschen, von der Erfahrung des erlösenden Atems Jesu im Betenden gesprochen: „In eine solche ganz nahe Vereinigung mit dem Herrn versetzt uns das Jesusgebet. In diesem Namen ist das ewige Leben, denn in ihm ist der ewige Gott mit zugegen und gegenwärtig."[287]

284 *Schultze,* Streit 327.
285 *Schultze,* Streit 327.
286 *Schultze,* Streit 328.
287 *Schultze,* Streit 328. – Für diese Auffassung des Namens hätte sich Hilarion auf Theodor von Studion berufen können, der „Ikone und Prototyp in die engste mögliche Einheit zu bringen" suchte. Das Mittel dazu war ihm der Name, den das Bild trägt, die Aufschrift: *Homonymia* verbindet Abbild und Urbild in der Gemeinschaft des Namens. Wie Christus in seinem Befehlswort (Matth. 8, 13) selbst zugegen war, so ist der durch die *Epigraphe* gegebene Name, der dem Bild aufgeschrieben ist, die Person selbst in der Wirkkraft ihres Seins. Siehe darüber die Ausführungen bei *Lange,* Bild und Wort (Lit. Verz. Nr. 428) 219–234 u. ö., besonders 237 f.: „Es müßte die biblische und patristische Namens-Theologie auf das genauere Verhältnis von vergegenwärtigender, konsekrierender und verkündigender Kraft des Namens beziehungsweise Wortes hin befragt werden." *Lange* gibt zahlreiche Lit.-Hinweise, besonders auf das Material bei *Lampe,* A Patristic Greek Lexicon (Lit. Verz. Nr. 425) 964–965 s. v. *Onoma.* Siehe auch *Koch,* Christusbild-Kaiserbild (Lit. Verz. Nr. 400) 86: Das Bild vertritt den Kaiser, der in ihm in Person gegenwärtig ist. Das Kaiserbild ist der reale Ausdruck,

Es war die in der Orthodoxie immer vorhandene monophysitische Unterströmung, die sich, gepaart mit einer geradezu staunenswerten psychologischen Beobachtungsgabe, hier wieder einmal kräftig zur Geltung brachte, und die sich in der Tat auf zahlreiche Textstellen der Heiligen Schrift und der Tradition der Kirche berufen konnte. Es war eine uralte und doch immer neue Auffassung vom Christentum, aber es konnte ihr kein anderes Schicksal beschieden sein als dem altkirchlichen Monophysitismus: Der Ökumenische Patriarch von Konstantinopel, Joachim III., verurteilte in einem Schreiben vom 2. September 1912 an den Hegumenos des russischen Panteleimon-Klosters auf dem Athos diese unsinnige und gotteslästerliche Lehre, die den Heiligen Berg in Aufruhr versetzt habe; die Theologische Schule von Chalki gab in einem Gutachten vom 30. März 1913 das Urteil ab, Hilarions Lehre sei zwar von lebendigem, religiösem Gefühl getragen, weiche aber vom Dogma ab und sei pantheistisch. Der Heiligste Russische Synod verurteilte am 18. Mai 1913 die Lehre Hilarions ebenfalls und erklärte das neue Dogma für eine Häresie; allen Ungehorsamen wurden schwere Strafen angedroht. Nach orthodoxer Lehre, so erklärte der Heilige Synod, sei der Name nur ein Name, nicht aber Gott selbst; er sei nur Benennung eines Gegenstandes und nicht der Gegenstand selbst.[288]

Der Streit um die Göttlichkeit des Namens Jesu hat sich nach dem Ende des Ersten Weltkrieges unter den in Westeuropa lebenden russischen Religionsphilosophen und Laientheologen fortgesetzt und wird infolge der literarischen Tätigkeit dieser modernen russischen Denker das heutige religiöse Denken auch über die zweite Hälfte des 20. Jahrhunderts hinaus beeinflussen. Damit ist der im Jahre 1782 in Venedig erschienenen Philokalie und dem Jesusgebet eine Wirkung beschieden gewesen, deren Ende heute noch niemand abzusehen vermag.[289]

die Gegenwärtigsetzung der aktuellen Herrschergewalt des regierenden Kaisers; und das gilt der griechischen Kirche in noch höherem Maße vom Bilde Christi, denn Christus ist der Kaiser der Kaiser. Die Schau der Ikone ist lebendige geistige Begegnung mit Christus selbst. Die Namen-Theologie ist also ein Gegenstück zur Ikonen-Theologie. Vgl. hierzu auch EI ²3, 1967, 600–601 s. v. *Ḥurūfiyya;* hier 601 über die Anschauung, daß Gott sich im Wort offenbart, dessen Laute mit den Buchstaben identisch sind. Die Gesamtheit der (arabischen) Buchstaben *(ḥurūf)* ist deshalb die Gesamtheit der Emanationen Gottes.

288 Die Quellen nennt *Schultze,* Streit 366–369.

289 *Schultze,* Streit 369–374: „Anschließende Kontroversen." – Über eine von *Dumitru Staniloae* gemachte rumänische Übersetzung der Philokalie, die 1946–1948 in Sibiu erschien, vgl. *Istina* 5 (Boulogne – Sur – Seine 1958) 295–328; 443–474: „L'avènement philocalique dans l'Orthodoxie roumaine", par un Moine de l'Eglise Orthodoxe de Roumanie (Lit. Verz. Nr. 29).

ÖSTLICHES UND WESTLICHES CHRISTENTUM

Wer die auf den vorhergehenden Seiten geschilderte östliche Ausprägung der christlichen Religion überblickt und ihre in fast zwei Jahrtausenden entstandene Kompliziertheit, Mannigfaltigkeit und auch Gegensätzlichkeit, ihre trotzdem vorhandene innere Einheitlichkeit und ihre Ähnlichkeit ebenso wie ihre selbstverständliche Besonderheit gegenüber dem christlichen Westen auf sich wirken läßt, wird leicht bemerken, daß gewisse westliche Vorstellungen über den christlichen Osten nicht haltbar sind. Zunächst muß die Meinung aufgegeben werden, daß der christliche Osten seit dem Beginn des Mittelalters keine geistige und theologische Weiterentwicklung mehr erfahren habe, seit der Antike also völlig erstarrt sei. *Friedrich Loofs* hat gemeint, von einer dogmengeschichtlichen Entwicklung in der griechischen Kirche könne von etwa 700 A. D. ab kaum noch die Rede sein, und aufklärerischer Rationalismus ebenso wie pietistischer Hochmut haben im Westen einen Widerwillen gegen das angeblich dekadente Byzantinische Reich und gegen die angeblich entarteten und verkommenen Kirchen des Ostens hervorgerufen, der eine wissenschaftliche Erforschung der östlichen Ausprägung des Christentums in ihrer historischen Entwicklung lange Zeit so gut wie unmöglich gemacht hat. Als typischer und sehr einflußreicher Vertreter dieser Richtung ist *Adolf von Harnack* zu nennen, der der Meinung war, daß es kaum eine tiefere Stufe der Religion gebe als die der orthodoxen und monophysitischen Kirchen; der Islam sei eine viel geistigere Kraft gewesen als die christliche Religion. So ähnlich hatte schon *Hegel* geurteilt, der in seiner Philosophie der Geschichte die Ansicht vertreten hatte, die Weltgeschichte gehe von Osten nach Westen; Asien sei nur der Anfang, Europa aber schlechthin das Ende der Weltgeschichte; erst im Westen komme der Gedanke in seiner Freiheit zur Existenz, erst im Westen könne philosophisches Erkennen stattfinden. Für *Hegel* war Europa der Zielpunkt der Weltgeschichte und der Philosophiegeschichte; das Ostchristentum war für ihn nur ein „ekelhaftes Bild von Partikularitäten in dogmatischen Grübeleien“, das nur durch die reine, kräftige und einfache Religion des hinter ihm aufleuchtenden Islams einigermaßen erhellt wurde.

Natürlich haben an der Abwertung des christlichen Ostens auch noch andere Faktoren mitgewirkt. Der Klassizismus, der in der Gräzistik und in der Arabistik wirksam war, sträubte sich gegen das Studium von Texten, in denen die klassische Rektion der Präpositionen nicht mehr beachtet wurde, und die Mediävisten halfen an ihrem Teil, indem sie den Begriff „Mittelalter" auf das abendländisch-lateinische Mittelalter einschränkten und dadurch ein dem Studium des mittelalterlich-lateinischen Christentums parallel laufendes Studium des mittelalterlich-griechischen, des mittelalterlich-arabischen und des mittelalterlich-slawischen Christentums stark behinderten. Die abendländische Orientalistik, die hier wegen ihres universalen Blickfeldes hätte regulierend eingreifen können, verstand seit *Johann Jakob Reiske* (1716–1774) unter „Orient" nur den *muslimisch*-arabischen Orient; die mittelalterliche und neuzeitliche *christlich*-arabische Kultur des Orients lag ihr völlig fern. Demgemäß hat *Carl Brockelmann* die sehr umfangreiche christliche Literatur in arabischer Sprache kurzerhand aus seiner großen Geschichte der arabischen Literatur völlig ausgeschlossen, so daß jeder, der *Brockelmanns* Werk zur Hand nimmt, den Eindruck bekommt, die arabische Literatur sei nur *muslimische* Literatur. Hätte *Theodor Nöldeke* noch das Erscheinen der großen fünfbändigen Geschichte der christlichen arabischen Literatur von *Georg Graf* erlebt, dann hätte er sicherlich nicht immer wieder den Theologen abgeraten, sich mit Arabisch zu beschäftigen. Die Erforschung der religiösen Welt des Ostchristentums wäre dann wohl schon weiter fortgeschritten, als sie es heute tatsächlich ist.

Ein weiteres Hindernis für die Erforschung des Ostchristentums lag ferner in der allgemeinen Entwicklung der europäischen Geschichtswissenschaft selbst: mit dem Aufkommen der historisch-kritischen Methode und ihrer philologischen Quelleninterpretation ging die Führung zunächst auf die Philologie über. Im slawischen, im griechisch-byzantinischen und im semitischen Bereich entstanden zunächst philologische Wissenschaftsdisziplinen. Die Erforschung der Religionsgeschichte des südost- und osteuropäischen, des byzantinischen und des orientalischen Bereichs setzte dagegen erst sehr viel später ein und erforderte ein derartiges Maß an philologischen Kenntnissen, daß die Arbeit auf diesen Gebieten immer nur ganz wenigen Spezialisten möglich war, die wegen der Schwierigkeit des Gegenstandes ihre Bemühungen jeweils immer nur Teilbereichen zuwenden konnten. Die Tatsache etwa, daß es bis heute keine Geschichte der syrischen oder der russischen Theologie gibt, kann als symptomatisch für das ganze Gebiet des christlichen Ostens gelten.

Dazu kommt etwas anderes. Der Begründer der christlichen Kirchengeschichtsschreibung, der Bischof *Euseb von Cäsara,* hatte schon in der Antike die Auffassung vertreten, daß Christus und Augustus, apostolische Mission und Imperium Romanum von der göttlichen Vorsehung einander zugeordnet seien. Euseb meinte, alle biblischen Weissagungen seien im Römischen Reich in Erfüllung gegangen; Kaiser Konstantins Reich umfasse die ganze Ökumene, oder zumindest werde Konstantin von der gesamten Ökumene als oberster Herrscher anerkannt. Deshalb konnte Euseb den Kaiser Konstantin typologisch als den Antityp des Erzvaters Abraham ansehen: dem Abraham sei einst die wahre monotheistische Urreligion offenbart worden, und zwar als einem *einzelnen* Menschen. Nun aber habe sich Abrahams Antityp, der oberste Herrscher über *alle* Menschen, zu dieser wahren abrahamitischen Urreligion bekannt, und damit sei die dem Abraham gegebene Verheißung „In Dir sollen *alle Völker* gesegnet werden“ nun an Abrahams Antityp oder Gegenbild Konstantin in Erfüllung gegangen: Konstantin sei nicht nur der Herrscher über *alle Menschen,* sondern durch seine Bekehrung zum Christentum auch der rechtgläubige Lehrer und Hüter der wahren monotheistischen Urreligion, die er nun *allen* Menschen und *allen* Völkern verkünden läßt und so die Religion Abrahams zur Religion der ganzen Welt oder, was dasselbe ist, des Imperium Romanum macht. So erhalten sowohl der Kaiser Konstantin als auch das Römische Weltreich eine völlig singuläre Bedeutung für die christliche Religion. Das Römische Reich erscheint bei Euseb als mit einer göttlichen Heiligkeit umgeben, es erscheint als der gottgewollte Rahmen der Heilsgeschichte: diese religiös begründete Zusammengehörigkeit von Christus und Augustus, von Kirche und Imperium Romanum, von Abraham und Konstantin, wie sie der erste Historiker der christlichen Kirche gelehrt hatte, mußte natürlich jeden unbefangenen Blick nach Osten, über die Grenzen des Römischen Reiches hinaus, behindern, ja eigentlich völlig unmöglich machen und hat das auch tatsächlich bis in die Gegenwart hinein getan. Im Rahmen eines Geschichtsbildes, das nur von Osten nach Westen und nur im geographischen Raum des Römischen Reiches dachte, war ein wissenschaftliches Studium der christlichen Religion in den außerhalb des Imperium Romanum liegenden Kulturkreisen eigentlich gar nicht möglich. Daß bereits volle hundert Jahre vor Bonifatius, dem Apostel der Deutschen, christliche Missionare in Ostasien gewirkt hatten, blieb außerhalb des allgemeinen Bewußtseins.

In unserm Jahrhundert hat schließlich auch der britische Geograph und Politiker *Sir Halford John Mackinder* durch seine Lehre von Rußland als dem kontinentalen „Herzland“ der Welt dahin gewirkt, daß der größte Teil des kirchenslawischen Kulturkreises nicht mehr in eine europäische Betrachtungsweise einbezogen werden konnte. Das Herzland ist für ihn der Norden und das Innere von Eurasien, ein Gebiet, das sich von der Arktis bis zu dem großen Wüstengürtel der Alten Welt erstreckt und seine westliche Grenze in dem breiten Isthmus zwischen der Ostsee und dem Schwarzen Meer hat. Es ist das bei weitem größte Flachland auf dem gesamten Globus. Alle Flüsse dieses Gebietes sind vom freien Ozean aus ganz oder fast ganz unzugänglich. Das Land westlich dieses Isthmus, der Subkontinent oder die Halbinsel Europa, gehört zu den Ufergebieten des großen „Midland Ocean“, des Nordatlantik, an dessen anderer Seite das östliche Nordamerika, die Vereinigten Staaten und Kanada, liegen. Diese nordatlantischen amphibischen Staaten bilden so eine geographisch und auch politisch klar umgrenzte Einheit und stehen dem ganz anders gearteten kontinentalen Herzland, der Sowjetunion, als eine eigenständige Größe gegenüber. Diese Vorstellung, die kontinentale eurasische Sowjetunion sei eine große natürliche Festung, die durch ihre Rohstoffe und ihre Bevölkerungszahl ganz autark und der amphibischen nordatlantischen, das heißt westeuropäisch-nordamerikanischen, Welt gegenüber etwas ganz Andersartiges sei, hat in der Gegenwart so allgemeine Verbreitung gefunden, daß es schwer ist sich vorzustellen, wie die Religionswissenschaft das Christentum in Ost und West jemals als eine Einheit wird begreifen können. Trotzdem gibt es sie, und sobald wir den Blick vom christlichen Osten zum nordatlantischen Westen schweifen lassen, werden wir nicht nur Unterschiede, sondern auch so viele Gemeinsamkeiten bemerken, daß wir berechtigt sind, von einem christlichen Universalismus und von einer christlichen Universalgeschichte zu sprechen. Von ihrer wissenschaftlichen Verwirklichung sind wir freilich noch weit entfernt. Deshalb wird uns ein zusammenfassender Rückblick auf die religiöse Gedankenwelt des Ostchristentums und ein vergleichender Blick auf die Verhältnisse im christlichen Westen zeigen, wo wir Gemeinsamkeiten zwischen Ost und West finden und wo im Osten andersgeartete religiöse Vorstellungen existieren.

Gestalten wie *Bardesanes* und *Bar Hebräus* zeigen uns, daß das Syrertum – entgegen einer im Westen weit verbreiteten Meinung – sehr wohl bedeutende und selbständige religiöse Denker hervorgebracht hat. Ein Vergleich zwischen beiden zeigt ferner, daß der christliche Osten in dem Jahrtausend, das zwischen Bardesanes und Bar Hebräus liegt, eine tiefgreifende historische und theologische Entwicklung durchgemacht hat. Es ist eine Entwicklung, die vor allem vom Aristotelismus geprägt ist und ihre genaue Entsprechung in der abendländischen Theologiegeschichte von Tertullian bis Thomas von Aquino hat.

Bardesanes schlägt in seiner Theologie eines der großen Themen christlichen Denkens in Orient und Okzident an: Das Thema von der Freiheit eines Christenmenschen. Wer seinen Gedanken folgt, kann in Bardesanes niemals mehr einen Gnostiker sehen, es sei denn, er gebe dem Begriff „Gnosis" eine neue Bedeutung. Denn bei Bardesanes ist die Natur an sich nicht böse, vielmehr ist es allein der freie Wille des Menschen, der ihn zur Sünde führt. Der Mensch als geistiges Wesen steht in freier Selbstverantwortung der Natur und dem Schicksal gegenüber. Bardesanes als christlicher Denker steht so gleichsam zwischen Manichäismus und Islam, zwischen der Lehre vom bösen Schöpfergott, dem Demiurgen, und dem fatalistischen Vorherbestimmungsglauben des Islams, der schon bei dem Propheten Muhammed gegen Ende seines Lebens immer ausgeprägter wurde. Die christliche Anthropologie des Bardesanes steht also mit Recht am Anfang einer Darstellung der Religion des östlichen Christentums, denn sie grenzt das Christentum ein für allemal von Gefährdungen ab, die zu allen Zeiten und nicht nur im Orient in Gestalt anderer Religionen auf den Plan getreten sind, um mit dem Christentum in Konkurrenz zu treten.

Wie mühsam sich im übrigen das Christentum von seiner orientalischen Mutterreligion, dem Judentum, befreit hat, zeigt uns die denkerische Arbeit *Afrahats,* des persischen Weisen. Nur wer den in unserer eigenen abendländischen Ethik und in unsern teilweise noch altorientalischen Rechtsvorstellungen wirksamen Einfluß des Alten Testaments in seiner ganzen lastenden Schwere empfindet, kann die Leistung Afrahats ermessen. Die typologische Methode der Umdeutung des Alten Testaments, die er anwendete, ist nicht mehr unsere Methode, aber sein Anliegen hat auch für uns noch volle Akualität. Das Christentum kann nur dann vor dem Abgleiten in ein alttestamentlich geprägtes Sektierertum bewahrt werden, wenn es sich als selbständige Weltreligion versteht, die ihre alttestamentlichen Eierschalen abgestreift hat. Zahlreiche Sekten der Gegenwart wie die Adventisten, die Zeugen Jehowas und viele andere geben uns einen sehr konkreten Anschauungsunterricht, wie leicht das moderne Christentum Christus als des Gesetzes Ende wieder verlieren kann. Aber auch die Theologie und die Geschichte der anglo-amerikanischen Puritanerstaaten fordert zu einem Vergleich zwischen Afrahats Denkbemühungen und denen des christlichen Westens geradezu heraus. Das Judaisieren ist und bleibt eine Gefährdung des christlichen Glaubens, bei deren Abwehr uns gerade das alte *semitische* Christentum Afrahats behilflich sein kann.

Ein gemeinsames Kennzeichen fast aller christlichen Kirchen, die Kirchen der Reformation nicht ausgenommen, sind die *Marienverehrung* und die aus ihr sich entwickelnde Mariendichtung. Die römisch-katholische Kirche ist hier noch einen Schritt weitergegangen und hat 1854 und 1950 die Dogmen von der Sündlosigkeit Marias und von der leiblich-seelischen Aufnahme Marias in die himmlische Herrlichkeit verkündet. Deshalb wird niemand die Bedeutung der Mariologie für die gesamte Christenheit verkennen, die freilich nicht nur einen gemeinsamen religiösen Besitz darstellt, sondern auch tiefe Spaltungen in der Kirche hervorgerufen hat, wenn man etwa an die altkirchlichen Kämpfe um den Titel „Gottesgebärerin“ und an die seit dem Jahre 1950 sich zeigenden Folgen der Dogmatisierung der Himmelfahrt Mariens durch die römisch-katholische Kirche denkt. Aber gerade solche Vorgänge zeigen, wie wenig in einer Darstellung des östlichen Christentums auf eine Charakterisierung seiner Mariendichtung verzichtet werden kann. *Ephräm,* der syrische Doctor Marianus, bietet sich wegen seiner im Osten wie im Westen gleichermaßen starken Wirkung dafür von selbst als Paradigma an. Seine mariologischen Vorstellungen, die von seiner Christologie natürlich nicht zu trennen sind und damit an den Kern des christlichen Glaubens rühren, sind in ihrer eigentümlichen Unbestimmtheit und in ihrer Zartheit, aber auch in ihrer oftmals verblüffenden Realität ein fast allgemeingültig zu nennendes Beispiel für die christliche Mariendichtung überhaupt, die in Hymnen, Legenden, Dramen und Lebensbeschreibungen ihren Ausdruck fand und in der gesamten Christenheit auf die Theologie, auf die Frömmigkeit und auf die darstellende Kunst tief eingewirkt hat. In weiten Teilen der Christenheit ist das ganze Kirchenjahr von einer langen Kette von Marienfesten durchzogen, die der neueren Zeit geradezu den Charakter eines marianischen Zeitalters verleihen. Zu den Propheten dieses Zeitalters wird man immer auch Ephräm den Syrer zählen, dabei aber sogleich seiner theologischen Gegenspieler aus der antiochenischen Schule gedenken, die in der Nachfolge des Theodor von Mopsuestia und des Ebed Jesus bis heute die Bezeichnung Marias als der „Mutter Gottes“ verwerfen, weil sie unbiblisch ist und mit der christlichen Trinitätslehre schlechterdings nicht zu vereinen ist. Gerade auch in der Mariologie zeigt sich also die östliche Christenheit von tiefen und unüberbrückbaren Gegensätzen durchzogen, die bis zum heutigen Tage bestehen.

Wären *Theodor von Mopsuestia* und die antiochenische Schule in der säkularisierten Welt von heute besser bekannt, so könnte man sich vorstellen, daß gerade der moderne Mensch eine Lehre von Christus und von der Erbsünde akzeptieren würde, wie sie von Theodor von Mopsuestia vertreten worden ist. Daß der Mensch – wie alle andern Lebewesen auch – von Gott als sterbliches Wesen geschaffen worden ist, daß der Tod also nicht die Folge eines vermeintlichen Sündenfalles Adams ist, das ist dem modernen Menschen verständlicher als die traditionelle christliche Erbsündenlehre. Auch Theodors Geschichtsauffassung ist erstaunlich modern und scheint manche Anstöße zu beseitigen, die man in der neueren Zeit an der Person Christi und ihrer Bedeutung für den Glauben genommen hat. Es muß dabei immer wieder daran erinnert werden, daß die antiochenische Theologie genauso wie die schließlich siegreiche alexandrinische Theologie das historische Recht hatte, im Römischen Reich als orthodoxe Reichstheologie anerkannt zu werden. Damit wäre sie auch für uns die orthodoxe Lehre schlechthin geworden. Daß dies nicht geschah, ist den mehr als bedenklichen Vorgängen auf dem Konzil von Ephesus im Jahre 431 zuzuschreiben; es ist – historisch gesehen – ein Zufall gewesen. Ohne diesen Zufall wäre Theodor von Mopsuestia heute kein Häretiker, sondern der große orthodoxe Kirchenlehrer der gesamten Christenheit.

Aber die Kirche hat nicht nur eine Theologie, sondern auch eine Verfassung. Als Theoretiker der Kirchenverfassung, wie sie sich im Bischof manifestiert, besitzt *Dionysius Areopagita* in weiten Teilen der Christenheit des Ostens und des Westens bis heute eine unbestrittene Autorität. Im lateinischen Westen ist die Mittlerfunktion des hochheiligen, gottförmigen und gottgleichen Bischofs im Laufe der Geschichte ganz auf den Bischof von Rom als den Stellvertreter Christi auf Erden übergegangen, ohne dessen Vermittlung es keinen Weg zum Heil in Christus und damit zu Gott gibt. Es ist deshalb ganz verständlich, daß in den Kirchen der Reformation von allen ostchristlichen Denkern keiner auf so viel Kritik und Ablehnung gestoßen ist wie Dionysius Areopagita. In dem Tractatus de Potestate et Primatu Papae von 1537, der einen Bestandteil der Schmalkaldischen Artikel und damit der symbolischen Bücher des Luthertums bildet, heißt es in dem Abschnitt „Von der Bischofen Gewalt und Jurisdiction“: „Vor Zeiten wählet das Volk Pfarrherrn und Bischofe; dazu kam der Bischof am selben Ort oder in der Nähe gesessen, und bestätiget den gewählten Bischof durch Auflegen der Hände, und ist dazumal die Ordinatio nichts anders gewest denn solche Bestätigung. Darnach sind andere Ceremonien mehr dazu kommen, wie Dionysius (Areopagita) deren etliche erzählt. Aber dasselbe Buch Dionysii ist ein neu Gedicht unter falschem Titel, wie auch das Buch Clementis ein falschen Titel hat und lang nach Clemente von einem bösen Buben gemacht ist. Darnach ist auf die letzt auch dies hinangehängt worden, daß der Bischof gesagt hat zu denen, die er weihet: Ich gebe dir Macht zu opfern für die Lebendigen und die Toten; aber das stehet auch im Dionysio nicht. Hieraus siehet man, daß die Kirche Macht hat, Kirchendiener zu wählen und ordinieren.“ Wenn also die Bischöfe Ketzer sind, haben die Kirchen das Recht, sich selbst Pfarrer und Kirchendiener zu ordinieren.

Nichts kann den Abstand zwischen dem protestantischen, auf einem demokratischen Wahlakt beruhenden, Bischofsamt und dem durch eine metaphysische Emanation des göttlichen Lichts gottförmig gewordenen Hierarchen des Dionysius besser kennzeichnen als diese Worte der Schmalkaldischen Artikel. Keinem protestantischen Bischof kommt die dreifache Funktion der Reinigung, der Erleuchtung und der geistlichen Vollendung der Gläubigen zu, wie sie im dionysianischen Kosmos der Hierarch besitzt, und der protestantische Bischof ist darum auch niemals der Mittler des Heils, der den Menschen durch sein Handeln Gott angleicht. Sein Amt beruht nicht auf göttlichem Recht und besitzt keine besondere, höhere Weihe; es ist im Prinzip ein demokratisches oder synodales Amt. Wo wir dagegen einem Bischof dionysianischer Prägung begegnen, befinden wir uns in einem vom Gedanken des geistlichen, unfehlbaren Führertums bestimmten System, das unverkennbar totalitäre Züge trägt. Hierarchische und demokratische Struktur der Kirche aber schließen einander aus; das Neue, das durch die Reformation in der westlichen Christenheit entstanden ist, läßt sich im Vergleich mit Dionysius Areopagita besonders deutlich erkennen. Demgegenüber rücken die lateinische Kirche des Westens und die meisten Ostkirchen als eine Einheit eng zusammen.

Wer sich heute in eine christliche Summa theologica wie den „Kandelaber des Allerheiligsten“ des *Bar Hebräus* vertieft, bemerkt den ganzen Abstand, der die moderne Welt vom Mittelalter trennt. Für Bar Hebräus gehörte die

Logik, die Lehre vom richtigen Denken, ebenso zur christlichen Dogmatik wie die gesamte Naturwissenschaft und die Theologie im engeren Sinne, das heißt die christliche Lehre von Gott, vom Menschen und vom Ende aller Dinge. Es gab für Bar Hebräus – mit Ausnahme der Welt als Geschichte – keinen Bereich der Natur und des menschlichen Daseins, der ohne Beziehung zur christlichen Wahrheit existierte. Die Summa theologica des Bar Hebräus war ein christliches Weltsystem. Heute zeigt sich gegenüber dem Mittelalter der geistige Rückzug des Christentums aus der Welt, die als kosmische Ordnung sich selbst überlassen bleibt und keiner christlichen Gesamtdeutung mehr fähig ist. Wo man Christus nur noch als ein Ereignis der Sprache ansieht, bekräftigt man seine Überzeugung, daß die christliche Theologie keine universale Funktion als Mittel des Weltverständnisses mehr hat. Das gilt vor allem für den protestantischen Teilbereich der Christenheit. In der katholischen Kirche des Ostens und des Westens sind Gedanken, wie sie die Summa theologica des Bar Hebräus enthält, ohne Zweifel noch sehr stark wirksam; gerade dem lateinischen Westen steht Bar Hebräus durch die gemeinsame aristotelische Grundlage auch heute noch sehr nahe. Das gilt natürlich auch für die islamische Theologie, soweit sie sich ihre mittelalterlich-scholastischen Grundlagen bewahrt hat. Im übrigen hat gerade der Monophysitismus des Bar Hebräus nicht nur gelegentlich im Protestantismus, sondern auch in der neueren russischen Theologie seine Parallelen und erweist sich dadurch als ein allgemeiner Grundzug christlichen Denkens, der im Lauf der Geschichte immer wieder einmal wirksam werden kann. Doch darf man auch hier die Spannungen und Gegensätze nicht übersehen. Von der syrischen Scholastik eines Bar Hebräus führt kein Weg zur mystischen Meditation der hesychastischen Mönche und zum Narren in Christo, der einsam durch die Wälder Sibiriens wandert und das unaufhörliche, selbsttätige Jesusgebet in seinem Herzen verwirklichen will.

Die syrische und islamische Scholastik, wie sie uns in Bar Hebräus und besonders auch in der mit scholastischen Begriffen geführten christlich-islamischen Auseinandersetzung bis heute entgegentritt, fordert aber noch eine weitere Bemerkung. Es darf nicht der Eindruck entstehen, als sei im Islam wie im Ostchristentum die scholastische Hochform theologischer Denkbemühungen ein ausreichender und erschöpfender Ausdruck religiösen Lebens und Denkens. Denn neben der scholastischen Theologie steht im Islam wie im Ostchristentum die weite Welt des *Volksglaubens,* der sich aller möglichen Gegenstände und Bräuche bedient. Wir finden da Amulette wie zum Beispiel gewisse byzantinische Münzen, die im Vorderen Orient namentlich von der orthodoxen Bevölkerung getragen werden, während die Muslime Zähne, Krallen, Augenamulette, Skorpione, Kröten, Schnecken und vieles andere zur Abwehr des bösen Blicks und anderer Gefahren benutzen. Wir finden volkstümliche Devotionalien wie Gebetsschnüre, die aus billigen Materialien wie Wolle oder Obstkernen, aber auch aus kostbaren Stoffen wie Silber, Bernstein oder Korallen bestehen, ferner auf Papier handgeschriebene Schutzbriefe, magische Quadrate und vieles andere. Auch im Wallfahrtswesen und in der Heiligenverehrung stehen sich islamischer und christlicher Volksglaube sehr nahe. Obwohl der Heiligenkult amtlich keinen Eingang in die islamische Theologie fand und es demgemäß im Islam keine Heiligsprechung gibt, verfügt der Islam doch ebenso wie das Ostchristentum über eine unendliche Anzahl von Heiligen, unter denen in buntem Wechsel Nachkommen oder Waffengefährten des Propheten Muhammed, alttestamentliche Persönlichkeiten wie Adam und Eva, Abraham, Moses und Hiob, aber auch christliche Mönche anzutreffen sind, die man für fromme Helden des Islams hielt. Am Katharinenkloster auf dem Sinai haften nicht nur reichhaltige legendäre und brauchtümliche Überlieferungen der Christen, sondern auch viele muslimische volksfromme Traditionen. Neben der stattlichen orthodoxen Kirche des Sinaiklosters steht eine kleine Moschee, die von den christlichen Mönchen wohl im 12. Jahrhundert als Konzession an die muslimische Umgebung des Klosters erbaut worden ist. Die Reliquien der heiligen Katharina werden von den Bekennern des Islams genauso eifrig verehrt wie von den orthodoxen Christen. Muslime wie Christen verehren das kostbare Öl, das aus dem Körper oder den Knochen der heiligen Katharina stammen soll, als wunderwirkend. Die Gedenkstätten des Moses auf dem Sinai werden von Christen und Muslimen mit gleicher Ehrfurcht behandelt. Jeder Pilger, gleich welcher Religion, zieht seine Schuhe aus, wenn er die Kapelle des Brennenden Busches betritt, die den Ort bezeichnet, an dem der Herr den Moses berufen hat, und von dem Dornbusch, der hinter der Apsis der Dornbusch-Kapelle in einem Gärtchen wächst, nehmen die Pilger etwas Laub mit sich, während früher die orthodoxen Patriarchen für ihre Bischofsstäbe Holz von diesem Dornbusch verwendeten.

Einen besonderen Rang im Volksglauben des östlichen und des westlichen Christentums ebenso wie des Judentums und des Islams nimmt *Jerusalem* ein, das Zentralheiligtum dieser drei großen Weltreligionen. Der heilige Felsen auf dem Berge Moria, dem einstigen Tempelplatz der Juden, den die Muslime heute als Ḥarām aš-Šarīf bezeichnen, war schon in alt-kanaanäischer Zeit der Ort eines Heiligtums und galt den Juden als die Stelle, an der bereits Melchisedek einen Altar gebaut und Abraham sein Opfer dargebracht hatte. Salomon errichtete auf ihm eine prunkvolle Opferstätte. Während der Römerherrschaft blieb der heilige Felsen 500 Jahre profaniert, und erst der Islam nahm die heiligen Traditionen wieder auf. Der Prophet Muhammed soll an diesem Felsen gebetet haben, der der Nabel der Welt, das heißt der Ausgangspunkt der Weltschöpfung, war; an ihm als dem Mittelpunkt der Schöpfung ist auch der Leib Adams geformt worden. Aber wenn der Islam auch später viele mit dem heiligen Felsen in Jerusalem verknüpfte fromme Traditionen auf die Kaaba in Mekka übertrug, so blieb doch auch für ihn genauso wie für das Christentum die Bedeutung des heiligen Felsens in Jerusalem ungeschmälert bestehen. Sofort nach der Eroberung Jerusalems durch den Islam im Jahre 638 A. D. beanspruchten die Muslime den einstigen Platz des salomonischen Tempels für sich und errichteten über dem Felsen als Mittelpunkt die Qubbat aṣ-Ṣaḫra, den berühmten Felsendom, ein prachtvolles Oktogon, das zu den eindrucksvollsten Bauwerken der islamischen Welt gehört. In ihm befindet sich die Steinplatte mit der Fußspur des Propheten Muhammed, die er bei Antritt seiner Himmelsreise im Felsen zurückgelassen haben soll und die während der Kreuzfahrerzeit, als der Felsendom in christlichem Besitz war und zum Ausgangspunkt des Templerordens wurde, als Fußspur Christi gedeutet wurde. Während die Christen in Jerusalem alljährlich die Karwoche mit großer Feierlichkeit begehen, feiern zur gleichen Zeit die Muslime daselbst ein großes Fest zu Ehren des Propheten Moses, um neben das christliche Osterfest eine gleichwertige islamische Feier stellen zu können.

Für die Christen ist in Jerusalem vor allem *Golgatha* ein Ort besonderer frommer Verehrung, nicht nur als Todesstätte Jesu, sondern auch wegen der Tradition, daß Golgatha das Grab Adams sei; zumindest soll der Schädel Adams im Golgatha-Felsen begraben sein. Die kirchliche Heimstätte dieser frommen Legende befindet sich in der Grabeskirche in Jerusalem, wo im Jahre 620 A. D. eine Adamskapelle von Westen her an den Golgatha-Felsen herangebaut wurde. Die in der christlichen Kunst weit verbreitete Sitte, unter dem Kreuz Christi einen Totenkopf abzubilden, versinnbildlicht diese Beziehung zwischen dem ersten Menschen Adam, durch den der Tod über das Menschengeschlecht gekommen ist, und dem zweiten Menschen Christus, der die Menschheit erlöst und ihr das Leben gebracht hat. Diese Adam-Christus-Typologie von Golgatha hat mit dazu beigetragen, daß auf mittelalterlich-christlichen Weltkarten Jerusalem als Erdmittelpunkt dargestellt wurde, an dem der Antichrist besiegt und Christus als Weltenherrscher zum Gericht erscheinen würde. Die Eroberung Jerusalems durch die Kreuzfahrer hatte unter anderm auch den eschatologischen Sinn, durch Besiegung des Antichrists die Voraussetzung für die Wiederkunft Christi zu schaffen; viele abendländische Legenden sind diesem Thema gewidmet.

Dieser islamisch-christliche Synkretismus, den wir vor allem im Orient und in Südosteuropa finden, hat auch *Sankt Georg,* den christlichen Ritter, zum islamischen Heiligen gemacht, indem er ihn mit Chider (al-Ḫiḍr), dem ewig Jungen, identifizierte und ihn mit dem in Sure 18, 59–81 genannten Gottesknecht gleichsetzte. Das griechisch-orthodoxe Georgskloster mit seiner Kirche, das zwischen Bethlehem und Hebron in der Nähe der sogenannten salomonischen Teiche liegt, ist eines der wichtigsten Zentren dieses Heiligenkultes; es wird von Muslimen und Christen in gleicher Weise besucht.

Da der Islam im Unterschied zum Christentum keine Seelsorge, sondern nur eine Rechtsberatung kennt, mußte er für das einfache Volk in den Bedrängnissen des Alltags immer unbefriedigend bleiben. In die hier bestehende Lücke traten die *Derwischbünde* ein, die eine große religiöse Weitherzigkeit besaßen und damit über bedeutende Möglichkeiten verfügten, unter den Muslimen ebenso wie unter den Christen Sympathien zu finden und seelsorgerisch zu wirken. Gerade bei den Derwischbünden finden sich bezeichnenderweise starke christliche Einflüsse. Der berühmte, im 14. Jahrhundert gegründete, türkische Derwischorden der Bektaschi hatte in seinem Lehrgebäude Restbestände altchristlichen Sektenbrauchtums, zum Beispiel eine Eucharistie, die mit Brot und Käse gefeiert wurde und als ein Fortleben des altchristlichen montanistischen Artotyritentums anzusehen ist; dieser Orden besaß eine Sündenbeichte mit anschließender Absolution, daneben aber auch Elemente aus älterem islamischem Sektierertum, einen Seelenwanderungsglauben, pantheistische Ideen und vieles andere. Die Theologie dieser Derwische war also ein buntes Gemisch christlicher, islamischer und anderer Elemente, verbunden mit andern Ketzereien wie etwa der Lehre von der Verdienstlichkeit der Ehelosigkeit, einer völlig unislamischen Vorurteilslosigkeit gegen alkoholische Getränke – die Mitglieder des Bektaschi-Ordens galten als gewaltige Schnapssäufer –, dem Essen von Schweinefleisch und andern Greueln solcher Art. Angesichts dieser Vorliebe für Alkohol und andere Rauschgifte ist es nicht verwunderlich, daß diese Derwische auch besondere Bedeutung für die Verbreitung des Kaffee- und Tabakgenusses hatten: es waren dies für sie Stimulantien, die bei ihren religiösen Übungen, Tänzen, Nachtwachen und so weiter eine Rolle spielten. Diese Derwische waren weitgehend von betonter Christenfreundlichkeit, die sich auch in ihrer karitativen Arbeit zeigte. Sie boten besonders der Heiligenverehrung eine Heimstätte und zogen aus den zahlreichen Heiligenwallfahrten nicht unbeträchtlichen finanziellen Gewinn. So muß man auch sie nennen, wenn man vom ostchristlichen Volksglauben spricht.

Überblicken wir die *byzantinische Geisteswelt*, so bemerken wir, wie Byzanz nicht nur im Zentrum der griechisch-slawischen Welt stand, sondern zugleich ein geistiger und politischer Machtfaktor auch der abendländischen Geschichte des Mittelalters war. Jede Macht, die sich damals politisch oder ideell von der Welthierarchie Konstantinopels emanzipieren wollte, mußte zwangsläufig den Versuch machen, sich selbst an die Stelle des „Kaisers der Römer“ zu setzen. Das Übergewicht des uralten, von Euseb von Cäsarea christlich begründeten römischen Weltkaisertums war einfach zu übermächtig und gab vor allem der Geschichte der deutschen Kaiserzeit eine starke byzantinische Komponente. Die Kaiserausrufung Karls des Großen, die dem päpstlichen Versuch entsprang, das universale Kaisertum von Konstantinopel nach Rom zurückzuverlagern, führte zur Entstehung eines Doppelkaisertums, das in seiner westlichen Ausprägung ohne die Existenz des östlichen Kaisertums undenkbar war. Ohne Byzanz gab es keine deutsche Kaiseridee, Byzanz war die Voraussetzung für die Ausformung der Staatsidee und des Kaiserbegriffes im Abendland, so daß jedes tiefere Eindringen in die Entwicklung des byzantinischen Kaisertums auch ein Gewinn für das Verständnis der abendländischen Kaiseridee und Kaisergeschichte ist. Daran, daß die deutschen Kaiser die Bahn des „römischen Kaisertums" beschritten haben, erkennt man die Unvermeidbarkeit der Italienpolitik der deutschen Kaiser, die im Kampf zwischen Kaisertum und Papsttum versucht haben, gegenüber der kurialen Kaiseridee, wonach nur der vom römischen Papst gekrönte Kaiser wirklich Kaiser war, dem germanischen, romfreien Staats- und Kaiserbegriff zur Verwirklichung zu verhelfen. Es war zugleich der Kampf zwischen der „universalen" Kaiseridee der Kurie, die an der römisch-byzantinischen Vorstellung vom Weltkaisertum, das heißt also an der Vorstellung von der Zusammengehörigkeit von Orient und Okzident festhielt, und der Idee eines nicht-universalen abendländischen Kaisertums der deutschen Herrscher, die mit der universalen Kaiseridee gar nichts anzufangen wußten. Daran, daß der Papst den abendländischen Staat mit dieser Hypothek des universalen Weltkaisertums belastete, ist schließlich das Kaisertum zugrunde gegangen.

Wer an den christlichen Osten denkt, denkt meist zuerst an die *Bilderverehrung* und die Ikonen. Östliche Denker wie Johannes von Damaskus und Theodor von Studion haben den Problemen der Ikonentheologie tief eindringende Untersuchungen gewidmet, und das Problem, das sich ihnen in der Frage nach dem Verhältnis von Urbild und Abbild stellte, war das auch in der abendländischen Theologie und Philosophie viel verhandelte Problem, ob es zur Erkenntnis der geistigen Wahrheiten des Christentums gewisser Vorbedingungen bedurfte, die eine solche Erkenntnis überhaupt erst möglich machten. Dieses Problem taucht bis heute immer wieder in der westlichen Wissenschaft auf. Man kann es in die allgemeine Frage kleiden, ob es Bedingungen für die Möglichkeit der Erkenntnis transzendenter Dinge gebe. Bei Augustin ist es die Frage nach Geist und Buchstaben, bei Luther die des Verhältnisses von Schrift und Glauben, bei Kant ist es das Problem des Verhältnisses von Erscheinung und Ding an sich, und auch die von den Phänomenologen so vielfach erörterte Frage, ob es eine solche Wesensschau überhaupt gibt und wie sie möglich ist, gehört hierher. Wenn Husserl ausruft: „Zu den Sachen", wenn er mit Hilfe der Intuition das „Gegebene" geistig schauen will, wenn er eine Haltung einnehmen will, in der alles anderswo erworbene Wissen, alles Subjektive, alles Traditionelle verschwindet oder „reduziert", das heißt ausgeschaltet wird, eine Haltung also, die rein objektivistisch dem Gegenstand, dem „Gegebenen", zugewandt ist, damit dieser gegebene Gegenstand oder das „Phänomen" rein geschaut werden kann, dann bemerken wir hier im Bereich einer ganz säkularisierten Philosophie ein erkenntnistheoretisches Problem, das genau dem der Ikonentheologie entspricht. Jedes moderne westliche Werk, das sich mit zeitgenössischen Denkmethoden befaßt, stößt unvermeidlich auf diese Problematik, weil sie eine Grundfrage menschlicher Erkenntnisfähigkeit überhaupt ist.

Zu den scheinbar fremdartigsten Erscheinungen östlicher Frömmigkeit gehört der *Hesychasmus.* Aber schauen wir genauer zu, so stellt auch er uns vor ein Problem, das dem Westen gerade in der Gegenwart nur allzu vertraut ist. Das Prinzip des Hesychasmus besteht darin, daß der Christ zu seinem mystischen Erleben, das heißt zur Vereinigung mit Gott, durch eine körperliche und seelische Technik gelangen will. Das erinnert an Versuche, die in der Gegenwart gemacht worden sind, auf künstlichem Wege zu mystischen Erfahrungen zu kommen, indem man Meskalin einnimmt. Meskalin ist ein Rauschgift, das aus mexikanischen Kakteen gewonnen wird und das die Fähigkeit des Auges, wahrzunehmen, erheblich zu steigern scheint. So hat man versucht, ob durch das Schlucken von Meskalinpillen religiöse Erlebnisse und mystische Gottesschau künstlich herbeigeführt werden können. Ein gewisses Vorbild bot eine amerikanische Indianerkirche, die Native American Church, deren Hauptritus eine Art von altchristlicher Agape oder Abendmahlsfeier ist, bei der Schnitten von dieser Kaktee, aus der das Meskalin gewonnen wird, gegessen werden: Meskalin als Sakrament, dessen Wirkung, wie die Indianer sagen, dem Wirken des göttlichen Geistes gleiche. Die Frage ist also: Kann man durch Drogen oder durch eine bestimmte Körperhaltung oder durch beides zur mystischen Schau Gottes, zur seligmachenden Vision, zur Visio beatifica, hier auf Erden gelangen? Darin besteht das theologische Problem, um das es sich beim Meskalin und bei der hesychastischen Technik handelt. Gibt es psycho-physische Möglichkeiten, die Religion zu beleben, ja, sie möglich zu machen? Ein evangelischer Theologe hat im Jahre 1971 die Forderung nach einer Liberalisierung der Haschisch-Gesetze in Deutschland gefordert, um im kirchlichen Bereich Meditationsmodelle unter Einbeziehung von Haschisch experimentell erproben zu können. Die rationalistisch unterkühlte Großkirche, so meinte er, könne durch eine meditativ-psychedelisch orientierte Untergrundkirche belebt werden; vielleicht könnten bestimmte Formen des High-Seins uns wieder in den Bereich jener alten, verschütteten religiösen Erfahrungen bringen, ohne daß dabei der Bedeutung des gehörten Bibelwortes Abbruch getan zu werden brauche. Droge und Religion oder das chemische Pfingsten ist auch das Thema eines Informationsheftes, das die Evangelische Zentralstelle für Weltanschauungsfragen in Stuttgart im September 1971 herausgab, und in dem sie zeigte, daß die Verbindung zwischen Droge und Religion uralt und auch im Christentum nicht ohne theologische Begründung anzutreffen sei: „Der weiße Mann“, so formulierte es ein indianischer Christ der Native American Church, „der lesen kann, lernt den Weg Gottes aus der Bibel. Der Indianer, der nicht lesen kann, lernt den Weg Gottes aus Peyotl“, der Kaktee, aus der man das Meskalin gewinnt. Man bemerkt, wie hier die religiöse Grundhaltung das Primäre, die Droge das Sekundäre ist. Die moderne Welt, die sich der psychedelischen, das heißt das Bewußtsein ausdehnenden Religiosität der Drogen hingibt, steht nicht nur in einer uralten Tradition, die in den Orient zurückweist, sondern strebt auch mit modernen chemischen Mitteln nach einem neuen religiösen Leben, nach einer neuen experimentellen Theologie, einer inneren Wissenschaft der Zukunft, die – nach ihrer Auffassung – ohne Drogen genauso wenig möglich ist, wie wenn man im 21. Jahrhundert Astronomie mit dem bloßen Auge treiben wolle. Selbstversuche eines amerikanischen Arztes und Theologen ergaben, daß der Gebrauch gewisser Drogen Erlebnisse vermittelt, die den Wirkungen einer guten Seelsorge gleichen, zu vertiefter Selbsterkenntnis führen, Trost, Stärkung des Glaubens, neue Einsichten in biblische Wahrheiten und eine unmittelbare Erfahrung der Nähe und des Friedens Gottes geben; sie widersprechen der biblischen Theologie nicht und werfen religionspsychologische Fragen auf, deren wissenschaftliche Bearbeitung heute unabweisbar ist. Die Frage, was eigentlich Mystik ist, wird heute nicht nur von den modernen Vertretern des Hesychasmus, sondern auch von den Anhängern der chemischen Religion neu gestellt. Das aber ist im Kern die Frage nach dem Wesen des Menschen und zugleich die Frage nach dem Wesen der Religion, die uns heute in neuer Weise gestellt ist, und zu deren Beantwortung uns das Christentum des Ostens Wege zeigen und geistige Hilfen darbieten kann.

LITERATURVERZEICHNIS

1. *Abramowski, Luise:* Ein unbekanntes Zitat aus Contra Eunomium des Theodor von Mopsuestia. In: Le Muséon 71 (Löwen 1958) 97–104.
   Hier S. 99 der syrische Text des Theodor von Mopsuestia. Vgl. Lit. Verz. Nr. 717.
2. – Zur Theologie Theodors von Mopsuestia. In: Zeitschrift für Kirchengeschichte 72 (Stuttgart 1961) 263–293.
3. *Afrahat:* Demonstrationes. In: Patrologia Syriaca (Lit. Verz. Nr. 585) I, 1 (Paris 1894) 5–1049 und I, 2 (Paris 1907) 1–149 (syrisch-lateinisch).
4. – Aphrahat's, des Persischen Weisen Homilien. Aus dem Syrischen übersetzt und erläutert von *Georg Bert.* Leipzig 1888 (Texte und Untersuchungen zur Geschichte der altchristlichen Literatur. 3, 3–4.).

   d'Agapeyeff, Alexander siehe Lit. Verz. Nr. 86.

   Aitzetmüller, Rudolf (Hrsg. u. Übers.) siehe: Johannes Exarches, Hexaemeron (Lit. Verz. Nr. 346).

   Albert, Micheline siehe: Bar Hebräus, 7. Fundament (Lit. Verz. Nr. 44).
5. *Alföldi, Andreas:* Insignien und Trachten der römischen Kaiser. In: Mitteilungen des Deutschen Archaeologischen Instituts. Roemische Abteilung 50 (1935), München 1935, H. 1, 1–171.

   Allies, Mary Helen (Übers.) siehe: Johannes von Damaskus, On Holy Images (Lit. Verz. Nr. 343).
6. *Altaner, Bertold:* Patrologie. Leben, Schriften und Lehre der Kirchenväter. Freiburg i. Br.: Herder. 4. Aufl. 1955. 5., völlig neubearb. Aufl. 1958. 7., völlig neubearb. Aufl. von *Alfred Stuiber* 1966.
7. *Amand, David:* L'Ascèse Monastique de Saint Basile de Césarée. Essai Historique. Maredsous 1948.

   Ammann, Albert Maria (Übersetzer) siehe: Kallistus und Ignatius, Die Gottesschau im palamitischen Hesychasmus (Lit. Verz. Nr. 368).
8. — Abriß der ostslawischen Kirchengeschichte. Wien: Herder 1950.
9. – Untersuchungen zur Geschichte der kirchlichen Kultur und des religiösen Lebens bei den Ostslawen. Heft 1: Die ostslawische Kirche im jurisdiktionellen Verband der byzantinischen Großkirche (988–1459). Würzburg: Augustinus 1955. (Das östliche Christentum. N. F. 13.).
10. *Anastos, M. V.:* Iconoclasm and Imperial Rule 717–842. In: Cambridge Medieval History (Lit. Verz. Nr. 101) 4, 1, S. 61–104. Dazu Bibliographie S. 835–848.
11. *Angelov, Dimitur:* Die gegenseitigen Beziehungen und Einflüsse zwischen Byzanz und dem mittelalterlichen Bulgarien. In: Byzantinoslavica 20 (Prag 1959) 40–49.
12. *Anrich, Gustav:* Das antike Mysterienwesen in seinem Einfluß auf das Christentum. Göttingen 1894.

13. *Aristoteles:* Opera. Edidit Academia Regia Borussica. Berlin: Georg Reimer. 1: Aristoteles graece. 1831. 2: Volumen alterum. 1831. 3: Aristoteles latine. 1831. 4: Scholia in Aristotelem. 1836. 5: Aristotelis Fragmenta. Index Aristotelicus ed. *Hermann Bonitz.* 1870. Vgl. Lit. Verz. Nr. 81.

14. *Armenisch und Kaukasische Sprachen.* Mit Beiträgen von *G. Deeters, G. R. Solta, Vahan Inglisian.* Leiden: Brill 1963. (Handbuch der Orientalistik. 1, 7.).

15. *Arnakis, G. Georgiades:* Gregory Palamas among the Turks and Documents of his Captivity as Historical Sources. In: Speculum. A Journal of Mediaeval Studies. 26 (Cambridge, Mass. 1951) 104–118.

16. *Arnou, R.:* Nestorianisme et Néoplatonisme. L'unité du Christ et l'union des „Intelligibles". In: „Gregorianum." Commentarii de re theologica et philosophica. 17 (Rom 1936) 116–131.

17. *von Arseniew, Nikolaus:* Das Mönchtum und der asketisch-mystische Weg in der Ostkirche, besonders in Rußland. In: Der Christliche Osten (Lit. Verz. Nr. 117) 151–210.

18. *Assemanus (As-Sam'ānī), Joseph Simon:* Bibliotheca Orientalis Clementino-Vaticana. 4 Bde. Bd. 1: De Scriptoribus Syris Orthodoxis. 1719. 2: De Scriptoribus Syris Monophysitis. 1721. 3,1: De Scriptoribus Syris Nestorianis. 1725. 3,2: De Syris Nestorianis. 1728. – Darin Bd. 2 die unpaginierte Dissertatio de Monophysitis, in Bd. 3,2 die Dissertatio des Syris Nestorianis. Rom: Propaganda Fide.

19. *Aßfalg, Julius:* Die Ordnung des Priestertums (tartīb al-Kahanūt), ein altes liturgisches Handbuch der koptischen Kirche. Diss. phil. München 1952. 1. Teil: Einleitung und arabischer Text. 2. Teil: Übersetzung und Untersuchungen. Masch.-Schr. (Gedruckt 1955). – Ein Werk des Severus von Ašmunain, das *Aßfalg* ihm mit unzureichenden Gründen absprechen will.

20. *(Aufrichtige Erzählungen eines russischen Pilgers.)* Ein russisches Pilgerleben. Hrsg. von *Reinhold von Walter.* Berlin: Petropolis-Verlag, Verlag/Die Schmiede 1925. – S. IX: Dieser Übersetzung liegt der russische Text Kasan [3]1884 zugrunde. Nur Teil 1 = 1.–4. Erzählung.

21. – Otkrovennye Razskazy Strannika Duchovnomu Svoemu Otcu. Pod Redakciej i c Predisloviem *B. P. Vyšeslavceva.* Paris: YMCA Press 1930. [2]1933 ([3]1948). – Rückseite des Titelblatts: 1. Aufl.: „Printed in France." 2. Aufl.: „Tipografia ‚Universal', Latvija, Riga. – Die 3. Aufl. 1948 ist mir nicht zugänglich. – Die 1. u. 2. Aufl. sind inhaltlich identisch und enthalten S. 1–7 die Vorrede von *Vyšeslavcev* zur Ausgabe von 1930, S. 8–10 die Vorrede zur Ausgabe Kasan 1884, S. 11–116 die vier Erzählungen (= 1. Teil) der Aufrichtigen Erzählungen, S. 117–179 ‚Drei Schlüssel zur inneren Gebetsschatzkammer'.

22. – The Way of a Pilgrim. Translated from the Russian by *Reginald Michael French.* With a Foreword by the Bishop of Truro. London: Philip Allan 1930. – Introduction S. 8 datiert *French* das Werk auf die Jahre 1853–1861. – Norwich Public Library. 248 FRE. Inhalt: Erzählungen 1–4.

23. – The Pilgrim continues his Way. Translated from the Russian by *Reginald Michael French.* Ohne Ort und Jahr (London 1943). Printed in Great Britain by Billing and Sons Ltd., Guildford and Esher. – 2. Teil der Aufrichtigen Erzählungen, bestehend aus drei Abschnitten: „The first is narrative, the other two contain a discussion about prayer", Preface S. V–VI. – County Brand Library, Lowbourne, Melksham, Wilts., England, Nr. 240. – Vollständige englische Übersetzung des 2. Teils der Aufrichtigen Erzählungen. Vgl. die deutsche Teil-Übers. Lit. Verz. Nr. 27.

24. – Récits d'un Pèlerin à son Père Spirituel. Traduits et présentés par *Jean Gauvain.* Deuxième Edition. Neuchatel: Éditions de la Baconnière 1948. (Les Ca-

hiers du Rhône. Serie A. Nr. 12). – Zuerst 1943. Der Übersetzung liegt die russische Ausgabe Paris 1930 (Lit. Verz. Nr. 21) zugrunde. Dazu die ausführliche Besprechung von *Dumont* (Lit. Verz. Nr. 181.).

25. – Otkrovennye Razskazy. 3. Aufl. Paris: YMCA 1948. – Enthält den vollständigen Text des 1. und 2. Teils der Aufrichtigen Erzählungen. Mir nicht zugänglich. Vgl. Lit. Verz. Nr. 21 und Nr. 23.

26. – Racconti di un Pellegrino Russo. Raccolti ed annotati da *Jean Gauvain*. Milano: Società Editrice Vita e Pensiero 1956. (Récits d'un Pélerin Russe. Traduzione di *L. Bortolon*.). – Milano, Biblioteca Nazionale. Rom. N. 4289. – Enthält nur Erzählung 1–4. Vgl. Lit. Verz. Nr. 24.

27. – Der Pilger. Gespräche über das Gebet. In: Russische Mystik. Eine Anthologie. Übertragungen von *Reinhold v. Walter*. Begleitworte von *Julius Tyciak*. Düsseldorf: Patmos 1957, 13–178. – Dazu Vorwort S. 7: „Der ‚Pilger' ist eine Neufassung des bereits im Jahre 1925 im Petropolis-Verlag (Berlin) erschienenen Buches ‚Ein russisches Pilgerleben', das eine Übersetzung der russischen Ausgabe von 1884 (Kasan) darstellt. Der zweite Teil des ‚Pilgerlebens' ist bisher noch nicht ins Deutsche übersetzt worden. Wir bringen aus ihm wichtige Ausschnitte unter dem Titel ‚Gespräche über das Gebet'. Dieser Teil fußt auf der bei YMCA 1948 in Paris erschienenen Ausgabe (3. Aufl.)." – Inhalt: „Der Pilger" (= 1. Teil) S. 13–101; „Gespräche über das Gebet" (= Auszüge aus dem 2. Teil) S. 104–178. Vgl. Lit. Verz. Nr. 23.

28. – Aufrichtige Erzählungen eines russischen Pilgers. Hrsg. von *Reinhold von Walter*. Freiburg i. Br.: Herder 1961. (Herder-Bücherei. 36.) S. 11–138: 1.–4. Erzählung = 1. Teil. [4]1968.

29 *L'Avènement Philocalique* dans l'Orthodoxie Roumaine. Par *Un Moine* de l'Eglise Orthodoxe de Roumanie. In: Istina 5 (Boulogne-Sur-Seine 1958) 295 bis 328; 443–474. – Hier S. 454 neuere Literatur zur Lehre von der Vergöttlichung in der Ostkirche.

30. *Awwakum:* Das Leben des Protopopen Awwakum von ihm selbst niedergeschrieben. Übersetzung aus dem Altrussischen nebst Einleitung und Kommentar von *Rudolf Jagoditsch*. Berlin und Königsberg 1930. (Quellen und Aufsätze zur russischen Geschichte. 10.). – Literaturverzeichnis S. 225–226.

31. – *A. N. Robinson:* Žizneopisanija Avvakuma i Epifanija. Issledovanie i Teksty. Moskau 1963. – Mit umfangreichen Anmerkungen und Literaturangaben.

32. – Das Leben des Protopopen Avvakum von ihm selbst niedergeschrieben. Übersetzt aus dem Altrussischen von *Gerhard Hildebrandt*. Göttingen 1965. – Dazu die Verbesserungen von *Peter Hauptmann* in Kirche im Osten 10, 1967, 196 bis 199 (Lit. Verz. Nr. 293).

33. – Das Leben des Protopopen Awwakum, von ihm selbst aufgezeichnet. Deutsch von *Helmut Graßhoff*. In: *Helmut Graßhoff*, O Bojan, du Nachtigall der alten Zeit. Frankfurt am Main: Scheffler 1965, 411–458. – Gekürzt. Vgl. Lit. Verz. Nr. 255.

34. *Babinger, Franz:* Mehmed der Eroberer und seine Zeit. Weltenstürmer einer Zeitenwende. München: Bruckmann. 4.–5. Tsd. 1959.

Bacha, Constantin (Hrsg.) siehe Michael as-Samʿānī (Lit. Verz. Nr. 505).

35. *Bacht, Heinrich:* Das „Jesus-Gebet" – seine Geschichte und seine Problematik. In: Geist und Leben 24 (1951), 326–338.

36. *Badger, George Percy:* The Nestorians and their Rituals: with the Narrative of a Mission to Mesopotamia and Coordistan in 1842–1844, and of a late Visit to those Countries in 1850. Bd. 1–2. London 1852. Reprint 1969, Gregg, Westmead. – Hier Bd. 2, 380–422 die englische Übersetzung von Ebed Jesus, Buch

der Perle (Lit. Verz. Nr. 187); dazu S. 423–426 „Notes by the Editor" (= J. M. Neale).

Bakoš, Ján (Hrsg. u. Übers.) siehe Bar Hebräus, 1., 2. und 8. Fundament (Lit. Verz. Nr. 44).

37. *von Balthasar, Hans Urs:* Kosmische Liturgie. Maximus der Bekenner: Höhe und Krise des griechischen Weltbildes. Freiburg i. Br.: Herder 1941.

38. – Die großen Ordensregeln. Einsiedeln 1948. (Menschen der Kirche in Zeugnis und Urkunde. 8.). – Hier S. 27–98 die Ausführlichen Regeln des Basilius von Cäsarea in deutscher Übersetzung.

39. *Bardesanes. Adalbert Merx:* Bardesanes von Edessa, nebst einer Untersuchung über das Verhältnis der clementinischen Recognitionen zu dem Buche der Gesetze der Länder. Halle: Pfeffer 1863. – Hier S. 25–55 deutsche Übersetzung des Buches der Gesetze der Länder nach *Curetons* Ausgabe im Spicilegium Syriacum, London 1855. Vgl. dazu *Moss* (Lit. Verz. Nr. 524) 77 und 274.

40. – Liber Legum Regionum. Ed. *François Nau.* In: Patrologia Syriaca I, 2. Paris 1907, 536–615. – Syrisch-lateinisch.

41. – Bardesane. Le Livre des Lois des Pays. Texte Syriaque publié avec un Avertissement et une Analyse par *François Nau.* 2. Tirage. Paris: Geuthner 1931. – Hier S. VI die Fundstelle des Bardesanes-Textes in der Praeparatio Evangelica des Euseb von Caesarea.

42. – Bardesanes. Die Schrift über die Gesetze der Länder. Aus dem Syrischen übersetzt von *Hermann Wiesmann.* In: 75 Jahre Stella Matutina. I. Feldkirch 1931, 553–572.

43. – The Book of the Laws of Countries. Dialogue on Fate of Bardaiṣan of Edessa. By *H. J. W. Drijvers.* Assen: Van Gorcum 1965. (Semitic Texts with Translations. 3.).

44. *Bar Hebräus:* Der Kandelaber des Allerheiligsten. Le Candélabre du Sanctuaire. *1. Fundament:* (1. Kapitel). Du Savoir en général. Ed. et trad. *Ján Bakoš.* In: Patrologia Orientalis 22, Paris 1930, 489–541 (2. Kapitel). Buch der Pupillen von Gregor Bar Hebräus. Nach vier Handschriften der Königlichen Bibliothek zu Berlin hrsg. und teilweise übersetzt von *Curt Steyer.* Leipzig 1908, Pries. (Diss. phil. Leipzig). – Syrischer Text des ganzen Buches S. 1–28, Einleitung und erster Teil als Probe in deutscher Übersetzung S. 29–33. *2. Fundament:* De la Nature de l'Univers, selon l'Ordre des Six Jours. Ed. et trad. *Ján Bakoš.* In: Patrologia Orientalis 22, Paris 1930, 542–628 und 24, Paris 1933, 295–439. *3. Fundament:* De la Théologie. Ed. et trad. *François Graffin.* In: Patrologia Orientalis 27, Paris 1957, 453–626. *4. Fundament:* De l'Incarnation. Ed. et trad. *J. Khoury.* In: Patrologia Orientalis 31, Paris 1964, 1–268. *5. Fundament:* Des Anges. Ed. et trad. *Antoine Torbey.* In: Patrologia Orientalis 30, Paris 1963, 605–720. – Dazu *Torbey,* Lit. Verz. Nr. 739 – Nr. 740. *6. Fundament:* (Du Sacerdoce.) *Radbert Kohlhaas,* Jakobitische Sakramententheologie im 13. Jahrhundert. Der Liturgiekommentar des Gregorius Barhebraeus erstmals hrsg. und erläutert. Münster (Westf.): Aschendorff 1959. (Liturgiewissenschaftliche Quellen und Forschungen. 36.). Inhalt: Einleitung, deutsche Übersetzung, Kommentar und syrischer Text. – Vgl. *de Vries,* Kirchenbegriff der späteren Jakobiten, Lit. Verz. Nr. 789. *7. Fundament:* Des Démons. Ed. et trad. *Micheline Albert.* In: Patrologia Orientalis 30, Paris 1961, 275–340. – Dazu *Furlani,* Demonologia (Lit. Verz. Nr. 228). – *8. Fundament:* (De l'Âme raisonnable.) *Ján Bakoš,* Psychologie de Grégoire Aboulfaradj dit Barhebraeus d'après la huitième Base de l'Ouvrage Le Candélabre des Sanctuaires éditée et traduite en Français. Leiden: Brill 1948. – Dazu *Furlani,* Lit. Verz. Nr. 224 – Nr. 225. – *9. Fundament:*

(Du libre Arbitre de l'Homme.) – (Noch nicht erschienen; vgl. Patrologia Orientalis 30, Paris 1961, 276: „en préparation".) *10. Fundament:* De la Résurrection. Ed. et trad. *Élise Zigmund-Cerbü.* In: Patrologia Orientalis 35, Turnhout 1969, 224–273. – Dazu *Koffler,* Lit. Verz. Nr. 401. *11. Fundament:* (Du Jugement et de la Sanction.) (Noch nicht erschienen; vgl. das Vorwort zum 10. Fundament.) *12. Fundament:* (Du Paradis.) (Noch nicht erschienen; vgl. das Vorwort zum 10. Fundament.)

45. *Basilius von Cäsarea:* Sämmtliche Schriften des heiligen Basilius des Großen, Erzbischofs von Cäsarea in Kappadokien. Bd. 1–8. Kempten: Kösel 1838–1842. (Sämmtliche Werke der Kirchenväter. Aus dem Urtexte in das Teutsche übersetzt. 19–26.). Hier Bd. 3, 226–4, 334: Ascetische Schriften. „Große Vorschriften" oder „Große Regeln in Fragen und Antworten dargestellt": Bd. 4, 55–384 (= Frage 1–313); dazu Vorrede S. 55–64. „Kurze Regeln" (Regel 1–80): Bd. 3, 283–4, 40.

46. – Des heiligen Kirchenlehrers Basilius des Großen neun Homilien: Über das Sechstagewerk (Hexaëmeron) nach dem Urtext übersetzt von *Valentin Gröne.* In: Ausgewählte Schriften des hl. Basilius des Großen. Kempten 1875, 17–181. (Bibliothek der Kirchenväter. Lfg. 155. 156. 167. 168.).

47. – Basilius Caesareae Cappadociae Archiepiscopus. Regulae fusius tractatae. Regulae brevius tractatae. In: *J.-P. Migne,* Patrologia Graeca 31, Paris 1885, 889 bis 1320. – (Griechisch mit latein. Übersetzung.).

48. – The ascetic works of Saint Basil. Translated into English with Introduction and Notes by *William Kemp Lowther Clarke.* London: SPCK 1925. (Translations of Christian Literature. Series 1. Greek Texts. 15.) – Hier S. 145–351 beide Regeln.

49. – Die Ausführlichen Regeln unter Beiziehung ausgewählter Teile der Kürzeren Regeln zusammengestellt von *Hans-Urs von Balthasar.* In: *v. Balthasar,* Die großen Ordensregeln (Lit. Verz. Nr. 38) 27–98.

50. *Bateson, Mary:* Origin and Early History of Double Monasteries. In: Transactions of the Royal Historical Society. New Series. Vol. 13. London 1899, 137–198.

51. *Bauer, Walter:* Griechisch-Deutsches Wörterbuch zu den Schriften des Neuen Testaments und der übrigen urchristlichen Literatur. Durchgesehener Nachdruck der 5., verb. u. stark verm. Aufl. Berlin: Töpelmann 1963 und 1971.

52. *Baumstark, Anton:* Syrisch-arabische Biographien des Aristoteles. Syrische Commentare zur Eisagoge des Porphyrius. Leipzig: Teubner 1900. (Aristoteles bei den Syrern vom V.–VIII. Jahrhundert. Syrische Texte. 1.).

53. – Geschichte der syrischen Literatur mit Ausschluß der christlich-palästinensischen Texte. Bonn: Marcus und Weber 1922. Reprint Berlin: de Gruyter 1968. – Dazu die Ergänzungen von *Anton Baumstark* und *Adolf Rücker* in Handbuch der Orientalistik I, 3 (1954) (Semitistik) S. 168–204, vor allem Quellenausgaben seit 1922.

54. *Baynes, Norman Hepburn* und *Henry St. Lawrence B. Moss* (Hrsg.): Byzantium. An Introduction to East Roman Civilization. Oxford: Clarendon 1948. ²1949. ³1953. ⁴1961. ⁵1962. Aus dem Inhalt: *Henri Grégoire,* The Byzantine Church, 86–135; *Hippolyte Delehaye,* Byzantine Monasticism, 136–165; *Charles Diehl,* Byzantine Art, 166–199; *F. H. Marshall,* Byzantine Literature, 221–251.

55. – Byzanz. Geschichte und Kultur des Oströmischen Reiches. Mit 32 Abb. München: Goldmann 1964. – „Bibliographischer Anhang" 468–505. (Byzantium. Oxford 1961 = Lit. Verz. Nr. 54, deutsch von *Armin Hohlweg.*).

56. – Eusebius and the Christian Empire. In: *Baynes,* Byzantine Studies and Other Essays. London 1954, 168–172.

57. *Beck, Edmund:* Eine christliche Parallele zu den Paradiesjungfrauen des Korans? In: Orientalia Christiana Periodica 14 (Rom 1948) 398–405.
58. – Die Theologie des hl. Ephraem in seinen Hymnen über den Glauben. Città del Vaticano 1949. (Studia Anselmiana. 21.).
– Ephraems Hymnen über das Paradies. Siehe Lit. Verz. Nr. 194.
59. – Ephraems Reden über den Glauben. Ihr theologischer Lehrgehalt und ihr geschichtlicher Rahmen. Rom: Herder 1953. (Studia Anselmiana. 33.).
60. – Das Bild vom Spiegel bei Ephraem. In: Orientalia Christiana Periodica 19 (Rom 1953) 5–24.
61. – Die Eucharistie bei Ephräm. In: Oriens Christianus 38 (Wiesbaden 1954) 41–67.
62. – Die Mariologie der echten Schriften Ephräms. In: Oriens Christianus 40 (Wiesbaden 1956) 22–39.
63. – Le Baptême chez Saint Ephrem. In: L'Orient Syrien, Vol. 1, Nr. 2 (Paris 1956) 111–136.
64. – Symbolum-Mysterium bei Aphraat und Ephräm. In: Oriens Christianus 42 (Wiesbaden 1958) 19–40.
65. – Asketentum und Mönchtum bei Ephraem. In: Orientalia Christiana Analecta 153 (Rom 1958) 341–362. (Il Monachesimo Orientale.).
66. *Beck, Hans-Georg:* Kirche und theologische Literatur im byzantinischen Reich. München 1959. Neudruck 1964. (Byzantinisches Handbuch. II, 1.).
67. *Behr-Sigel, E.:* Etudes d'Hagiographie russe. In: Irénikon (Amay-sur-Meuse, Belgique) 12 (1935), 241–254; 581–598. 13 (1936) 25–37; 297–306. 14 (1937) 363–377. – (Diss. Straßburg). Hier 12, 248–253 „Critique hagiographique", eine Geschichte der hagiographischen Forschung über Rußland. Grundlegend. Vgl. Lit. Verz. Nr. 69.
68. – La Prière à Jésus. In: Dieu Vivant 8 (Paris 1947) 69–94.
69. – Prière et Sainteté dans l'Église Russe, suivi d'un Essai sur le Rôle du Monachisme dans la Vie Spirituelle du Peuple Russe. Paris: Éditions du Cerf 1950. (Russie et Chrétienté. 5.). – Umgearbeitete und erweiterte Ausgabe von Lit. Verz. Nr. 67. – Hier 104–120: „Les ‚Starets' du XVIII e et du XIX e Siècle"; über Paisij Veličkovskij 105–106.
70. *Bernard, P.:* (Artikel) Chrême (Saint). In: Dictionnaire de Théologie Catholique (Lit. Verz. Nr. 145) 2, Paris 1932, 2395–2414. – Vgl. Lit. Verz. Nr. 318.
71. *Betz, Johannes:* Die Eucharistie in der Zeit der griechischen Väter. Bd. I/1. Die Aktualpräsenz der Person und des Heilswerkes Jesu im Abendmahl nach der vorephesinischen griechischen Patristik. Freiburg i. Br.: Herder 1955. – Hier S. 227–239: Die Eucharistie als Typos bei Theodor von Mopsuestia.
72. *Bidawid, Raphaël J.:* Les Lettres du Patriarche Nestorien Timothée I. Étude Critique avec en Appendice La lettre de Timothée I aux moines du Couvent de Mār Mārōn (traduction latine et texte chaldéen). Città del Vaticano: Bibl. Apost. Vat. 1956. (Studi e Testi. 187.)
73. *Bieler, Ludwig:* Theios Aner. Das Bild des „göttlichen Menschen" in Spätantike und Christentum. 2 Bde. Wien 1935–1936.
74. *Bielfeldt, Hans Holm:* Altslawische Grammatik. Einführung in die slawischen Sprachen. Halle (Saale) 1961. (Slawische Bibliothek. 7.).
75. *Bietenhard, Hans:* (Artikel) Onoma, onomazein, eponomazo, pseudonymos. In: Theologisches Wörterbuch zum Neuen Testament (Lit. Verz. Nr. 724) 5, Stuttgart 1954, 242–283.
76. *Blau, Joshua:* A Grammar of Christian Arabic based mainly on South-Palestinian Texts from the First Millennium. Bd. 1–3. Löwen 1966–1967. (Corpus Scriptorum Christianorum Orientalium. 267. 278. 279.).

77. *Bocheński, Joseph M.:* Formale Logik. Freiburg i. Br.: Alber 1956. (Orbis Academicus. Problemgeschichten der Wissenschaft in Dokumenten und Darstellungen.).

78. *de Boer, P. A. H.:* Gedenken und Gedächtnis in der Welt des Alten Testaments. Stuttgart 1962. (Franz-Delitzsch-Vorlesungen 1960.).

79. *Bois, J.:* Grégoire le Sinaite et l'hésychasme à l'Athos au XIV e siècle. In: Echos d'Orient 5 (Bukarest 1902), 65–73.

80. *Bonet-Maury, G.:* Les Premiers Témoignages de l'Introduction du Christianisme en Russie. In: Revue de l'Histoire des Religions. Tome 44 (Paris 1901) 223–234. – Hier S. 228 über einen Bischof für Kiew unter Kaiser Basilius I. von Byzanz (867–886).

81. *Bonitz, Hermannus:* Index Aristotelicus. Darmstadt: Wissenschaftliche Buchgesellschaft 1960. (Photomechanischer Nachdruck der Ausgabe von 1870.). – Vgl. Lit. Verz. Nr. 13.

82. *Bornmann, Erich:* Zeitrechnung und Kirchenjahr. Grundlegendes zum Gebrauch der Schiebetafel „Calendarium perpetuum". Kassel: Stauda 1964.

Bortolon, L. (Übers.): siehe Lit. Verz. Nr. 26.

83. *Braun, Joseph:* Die liturgische Gewandung im Occident und Orient. Nach Ursprung und Entwicklung, Verwendung und Symbolik. Darmstadt: Wissenschaftliche Buchgesellschaft 1964. (Nachdruck der Ausgabe Freiburg i. Br. 1907.). – Hier S. 115–117: Der liturgische Gürtel in den Riten des Orients; S. 562–620: Die Stola.

84. *Braun, Maximilian:* Das Eindringen des Humanismus in Rußland im 17. Jahrhundert. In: Die Welt der Slaven 1 (Wiesbaden 1956) 35–49.

85. *Braun, Oskar:* Das Buch der Synhados. Nach einer Handschrift des Museo Borgiano übersetzt und erläutert. Stuttgart und Wien: Roth 1900.

86. *Brjančaninov, Ignatius:* On the Prayer of Jesus. From the Ascetic Essays of Bishop *Ignatius Brianchaninov*. Translated by Father *Lazarus*. Introduction by *Alexander d'Agapeyeff*. London: John M. Watkins 1952. [2]1965. – (O Molitvoj Iisusovoj. St. Petersburg 1867.). – Hier S. XIII: „This translation was begun from the 1865 edition. On reaching page 342 it was discovered that pages 343–346 were missing. A search . . . for another copy was rewarded, but the second copy proved to be a different edition containing numerous lengthy amplifications." Diese wurden hier berücksichtigt. Die Texte der Philokalie wurden aus dem Griechischen übersetzt.

87. *Die Briefe der Päpste* und die an sie gerichteten Schreiben von Linus bis Pelagius II. (vom Jahre 67–590). Zusammengestellt und übersetzt von *Severin Wenzlowsky*. 5. Bd. Der heilige Leo I. 2. Abt. Die Briefe v. J. 451–461. Kempten 1878. (Bibliothek der Kirchenväter.). – Hier S. 349–379 die Briefe Leos an Kaiser Leon von 458. Vgl. Lit. Verz. Nr. 440.

88. *von den Brincken, Anna-Dorothee:* Mappa Mundi und Chronographia. Studien zur imago mundi des abendländischen Mittelalters. In: Deutsches Archiv für die Erforschung des Mittelalters 24, 1968, 118–186.

89. *British Museum.* General Catalogue of Printed Books. Photolithographic Edition to 1955. London: British Museum 1959–1966. Bd. 1–263. – Hier Bd. 53 (1960) 881 die Druckausgabe des Dobrotoljubie, Moskau 1793, Signatur C 54 i 7. (Vgl. Lit. Verz. Nr. 162.) Bd. 189 (1963) 206 die Druckausgabe der Philokalie, Venedig 1782 („with the signature of Paisy Velichkovsky"), Signatur C 54 i 6. (Vgl. Lit. Verz. Nr. 596.)

90. *Brockelmann, Carl:* Muhammedanische Weissagungen im Alten Testament. In: Zeitschrift für die alttestamentliche Wissenschaft 15 (Gießen 1895) 138–142.

91. – Geschichte der arabischen Literatur. Zweite, den Supplement-Bänden angepaßte Auflage. Bd. 1–5. Leiden: Brill 1937–1949.

92. – Syrische Grammatik mit Paradigmen, Literatur, Chrestomathie und Glossar. Leipzig [8]1960. (Lehrbücher für das Studium der orientalischen Sprachen. 4.).

93. *von Brockhusen, Gerda Maria Lieselotte:* Ikonen als künstlerischer Ausdruck des Platonismus (aufgezeigt an den wichtigsten Typen der Ikonendarstellungen). Diss. phil. Wien 1943. (Masch.schr.).

94. *Brosset, Marie Félicité:* Histoire de la Géorgie depuis l'antiquité jusqu'au XIXe siècle. Traduite du Géorgien par *M. Brosset.* S.-Pétersbourg: Impr. de l'Academie Impériale des Sciences. Bd. 1,1: Histoire ancienne jusqu'en 1469 de J.-C. 1849. Bd. 1,2: Additions et Éclaircissements. 1851. Bd. 2,1: Histoire moderne. 1856. Bd. 2,2: Histoire moderne. 1857. Bd. 3: Introduction et Tables des matières. 1858.

95. *Bruns, Herm. Theod.:* Canones Apostolorum et Conciliorum veterum selecti. Cum praefatione *Augusti Neandri.* Bd. 1–2 (in 1). Berlin: Reimer 1839. Ristampa fototipica Turin: Bottega d'Erasmo 1959. (Bibliotheca ecclesiastica.). – Vgl. *Lauchert,* Lit. Verz. Nr. 429 und *Mansi,* Lit. Verz. Nr. 476.

96. *von Bubnoff, Nicolai* (Hrsg.): Russische Frömmigkeit. Briefe eines Starzen. Aus dem Russischen übersetzt, eingeleitet und herausgegeben. Wiesbaden: Metopen-Verlag 1947. („Bücher des Wissens." 1.). – Enthält Briefe Theophan Govorovs (Lit. Verz. Nr. 727 – Nr. 728).

97. *Budge, Sir Ernest Alfred Thompson Wallis:* A History of Ethiopia, Nubia and Abyssinia (According to the Hieroglyphic Inscriptions of Egypt and Nubia, and the Ethiopian Chronicles). Bd. 1–2. London 1928. Reprint Oosterhout 1966.

98. *Bujnoch, Josef:* Zwischen Rom und Byzanz. Leben und Wirken der Slavenapostel Kyrillos und Methodios nach den Pannonischen Legenden und der Klemensvita. Bericht von der Taufe Rußlands nach der Laurentiuschronik. Übersetzt, eingeleitet und erklärt von *Josef Bujnoch.* Graz, Wien, Köln: Styria (1958). (Slavische Geschichtsschreiber. 1.).

99. *Bunin, A. W.:* Geschichte des russischen Städtebaues bis zum 19. Jahrhundert. Berlin: Henschel 1961. (Deutsche Bauakademie. Schriften des Instituts für Theorie und Geschichte der Baukunst.).

100. *Burckhardt, Titus:* Siena. Stadt der Jungfrau. Olten: Urs Graf 1958. (Stätten des Geistes.)

Callistus II. Patriarcha Constantinopol. Siehe Kallistus.

101. *Cambridge Medieval History.* Volume IV. The Byzantine Empire. Ed. by *J. M. Hussey, D. M. Nicol* and *G. Cowan.* Part 1: Byzantium and its Neighbours. Cambridge 1966. Part 2: Government, Church and Civilization. Cambridge 1967. – Mit 18 Karten. Umfassende Bibliographie in IV, 1, S. 802–1041 und IV, 2, S. 377–476.

102. *Camelot, Thomas:* De Nestorius à Eutyches. L'Opposition de deux christologies. In: Das Konzil von Chalkedon 1 (Lit. Verz. Nr. 267) 213–242.

103. *von Campenhausen, Hans Freiherr:* Die asketische Heimatlosigkeit im altkirchlichen und frühmittelalterlichen Mönchtum. Tübingen: Mohr 1930. (Sammlung gemeinverständlicher Vorträge und Schriften aus dem Gebiet der Theologie und Religionsgeschichte. 149.)

104. *Canard, Marius* und *Claude Cahen:* (Artikel) Armīniya, Armenia. In: The Encyclopaedia of Islam (Lit. Verz. Nr. 191) 1, Leiden 1960, 634–650.

105. *Cant, Catherine B. H.:* The Archpriest Avvakum and his Scottish Contemporaries. In: The Slavonic and East European Review 44 (= Nr. 103), 1966, 381–402.

106. *Casey, Robert P.:* Early Russian Monasticism. In: Orientalia Christiana Periodica 19 (Rom 1953) 372–423.
de Castanhoso, Miguel siehe Miguel de Castanhoso (Lit. Verz. Nr. 508).
107. *Cerulli, Enrico:* Scritti Teologici Etiopici dei Secoli XVI–XVII. 1. Tre Opuscoli dei Mikaeliti. 1958. 2. La Storia dei Quattro Concili ed altri opuscoli monofisiti. 1960. Città del Vaticano: Bibl. Apost. Vat. (Studi e Testi. 198. 204.)
108. – Storia della Letteratura Etiopia. Mailand 1956. ²1961. ³1968. („Storia delle Letterature di Tutto il Mondo".). – Ich zitiere nach der 2. Aufl. 1961; hier S. 267–269: „Nota Bibliografica".
109. *Chabot, Jean-Baptiste:* Notice sur une mappemonde syrienne du XIII e siècle. In: Bulletin de Géographie historique et descriptive, Année 1897 (Paris 1898) 98–112.
110. – Synodicon Orientale ou Recueil de Synodes Nestoriens, publié, traduit et annoté par *J. B. Chabot,* d'après le MS. Syriaque 332 de la Bibliothèque Nationale et le MS. K. VI, 4 du Musée Borgia, à Rome (Paris 1902). (Notices et Extraits des Manuscrits de la Bibliothèque Nationale et autres Bibliothèques publiés par l'Académie des Inscriptions et Belles-Lettres. Bd. 37. Paris: Impr. Nationale 1902.). – Vgl. Lit. Verz. Nr. 711.
111. *Chaine, Marius:* La Chronologie des Temps Chrétiens de l'Égypte et de l'Éthiopie. Historique et Exposé du Calendrier et du Comput de l'Égypte et de l'Éthiopie depuis les Débuts de l'Ère Chrétienne à nos Jours. Paris: Geuthner 1925.
112. – Grammaire Éthiopienne. Nouvelle Édition. Beyrouth: Imprimerie Catholique 1938. – Zuerst 1907. Mit Chrestomathie, Vokabular und Bibliographie.
113. *Chakmakjian, Hagop A.:* Armenian Christology and Evangelization of Islam. A Survey of the Relevance of the Christology of the Armenian Apostolic Church to Armenian Relations with its Muslim Environment. Leiden: Brill 1965.
114. *Cherkesi, E.:* Georgian-English Dictionary. Compiled by *E. Cherkesi.* Oxford 1950. – Für Alt- und Neugeorgisch.
115. *Chew, Allen F.:* An Atlas of Russian History. Eleven Centuries of Changing Borders. New Haven: Yale U. P. 1967.
116. *Chrestu, Pan. K.:* (Artikel) Gregorios ho Palamas. In: Threskeutike Enkyklopaideia (Lit. Verz. Nr. 733) 4 (Athen 1964) 775–794. – (Lit.)
117. *Der Christliche Osten.* Geist und Gestalt. Herausgeber: *Julius Tyciak, Georg Wunderle, Peter Werhun.* Regensburg: Pustet 1939. – Hier S. 151–210: *Nikolaus von Arseniew,* Das Mönchtum und der asketisch-mystische Weg in der Ostkirche, besonders in Rußland. – (Mit Lit.-Angaben.) (Lit. Verz. Nr. 17.)
118. *Clarke, William Kemp Lowther:* St Basil the Great. A Study in Monasticism. Cambridge: Univ.-Pr. 1913. – Vgl. Lit. Verz. Nr. 542.
119. – The ascetic works of Saint Basil. Siehe Lit. Verz. Nr. 48.
119. *Claus, Claire Louise:* Die russischen Frauenklöster um die Wende des 18. Jahrhunderts, ihre karitative Tätigkeit und religiöse Bedeutung. In: Kirche im Osten 4 (1961) 37–60.
120. *Constantelos, Demetrios J.:* Philanthropia as an Imperial Virtue in the Byzantine Empire of the Tenth Century. In: Anglican Theological Review 44 (1962) 351–365.
121. – The Holy Scriptures in Greek Orthodox Worship. (A Comparative and Statistical Study.) In: The Greek Orthodox Theological Review 12 (Brookline, Mass. 1966) 7–83. – Beziehung von Liturgie und Hl. Schrift. S. 7: „The Greek Orthodox Church ... is the Biblical Church par excellence."

122. *Conti Rossini, Carlo:* Grammatica Elementare della Lingua Etiopica. Rom: Istituto per l'Oriente 1941. (Pubblicazioni dell'Istituto per l'Oriente.). Reprint 1967.

123. *Conybeare, Fred. C.:* The Key of Truth. A Manual of the Paulician Church of Armenia. The Armenian Text edited and translated with illustrative Documents and Introduction. Oxford: Clarendon 1898. – Über die Bogomilen S. CXXXVII, CXLVII ff., CXCVI u. ö.

124. *Corpus Scriptorum Christianorum Orientalium* de Louvain-Washington. Löwen 1903 ff. – (Bis 1971 über 300 Bände. Enthält je eine Reihe Scriptores Aethiopici, Arabici, Armeniaci, Coptici, Iberici, Syri et Subsidia. Den orientalischen Texten ist jeweils eine moderne Übersetzung beigegeben.)

Cowan, G. (Hrsg.) siehe Cambridge Medieval History, Lit. Verz. Nr. 101.

125. *Cramer, Maria:* Das Christlich-Koptische Ägypten einst und heute. Eine Orientierung. Wiesbaden: Harrassowitz 1959.

126. *Cramer, Winfried:* Die Engelvorstellungen bei Ephräm dem Syrer. Rom 1965. (Orientalia Christiana Analecta. 173.).

127. *Crum, Walter Elwing:* A Coptic Dictionary. Compiled with the Help of many Scholars by *W. E. Crum.* Oxford: Clarendon 1939. Reprint Oxford: Clarendon 1962.

128. *Curto, Silvio:* Nubien. Geschichte einer rätselhaften Kultur. München: Goldmann 1966.

129. *Dalmais, I.-H.:* Prière du Coeur et Prière de Jésus. A propos de publications récentes. In: Vie Spirituelle 87 (Paris 1952) 95–96. – Behandelt *Kadloubovsky,* Writings (Lit. Verz. Nr. 164) und *La Prière de Jésus* (Lit. Verz. Nr. 610).

130. *Dauvillier, Jean:* Guillaume de Rubrouck et les Communautés Chaldéennes d'Asie Centrale au Moyen Age. In: L'Orient Syrien 2 (1957) 223–242.

131. *Deeters, Gerhard:* Die kaukasischen Sprachen. In: Handbuch der Orientalistik (Lit. Verz. Nr. 286) 1. Abt. Bd. 7, Leiden 1963, 1–79.

132. – Die georgische Literatur. In: Handbuch der Orientalistik (Lit. Verz. Nr. 286) 1. Abt. Bd. 7, Leiden 1963, 129–155.

133. *Deichmann, Friedrich Wilhelm:* (Artikel) Baptisterium. In: Reallexikon für Antike und Christentum (Lit. Verz. Nr. 617) 1, Stuttgart 1950, 1157–1167.

134. *Delbrueck, Richard:* Der spätantike Kaiserornat. In: Die Antike 8 (Berlin 1932) 1–21.

Delehaye, Hippolyte: Byzantine Monasticism siehe Lit. Verz. Nr. 54.

135. *Denisov, Leonid I.:* Pravoslavnye monastyri Rossijskoj Imperii. Polnyj spisok vsěch 1105 nyně suščestvujuščich v 75 gubernijach i oblastjach Rossii (i 2 inostrannych gosudarstvach) mužskich i žemskich monastyrej. Moskau 1908. – Mit 1 Karte der orthodoxen Klöster im europäischen Rußland, in Sibirien und im Gouvernement Moskau.

136. *Denzinger, Heinrich:* Ritus Orientalium, Coptorum, Syrorum et Armenorum, in administrandis Sacramentis. Bd. 1–2. Würzburg 1863–1864. Neudruck Graz 1961.

Devreesse, Robert (Hrsg.) siehe Theodor von Mopsuestia (Lit. Verz. Nr. 716).

137. *Diadochus von Photike:* Logos diermenos eis hekaton kephalaia praktika gnoseos, kai diakriseos pneumatikes. In: *Philokalia,* Venedig 1782 (Lit. Verz. Nr. 596) 206–236.

138. – Podvižničeskoe Slovo, razdělennoe na sto glav dějatel'nych, ispolnennych věděnija i razsuždenija duchovnago. In: Dobrotoljubie (Lit. Verz. Nr. 163) Bd. 3, Moskau 1888, 11–80.

139. – Diadoque de Photicé. Oeuvres Spirituelles. Introduction, Texte Critique, Tra-

duction et Notes de *Édouard des Places*. 2. Edition. Paris: Editions du Cerf 1955. (Sources Chrétiennes. 5 bis.). – Hier S. 84–163 ‚Cent Chapitres Gnostiques‘, griechisch-französisch.

140. – Tu makariu Diadochu episkopu Photikes, Logos asketikos diermenos eis hekaton kephalaia praktika gnoseos kai diakriseos pneumatikes. In: *Philokalia* [3]1, Athen 1957, 236–272 (Lit. Verz. Nr. 600).

141. *Dictionnaire d'Archéologie Chrétienne et de Liturgie*, publié par *Fernand Cabrol* et *Henri Leclerq*. Bd. 1–15. Paris: Letouzey 1910–1953.

142. *Dictionnaire de Droit Canonique*. Contenant tous les Termes du Droit Canonique. Ed. *R. Naz*. Paris: Letouzey. Bd. 1–7. 1935–1965.

143. *Dictionnaire d'Histoire et de Géographie Ecclésiastiques*. Publié par *Alfred Baudrillart, Albert Vogt* et *Urbain Rouziès*. Paris: Letouzey. Bd. 1–16. 1912 bis 1967.

144. *Dictionnaire de Spiritualité Ascétique et Mystique*. Ed. *Marcel Viller, F. Cavallera, J. de Guibert*. Paris: Beauchesne. Bd. 1–6. 1937–1969.

145. *Dictionnaire de Théologie Catholique*. Contenant l'exposé des Doctrines de la Théologie Catholique, leur preuves et leur Histoire. Commencé sous la Direction de *A. Vacant, E. Mangenot* et *É. Amann*. 3. Aufl. Bd. 1–15. Paris 1903 bis 1950. Dazu Table Analytique seit 1951.

Diehl, Charles: Byzantine Art, Lit. Verz. Nr. 54.

146. *Diels, Paul:* Die slavischen Völker. Mit einer Literaturübersicht von *Alexander Adamczyk*. Wiesbaden: Harrassowitz 1963. (Veröffentlichungen des Osteuropa-Institutes München. 11.). – Mit 3 Karten zur Verbreitung der Slawen und sehr ausführlichen Literaturangaben.

147. *Dietrich, Albert:* Die arabische Version einer unbekannten Schrift des Alexander von Aphrodisias über die Differentia specifica. Göttingen 1964. (Nachrichten der Akademie der Wissenschaften in Göttingen. 1. Phil.-hist. Kl. Jg. 1964, Nr. 2, S. 85–148). – (*Faṣl.* Arabisch-griechisches Glossar S. 144–146).

148. *Diettrich, Gustav:* Die nestorianische Taufliturgie ins Deutsche übersetzt und unter Verwertung der neuesten handschriftlichen Funde historisch-kritisch erforscht. Gießen: Ricker 1903.

Dietz, Matthias (Übers.) siehe Philokalie (Lit. Verz. Nr. 598.).

149. *Dillmann, August:* Ueber den umfang des Bibelcanons der Abyssinischen kirche. In: Jahrbücher der biblischen wissenschaft von *Heinrich Ewald*. 5. Jahrbuch: 1852–1853. Göttingen: Dieterich 1853, 144–151.

150. – Grammatik der Äthiopischen Sprache. Zweite verbesserte und vermehrte Auflage von *Carl Bezold*. Leipzig: Tauchnitz 1899. Fotomechanischer Nachdruck Graz 1959. – Zuerst 1857. Vgl. Lit. Verz. Nr. 608.

151. – Lexicon Linguae Aethiopicae cum Indice Latino. Adiectum est Vocabularium Tigre Dialecti Septentrionalis Compilatum a *Werner Munzinger*. Reprint: New York: Ungar 1955. – Zuerst 1865. Dazu *Grébaut*, Supplément (Lit. Verz. Nr. 256.).

152. *Dionysius Areopagita:* Opera. Straßburg 1503. Nachdruck Frankfurt am Main: Minerva 1970. – Enthält 3 lateinische Übersetzungen und die Kommentare des Hugo v. St. Viktor, Thomas Gallus (Vercellensis), Robert Grosseteste (Lincolniensis), Albertus Magnus, Thomas von Aquino, Ambrosius Traversari und Marsilius Ficinus.

153. – Opera Omnia. In: *J.-P. Migne*, Patrologiae Cursus Completus. Series Graeca. Tomus 3–4. Paris 1889. – Griechisch mit lateinischer Übersetzung.

154. – Über die beiden Hierarchien. Deutsch von *Joseph Stiglmayr*. München 1911. Bibliothek der Kirchenväter. 1, 2.).

155. – Über göttliche Namen. Deutsch von *Joseph Stiglmayr*. München 1933. (Bibliothek der Kirchenväter. 2, 2.).
156. – Die Hierarchien der Engel und der Kirche. Einführung von *Hugo Ball*. (Übersetzt, mit Einleitung und Kommentar von *Walther Tritsch*.) München-Planegg: O. W. Barth 1955. (Weisheitsbücher der Menschheit.).
157. – Mystische Theologie und andere Schriften mit einer Probe aus der Theologie des Proklus. Deutsch von *Walther Tritsch*. München-Planegg: O. W. Barth 1956. (Weisheitsbücher der Menschheit.). – Inhalt: ‚Die Namen Gottes.‘ ‚Die mystische Theologie.‘ ‚Die zehn Hirtenbriefe des Dionysius.‘ Auszüge aus den ‚Initia Theologiae‘ des Proklus.
158. – Dionigi Areopagita. Le Opere. Versione e Interpretazione di *Enrico Turolla*. Padua: Antonio Milani 1956. (Pensiero e Civiltà. Serie Traduzioni. 4.). – Alle Schriften und Briefe des Dionysius Areopagita in italienischer Übersetzung.
159. – Von den Namen zum Unnennbaren. Auswahl und Einleitung von *Endre von Ivánka*. Einsiedeln 1957. (Sigillum. 7.).
160. – The Letters of Pseudo-Dionysius. In: *Hathaway*, Hierarchy (Lit. Verz. Nr. 289) 129–160. – Brief 1–10 in englischer Übersetzung.
161. *Diringer, David:* The Alphabet. A Key to the History of Mankind. Third Edition completely revised with the Collaboration of *Reinhold Regensburger*. Bd. 1–2. London: Hutchinson 1968. – Umfangreiche Literaturangaben. Bd. 2 enthält nur Tafeln und Abbildungen.
162. *Dobrotoljubie*. Moskau 1793. Siehe Lit. Verz. Nr. 89.
163. – Dobrotoljubie v Russkom Perevodě, dopolnennoe. Iždiveniem russkago na Athoně Panteleimonova Monastyrja. Bd. 1: Sanktpeterburg: N. A. Lebedev 1877. Bd. 2–5: Moskva: Efimo 1884. 1888. 1889. 1889. – Moskau, Leninbibliothek M 101/59. – Die Erscheinungsjahre auf dem Titelblatt und dem Umschlag differieren; auf dem Umschlag: 1 (1877); 2 (1885); 3 (1889); 4 (1889); 5 (1890). – Bd. 4 (1889) enthält nur Werke des Theodor von Studion. Die Zenturie des Kallistus und Ignatius (Lit. Verz. Nr. 367) findet sich in Bd. 5 (1889) 329–456.
164. – *E. Kadloubovsky* und *G. E. H. Palmer:* Writings from the Philokalia On Prayer of the Heart. Translated from the Russian Text, „Dobrotolubiye“ by *E. Kadloubovsky* and *G. E. H. Palmer*. With a new Foreword and the original Introduction and Biographical Notes. London: Faber and Faber 1951. [5]1967. – Hier nach S. 8: Titelblatt der *Philokalia* Venedig 1782 und Titelblatt der 4. Aufl. des *Dobrotoljubie* Moskau 1905. Hier S. 164–270 ‚Directions to Hesychasts‘ = Kallistus und Ignatius, Zenturie (Lit. Verz. Nr. 369.). Vgl. Lit. Verz. Nr. 554 und 730; siehe auch Lit. Verz. Nr. 129.
165. – *Kadloubovsky, E.* und *G. E. H. Palmer:* Early Fathers from the Philokalia together with some writings of St. Abba Dorotheus, St. Isaac of Syria and St. Gregory Palamas. Selected and translated from the Russian text Dobrotolubiye by *E. Kadloubovsky* and *G. E. H. Palmer*. London: Faber and Faber 1954. [2]1959. [3]1963. [4]1969.
166. *Doherty, Kevin F.:* Toward a Bibliography of Pseudo-Dionysius the Areopagite: 1900–1955. In: The Modern Schoolman 33 (1956) 257–268.
167. *Dölger, Franz:* Rom in der Gedankenwelt der Byzantiner. In: Zeitschrift für Kirchengeschichte 56 (Stuttgart 1937) 1–42. – Gibt eine Übersicht über die Belege für die tatsächlichen und die legendären Bemühungen Konstantins d. Gr. um Angleichung Konstantinopels an Rom.
168. – Byzanz als weltgeschichtliche Potenz. In: Wort und Wahrheit 4 (1949) 249–263. – Auch in Paraspora (Lit. Verz. Nr. 170) 1–19.

169. – Byzanz und die europäische Staatenwelt. (Ausgewählte Vorträge und Aufsätze.) Ettal 1953. Unveränd. Nachdruck Darmstadt 1964. Mit Ergänzungen und Berichtigungen des Verfassers zur 1. Auflage.

170. – Paraspora: 30 Aufsätze zur Geschichte, Kultur und Sprache des byzantinischen Reiches. Ettal 1961.

171. *Dölger, Franz Joseph:* Sol Salutis. Gebet und Gesang im christlichen Altertum. Mit besonderer Rücksicht auf die Ostung in Gebet und Liturgie. 2. Aufl. Münster (Westfalen): Aschendorff 1925 (Liturgiegeschichtliche Forschungen. 4/5.).

172. *Döpmann, Hans-Dieter:* Der Einfluß der Kirche auf die moskowitische Staatsidee. Staats- und Gesellschaftsdenken bei Josif Volockij, Nil Sorskij und Vassian Patrikeev. Berlin: Ev. Verlagsanstalt 1967. (Quellen und Untersuchungen zur Konfessionskunde der Orthodoxie.).

173. *Doresse, Jean:* L'Empire du Prêtre-Jean. Paris: Plon 1957. Bd. 1: L'Éthiopie Antique. Bd. 2: L'Éthiopie Médiévale. – Bibliographie in Bd. 1, 283–297 und in Bd. 2, 333–351. Mit einer Karte „Éthiopie Médiévale".

174. *Dörries, Hermann:* Symeon von Mesopotamien. Die Überlieferung der messalianischen „Makarios"-Schriften. Leipzig 1941. (Texte und Untersuchungen zur Geschichte der altchristlichen Literatur. 55, 1.). – Hier S. 451–465 die Regeln des Basilius von Cäsarea.

175. *Dozy, Reinhart:* Supplément aux Dictionnaires Arabes. Bd. 1–2. Leiden: Brill 1881. Reprint Leiden 1927. 1967. Beirut: Librairie du Liban 1968.

176. *Draguet, René:* Julien d'Halicarnasse et sa controverse avec Sévère d'Antioche sur l'Incorruptibilité du Corps du Christ. Étude d'histoire littéraire et doctrinale suivie des Fragments dogmatiques de Julien. (Texte syriaque et traduction grecque.). Louvain: Smeesters 1924.

177. *Drijvers, J. W.:* Bardaiṣan of Edessa. Assen: Gorcum 1966. (Studia Semitica Neerlandica. 6.).

178. *Du Cange, Carolus du Fresne:* Glossarium ad Scriptores Mediae et Infimae Graecitatis. I–II. Lyon 1688. Nachdruck Graz: Akadem. Druck- und Verlagsanstalt 1958.

179. *Dujčev, Ivan:* Medioevo Bizantino-Slavo. I.: Saggi di Storia politica e culturale. Rom 1965. II.: Saggi die Storia letteraria. Rom 1968. (Storia e Letteratura. 102. 113.).

180. *Dumézil, Georges:* Une Chrétienté disparue. Les Albaniens du Caucase. In: Mélanges Asiatiques. Années 1940–1941. Paris: Geuthner, S. 125–132.

181. *Dumont, C.-J.:* La prière perpétuelle chez les Orthodoxes. In: La Vie Spirituelle, Juin 1944, Paris, 545–553. – Besprechung von Gauvain, Récits (Lit. Verz. Nr. 24.).

182. *Dvornik, Frantisek:* Les Slaves, Byzance et Rome au IX e Siècle. Paris 1926. – „Index Bibliographique" S. 323–343.

183. – Les Légendes de Constantin et de Méthode vues de Byzance. Prag 1933. (Byzantinoslavica. Supplementa. 1.). – „Index Bibliographique" S. 395–418.

184. – L'Évangélisation des Slaves, des Magyars et des Russes. In: Histoire Universelle des Missions Catholiques. Bd. 1. Paris 1956, 142–195.

185. – Early Christian and Byzantine Political Philosophy: Origins and Background. Bd. 1–2. Washington, District of Columbia 1966. (Dumbarton Oaks Studies. 9.).

186. *Ebed Jesus:* Liber Margaritae De Veritate Christianae Religionis. In: Scriptorum Veterum Nova Collectio E Vaticanis Codicibus Edita Ab *Angelo Mai.* Tomus 10 (Rom 1838) Pars 2 Seite 317–341 (syrischer Text) und Seite 342–366 (latei-

nische Übersetzung). – Unvollständige Ausgabe. Es fehlen Teil III, Kapitel 5–7. Vgl. dazu die „Adnotatio" von *Mai* auf S. 354.

187. – A Translation of The Jewel, Written by Mar Abd Yeshua, Nestorian Metropolitan of Nisibis and Armenia, A. D. 1298. In: *George Percy Badger,* The Nestorians and their Rituals (Lit. Verz. Nr. 36) Bd. 2, London 1852, S. 380–422. Dazu „Notes by the Editor" *(= J. M. Neale).* – Badger bietet den vollständigen Text in englischer Übersetzung, d. h. einschließlich Teil III Kapitel 5 (Widerlegung der Monophysiten und Dyophysiten), Kapitel 6 (Über den Titel „Mutter Gottes") und Kapitel 7 (Über vier Personen in der Trinität, die den antiochenischen Theologen („Nestorianern") unterstellt werden.).

188. *'Ênbāqom:* Anqaṣa Amin (La Porte de la Foi). Apologie Éthiopienne du Christianisme Contre l'Islam à Partir du Coran. Introduction, Texte Critique, Traduction par *E. J. van Donzel.* Leiden: Brill 1969.

189. *Engberding, Hieronymus:* Kann Petrus der Iberer mit Dionysius Areopagita identifiziert werden? In: Oriens Christianus 38 (Wiesbaden 1954) 68–95.

190. *Enßlin, Wilhelm:* Gottkaiser und Kaiser von Gottes Gnaden. München 1943. (Sitz. Ber. d. Bayer. Akad. d. Wiss. Phil.-hist. Abt. Jg. 1943 Heft 6.).

191. *The Encyclopaedia of Islam.* New Edition. Edited by *H. A. R. Gibb, J. H. Kramers, E. Lévi-Provençal, J. Schacht.* Vol. 1 ff. Leiden: Brill 1960 ff. – (2. Aufl. von Lit. Verz. Nr. 192.).

192. *Enzyklopaedie des Islām.* Geographisches, ethnographisches und biographisches Wörterbuch der muhammedanischen Völker. Hrsg. von *M Th. Houtsma, T. W. Arnold, R. Basset* und *R. Hartmann.* Bd. 1–4 und Ergänzungsband. Leiden: Brill 1913–1938. (1. Aufl. von Lit. Verz. Nr. 191.).

193. *Ephräm der Syrer:* Hymnen gegen die Irrlehren. Aus dem Syrischen übersetzt und mit einer Einleitung versehen von *Adolf Rücker.* Kempten 1928. (Bibliothek der Kirchenväter. 61.).

194. – Ephraems Hymnen über das Paradies. Übersetzung und Kommentar. Von *Edmund Beck.* Rom: Herder 1951. (Studia Anselmiana. 26.). – Lateinische Übersetzung. Deutscher Kommentar.

195. – Saint Éphrem. Commentaire de l'Évangile Concordant. Version Arménienne. Éditée par *Louis Leloir.* Löwen 1953. (Corpus Scriptorum Christianorum Orientalium. 137.). – Vgl. Lit. Verz. Nr. 201 (syrischer Text).

196. – Saint Éphrem. Commentaire de l'Évangile Concordant. Version Arménienne. Traduite par *Louis Leloir.* Löwen 1954. (Corpus Scriptorum Christianorum Orientalium. 145.). – Lateinische Übersetzung von Lit. Verz. Nr. 195.

197. – Des Heiligen Ephraem des Syrers Hymnen De Paradiso und Contra Julianum übersetzt von *Edmund Beck.* Löwen 1957. (Corpus Scriptorum Christianorum Orientalium. 175.). – Übersetzung von Lit. Verz. Nr. 198.

198. – Des Heiligen Ephraem des Syrers Hymnen De Paradiso und Contra Julianum hrsg. von *Edmund Beck.* Löwen 1957. (Corpus Scriptorum Christianorum Orientalium. 174.). – Vgl. Lit. Verz. Nr. 197.

199. – Des Heiligen Ephraem des Syrers Hymnen De Nativitate (Epiphania) hrsg. von *Edmund Beck.* Löwen 1959. (Corpus Scriptorum Christianorum Orientalium. 186.). – Vgl. Lit. Verz. Nr. 200.

200. – Des Heiligen Ephraem des Syrers Hymnen De Nativitate (Epiphania) übersetzt von *Edmund Beck.* Löwen 1959. (Corpus Scriptorum Christianorum Orientalium. 187.). – Übersetzung von Lit. Verz. Nr. 199.

201. – Saint Éphrem. Commentaire de l'Évangile Concordant. Texte Syriaque (Manuscrit Chester Beatty 709). Édité et Traduit par *Louis Leloir.* Dublin: Hodges Figgis 1963. – Vgl. Lit. Verz. Nr. 195 und 196 (armenischer Text und

latein. Übers.). Kommentar Ephräms zum Diatessaron. Dazu Lit. Verz. Nr. 707 (*Tatian*, Diatessaron-Fragmente, syrisch).
202. *Ericsson, K.:* The Earliest Conversion of the Rus' to Christianity. In: The Slavonic and East European Review 44 (1966) 98–121.
203. *van Ess, Josef:* The Logical Structure of Islamic Theology. In: Logic in Classical Islamic Culture. Edited by *G. E. von Grunebaum*. Wiesbaden 1970, 21–50.
Euagrius Pontikus siehe Hausherr, Lit. Verz. Nr. 298.
204. *Euseb von Cäsarea:* Werke. 1. Über das Leben Constantins. – Constantins Rede an die Heilige Versammlung. – Tricennatsrede an Constantin. Hrsg. von *Ivar A. Heikel*. Berlin 1902. (Die Griechischen Christlichen Schriftsteller der ersten Jahrhunderte. 7.).
205. – Werke. 5. Die Chronik. Aus dem Armenischen übersetzt. Mit textkritischem Kommentar hrsg. von *Josef Karst*. Leipzig 1911. (Die Griechischen Christlichen Schriftsteller der ersten Jahrhunderte. 20.).
206. – Des Eusebius Pamphili Bischofs von Cäsarea Ausgewählte Schriften. Aus dem Griechischen übersetzt. Bd. 1. Kempten: Kösel 1913. (Leben des Kaisers Konstantin. Kaiser Konstantins Rede an die Versammlung der Heiligen. Übersetzt von *Joannes Maria Pfättisch*). (Bibliothek der Kirchenväter. 9.).
207. – Kirchengeschichte. Hrsg. von *Eduard Schwartz*. Kleine Ausgabe. Leipzig: Hinrichs [2]1914. [3]1922. Neudruck der 3. Aufl. 1955.
208. – Kirchengeschichte des Eusebius Pamphili, Bischofs von Cäsarea. Übersetzt von *Phil. Haeuser*. München: Kösel-Pustet 1937. Neue Ausgabe von *H. Kraft* 1967.
209. *Fabricius, Cajus:* Der sprachliche Klassizismus der griechischen Kirchenväter: ein philologisches und geistesgeschichtliches Problem. In: Jahrbuch für Antike und Christentum 10 (Münster 1967) 187–199.
210. *Fallmerayer, Jakob Philipp:* Fragmente aus dem Orient. Bd. 1–2. Stuttgart: Cotta 1845.
211. *Farina, Raffaele:* L'Impero e l'Imperatore Cristiano in Eusebio di Cesarea. La prima Teologia politica del Cristianesimo. Zürich: Pas 1966. (Bibliotheca Theologica Salesiana. I, 2.).
212. *Feine, Paul* und *Johannes Behm:* Einleitung in das Neue Testament. Völlig neu bearb. von *Werner Georg Kümmel*. Heidelberg: Quelle und Meyer [15]1967.
213. *Fedotov, Georgij Petrovič:* Svatye drevnej Rusi. (X–XVII St.). New York 1959 (1960). – Zuerst Paris 1931. Literaturverzeichnis S. 237–241.
Feofan Govorov siehe Theophan Govorov (Lit. Verz. Nr. 725–730).
214. *Fiey, Jean Maurice:* Mossoul Chrétienne. Essai sur l'Histoire, l'Archéologie et l'État actuel des Monuments Chrétiens de la Ville de Mossoul. Beirut: Imprimerie Catholique 1959. (Recherches. 12.).
215. – Assyrie Chrétienne. Contribution à l'Étude de l'Histoire et de la Géographie Ecclésiastiques et Monastiques du Nord de l'Iraq. Bd. 1–2. Beirut: Imprimerie Catholique 1965. (Recherches. 22. 23.).
216. – Assyrie Chrétienne. Bêṯ Garmaï, Bêṯ Aramāyé et Maišān Nestoriens. Bd. 3. Beirut: Imprimerie Catholique 1968. (Recherches. 42.).
217. *Filitti, Jean-C.:* Role Diplomatique des Phanariotes de 1700 a 1821. Préface par *Sidney-Vigneaux*. Paris: Larose 1901. – „Bibliographie" S. XXV–XXVII.
218. *Fischer, August:* Muḥmmad und Aḥmad, die Namen des arabischen Propheten. Leipzig: S. Hirzel 1932. (Berichte über die Verhandlungen der Sächsischen Akademie der Wissenschaften zu Leipzig. Philologisch-historische Klasse. 84, 3.).
219. *Florovskij, Georgij Vasil'evič:* Puti russkago Bogoslovija. „O-P" Book. Authorized Reprint of the Original Edition, Produced by Microfilm-Xerography by

University Microfilms, Inc., Ann Arbor, Michigan, 1966. – Zuerst Paris 1937. – Hier S. 521–574: ‚Priměčanija i Ssylki.'

French, Reginald Michael siehe Lit. Verz. Nr. 22–23.

220. *Frend, W. H. C.:* The Donatist Church. A Movement of Protest in Roman North Africa. Oxford: Clarendon 1952. – Mit 3 Karten aller Bistümer der Katholiken und Donatisten in Nordafrika.

221. *Fritsch, Erdmann:* Islam und Christentum im Mittelalter. Beiträge zur Geschichte der muslimischen Polemik gegen das Christentum in arabischer Sprache. Breslau: Müller und Seiffert 1930. (Breslauer Studien zur historischen Theologie. 17.).

222. *Froundjian, Dirair:* Armenisch-Deutsches Wörterbuch. München: Oldenbourg 1952.

223. *Fuchs, Harald:* Der geistige Widerstand gegen Rom in der antiken Welt. 2. Aufl. Berlin: de Gruyter 1964. – Zuerst 1938.

224. *Furlani, Giuseppe:* La Psicologia di Barhebreo secondo il libro La crema della Sapienza. In: Rivista degli Studi Orientali 13 (Rom 1931) 24–52.

225. – Barhebreo sull'anima razionale. Dal libro del Candelabro del Santuario. In: Orientalia 1 (Rom 1932), 1–23; 97–115.

226. – Avicenna, Barhebreo, Cartesio. In: Rivista degli Studi Orientali 14 (Rom 1933–34) 21–30. – Hier S. 23–26 „Dal Candelabro del Santuario."

227. – Di tre scritti in lingua siriaca di Barhebreo sull'anima. In: Rivista degli Studi Orientali 14 (Rom 1933–34) 284–308.

228. – La Demonologia di Barhebreo. In: Rivista degli Studi Orientali 16 (Rom 1937) 375–387.

229. *Gardet, Louis:* Un problème de mystique comparée: La Mention du Nom Divin (Dhikr) dans la Mystique Musulmane. In: Revue Thomiste. Revue Doctrinale de Théologie et de Philosophie 60 T. 52 (Paris 1952) 642–679; 61 T. 53 (Paris 1953) 197–216.

230. – (Artikel (Dhikr. In: The Encyclopaedia of Islam ²2, Leiden 1965, 223–227. (Lit.).

231. *Gardner, Alice:* Theodore of Studium. His Life and Times. London: Arnold 1905.

232. *Gasquet, Amédée:* De l'Autorité Impériale en Matière Religieuse à Byzance. Paris: Ernest Thorin 1879.

233. *Gass, Wilhelm:* Gennadius und Pletho, Aristotelismus und Platonismus in der griechischen Kirche nebst einer Abhandlung über die Bestreitung des Islam im Mittelalter. I. II. Breslau: A. Gosohorsky 1844.

234. – Die Mystik des Nikolaus Cabasilas vom Leben in Christo. Erste Ausgabe und einleitende Darstellung. Greifswald: Koch 1849. (Beiträge zur kirchlichen Literatur und Dogmengeschichte des griechischen Mittelalters. 2.).

235. *Gauss, Julia:* Ost und West in der Kirchen- und Papstgeschichte des 11. Jahrhunderts. Zürich: EVZ 1967.

236. – Toleranz und Intoleranz zwischen Christen und Muslimen in der Zeit vor den Kreuzzügen. In: Saeculum. Jahrbuch für Universalgeschichte 19 (München 1968) 362–389.

237. *Gauthier, Léon:* Scolastique Musulmane et Scolastique Chrétienne. A propos d'un Livre récent. In: Revue d'Histoire de la Philosophie 12 (Paris 1928) 221–253; 333–365.

Gauvain, Jean: Récits siehe Lit. Verz. Nr. 24.

238. *al-Ġazzālī:* Al-Ġazzālī's Buch vom Gottvertrauen. Das 35. Buch des Iḥyā' 'Ulūm ad-Dīn übersetzt und mit Einleitung und Anmerkungen versehen von *Hans Wehr*. Halle (Saale): Niemeyer 1940. (Islamische Ethik. 4.).

239. *Geanakoplos, Deno J.:* Some Aspects of the Influence of the Byzantine Maximos the Confessor on the Theology of East and West. In: Church History 38 (Chicago 1969) 150–163.
240. *Geiger, Bernhard, Tibor Halasi-Kun, Aert H. Kuipers* und *Karl H. Menges:* Peoples and Languages of the Caucasus. A Synopsis. 's-Gravenhage: Mouton 1959. (Janua Linguarum. 6.). – 'Bibliographical Appendix' S. 71–77. Mit 1 farbigen Karte 'Peoples and Languages of the Caucasus.'
241. *Geischer, Hans-Jürgen:* Der byzantinische Bilderstreit. Gütersloh 1968. (Texte zur Kirchen- und Theologiegeschichte. 9.). – Sammlung der Texte. Gute Literaturangaben.
242. *Gelzer, Heinrich:* (Artikel) Armenien. In: Realencyklopädie für protestantische Theologie (Lit. Verz. Nr. 614) 2 ([3]1897) 63–92.
General Catalogue siehe British Museum, Lit. Verz. Nr. 89.
243. *Gérold, Théodore:* Les Pères de l'Église et la Musique. Paris: Félix Alcan 1931. (Études d'Histoire et de Philosophie Religieuses. 25.). – Hier S. 88–100: „La Lutte contre la Musique pernicieuse."
244. *Gladigow, Burkhard:* Sophia und Kosmos. Untersuchungen zur Frühgeschichte von sophos und sophie. Diss. phil. Tübingen. Hildesheim: Olms 1965. (Spudasmata. 1.). – Nur vorchristliche Zeit. Als erster hat sich Pythagoras „philosophos" genannt, weil Gott allein „sophos" ist.
245. *Goetz, Leopold Karl:* Das Kiever Höhlenkloster als Kulturzentrum des vormongolischen Rußlands. Passau: Waldbauer 1904. – Hier S. 34–35: „Theodosius Abt, Einführung der Studitenregel."
246. *Gonda, Jan:* Die Religionen Indiens. Stuttgart: Kohlhammer. Bd. 1: Veda und älterer Hinduismus. 1960. Bd. 2: Der jüngere Hinduismus. 1963. (Die Religionen der Menschheit. 11. 12.).
247. *Gorodetzky, Nadejda:* The Prayer of Jesus. In: Blackfriars. A Monthly Review. Oxford 1942, 74–78.
248. *Göttsberger, Johann:* Barhebräus und seine Scholien zur Heiligen Schrift. Freiburg i. Br.: Herder 1900. (Biblische Studien. 5, 4–5.).
249. *Gottwald, Joseph:* Phanariotische Studien. In: Leipziger Vierteljahrsschrift für Südosteuropa 5, 1941, 1–58.
Gouillard, Jean: Petite Philocalie. Lit. Verz. Nr. 597.
– Kleine Philokalie. Lit. Verz. Nr. 599.
250. – Hypatios d'Éphèse ou du Pseudo-Denys à Théodore Studite. In: Revue des Études Byzantines 19 (Paris 1961) 63–75.
251. *Grabar, André:* L'Empereur dans l'Art Byzantin. Recherches sur l'Art Officiel de l'Empire d'Orient. Paris 1936. – Reprint. With a new introduction by the author. London: Variorum Reprints 1971.
252. *Graf, Georg:* Der Sprachgebrauch der ältesten christlich-arabischen Literatur. Ein Beitrag zur Geschichte des Vulgär-Arabisch. Leipzig: Harrassowitz 1905.
253. – Verzeichnis arabischer kirchlicher Termini. 2., vermehrte Aufl. Löwen: Durbecq 1954. (Corpus Scriptorum Christianorum Orientalium. 147.).
254. – Geschichte der christlichen arabischen Literatur. Bd. 1–5. Città del Vaticano 1944–1953. Reprint Graz 1960. (Studi e Testi. 118. 133. 146. 147. 172.).
Graffin, François. Siehe Bar Hebräus, 3. Fundament. Lit. Verz. Nr. 44.
255. *Graßhoff, Helmut, Klaus Müller* und *Gottfried Sturm:* O Bojan, du Nachtigall der alten Zeit. Sieben Jahrhunderte altrussischer Literatur. Frankfurt am Main: Scheffler 1965. – „Quellenverzeichnis" S. 611–615. – Gute Quellensammlung zur russischen Geschichte in deutscher Übersetzung. Vgl. Lit. Verz. Nr. 33 (Awwakum).

256. *Grébaut, Sylvain:* Supplément au Lexicon Linguae Aethiopicae de August Dillmann (1865) et Édition du Lexique de Juste d'Urbin (1850–1855). Paris: Imprimerie Nationale 1952. – Dazu Lit. Verz. Nr. 151.

Grégoire, Henri: The Byzantine Church. Lit. Verz. Nr. 54.

Gregor Palamas siehe Palamas, Gregor. Lit. Verz. Nr. 574–578.

257. *Gregor Sinaita:* Peri tu pos dei kathezesthai ton Hesychazonta eis ten euchen kai me tacheos anistasthai. In: *Philokalia,* Venedig 1782, 918–928. Lit. Verz. Nr. 596.

258. – Quomodo oportet sedere hesychastam ad orationem nec cito assurgere. In: *Migne,* Patrologia Graeca 150, 1329–1345. Lit. Verz. Nr. 507.

259. – Nastavlenie Bezmolvstvujuščim. In: *Dobrotoljubie* 5, Moskau 1889, 235–258. Lit. Verz. Nr. 163.

260. – Instructions to Hesychasts. In: *Kadloubovsky,* Writings from the Philokalia, 74–94. Lit. Verz. Nr. 164.

261. – Peri tu pos dei kathezesthai ton Hesychazonta eis ten euchen kai me tacheos anistasthai. In: *Philokalia* 4, Athen [3]1961, 80–90. Lit. Verz. Nr. 600.

262. *Gribomont, Jean:* Histoire du Texte des Ascétiques de Saint Basile. Louvain 1953. (Bibliothèque du Muséon. 32.).

263. – Saint Basile. In: Théologie de la Vie Monastique. Paris 1961, 99–113. Lit. Verz. Nr. 723.

264. *Die Griechischen Christlichen Schriftsteller* der Ersten Jahrhunderte. Hrsg. von der Kommission für spätantike Religionsgeschichte bei der Deutschen Akademie der Wissenschaften zu Berlin. Leipzig und Berlin 1897 ff.

265. *Griffith, Francis Llewellyn:* The Nubian Texts of the Christian Period. Mit 3 Tafeln. Berlin: Georg Reimer 1913. (Abhandlungen der königlich Preußischen Akademie der Wissenschaften. Jg. 1913. Philosophisch-Historische Classe. Nr. 8.).

266. – Christian Documents from Nubia. London 1928. (Proceedings of the British Academy. 14.). – Mit 3 Tafeln.

267. *Grillmeier, Alois* und *Heinrich Bacht:* Das Konzil von Chalkedon. Geschichte und Gegenwart. Bd. 1–3. Würzburg 1951–1954.

268. *Grivec, Franciscus* et *Franciscus Tomšič:* Constantinus et Methodius Thessalonicenses. Fontes. Zagreb 1960. (Radovi Staroslavenskog Instituta. 4.).

269. – Konstantin und Method. Lehrer der Slaven. Wiesbaden: Harrassowitz 1960.

Gröne, Valentin. Lit. Verz. Nr. 46.

270. *Gross, Julius:* Theodor von Mopsuestia, ein Gegner der Erbsündenlehre. In: Zeitschrift für Kirchengeschichte 1953/54, 1–15.

271. *Großer Historischer Weltatlas.* Hrsg. vom Bayerischen Schulbuch-Verlag. München. 1. Teil: Vorgeschichte und Altertum. [3]1958. 2. Teil: Mittelalter. 1970. 3. Teil: Neuzeit. 1957. [2]1962. – Enthält viele Karten zum östlichen Christentum.

272. *Großmähren* und die christliche Mission bei den Slawen. Ausstellung der Tschechoslowakischen Akademie der Wissenschaften 8. März bis 8. Mai 1966. Künstlerhaus – Wien I. Wien 1966. – Auch Mainz 1966.

273. *Grumel, Venance:* Nicodème l'Hagiorite (1748 ou 1749–1809). In: Dictionnaire de Theologie Catholique 11, Paris 1931, 486–490. Lit. Verz. Nr. 145.

274. – La Chronologie. Paris 1958. (Bibliothèque Byzantine. Traité d'Études Byzantines. 1.).

275. *von Grunebaum, Gustave Edmund:* Logic in Classical Islam. Wiesbaden: Harrassowitz 1970. (Giorgio Levi-Della Vida Conferences. 1.). Hier S. 21–50: *Josef van Ess,* The Logical Structure of Islamic Theology. Lit. Verz. Nr. 203.

276. *Gudzij, Nikolaj K.:* Geschichte der russischen Literatur. 11.–17. Jahrhundert. Halle (Saale): Niemeyer 1959. (Slawistische Bibliothek. 10.). (Istorija drevnej russkoj Literatury. Deutsch von *Fairy von Lilienfeld.*).

277. *Guétet, F.-M.:* Une Recension Stoudite des Règles Basiliennes? In: Mélanges Bénédictins publiés à l'occasion du XIVe Centenaire de la Mort de Saint Benoit par les Moines de l'Abbaye de Saint-Jérôme de Rome. Éditions de Fontenelle 1947, 61–68.

278. *Guichardan, Sébastien:* Le Problème de Simplicité divine en Orient et en Occident au XIVe et XVe siècles: Grégoire Palamas, Duns Scotus, Georges Scholarios. Lyon 1933. – Mir nicht zugänglich. Vgl. *Lialine* (Lit. Verz. Nr. 452: „It seems rather futile to try and fit his (Gregor Palamas') statements into the accepted distinctions of scholastic philosophy as Père Guichardan endeavours in his book ‚Le Problème . . .'."

279. *Guidi, Ignazio:* Storia della Letteratura Etiopica. Rom 1932. (Pubblicazioni dell'Istituto per l'Oriente.).

280. *Guillaumont, Antoine:* Poème de Narsaï sur le Baptême. In: L'Orient Syrien 1 (1956) 189–207.

281. – Les „Kephalaia Gnostica" d'Evagre le Pontique et l'Histoire de l'Origénisme chez les Grecs et chez les Syriens. Paris 1962. (Patristica Sorbonensia. 5.).

282. *Güterbock, Carl:* Der Islam im Lichte der byzantinischen Polemik. Berlin: Guttentag 1912.

283. *Hafner, Stanislaus:* Studien zur altserbischen dynastischen Historiographie. München: Oldenbourg 1964. (Südosteuropäische Arbeiten. 62.). – „Quellen- und Literaturverzeichnis" S. 125–134.

284. *de Halleux, André:* Philoxène de Mabbog. Sa Vie, ses Écrits, sa Théologie. Löwen: Impr. Orient. 1963 (Universitas Catholica Lovaniensis. Dissertationes. III, 8.).

285. *Hammersberger, Ludwig:* Die Mariologie der Ephremischen Schriften. Eine dogmengeschichtliche Untersuchung. Innsbruck: Tyrolia 1938.

286. *Handbuch der Orientalistik.* Hrsg. von *Bertold Spuler.* Leiden: Brill. 1. Abteilung: Der Nahe und der Mittlere Osten. Bd. 1: Ägyptologie. 1952–1959. Bd. 2: Keilschriftforschung und Alte Geschichten Vorderasiens. 1952–1959. Bd. 3: Semitistik. 1953–1954. Nachdruck 1964. Bd. 4: Iranistik. 1955–1958. Bd. 5: Altaistik. 1963–1965. Bd. 6: Geschichte der islamischen Länder. 1952 bis 1959. Bd. 7: Armenische und Kaukasische Sprachen. 1963. Bd. 8: Religion. 1961–1964.

287. *Harder, Ernst:* Arabische Sprachlehre. 11. Aufl., neubearb. von *Annemarie Schimmel.* Heidelberg: Julius Groos 1968.

288. *von Harnack, Adolf:* Dogmengeschichte. Tübingen: Mohr [7]1931. (Grundriß der Theologischen Wissenschaften. 4, 3.). Reprint Genf 1945.

289. *Hathaway, Ronald F.:* Hierarchy and the Definition of Order in the Letters of Pseudo-Dionysius. A Study in the Form and Meaning of the Pseudo-Dionysian Writings. The Hague: Martinus Nijhoff 1969. – „Bibliography" S. 161 bis 172. Hier S. 129–160 „The Letters of Pseudo-Dionysius" (Brief 1–10) in englischer Übersetzung. Vgl. Lit. Verz. Nr. 160.

290. *Hauptmann, Peter:* Studien zur Geschichte der russischen Altgläubigen. (1954 bis 1958). In: Kirche im Osten 2 (1959) 156–162. – Literaturbericht.

291. – Russische Veröffentlichungen zur Geschichte der Altgläubigen. (1956–1959). In: Kirche im Osten 4 (1961) 191–199.

292. – Altrussischer Glaube. Der Kampf des Protopopen Avvakum gegen die Kirchenreformen des 17. Jahrhunderts. Mit einem Anhang: Das russische Altgläubigen-

tum der Gegenwart. Göttingen 1963. – „Literaturnachweis" S. 135 bis 142.

293. – Besprechung von *Hildebrandt*, Leben des Protopopen Avvakum (Lit. Verz. Nr. 32). In: Kirche im Osten 10, (1967) 196–199.

294. *Hauschild, Richard:* Mistra – die Faustburg Goethes. Erinnerungen an eine Griechenlandfahrt. Berlin 1963. (Abhandlungen der Sächsischen Akademie der Wissenschaften zu Leipzig. Philologisch-historische Klasse. 54, 4.). – „Literatur" S. 25–26.

295. *Hausherr, Irénée:* Saint Théodore Studite. L'Homme et l'Ascète (d'après ses Catéchèses.). Rom: Pont. Inst. Or. Stud. 1926. (Orientalia Christiana. VI, 1. Num. 22.). – „Note Bibliographique" S. 1.

296. – La Méthode d'Oraison Hésychaste. In: Orientalia Christiana 9 (Rom 1927) 97–209. – Enthält die kritische Edition und Übersetzung einer „Methode des heiligen Gebetes", die Hausherr dem Symeon dem Neuen Theologen – m. E. zu Unrecht – abspricht. Der griechische Text der ‚Methodos tes hieras proseuches' (Erstausgabe) auf S. 148–209.

297. – Un grand Mystique Byzantin. Vie de Syméon le Nouveau Théologien (949 bis 1022) par Nicéthas Stéthatos. Texte grec inédit publié avec Introduction et Notes critiques par *Irénée Hausherr* et Traduction Française en Collaboration avec *Gabriel Horn.* Rom: Pont. Inst. Or. Stud. 1928. (Orientalia Christiana. Vol. 12, Nr. 45.).

298. – Le Traité de l'Oraison d'Evagre le Pontique (Pseudo Nil). In: Revue d'Ascétique et de Mystique 15 (Toulouse 1934) 34–93; 113–170. Vgl. Lit. Verz. Nr. 303.

299. – Les Grands Courants de la Spiritualité Orientale. In: Orientalia Christiana Periodica 1 (Rom 1935) 114–138.

300. – Les Exercices Spirituels de Saint Ignace et la Méthode d'Oraison Hésychaste. In: Hésychasme et Prière, Rom 1966, 134–153. (Zuerst in Orientalia Christiana Periodica 20 [1954] 7–26.).

301. – Noms du Christ et Voies d'Oraison. Rom: Pont. Inst. Or. Stud. 1960. (Orientalia Christiana Analecta. 157.). – „Bibliographie Choisie" S. 9–18. Hier S. 10 ein Verzeichnis von griechischen, slawischen, englischen, französischen, deutschen Druckausgaben der Philokalie (Lit. Verz. Nr. 596–600). S. 10–11 ein Verzeichnis von russischen, deutschen, französischen, englischen und italienischen Druckausgaben der Aufrichtigen Erzählungen eines russischen Pilgers (Lit. Verz. Nr. 20–28).

302. – Les Leçons d'un Contemplatif. Le Traité de l'Oraison d'Evagre le Pontique. Paris: Beauchesne 1960.

303. – Le Traité de l'Oraison d'Evagre le Pontique. Traduction et Commentaire d'après les autres écrits d'Evagre. In: Revue de l'Ascétique et de Mystique 35 (1959), Réédité 1964. (Brüssel; Culture et Civilisation) 3–26; 121–146; 241–265; 361–385. – Zuerst 1934 (Lit. Verz. Nr. 298).

304. – Hésychasme et Prière. Rom 1966. (Orientalia Christiana Analecta. 176). – Sammlung von 15 früher veröffentlichten Aufsätzen mit einer Bibliographie der Schriften Hausherrs (S. IX–XI.). Hier S. 1–3 „Un pèlerin russe de la Prière intérieure." S. 134–153 „Les Exercices Spirituels de Saint Ignace et la méthode d'oraison hésychastique" (Lit. Verz. Nr. 300). S. 163–237: „L'hésychasme. Etude de spiritualité". S. 255–306 „La prière perpétuelle du chrétien".

305. *von Hefele, Carl Joseph:* Conciliengeschichte. Nach den Quellen bearbeitet. 1. Bd. 2., verb. Aufl. Freiburg i. Br. 1873.

306. *Das heidnische und christliche Slaventum.* Acta II Congressus internationalis

historiae Slavicae Salisburgo–Ratisbonensis anno 1967 celebrati. Bd. 1–2. Wiesbaden: Harrassowitz 1969–1970. (Annales Instituti Slavici. II, 1–2.).

307. *Heiming, Odilo:* Der nationalsyrische Ritus tonsurae im Syrerkloster der ägyptischen Skete. In: Miscellanea Giovanni Galbiati, Vol. 3, Milano 1951, S. 123–174. (Fontes Ambrosiani. 27.). – Einleitung, syrischer Text, deutsche Übersetzung.

308. – Der Ordo des heiligen Mönchsschema in der syrischen Kirche. In: Vom christlichen Mysterium. O. Casel – Gedächtnisschrift. Düsseldorf 1951, 152 bis 172.

309. *Held, Hans Walther:* Die Phanarioten, ihre allmähliche Entwicklung zur fürstlichen Aristokratie bis zu deren Untergang 1821. Elberfeld 1920. (Diss. phil. Bonn 1920/21.).

310. *Hellmann, Manfred:* Staat und Recht in Altrußland. In: Saeculum. Jahrbuch für Universalgeschichte 5 (München 1954) 41–64. – „Schrifttumsverzeichnis" S. 62–64.

311. *Hennecke, Edgar:* Neutestamentliche Apokryphen in deutscher Übersetzung. 3. Aufl. Bd. 1–2. Tübingen 1959–1964. – Hier 2, 349–353 das Perlenlied der Thomasakten.

312. *Heppell, Muriel:* Slavonic Translations of Early Byzantine Ascetical Literature. In: Journal of Ecclesiastical History 5 (London 1954), 86–100.

Herbst, Hermann siehe Wilhelm von Rubruk (Lit. Verz. Nr. 816).

313. *Hergenröther, Josef:* Photius, Patriarch von Konstantinopel. Sein Leben, seine Schriften und das griechische Schisma. Nach handschriftlichen und gedruckten Quellen. Bd. 1–3. Darmstadt: Wiss. Buchgesellsch. 1966. (Reprografischer Nachdruck der Ausgabe Regensburg 1867.).

314. *Herman, Aemilius:* De Fontibus Iuris Ecclesiastici Russorum. Commentarius Historico-Canonicus. Città del Vaticano 1936. (S. Congregazione per la Chiesa Orientale. Codificazione Canonica Orientale. Fonti. Serie 2. Fascicolo 6.).

Das Herzensgebet. Mystik und Yoga der Ostkirche. Lit. Verz. Nr. 370.

315. *Heyer, Friedrich:* Die Kirche Äthiopiens. Eine Bestandsaufnahme. Berlin: de Gruyter 1971. (Theologische Bibliothek Töpelmann. 22.).

316. *Hilarion:* Na gorach Kavkaza, Besěla dvuch starcev podvižnikov o vnutrennem edinenii s Gospodom našich serdec črez molitvu Iisus Christovu ili duchovnaja dějatel'nost sovremennych pustynnikov, sostavil pustynnožitel Kavkazskich gor schimonach *Ilarion,* 1 izd. Batalpašinsk, 1907, 2 izd. isprav. i mnogo dopoln., 1910; 3 izd. K. Pečerskoj lavry, 1912. – Mir nicht zugänglich. Kapitel 1, 2, 29 in deutscher Übersetzung bei *Schultze,* Auf den Bergen des Kaukasus (Lit. Verz. Nr. 691) 93–107.

Hildebrandt, Gerhard (Übers.) siehe Lit. Verz. Nr. 32.

317. *Hoffmann, Johann Georg Ernst:* De Hermeneuticis apud Syros Aristoteleis. *Io. Georgius Ern. Hoffmann* scripsit adiectis Textibus et Glossario. Editio secunda immutata. Leipzig: J. C. Hinrichs 1873. – Wichtiges Glossar.

318. *Hofmeister, Philipp:* Die heiligen Öle in der morgen- und abendländischen Kirche. Eine kirchenrechtlich-liturgische Abhandlung. Würzburg: Augustinus 1948. (Das östliche Christentum. N. F. 6–7.). – Vgl. Lit. Verz. Nr. 70.

Hohlweg, Armin (Übers.) siehe Lit. Verz. Nr. 55.

319. *Holl, Karl:* Enthusiasmus und Bußgewalt beim griechischen Mönchtum. Eine Studie zu Symeon dem Neuen Theologen. Leipzig: Heinrichs 1898.

320. *Honigmann, Ernst:* Die sieben Klimata und die Poleis episemoi. Eine Untersuchung zur Geschichte der Geographie und Astrologie im Altertum und Mittelalter. Heidelberg: Winter 1929.

321. *Horálek, Karel:* La Traduction Vieux-Slave de l'Évangile. Sa Version originale et son Développement ulterieur. In: Byzantinoslavica 20 (Prag 1959) 267–284.

322. *Hore, Alexander Hugh:* Eighteen Centuries of the Orthodox Greek Church. London: James Parker 1899. – Fast ohne Quellen- u. Lit.-Angaben; völlig vom westlichen Standpunkt aus; der Islam als größte Gottesgeißel der Welt, usw.

323. *Hornus, Jean-Michel:* Le Corpus Dionysien en Syriaque. In: Parole de l'Orient 1 (Kaslik, Liban 1970) 69–84. – Vgl. *Sherwood*, Lit. Verz. Nr. 650.

324. *Hrbek, Ivan:* The Russians in Baghdād in the 9th Century. In: Archiv Orientální 36 (Prag 1968) 563–566.

325. *Hunger, Herbert:* Byzantinische Geisteswelt von Konstantin dem Großen bis zum Fall Konstantinopels. Baden-Baden 1958. – Byzantinische Quellentexte in deutscher Übersetzung.

326. – Prooimion. Elemente der byzantinischen Kaiseridee in den Arengen der Urkunden. Wien 1964. (Wiener Byzantinistische Studien. 1.).

327. – Reich der Neuen Mitte. Der christliche Geist der byzantinischen Kultur. Graz: Styria 1965.

328. – Byzanz im europäischen Geschichtsdenken des 20. Jahrhunderts. In: Jahrbuch der österreichischen Byzantinischen Gesellschaft 15 (1966) 49–60.

Hussey, J. M. (Ed.) siehe Lit. Verz. Nr. 101.

329. *Jagić, Vatroslav:* Entstehungsgeschichte der kirchenslawischen Sprache. Neue berichtigte und erweiterte Ausgabe. Berlin: Weidmann 1913.

330. *Jaksche, Harald:* Das Weltbild im Šestodnev des Exarchen Johannes. In: Die Welt der Slaven 4 (1959) 258–301. – (Lit.).

331. *James, Edwin Oliver:* The Cult of the Mother-Goddess. An Archaeological and Documentary Study. London: Thames and Hudson 1959.

332. *Janin, Raymond:* Constantinople byzantine. Développement urbain et Répertoire topographique. 2. Édition. Paris: Institut Français d'Études byzantines. 1950. ²1964. (Archives de l'Orient Chrétien. 4.).

333. *Jansma, T.:* L'Hexaméron de Jacques de Sarug. In: L'Orient Syrien 4 (Paris 1959), 3–42; 258–284.

334. *Janssens, Herman F.:* L'Entretien de la Sagesse. Introduction aux Oeuvres Philosophiques de Bar Hebraeus. Liège und Paris 1937. (Bibliothèque de la Faculté de Philosophie et Lettres de l'Université de Liège. Fasc. 75.). – Syrischer Text, französische Übersetzung und Kommentar.

335. *Ibn aṭ-Ṭaiyib:* Fiqh an-Naṣrānīya. „Das Recht der Christenheit." Hrsg. und übersetzt von *Wilhelm Hoenerbach* und *Otto Spies*. Bd. 1–4. Löwen 1956 bis 1957. (Corpus Scriptorum Christianorum Orientalium. 161. 162. 167. 168.).

336. *Jensen, Hans:* Altarmenische Grammatik. Heidelberg: Winter 1959. (Indogermanische Bibliothek. Reihe 1. Lehr- und Handbücher.). — Vgl. Lit. Verz. Nr. 487.

337. – Altarmenische Chrestomathie. Mit einem Glossar. Heidelberg: Winter 1964. (Indogermanische Bibliothek. Reihe 1. Lehr- und Handbücher.).

338. *Jireček, Constantin Jos.:* Geschichte der Bulgaren. Prag: Tempsky 1876. – Heute noch unentbehrlich.

Ilarion: Auf den Bergen des Kaukasus. Siehe Lit. Verz. Nr. 316.

339. *Inglisian, Vahan:* Die armenische Literatur. In: Handbuch der Orientalistik (Lit. Verz. Nr. 286) Bd. 7, 156–250. – Mit Bibliographie.

340. *Instinsky, Hans Ulrich:* Die Alte Kirche und das Heil des Staates. München: Kösel 1963. – Behandelt die vorkonstantinische Zeit.

341. *Joannou, Perikles:* Christliche Metaphysik in Byzanz. I. Die Illuminationslehre des Michael Psellos und Joannes Italos. Ettal 1956. (Studia Patristica et Byzantina. 3.).

342. *Johannes von Damaskus:* Orationes tres pro sacris Imaginibus. In: *Migne,* Patrologia Graeca 94, 1864, 1227–1420.

343. – St. John Damascene on Holy Images (Pros tus diaballontas tas hagias eikonas) followed by Three Sermons on the Assumption (Koimesis). Translated from the original Greek by *Mary Helen Allies.*

344. – Die Schriften des Johannes von Damaskos. Hrsg. vom Byzantinischen Institut der Abtei Scheyern. I. Institutio Elementaris. Capita Philosophica (Dialectica). Als Anhang die Philosophischen Stücke aus Cod. Oxon. Bodl. Auct. T. I. 6. Besorgt von *Bonifatius Kotter.* Berlin: de Gruyter 1969. (Patristische Texte und Studien. 7.).

345. – *Eckhard Weiher* (Hrsg. und Übers.): Die Dialektik des Johannes von Damaskus in kirchenslavischer Übersetzung. Wiesbaden: Harrassowitz 1969. (Monumenta Linguae Slavicae Dialecti Veteris. Fontes et Dissertationes. 8.). – Enthält die kirchenslawische Übersetzung, die deutsche Übersetzung und den griechischen Parallel-Text in der Ausgabe von *Lequien* (= *Migne,* Paris 1864.).
– Ekthesis: siehe *Johannes Exarches* (Übers.) Lit. Verz. Nr. 347.

346. *Johannes Exarches:* Das Hexaemeron des Exarchen Johannes. Hrsg. und übersetzt von *Rudolf Aitzetmüller.* Graz: Akad. Druck- u. Verlagsanstalt. Bd. 1–6. 1958–1971. (Editiones Monumentorum Slavicorum Veteris Dialecti.). – Hier Bd. 1, 1958, S. VI: Jeder Textband enthält den Text der ältesten Handschrift (nach der Ausgabe von *Bodjanskij*), daneben den rekonstruierten Text, die deutsche Übersetzung desselben, den griechischen Paralleltext (soweit vorhanden) und den kritischen Apparat.

347. – Des Hl. Johannes von Damaskus Ekthesis akribes tes orthodoxu pisteos in der Übersetzung des Exarchen Johannes. Hrsg. von *Linda Sadnik.* Wiesbaden: Harrassowitz 1967. (Monumenta Linguae Slavicae Dialecti Veteris. 5.).

348. *Iorga, Nikolae:* Byzance après Byzance. Continuation de l'„Histoire de la Vie Byzantine". Bukarest: Institut d'Etudes Byzantines 1935.

349. – Histoire des Roumains et de la Romanité Orientale. Bd. 1–10. Bukarest 1937–1945.

350. *Irmscher, Johannes:* Praktische Einführung in das Studium der Altertumswissenschaft. Berlin 1954.

351. *Istorija na Bŭlgarskata Literatura.* 1. Starobŭlgarska Literatura. Sofia 1962. – Hier S. 127–140 über Johannes Exarches.

352. *Jugie, Martin:* Theologia Dogmatica Christianorum Orientalium Ab Ecclesia Catholica Dissidentium. Paris: Letouzey. Bd. 1: Theologiae Dogmaticae Graeco-Russorum Origo, Historia, Fontes. 1926. Bd. 2: Theologiae Dogmaticae Graeco-Russorum Expositio. De Theologia Simplici – De Oeconomia – De Hagiologia. 1933. Bd. 3: Theologiae Dogmaticae Graeco-Russorum Expositio. De Sacramentis seu Mysteriis. 1930. Bd. 4: Theologiae Dogmaticae Graeco-Russorum Expositio. De Novissimis – De Ecclesia. 1931: Bd. 5: De Theologia Dogmatica Nestorianorum et Monophysitarum. 1935.

353. – (Artikel) Palamas, Grégoire. In: Dictionnaire de Théologie Catholique (Lit. Verz. Nr. 145) 11, Paris 1932, 1735–1776.

354. – (Artikel) Palamite (Controverse). In: Dictionnaire de Théologie Catholique (Lit. Verz. Nr. 145) 11, Paris 1932, 1777–1818.

355. – Note sur le moine hésychaste Nicéphore et sa méthode d'oraison. In: Échos d'Orient 35 (Bukarest 1936), 409–412.

356. – Les origines de la méthode d'oraison des hésychastes athonites. In: Échos d'Orient 30 (Bukarest 1931) 179–185.

357. *von Ivánka, Endre:* Hellenisches und Christliches im frühbyzantinischen Geistesleben. Wien: Herder 1948.

358. – Rurik und die Brüder des Augustus. In: Orientalia Christiana Periodica 18 (Rom 1952) 393–396. – (Lit.).

359. – Byzantinische Yogis? In: Zeitschrift der Deutschen Morgenländischen Gesellschaft 102 (N. F. 27), 1952, 234–239.

360. – *Kephalaia.* Eine byzantinische Literaturform und ihre antiken Wurzeln. In: Byzantinische Zeitschrift 47 (München 1954) 285–291.

361. – Plato Christianus. Übernahme und Umgestaltung des Platonismus durch die Väter. Einsiedeln: Johannes Verlag 1964. – Enthält eine Zusammenarbeitung von etwa 20 früher erschienenen Aufsätzen (vgl. Herkunftsnachweis S. 494 bis 496). Hier S. 389–445: Hesychasmus und Palamismus.

362. – Rhomäerreich und Gottesvolk. Das Glaubens-, Staats- und Volksbewußtsein der Byzantiner und seine Auswirkung auf die ostkirchlich-osteuropäische Geisteshaltung. Freiburg: Alber 1968. – In diesem Buch sind 8 früher erschienene, teilweise umgearbeitete Aufsätze verwendet.

363. *Jwaideh, Wadie:* The Introductory Chapters of Yāqūts Muʿjam al-Buldān translated and annotated. Leiden: Brill 1959. – Vgl. Lit. Verz. Nr. 825.

Kadloubovsky, E. (Übers.): Writings from the Philokalia siehe Lit. Verz. Nr. 164.

– Early Fathers siehe Lit. Verz. Nr. 165.

– Unseen Warfare siehe Lit. Verz. Nr. 729.

364. *Kaegi, Walter Emil:* Initial Byzantine Reactions to the Arab Conquest. In: Church History 38 (Chicago 1969), 139–149.

365. *Kallistus und Ignatius:* (Zenturie): Methodos, kai kanon akribes, peri ton hairumenon hesychos bionai; peri te politeias auton, kai diaites; kai peri tu hoson, kai helikon agathon proxenos he hesychia kathistatai, tois logo metiusin auten. dieremene eis hekaton kephalaia. In: *Philokalia,* Venedig 1782 (Lit. Verz. Nr. 596) 1017–1103. – Editio princeps.

366. – (Zenturie): Methodus et Regula. In: *Migne,* Patrologia Graeca 147, Paris 1865, 636–812. (Lit. Verz. Nr. 507). – Mit lateinischer Übersetzung.

367. – (Zenturie): Nastavlenie Bezmolvstvujuščim, v sotně glav. In: *Dobrotoljubie* 5, Moskau 1889, 329–456 (Lit. Verz. Nr. 163).

368. – (Zenturie): Die Gottesschau im palamitischen Hesychasmus. Ein Handbuch der spätbyzantinischen Mystik eingeleitet und übersetzt von *Albert Maria Ammann.* 2. Aufl. Würzburg 1948. (Das östliche Christentum. N. F. 3–4).). (1. Aufl. Würzburg 1938 = Das östliche Christentum 6–7.).

369. – (Zenturie): Directions to hesychasts, in a hundred chapters. In: *Kadloubovsky,* Writings from the Philokalia (Lit. Verz. Nr. 164) S. 164–270.

370. – (Zenturie): Das Herzensgebet. Mystik und Yoga der Ostkirche. Die Centurie der Mönche Kallistus und Ignatius. München-Planegg: Otto-Wilhelm-Barth-Verlag 1955. ²1957. („Dokumente religiöser Erfahrung." Übersetzung aus dem Lateinischen durch *Rose Birchler.*) – Zum Teil gekürzte Übersetzung. Hier S. 7–29: „Einleitung. *André Bloom,* Kontemplation und Askese im Hesychasmus." S. 135–157: „Nachwort. *Gebh. Frei,* Von der Praxis des Herzensgebetes." S. 163–166: „Bibliographische Hinweise."

371. – (Zenturie): Methodos kai kanon syn Theo akribes kai para ton hagion echon tas martyrias, peri ton hairumenon hesychos bionai kai monastikos, en kephalaiois hekaton. In: *Philokalia* 4, Athen ³1961, 197–295. Lit. Verz. Nr. 600.).

372. – Kephalaia peri Proseuches. In: *Philokalia* 4, Athen ³1961, 299–367. (Lit. Verz. Nr. 600.).

373. *Kammerer, Winifred:* A Coptic Bibliography. Compiled by *Winifred Kammerer* with the Collaboration of *Elinor Mullett Husselman* and *Louise A. Shier.* Ann Arbor: University of Michigan Press 1950. (Reprint. Produced by Microfilm-Xerography by University Microfilms, Inc., Ann Arbor, Michigan, 1964.). – Inhalt: *General Works* (Bibliographien, Geschichte der koptischen Studien, Kataloge.). *Philology* (Wörterbücher, Grammatiken, Chrestomathien, Paläographie, Geschichte der koptischen Literatur). *Coptic Texts* (Sammlungen, Bibel, altchristl. Literatur, Kirchenrecht, Liturgie, Gnosis u. a.). *History* (Chronologie, Geographie, koptische Kirche). *Art and Archeology.*

374. *Kawerau, Peter:* Melchior Hoffman als religiöser Denker. Haarlem: De Erven F. Bohn N. V. 1954. (Verhandelinge rakende den Natuurlijken en Geopenbarden Godsdienst, uitgegeven door Teylers Godgeleerd Genootschap. N. S. 27.). – Hier S. 20–30 über den Begriff „Figur“ = „Typos“.

375. – Die Jakobitische Kirche im Zeitalter der Syrischen Renaissance. Idee und Wirklichkeit. Berlin: Akademie-Verlag 1955. 2., erg. Aufl. 1960. (Berliner Byzantinistische Arbeiten. 3.). – Mit einer Karte der jakobitischen Bistümer zwischen 1150 und 1280 A. D.

376. – Die nestorianischen Patriarchate in der neueren Zeit. In: Zeitschrift für Kirchengeschichte 67 (Stuttgart 1956) 119–131.

377. – Amerika und die orientalischen Kirchen. Ursprung und Anfang der amerikanischen Mission unter den Nationalkirchen Westasiens. Mit 5 Karten und 28 Abb. Berlin: de Gruyter 1958. (Arbeiten zur Kirchengeschichte. 31.). – Umfangreiche Literaturangaben. Hier S. 654–657 ein Verzeichnis der orientalischen Kirchen mit Angabe aller für sie gebrauchten Bezeichnungen.

378. – Zur Kirchengeschichte Asiens. In: Stat crux dum volvitur orbis. Eine Festschrift für Hanns Lilje. Hrsg. von *Georg Hoffmann* und *Karl Heinrich Rengstorf.* Berlin: Luther. Verlagshaus 1959, 68–76.

379. – Allgemeine Kirchengeschichte und Ostkirchengeschichte. In: Zeitschrift für Religions- und Geistesgeschichte 14 (Leiden 1962) 305–315. – Hier S. 306–309 über die von Euseb von Cäsarea in die Kirchengeschichtsschreibung eingeführte Gleichsetzung von Imperium Romanum und Orbis Christianus und deren Folgen für die gesamte abendländische Kirchengeschichtsschreibung.

380. – Das Christusverständnis des Konzils von Chalzedon und seine Gegner. In: Jesus Christus. Das Christusverständnis im Wandel der Zeiten. Marburg: Elwert 1963, 21–28. (Marburger Theologische Studien. 1.).

381. – Barbarossas Tod nach ʿImād ad-Dīn und Michael Syrus. In: Oriens Christianus 48 (Wiesbaden 1964), 135–142. (Festschrift für Hieronymus Engberding.).

382. – Geschichte der Alten Kirche. Marburg: Elwert 1967.

383. – Geschichte der Mittelalterlichen Kirche. Marburg: Elwert 1967.

384. – Arabische Quellen zur Christianisierung Rußlands. Wiesbaden: Harrassowitz 1967. (Osteuropastudien der Hochschulen des Landes Hessen. Reihe II. Marburger Abhandlungen zur Geschichte und Kultur Osteuropas. 7.).

385. – Die Reformation in Ost- und Südosteuropa. In: Reformation und Gegenwart. Marburg: Elwert 1968, 48–56. (Marburger Theologische Studien. 6.).

386. *Kazimirski, A. de Biberstein:* Dictionnaire Arabe-Français, contenant toutes les Racines de la Langue Arabe. Nouvelle édition. Bd. 1–2. Paris: Maisonneuve 1960.

387. *Kekelidze, Kornéli Samsonisdze:* Geschichte der kirchlichen georgischen Literatur. Auf Grund des ersten Bandes der georgischen Literaturgeschichte von *K. Kekelidze* bearbeitet von *Michael Tarchnišvili* in Verbindung mit *Julius Assfalg.* Città del Vaticano 1955. (Studi e Testi. 185.).

388. *Kern, Cyprien:* Les Éléments de la Théologie de Grégoire Palamas. In: Irénikon 20 (Chevetogne, Belgique 1947), 6–33; 164–193. – Wichtige Einführung in die Theologie des Gregor Palamas.

389. – Les Traductions Russes des Textes Patristiques. Guide Bibliographique. Chevetogne, Belgique: Editions de Chevetogne 1957. – Umfaßt östlich-patristische Texte (einschl. Chroniken u. ä.) bis zum 19. Jahrhundert, die aus dem Griechischen, Lateinischen, Arabischen, Syrischen, Armenischen, Georgischen, Koptischen und Äthiopischen ins Russische übersetzt worden sind.

390. *Keseling, Paul:* Die Chronik des Eusebius in der syrischen Überlieferung. In: Oriens Christianus 23 (1927) 23–48; 223–241; 24 (1927) 33–56.

391. *Khoury, Adel-Théodore:* Les Théologiens Byzantins et l'Islam. Textes et Auteurs (VIIIe–XIIIe S.). Löwen und Paris: Nauwelaerts 1969. – Vgl. Lit. Verz. Nr. 478.

392. – Der theologische Streit der Byzantiner mit dem Islam. Paderborn: Schöningh 1969. (La Controverse contre l'Islam. Deutsch.).

Khoury, J. (Hrsg. u. Übers.) siehe Bar Hebräus, 4. Fundament (Lit. Verz. Nr. 44.).

393. *Kindlers Literatur Lexikon.* Zürich: Kindler 1965 ff. – Hier Bd. 2 s. v. Codex die altkirchenslawischen Codices; Bd. 6, 1216–1217 s. v. Šestodnev über Johannes Exarches. Bd. 1, 231–236 über Äthiopische Chroniken. Diese Beispiele sollen zeigen, welche Fundgrube dieses Literatur-Lexikon für die ostkirchlichen Literaturen ist. – Vgl. Lit. Verz. Nr. 421.

394. *Kirche im Osten.* Studien zur osteuropäischen Kirchengeschichte und Kirchenkunde. Stuttgart. Bd. 1 ff., 1958 ff.

394. *Klein, Franz-Norbert:* Die Lichtterminologie bei Philon von Alexandrien und in den hermetischen Schriften. Untersuchungen zur Struktur der religiösen Sprache der hellenistischen Mystik. Leiden: Brill 1962.

Kleine Philokalie ed. *Dietz* siehe Lit. Verz. Nr. 598.

395. *Kleine Slavische Biographie.* Wiesbaden: Harrassowitz 1958. – Trotz empfindlicher Lücken ein unentbehrliches und zuverlässiges Nachschlagewerk. Vgl. die Besprechung von *Max Vasmer* in Zeitschrift für Slavische Philologie 28 (1959) 211–213: Es fehlen u. a. der Kunsthistoriker Kondakov, die Kirchenhistoriker Golubinskij, Priselkov, die Byzantinisten Vasiljevskij, T. Uspenskij, Ostrogorskij, A. Vasiljev, die Orientalisten Baron Rosen, Bartold, Melioranskij, Kračkovskij, Kokovcov, Turajev.

396. *Klostermann, Robert Adolf:* Zur Problematik der russischen Bibelexegese. In: Studien zum Neuen Testament und zur Patristik. Erich Klostermann zum 90. Geburtstag dargebracht. Berlin 1961, 351–378. (Texte und Untersuchungen zur Geschichte der altchristlichen Literatur. 77.).

397. *Knös, Börje:* L'Histoire de la Littérature Néo-Grecque. La Période jusqu'en 1821. Stockholm: Almquist 1962. (Acta Universitatis Upsaliensis. Studia Graeca. 1.). – Hier S. 521–522 über Nikodemus Hagiorita.

398. *Koch, Hans:* Kleine Schriften zur Kirchen- und Geistesgeschichte Osteuropas. Wiesbaden: Harrassowitz 1962.

399. – Die Slavisierung der griechischen Kirche im Moskauer Staat als bodenständige Voraussetzung des russischen Raskol. In: Kleine Schriftcn (Lit. Verz. Nr. 398) 42–107. (= Diss. phil. Wien 1924.). – Zeigt eigentlich die Byzantinisierung der russischen Kirche im Moskauer Staat.

400. *Koch, Lucas:* Christusbild – Kaiserbild. Zugleich ein Beitrag zur Lösung der Frage nach dem Anteil der byzantinischen Kaiser am Bilderstreit. In: Benediktinische Monatshefte 21 (Beuron 1939) 85–105.

401. *Koffler, Hubert:* Die Lehre des Barhebräus von der Auferstehung der Leiber

dargestellt und untersucht. Rom 1932. (Orientalia Christiana. 28, 1 = Num. 81.). – Hierzu Lit. Verz. Nr. 44, Bar Hebräus, 10. Fundament.

Kohlhaas, Radbert: Jakobitische Sakramentenlehre. Siehe Lit. Verz. Nr. 44, Bar Hebräus, 6. Fundament.

402. *Kologriwow, Iwan:* Das andere Rußland. Versuch einer Darstellung des Wesens und der Eigenart russischer Heiligkeit. München: Manz 1958. (Essai sur la Sainteté en Russie. Brügge 1953. Deutsch von *Angelika Merkelbach-Pinck.*).

403. *Konstantin Porphyrogenitus:* De Administrando Imperio. Bd. 1: Greek Text edited by *Gy. Moravcsik.* English Translation by *R. J. H. Jenkins.* Budapest 1949. Bd. 2: Commentary by *F. Dvornik, R. J. H. Jenkins, B. Lewis, Gy. Moravcsik, D. Obolensky, S. Runciman.* London 1962.

Das Konzil von Chalkedon. Siehe *Grillmeier,* Lit. Verz. Nr. 267.

404. *Kopp, Clemens:* Glaube und Sakramente der Koptischen Kirche. Rom 1932. (Orientalia Christiana. 25, 1.). – Beschränkt sich auf die Gegenwart.

405. *Der Koran.* Ägyptische Staatsausgabe. Kairo 1347 H. (= 1928/29 A. D.).

406. – Der Koran. Bd. 1.: Übersetzung von *Rudi Paret.* Stuttgart: Kohlhammer 1966. Bd. 2: Kommentar und Konkordanz von *Rudi Paret.* Stuttgart: Kohlhammer 1971. – Die maßgebende historisch-kritische Übersetzung und Erklärung des Korans. Standardwerk der modernen Wissenschaft.

407. *Korolevskij, C.:* (Artikel) Athos. In: Dictionnaire d'Histoire et de Géographie Ecclésiastiques (Lit. Verz. Nr. 143) 5, 54–124. – (Lit.).

408. *Kosmas Presbyter:* Le Traité Contre Les Bogomiles de Cosmas le Prêtre. Traduction et Étude par *Henri-Charles Puech* et *André Vaillant.* Paris: Droz 1945.

409. *Kotter, Bonifaz:* Die Überlieferung der Pege Gnoseos des hl. Johannes von Damaskus. Ettal 1959. (Studia Patristica et Byzantina. 5.). – Hier S. 217–221 über orientalische, slawische und abendländische Übersetzungen der ‚Pege Gnoseos'.

410. *Kouyoumdjian, Mesrob G.:* A Comprehensive Dictionary Armenian-English. Kairo 1950.

411. *Krämer, Hans Joachim:* Grundfragen der aristotelischen Theologie. In: Theologie und Philosophie 44 (Freiburg i. Br. 1969) 363–382; 481–505.

412. *Kranich, Anton:* Die Ascetik in ihrer dogmatischen Grundlage bei Basilius dem Großen. Paderborn: Schöningh 1896.

413. *Kraus, Johann:* Neues zur Geschichte des christlichen Nubien. In: Neue Zeitschrift für Missionswissenschaft 24 (Schöneck-Beckenried 1968) 241–257. – (Lit.).

414. *Kretschmar, Georg:* Die Geschichte des Taufgottesdienstes in der alten Kirche. In: Leiturgia. Handbuch des evangelischen Gottesdienstes. Hrsg. v. *Karl Ferdinand Müller* und *Walter Blankenburg.* Bd. 5: Der Taufgottesdienst. Kassel: Stauda 1970, 1–348. – Hier S. 274–296 über die Entwicklung der östlichen (syrischen, armenischen, koptischen, äthiopischen, slawischen, griechischen) Taufliturgien.

415. *Kristanov, Cvetan,* und *Ivan Dujčev:* Estestvoznanieto v srednovekovna Bŭlgarija. Sbornik ot istoričeski izvori. Les Sciences Naturelles en Bulgarie au Moyen Age. Sofia: Bulgar. Akad. d. Wiss. 1954. – Hier S. 54–57 „Nachrichten aus dem Gebiet der Naturwissenschaft im Werk des Johannes Exarches". S. 610–626: „Résumé" in französischer Sprache.

Krivocheine, Basil siehe Wassilij (Lit. Verz. Nr. 798).

Kroll, Wilhelm (Hrsg.) siehe Vettius Valens (Lit. Verz. Nr. 767).

416. *Krüger, Gustav:* Monophysitische Streitigkeiten im Zusammenhange mit der Reichspolitik. Jena: Pohle 1884. – Über die Quellen S. 6–55.

417. *Krüger, Paul:* Die mariologischen Anschauungen in den dem Isaak von Antiochien zugeschriebenen Sermones. Ein dogmengeschichtlicher Beitrag. In: Ost-

kirchliche Studien 1 (Würzburg 1952) 123–131. (Reprint Amsterdam: Hakkert 1967).

418. – Das Bild der Gottesmutter bei dem Syrer Narsai. In: Ostkirchliche Studien 2 (Würzburg 1953) 110–120. (Reprint Amsterdam: Hakkert 1967).

419. – La deuxième Homélie de Jacques de Sarug sur la Foi du Concile de Chalcédoine. In: L'Orient Syrien 2 (Paris 1957) 125–136. – Hier: „II. Commentaire théologique: a) Christologie (S. 126–128) b) Mariologie" (S. 128–129).

420. *Krumbacher, Karl:* Geschichte der Byzantinischen Litteratur von Justinian bis zum Ende des Oströmischen Reiches (527–1453). 2. Aufl. unter Mitwirkung von *Albert Ehrhard* und *Heinrich Gelzer.* München 1887. Reprint New York: Franklin 1961. (Burt Franklin Bibliographical Series. 13.).

421. *Kulman, Detlef:* Streitschrift gegen die Bogomilen (abulg.). Polemischer Traktat des Presbyters Kozma (Mitte des 10./Anfang des 11. Jhs.). In: Kindlers Literatur Lexikon (Lit. Verz. Nr. 393) 6 (1971) 2013–2015. – Ausgaben, Literatur.

422. *Kunst und Geschichte Nubiens* in christlicher Zeit. Ergebnisse und Probleme auf Grund der jüngsten Ausgrabungen. Hrsg. v. *Erich Dinkler.* Recklinghausen: Aurel Bongers 1970. – Hier S. 71–86: *Martin Krause,* Zur Kirchen- und Theologiegeschichte Nubiens. Neue Quellen und Probleme; S. 245–256: *C. D. G. Müller,* Deutsche Textfunde in Nubien.

423. *Ladner, G.:* The Concept of the Image in the Greek Fathers and the Byzantine Iconoclastic Controversy. In: Dumbarton Oaks Papers 7, 1953, 1–34.

424. *Lägreid, Anneliese:* Der rhetorische Stil im Šestodnev des Exarchen Johannes. Wiesbaden: Harrassowitz 1965. (Monumenta Linguae Slavicae Dialecti Veteris. 4.).

425. *Lampe, Geoffrey William Hugo:* A Patristic Greek Lexicon. Fasc. 1–5. Oxford: Clarendon 1961–1968. – Fortlaufend paginiert. Alpha bis Ochria.

Landvogt, Hugolin (Übers.) siehe Wassilij, Lit. Verz. Nr. 798.

426. *Lang, David Marshall:* The Georgians. 74 Photographs. 45 Line Drawings. 4 Maps. 1 Table. London: Thames and Hudson 1966. (Ancient Peoples and Places. 51.). – „Bibliography" S. 179–189.

427. – Armenia: Cradle of Civilization. London: George Allen and Unwin 1970. – Mit 123 Abb. und 6 Karten. S. 297–307 „Bibliographical Notes and Suggestions for further Reading".

428. *Lange, Günter:* Bild und Wort. Die katechetischen Funktionen des Bildes in der griechischen Theologie des sechsten bis neunten Jahrhunderts. Würzburg: Echter 1969. (Schriften zur Religionspädagogik und Kerygmatik. 6.). – Diss. theol. München 1966/67. „Literaturverzeichnis" (sehr reichhaltig) S. 246–263.

429. *Lauchert, Friedrich:* Die Kanones der wichtigsten altkirchlichen Concilien nebst den Apostolischen Kanones. Freiburg i. Br.: Mohr 1896. (Sammlung ausgewählter kirchen- und dogmengeschichtlicher Quellenschriften. 12.). Nachdruck: Frankfurt am Main: Minerva 1961. – Vgl. *Bruns,* Lit. Verz. Nr. 95.

430. *Laun, Ferdinand:* Die beiden Regeln des Basilius, ihre Echtheit und Entstehung. In: Zeitschrift für Kirchengeschichte 44 (1925) 1–61.

431. *Laurent, V.:* Les Droits de l'Empereur en Matière Ecclésiastique. L'Accord de 1380/82. In: Revue des Études Byzantines 13 (Paris 1955) 5–20. – (Lit.).

432. *Lausberg, Heinrich:* Handbuch der Literarischen Rhetorik. Eine Grundlegung der Literaturwissenschaft. Bd. 1–2. München: Hueber 1960. – Fortlaufend paginiert. Bibliographie S. 605–638. Über das Exordium (Vorrede als antike Rhetorik) S. 150–163. Vgl. dazu die Darstellungsweise des Bar Hebräus.

Lazarus, Father (Übers.) siehe Lit. Verz. Nr. 86.

433. *Lebon, Joseph:* Le Monophysisme Sévérien. Étude Historique, Littéraire et Théologique sur la Résistance Monophysite au Concile de Chalcédoine jusqu'à la Constitution de l'Église Jacobite. Löwen 1909.

434. *Legrand, Émile:* Généalogie des Maurocordato de Constantinople et autres documents concernant cette Famille. Tirage a cinquante exemplaires numerotés. Paris: Lahure 1886. – Ich benutzte das Ex. Nr. 20 aus dem Besitz von Karl Krumbacher, Bayerische Staatsbibliothek München, Signatur Geneal. 70 r. Möglicherweise könnte der von Legrand unter Nr. 24 aufgeführte Johannes Maurokordatus der Förderer der Philokalie gewesen sein.

435. – Bibliographie Hellénique ou Description Raisonnée des Ouvrages Publiés par des Grecs au Dix-Huitième Siècle. Oeuvre Posthume Complétée et Publiée par *Louis Petit* et *Hubert Pernot.* Bd. 1–2. Paris: Garnier 1918–1928. – Hier Bd. 2 (1928) S. 391–394 (= Nr. 1086) *Philokalia ton hieron Neptikon,* Venedig 1782 (Lit. Verz. Nr. 596). Genauer Titel (griechisch), Beschreibung, detaillierte Inhaltsangabe (französisch) und Angabe der dieses Werk besitzenden Bibliotheken in Athen, Smyrna, Triest (Communauté Grecque), Venedig (Saint Marc).

436. *Leipoldt, Johannes:* Schenute von Atripe und die Entstehung des national ägyptischen Christentums. Leipzig: Hinrichs 1903. (Texte und Untersuchungen zur Geschichte der Altchristlichen Literatur. 25. N. F. 10, 1.). – Vgl. Sinuthius, Lit. Verz. Nr. 651.

437. – Geschichte der koptischen Litteratur. In: Geschichte der Christlichen Litteraturen des Ostens. Leipzig 1907, 131–183. (Die Litteraturen des Ostens in Einzeldarstellungen. Bd. 7. 2. Abt.).

438. *Leisegang, Hans:* Denkformen. Berlin: de Gruyter 1928.

439. *Leitner, Franz:* Der gottesdienstliche Volksgesang im jüdischen und christlichen Altertum. Ein Beitrag zur jüdischen und christlichen Kulturgeschichte. Freiburg i. Br.: Herder 1906. – Hier S. 257–261 über die Ablehnung der Instrumentalmusik durch die Christen. Vgl. dazu *Peterson,* Buch von den Engeln (Lit. Verz. Nr. 591) und *Gérold* (Lit. Verz. Nr. 243.).

440. *Leo I. Papa:* Sancti Leonis Magni Romani Pontificis Epistolae. In: *Migne,* Patrologia Latina Bd. 54, Paris 1846, 581–1213. – Hier 1143B–1146B Epistola 162 vom 21. März 458 an Kaiser Leon I. von Byzanz. Dazu Epistola 165 vom 17. August 458 an Kaiser Leon I., ebenda 1155A–1190B. – Vgl. Lit. Verz. Nr. 87.

441. *Lepsius, Karl Richard:* Nubische Grammatik. Mit einer Einleitung über die Völker und Sprachen Afrikas. Berlin: Wilhelm Hertz 1880. – Inhalt: Einleitung S. I–CXXVI; Nubische Grammatik S. 1–197; Nubische Texte S. 201–260; Wörterbuch S. 263–442; Die nubischen Dialekte S. 443–504.

442. *Le Quien, Michael:* Oriens Christianus, in Quatuor Patriarchatus digestus. Bd. 1–3. Paris 1740. Nachdruck Graz 1958–1959. Hier 1, 1299–1302: Patriarchae Moscoviae.

443. *Leroy, Julien:* Les Petites Catéchèses de S. Théodore Studite. In: Le Muséon 71 (Löwen 1958) 329–358.

444. – La Réforme Studite. In: Il Monachesimo Orientale (Lit. Verz. Nr. 518) 181–214.

445. – Saint Théodore Studite. In: Théologie de la Vie Monastique (Lit. Verz. Nr. 723) 423–436.

446. – La Vie quotidienne du Moine Studite. In: Irénikon 27 (Chevetogne, Belgique 1954) 21–50.

447. *Leskien, August:* Slavische Bibelübersetzungen. In: Realencyklopädie für protestantische Theologie und Kirche 3, Leipzig [3]1897, 151–167.

448. – Der aristotelische Abschnitt im Hexaemeron des Exarchen Johannes. In: Jagić-Festschrift. Zbornik u Slavu Vatroslava Jagića. Berlin 1908, 97–111.
449. – Handbuch der altbulgarischen (altkirchenslavischen) Sprache. Grammatik – Texte – Glossar. 8., verb. u. erw. Aufl. Heidelberg: Winter 1962. (Indogermanische Bibliothek). – Auf S. IX–X sind die Neudrucke der Textausgaben und neuere Literatur zu den Quellen zusammengestellt. Die ausgezeichneten „Bibliographischen Hinweise“ S. 352–355 enthalten Wörterbücher, Grammatiken, Einzeluntersuchungen zur Sprachgeschichte, Paläographie und Slavistische Zeitschriften. Diese Grammatik von Leskien erschien zuerst 1871.
450. *Lettenbauer, Wilhelm:* Russische Literaturgeschichte. 2. verm. u. verb. Aufl. Wiesbaden: Harrassowitz 1958.
451. *Leys, Roger:* L'Image de Dieu chez Saint Grégoire de Nysse. Esquisse d'une Doctrine. Paris 1951. (Museum Lessianum. – Section Théologique. 49.).
452. *Lialine, Clement:* The Theological Teaching of Gregory Palamas on Divine Simplicity. Its Experimental Origin and Practical Issue. In: The Eastern Churches Quarterly 6 (1945/46), 266–287. Reprint Amsterdam: Benjamins 1969.
453. *Liddell, Henry George,* and *Robert Scott:* A Greek-English Lexicon. New Edition. Oxford: Clarendon 1958.
454. *Lieb, Fritz:* (Artikel) Philokalia. In: Die Religion in Geschichte und Gegenwart (Lit. Verz. Nr. 623) 5, [3]1961, 347–348.
455. *von Lilienfeld, Fairy:* Nil Sorskij und seine Schriften. Die Krise der Tradition im Rußland Ivans III. Berlin: Ev. Verlagsanstalt 1963. – Ausführliches Literaturverzeichnis S. 15–38.
Littmann, Enno (Übers.) siehe Miguel de Castanhoso (Lit. Verz. Nr. 508).
456. – Die äthiopische Sprache. In: Handbuch der Orientalistik. 1. Abt. Bd. 3. Semitistik. Leiden 1954, 350–375.
457. – Die äthiopische Literatur. In: Handbuch der Orientalistik 1. Abt. Bd. 3. Semitistik. Leiden 1954, 375–385.
458. *Loofs, Friedrich:* Theophilus von Antiochien Adversus Marcionem und die anderen theologischen Quellen bei Irenaeus. Leipzig: Hinrichs 1930. (Texte und Untersuchungen zur Geschichte der altchristlichen Literatur. 46, 2.). – Hier S. 257–280: „Die trinitarischen und christologischen Anschauungen des Aphraates.“
459. – Leitfaden zum Studium der Dogmengeschichte. Bd. 1–2. 5. Aufl. Halle (Saale): Niemeyer 1950–1953. [7]1968.
460. *Lossky, Vladimir:* La Théologie de la Lumière chez Saint Grégoire de Thessalonique. In: Dieu Vivant 1 (Paris 1945) 95–118.
461. – Die mystische Theologie der morgenländischen Kirche. Übersetzt von *Mirjam Prager.* Graz–Wien–Köln: Styria 1961. (Geist und Leben der Ostkirche. 1.). (Essai sur la Théologie Mystique de l'Église d'Orient. Paris 1944. Deutsch.). – Gute Allgemeindarstellung; handelt u. a. über die „Energien“ und das „göttliche Licht“.
462. – Vision de Dieu. Préface de *Jean Meyendorff.* Neuchâtel: Delachaux 1962. (Bibliothèque Orthodoxe.).
463. – Schau Gottes. Zürich: EVZ 1964. (Bibliothek für Orthodoxe Theologie und Kirche. 2.).
464. *Lot-Borodine, M.:* Le Mystère du „don des larmes“ dans l'Orient chrétien. In: La Vie Spirituelle 48 (Juvisy 1936) 65–110.
465. – La doctrine de la „déification“ dans l'Église Grecque jusqu'au XIe siècle. In: Revue de l'Histoire des Religions 105 (Paris 1932) 5–43; 106 (Paris 1932) 525–574; 107 (Paris 1933) 8–55.

466. *Macdermott, Mercia:* A History of Bulgaria 1393–1885. London 1962.

467. *Macomber, William F.:* The Christology of the Synod of Seleucia-Ctesiphon, A. D. 486. In: Orientalia Christiana Periodica 24 (Rom 1958) 142–154.

468. – New Finds of Syriac Manuscripts in the Middle East. In: Zeitschrift der Deutschen Morgenländischen Gesellschaft. Supplementa 1. 17. Deutscher Orientalistentag vom 21.–27. Juli 1968. Vorträge. Teil 2. Wiesbaden 1969, 473–482.

469. *Maczewski, Christoph:* Die Zoi-Bewegung Griechenlands. Ein Beitrag zum Traditionsproblem der Ostkirche. Göttingen 1970. (Forschungen zur systematischen und ökumenischen Theologie. 21.).

470. *Mahrholz, Werner:* Der deutsche Pietismus. Eine Auswahl von Zeugnissen, Urkunden und Bekenntnissen aus dem 17., 18. und 19. Jahrhundert. Eingeleitet und herausgegeben von *Werner Mahrholz.* Berlin: Furche 1921.

471. *Maier, Franz Georg:* Cypern. Insel am Kreuzweg der Geschichte. Stuttgart: Kohlhammer 1964. (Urban Bücher. 81.). – „Literaturhinweise" S. 173–183.

472. *Mallon, Alexis:* Grammaire Copte. Bibliographie, Chrestomathie et Vocabulaire. Quatrième Édition revue par *Michel Malinine.* Beirut 1956. ([1]1904. [2]1907. [3]1926).

473. *Malyšev, V. I.:* Neizvestnye i maloizvestnye Materialy o protopope Avvakume. In: Trudy otdela drevnerusskoj Literatury. 9. Moskau 1953, 387–404. – Hier S. 402–404 ein Verzeichnis russischer Druckausgaben der Autobiographie Awwakums.

474. *Mandalari, Giannantonio:* Fra Barlaamo Calabrese, maestro del Petrarca. Rom: Verdesi 1888.

475. *Mango, Cyril:* Konstantinopel von Iustinian bis Theophilus. In: Morgen des Abendlandes, ed. *D. T. Rice* (Lit. Verz. Nr. 624) 103–112.

476. *Mansi, Johann Dominikus:* Sacrorum Conciliorum nova et amplissima Collectio. 31 Bde. (bis 1439). Florenz 1759–1798. Neudruck und Fortsetzung (bis 1902) von *B. Martin* und *L. Petit.* 53 Bde. Paris 1901–1927. – Vgl. Lit. Verz. Nr. 95 und 429.

477. *Mantzarides, G. I.:* (Artikel) Pneumatikotes, orthodoxos (nepsis). In: Threskeutike Enkyklopaideia (Lit. Verz. Nr. 733) 10, Athen 1966, 471–474. – (Lit.).

478. *Manuel II. Paläologus:* Entretiens avec un Musulman. 7e Controverse. Introduction, Texte Critique, Traduction et Notes par *Théodore Khoury.* Paris: Éditions du Cerf 1966. (Sources Chrétiennes. 115.). — Vgl. Lit. Verz. Nr. 391.

479. *Marin, E.:* Les Moines de Constantinople depuis la Fondation de la Ville jusqu'à la Mort de Photius (330–898). Paris: Lecoffre 1897.

480. *Marinelli, G.:* Die Erdkunde bei den Kirchenvätern. Deutsch von *Ludwig Neumann.* Leipzig: Teubner 1884. – Hier S. 19–23 über das im Osten gelegene Paradies; viele Quellenangaben. S. 63–87: „Die Kartographie der Kirchenväter."

481. *Marr, Nikolaj Jakovlevič* et *Maurice Brière:* La Langue Géorgienne. Paris: Firmin-Didot 1931. – Mit Chrestomathien und Glossaren in Priester- und in Kriegerschrift sowie 2 Karten.

Marshall, F. H.: Byzantine Literature, siehe Lit. Verz. Nr. 54.

482. *Marx, Michael:* Incessant Prayer in Ancient Monastic Literature. Rom 1946. (Facultas Theologica S. Anselmi de Urbe.). – Behandelt vorwiegend die Vita Antonii und die Apophthegmata Patrum.

483. *Mattern, Joseph:* Villes Mortes de Haute Syrie. Seconde Édition. Beirut: Impr. Catholique 1944. (Extrait des Mélanges de l'Université Saint Joseph). – Über Qalʿat Simʿān S. 118–134.

484. *Max, Herzog zu Sachsen:* Das Christliche Hellas. Vorlesungen gehalten an der Universität Freiburg (Schweiz) im Sommersemester 1910. Leipzig: K. W. Hiersemann 1918(–19). – Enthält eine Kirchengeschichte Griechenlands vom Altertum bis 1900.
485. *Mayer, Hans Eberhard:* Bibliographie zur Geschichte der Kreuzzüge. Hannover: Hahn 1960. Nachdruck 1965. – Bietet eine umfassende Bibliographie zur Kirchengeschichte des Orients. Unentbehrliches Standardwerk.
486. *Meckelein, Richard:* Georgisch-Deutsches Wörterbuch. Berlin: de Gruyter 1928. (Lehrbücher des Seminars für orientalische Sprachen zu Berlin. 32.).
487. *Meillet, Antoine:* Altarmenisches Elementarbuch. Heidelberg: Winter 1913. (Indogermanische Bibliothek. 1, 10.). – Mit Texten und Wörterverzeichnis. Heute noch unentbehrlich. – Vgl. *Jensen,* Lit. Verz. Nr. 336–337.
488. – und *Marcel Cohen:* Les Langues du Monde par un Groupe de Linguistes sous la direction de *A. Meillet* et *Marcel Cohen.* Nouvelle Edition. Paris: CNRS 1952. – Mit 21 Karten.
489. *Menges, Hieronymus:* Die Bilderlehre des hl. Johannes von Damaskus. Münster i. W.: Aschendorff 1938. – Literaturverzeichnis auf S. VII–XII.
490. *Menthon, Bernardin:* Une Terre des Légendes. L'Olympe de Bithynie. Ses Saints, Ses Couvents, Ses Sites. Paris: Bonne Presse 1935. – Mit einer großen „Carte Generale de la Region Olympienne avec ses anciennes Provinces."
491. *Mentz, Arthur:* Geschichte der Kurzschrift. Wolfenbüttel: Heckner 1949. – Hier S. 14–30: Die antike Kurzschrift (63 vor Chr.–11. Jahrhundert nach Chr.).
492. *Mercati, Giovanni:* Callisto Angelicudes Meleniceota. (Bessarione 31, 1915, 79–86). In: Opere Minori 3, Città del Vaticano 1937, 415–422. (Studi e Testi. 78.). – Hier S. 422 der Titel der Athener Ausgabe der Philokalia.
493. *Mercer, Samuel Alfred Brown:* Ethiopic Grammar with Chrestomathy and Glossary. Revised Edition. New York: Ungar 1961. – Als Anfängergrammatik neben *Chaine* (Lit. Verz. Nr. 112) und *Praetorius* (Lit. Verz. Nr. 608) gedacht.
Merx, Adalbert (Übers.) siehe Bardesanes, Lit. Verz. Nr. 39.
494. *Metzger, Bruce Manning:* Chapters in the History of New Testament Textual Criticism. Michigan: Erdmans 1963. (New Testament Tools and Studies. 4.). – Hier S. 73–96 „The Old Slavonic Version"; S. 97–120 „Tatian's Diatessaron and a Persian Harmony of the Gospels." (Lit.).
495. – Historical and Literary Studies. Pagan, Jewish and Christian. Leiden: Brill 1968. (New Testament Tools and Studies. 8.). Hier S. 111–122 „The Christianization of Nubia and the Old Nubian Version of the New Testament".
Meyendorff, Jean (Hrsg. u. Übers.) siehe Palamas, Défense (Lit. Verz. Nr. 576.).
496. – Introduction a l'Étude de Grégoire Palamas. Paris: Éditions du Seuil 1959. (Patristica Sorbonensia. 3.). – Hier S. 15–22: „Bibliographie"; S. 331–399: „Appendice I. L'Oeuvre de Grégoire Palamas. Analyse sommaire. 1. Tradition manuscrite, éditions, classification. 2. Les écrits de théologie et d'apologétique personelle. 3. Les oeuvres de spiritualité. 4. Les homélies. 5. Oeuvres perdues ou apocryphes"; S. 401–415: „Appendice II. Sources contemporaines. 1. Sources Publiées. 2. Sources Inédites." S. 402 ein Verzeichnis der edierten, S. 410 ein Verzeichnis der nicht edierten Schriften Barlaams von Kalabrien. Vgl. Lit. Verz. Nr. 500.
497. – St. Grégoire Palamas et la mystique orthodoxe. Paris: Éditions du Seuil 1959. (Maitres spirituels.).
498. – L'Église Orthodoxe Hier et Aujourd'hui. Paris: Éditions du Seuil 1960. (Les Univers.). (2. éd. rev., corr. et mise à jour) (um 1970).

499. – Die orthodoxe Kirche gestern und heute. Salzburg: Otto Müller 1963. (L'Église Orthodoxe Hier et Aujourd'hui. Paris 1960. Übersetzt von *Gabriel Henning Bultmann.).* (Reihe Wort und Antwort. 31.).

500. – A Study of Gregory Palamas. Translated by *George Lawrence.* London: Faith Press 1964. (Introduction a l'Étude de Grégoire Palamas. Paris 1959. Englisch.). – Ohne die beiden wichtigen Appendices der französischen Originalausgabe (Lit. Verz. Nr. 496.).

501. *Meyer, Philipp:* Beiträge zur Kenntnis der neueren Geschichte und des gegenwärtigen Zustandes der Athosklöster. In: Zeitschrift für Kirchengeschichte 11 (Gotha 1890) 395–435; 539–576. – Hier S. 573–576: „Zur Bedeutung des Nikodemos für die Griechische Kirche."

502. – Die Haupturkunden für die Geschichte der Athosklöster größtenteils zum ersten Male herausgegeben und mit Einleitungen versehen. Leipzig 1894. Nachdruck Amsterdam: Hakkert 1965. – Hier S. 1–99 Geschichtliche Einleitungen; S. 6–11 über Basilius von Cäsarea.

503. – Die theologische Litteratur der griechischen Kirche im sechzehnten Jahrhundert. Mit einer allgemeinen Einleitung. Leipzig: Dieterich 1899. (Studien zur Geschichte der Theologie und der Kirche. 3, 6.).

504. – (Artikel) Nikodemus Hagiorites. In: Realencyklopädie für protestantische Theologie und Kirche 14, Leipzig [3]1904, 62–63.

505. *Michael as-Sam'ānī:* Biographie de Saint Jean Damascène. Texte original arabe. Publié pour la première fois par *Constantin Bacha.* Harissa (Libanon): Imprimerie Grecque Melchite de Saint-Paul 1912.

506. *Michel, Anton:* Die Kaisermacht in der Ostkirche (813–1204). Darmstadt 1959. Zuerst in: Ostkirchliche Studien 2–5 (Würzburg 1953–1956). – Behandelt die kirchlichen Rechte des Kaisers von Byzanz als des Stellvertreters Gottes auf Erden.

507. *Migne, Jacques-Paul:* Patrologiae Cursus Completus. Series Latina. 221 Bde. Paris 1844–1855. Series Graeca. 161 Bde. Paris 1857–1866. – Inhaltsverzeichnis bei *Potthast,* Wegweiser (Lit. Verz. Nr. 607).

508. *Miguel de Castanhoso:* Die Heldentaten des Dom Christoph da Gama in Abessinien. Nach dem portugiesischen Bericht des *Miguel de Castanhoso* übersetzt und herausgegeben von *Enno Littmann.* Berlin 1907.

509. *von Miklosich, Franz:* Lexicon Palaeoslovenico-Graeco-Latinum. Emendatum Auctum. Wien 1862–1865. Reprint Aalen: Scientia 1963.

510. *Miquel, André:* La géographie humaine du monde musulman jusqu'au milieu du 11e siècle. Géographie et géographie humaine dans la littérature arabe des origines à 1050. Bd. 1. Paris – La Haye: Mouton 1967. (Civilisations et Sociétés. 7.).

511. *Miskgian, Ioannes:* Manuale Lexicon Armeno-Latinum ad Usum Scholarum. Rom 1877. Reprint Löwen: Institut Orientaliste de l'Université de Louvain 1966.

512. *Mladénov, Stefan:* Geschichte der bulgarischen Sprache. Mit einer Karte. Berlin: de Gruyter 1929. (Grundriß der slavischen Philologie und Kulturgeschichte. 6.). – Die ersten Kapitel enthalten eine gute Darstellung des Altkirchenslawischen.

Mohlberg, Leo Cunibertus siehe *Oppenheim* (Lit. Verz. Nr. 567).

Un Moine de l'Église d'Orient siehe *Prière* (Lit. Verz. Nr. 611).

513. *Molitor, Joseph:* Der Paulustext des Hl. Ephräm aus seinem armenisch erhaltenen Paulinenkommentar untersucht und rekonstruiert. Rom: Päpstliches Bibelinstitut 1938. (Monumenta Biblica et Ecclesiastica. 4.).

514. – Altgeorgisches Glossar zu ausgewählten Bibeltexten. Rom 1952. (Monumenta Biblica et Ecclesiastica. 6.).
515. – Die syrische Grundlage der altgeorgischen Evangelienübersetzung nach Aussage ihrer Harmonismen. In: Revue de Kartvélologie 13–14 (Paris 1962) 98–105.
516. – Grundbegriffe der Jesusüberlieferung im Lichte ihrer orientalischen Sprachgeschichte. Düsseldorf: Patmos 1968. (Kommentare und Beiträge zum Alten und Neuen Testament.).
517. – Tatians Diatessaron und sein Verhältnis zur altsyrischen und altgeorgischen Überlieferung. In: Oriens Christianus 53 (Wiesbaden 1969) 1–88; 54 (1970) 1–75; 55 (1971) 1–61. – Lateinische Übersetzung der sicheren syrischen Tatianzitate in der Ausgabe von *Ortiz de Urbina*, Madrid 1967 (Lit. Verz. Nr. 707.).
518. *Il Monachesimo Orientale.* Atti del Convegno di Studi Orientali che sul Predetto Tema si tenne a Roma, sotto la Direzione del Pontificio Istituto Orientale, nei Giorni 9, 10, 11 e 12 Aprile 1958. Rom 1958. (Orientalia Christiana Analecta. 153.). – Hier S. 181–214 *Leroy*, La Réforme Studite (Lit. Verz. Nr. 444.).
519. *Moravcsik, Gyula:* Byzantinoturcica. I. Die Byzantinischen Quellen der Geschichte der Türkvölker. II. Sprachreste der Türkvölker in den byzantinischen Quellen. Bd. 1–2. Berlin: Akademie-Verlag [2]1958. (Berliner Byzantinistische Arbeiten. 10. 11.). – Unentbehrliches Standardwerk.
520. – Byzantinische Mission im Kreise der Türkvölker an der Nordküste des Schwarzen Meeres. Oxford 1966. (13. International Congress of Byzantine Studies Oxford 1966. Main Papers.).
521. *Morenz, Siegfried:* Die koptische Literatur. In: Handbuch der Orientalistik, 1. Abt., Bd. 1, 2, Leiden 1952, 207–219. (Lit. Verz. Nr. 286.).
522. *Moscati, Sabatino:* Geschichte und Kultur der semitischen Völker. Eine Einführung. 2., verb. Aufl. Stuttgart: Kohlhammer 1955. (Urban Bücher. 3.).
523. – Die altsemitischen Kulturen. Stuttgart: Kohlhammer 1961. (Urban Bücher. 3.). – Neufassung von Lit. Verz. Nr. 522.
524. *Moss, Cyril:* Catalogue of Syriac Printed Books and Related Literature in the British Museum. London 1962. – Hier alle Druckausgaben der in der vorliegenden Arbeit genannten syrischen Theologen.
525. *Moss, Henry St. Lawrence B.* siehe Lit. Verz. Nr. 54.
526. *Müller, Caspar Detlef Gustav:* Die Engellehre der Koptischen Kirche. Wiesbaden: Harrassowitz 1959.
527. – Die Koptische Kirche zwischen Chalkedon und dem Arabereinmarsch. In: Zeitschrift für Kirchengeschichte 75 (Stuttgart 1964) 271–308.
528. – Kirche und Mission unter den Arabern in vorislamischer Zeit. Tübingen: Mohr 1967. (Sammlung gemeinverständlicher Vorträge und Schriften aus dem Gebiet der Theologie und Religionsgeschichte. 249.).
529. – Grundzüge des christlich-islamischen Ägypten von der Ptolemäerzeit bis zur Gegenwart. Darmstadt: Wiss. Buchgesellschaft 1969. (Grundzüge. 11.). – Literaturauswahl S. 261–271.
530. – Die Theologie der syrischen Kirche. In: Kyrios 9 (Berlin 1969), 83–108; 129–152.
531. – Stellung und Bedeutung des Katholikos-Patriarchen von Seleukia-Ktesiphon im Altertum. In: Oriens Christianus 53 (Wiesbaden 1969) 227–245.
532. – Aufbau und Entwicklung der Koptischen Kirche nach Chalkedon (451). In: Kyrios 10 (Berlin 1970) 202–210.
533. – Die Alte Koptische Predigt. (Versuch eines Überblicks). Diss. theol. Heidelberg 1954. Hessische Druckerei, Darmstadt.

534. – Koptische Redekunst und griechische Rhetorik. In: Le Muséon. Revue d'Études Orientales 69 (Löwen 1956), 53–72.

535. – Einige Bemerkungen zur „Ars Praedicandi" der Alten Koptischen Kirche. In: Le Muséon. Revue d'Études Orientales 67 (Löwen 1954) 231–270.

536. – Was können wir aus der koptischen Literatur über Theologie und Frömmigkeit der Ägyptischen Kirche lernen? In: Oriens Christianus 48 (Wiesbaden 1964) 191–215. (Festschrift Hieronymus Engberding.).

537. – Deutsche Textfunde in Nubien. In: Kunst und Geschichte Nubiens in christlicher Zeit (Lit. Verz. Nr. 422) 245–256.

538. *Müller, Herrmann:* Les Origines de la Compagnie de Jésus. Ignace et Lainez. Paris: Fischbacher 1898.

539. *Müller, Klaus E.:* Kulturhistorische Studien zur Genese pseudo-islamischer Sektengebilde in Vorderasien. Mit vier Karten und sieben Tafeln. Wiesbaden: Steiner 1967. (Studien zur Kulturkunde. 22.).

540. *Müller, Walter:* Äthiopische Chroniken. In: *Kindlers Literatur Lexikon* (Lit. Verz. Nr. 393) 1, Zürich 1965, 231–236. – Mit Bibliographie der Ausgaben und der Literaturgeschichten.

541. *Murko, Matthias:* Geschichte der älteren südslawischen Litteraturen. Leipzig: Amelang 1908. (Die Litteraturen des Ostens in Einzeldarstellungen. 5, 2.). – Hier S. 220–225: „Die wichtigsten bibliographischen Hilfsmittel": Literaturgeschichten, Handschriftenkataloge, Bibliographien, Zeitschriften usw. – Nachdruck München: Trofenik 1971.

542. *Murphy, Margaret Gertrude:* St. Basil and Monasticism. Washington, D. C., 1930. (Catholic University of America. Patristic Studies. 25.). – Zeigt, daß nur Katholiken etwas vom Mönchtum verstehen; zum Teil gegen Clarke, Lit. Verz. Nr. 118.

543. *Murray, Margaret Alice:* Elementary Coptic (Sahidic) Grammar. Second Edition. London: Quaritch 1927.

544. *Muyldermans, Joseph:* L'Historiographie Arménienne. In: Le Muséon. Revue d'Études Orientales 76 (Löwen 1963) 109–144.

545. *Nasrallah, Joseph:* Saint Jean de Damas. Son Époque. Sa Vie. Son Oeuvre. Harissa (Libanon): Impr. St. Paul 1950. – „Bibliographie" S. VIII–XV.

546. *Nau, François:* (Artikel) Édesse, (École de) 363–489. In: Dictionnaire de Théologie Catholique (Lit. Verz. Nr. 145) 4, Paris 1939, 2102–2103.

547. – (Artikel) Bardesane (Bar-Daiṣan). In: Dictionnaire de Théologie Catholique (Lit. Verz. Nr. 145) 2, Paris 1932, 391–398.

– (Hrsg. u. Übers.) siehe Bardesanes, Lit. Verz. Nr. 40–41.

Neale, John Mason (Hrsg.) siehe Lit. Verz. Nr. 36 und 187.

Nestorchronik siehe *Trautmann*, Lit. Verz. Nr. 745.

548. *Neubauer, Helmut:* Car und Selbstherrscher. Beiträge zur Geschichte der Autokratie in Rußland. Wiesbaden: Harrassowitz 1964. (Veröffentlichungen des Osteuropa-Institutes München. 22.).

549. *Nicol, Donald M.:* Meteora. The Rock Monasteries of Thessaly. London: Chapman and Halt 1963. – Gute Bibliographie S. 191–199.

– (Hrsg.) siehe *Cambridge Medieval History*, Lit. Verz. Nr. 101.

550. *Nigg, Walter:* Des Pilgers Wiederkehr. Drei Variationen über ein Thema. Zürich und Stuttgart: Artemis 1954. – Hier S. 127–189: „Die Botschaft des russischen Strannik", eine dichterische „Variation" über die „Aufrichtigen Erzählungen eines russischen Pilgers" (Lit. Verz. Nr. 20–28.).

551. *Nikephorus Monachus:* Logos peri Nepseos, kai Phylakes Kardias; mestos u tes tychuses opheleias. In: *Philokalia,* Venedig 1782 (Lit. Verz. Nr. 596) 869–876.

552. – De Sobrietate et Cordis Custodia. In: *Migne,* Patrologia Graeca 147, 945 A – 966 A. (Lit. Verz. Nr. 507).
553. – Slovo o trezvenii i chranenii serdca mnogopoleznoe. In: *Dobrotoljubie* 5, Moskau 1889, 260–269 (Lit. Verz. Nr. 163).
554. – A Most Profitable Discourse on Sobriety and the Guarding of the Heart. In: *Kadloubovsky,* Writings from the Philokalia (Lit. Verz. Nr. 164), 22–34.
555. – Logos peri Nepseos kai Phylakes Kardias, mestos u tes tychuses opheleias. In: *Philokalia* 4, Athen [3]1961, 18–30. (Lit. Verz. Nr. 600).
Niketas Stethatos siehe *I. Hausherr,* Lit. Verz. Nr. 297.
Nikodemus Hagiorita (Hrsg.) siehe *Philokalia,* Venedig 1782, Lit. Verz. Nr. 596.
– Encheiridion Symbuleutikon siehe S. 305 Anm. 211.
556. – A Dissertation on the Monastic Habit. In: *Robinson,* Monasticism (Lit. Verz. Nr. 630) 127–140.
557. – Foreword (zu Unseen Warfare). In: *Theophan Govorov,* Unseen Warfare (Lit. Verz. Nr. 729) 71–74.
– (Übers. u. Hrsg.) siehe *Theophan Govorov,* Unseen Warfare (Lit. Verz. Nr. 729).
558. *Nölle, W.:* Hesychasmus und Yoga. In: Byzantinische Zeitschrift 47 (München 1954) 95–103.
559. *Norris, Richard Alfred:* Manhood and Christ. A Study in the Christology of Theodore of Mopsuestia. Oxford: Clarendon 1963. – Bibliographie S. 263–269.
560. – God and World in Early Christian Theology. A Study in Justin Martyr, Irenaeus, Tertullian and Origen. London: Black 1966. – Bibliographie Seite 141–144.
561. *North, Eric M.:* The Book of a Thousand Tongues. Being some Account of the Translation and Publication of All or Part of the Holy Scriptures into more than a Thousand Languages and Dialects. New York: Harper 1938.
562. *Nyberg, Henrik Samuel:* Das Studium des Orients und die europäische Kultur. In: Zeitschrift der Deutschen Morgenländischen Gesellschaft 103 (Wiesbaden 1953) 9–21.
O Bojan, du Nachtigall der alten Zeit siehe Lit. Verz. Nr. 255.
563. *Obolensky, Dmitri:* The Bogomils. A Study in Balkan Neo-Manichaeism. Cambridge: Univ. Pr. 1948. – Mit einer Karte: „The Spread of Bogomilism in the Balkans and Asia Minor."
564. – Byzantium, Kiev and Moscow: A Study in ecclesiastical Relations: In: Dumbarton Oaks Papers Nr. 11 (Cambridge, Mass. 1957) 23–78.
565. *Oehler, Klaus:* Antike Philosophie und byzantinisches Mittelalter. Aufsätze zur Geschichte des griechischen Denkens. München: Beck 1969. – Hier S. 272–286: Aristoteles in Byzanz.
566. *Onasch, Konrad:* Grundzüge der russischen Kirchengeschichte. Göttingen 1967. (Die Kirche in ihrer Geschichte. 3 M, 1.).
567. *Oppenheim, Philipp:* Moenchsweihe und Taufritus. Ein Kommentar zur Auslegung bei Dionysius dem Areopagiten. In: Miscellanea Liturgica in Honorem Leonis Cuniberti Mohlberg. Vol. 1. Rom: Edizioni Liturgiche 1948, 259–282. (Bibliotheca „Ephemerides Liturgicae". 22.).
568. *Origenes:* The Philocalia of Origen. The Text revised with a critical Introduction and Indices by *J. Armitage Robinson.* Cambridge: Univ. Pr. 1893.
569. *Ortiz de Urbina, Ignatius:* Die Gottheit Christi bei Afrahat. Rom 1933. (Orientalia Christiana. 31.).
570. – La Mariologia nei Padri Siriaci. In: Orientalia Christiana Periodica 1 (Rom 1935) 100–103.

571. – Patrologia Syriaca. Rom: Pontif. Inst. Orient. Stud. 1958. – Dazu Ergänzungen in Orientalia Christiana Periodica 27 (Rom 1961) 425–433.
– (Hrsg.) siehe Diatessaron Tatiani (Lit. Verz. Nr. 707).
572. *Ostrogorsky, Georg:* Geschichte des Byzantinischen Staates. Mit 2 Karten im Text und 6 Karten auf Beiblättern. München: Beck ²1952. ³1963. (Byzantinisches Handbuch. 1, 2.).
573. *Oswald, Joh. H.:* Angelologie, das ist die Lehre von den guten und bösen Engeln im Sinne der katholischen Kirche. Paderborn: Schöningh 1883.
Otkrovennye Razskazy siehe Lit. Verz. Nr. 21.
Paisij Veličkovskij siehe Veličkovskij (Lit. Verz. Nr. 764).
574. *Palamas, Gregor:* Opera omnia theologica, homiletica, hagiographica, polemica, ascetica. In: *J.-P. Migne,* Patrologia Graeca (Lit. Verz. Nr. 507) Bd. 150–151. Paris 1865.
575. – Asketičeskija Pisanija. In: *Dobrotoljubie* (Lit. Verz. Nr. 163) Bd. 5, Moskau 1889, 277–328.
576. – *Jean Meyendorff,* Grégoire Palamas. Défense des Saints Hésychastes. Introduction, Texte critique, Traduction et Notes. Bd. 1–2. Löwen 1959. (Spicilegium Sacrum Lovaniense. Études et Documents. 30. 31.). – Enthält Triade 1–3 (Logoi hyper ton hieros Hesychazonton); griechischer Text und französische Übersetzung.
577. – (Asketische Schriften). In: *Philokalia* Bd. 4, Athen ³1961, 91–196. (Lit. Verz. Nr. 600).
578. – Gregoriu tu Palama Syngrammata. Tomos 1. Logoi apodeiktikoi. Antigraphai. Epistolai pros Barlaam kai Akindynon hyper Hesychazonton. Ekdidun *B. Bobrinsky, P. Papaeuangelu, I. Meyendorff, P. Chrestu.* Thessalonike 1962. Tomos 2. Pragmateiai kai Epistolai grapheisai kata ta Ete 1340–1346. Prologizei *P. Chrestu.* Ekdidun *G. Mantzarides, N. Matzukas, B. Pseutonkas.* Thessalonike 1966.
Palmer, G. E. H. (Übers.) siehe Lit. Verz. Nr. 164–165 und Lit. Verz. Nr. 729.
579. *Papadopulos, Styl. G.:* (Artikel) Gregorios ho Sinaites. In: Threskeutike Enkyklopaideia 4, Athen 1964, 703–707. (Lit. Verz. Nr. 733).
Paret, Rudi siehe Lit. Verz. Nr. 406.
580. *Parker, W. H.:* An Historical Geography of Russia. London: Univ. of London Press 1968.
581. *Pascal, Pierre:* Avvakum et les Débuts du Raskol. Paris: Mouton 1963. (Études sur l'Histoire, l'Économie et la Sociologie des Pays Slaves. 8.). – Umfangreiche Bibliographie besonders russischer Werke auf S. 575–598.
582. *Das Paterikon des Kiever Höhlenklosters* nach der Ausgabe von *D. Abramovič* neu herausgegeben von *Dmitrij Tschižewskij.* München: Eidos Verlag 1964. (Slavische Propyläen. Texte in Neu- und Nachdrucken. 2.).
583. *Patinot, J.:* (Artikel) Nikephoros. Hosios. Hesychastes monachos tu Hag. Orus. In: Threskeutike Enkyklopaideia 9, Athen 1966, 483–484. (Lit. Verz. Nr. 733). – Lit.
Patrologia Graeca siehe Lit. Verz. Nr. 507.
Patrologia Latina siehe Lit. Verz. Nr. 507.
584. *Patrologia Orientalis.* Hrsg. von *René Graffin, François Nau* und *François Graffin.* Bd. 1 ff., Paris 1903 ff. – Wird fortgesetzt. Enthält arabische, armenische, äthiopische, georgische, griechische, koptische, slawische und syrische Texte.
585. *Patrologia Syriaca.* Accurante *Renato Graffin.* Pars prima ab initiis usque ad annum 350. Tomus 1–3. Paris 1894–1926.
Pauly-Wissowa siehe Lit. Verz. Nr. 615.

586. *Payne Smith, Robert:* Thesaurus Syriacus. Oxford: Clarendon. Bd. 1: 1879. Bd. 2: 1901. Bd. 3: Supplement. Collected and arranged by his daughter *Jessie Payne Margoliouth.* 1927.

587. *Payne Smith, Jessie (Mrs. Margoliouth):* A Compendious Syriac Dictionary founded upon the Thesaurus Syriacus of *R. Payne Smith.* Oxford: Clarendon 1903. Reprint Oxford 1957.

588. *Peters, F. E.:* Aristotle and the Arabs: The Aristotelian Tradition in Islam. New York und London: Univ. Pr. 1968.

589. – Aristoteles Arabus. The Oriental translations and commentaries on the Aristotelian Corpus. New York: Univ. Pr. 1968.

590. *Peterson, Erik:* Der Monotheismus als politisches Problem. Ein Beitrag zur Geschichte der politischen Theologie im Imperium Romanum. Leipzig 1935.

591. – Das Buch von den Engeln. Stellung und Bedeutung der heiligen Engel im Kultus. 2. Aufl. München 1955. – Hier S. 43–44 und Anm. 34 S. 84–85 über die Feindschaft der alten Kirche gegen die Instrumentalmusik. Vgl. Lit. Verz. Nr. 439.

592. – Frühkirche, Judentum und Gnosis. Studien und Untersuchungen. Freiburg: Herder 1959. – Hier S. 51–63: „Das Problem des Nationalismus im alten Christentum."

593. *Petit, L.:* (Artikel) Macaire de Corinthe. In: Dictionnaire de Théologie Catholique 9, Paris 1927, 1449–1452. (Lit. Verz. Nr. 145). – Lit.

594. *Philipp, Werner:* Ansätze zum geschichtlichen und politischen Denken im Kiewer Rußland. Breslau 1940. Reprint New York 1966 und Darmstadt 1967. (Jahrbücher für Geschichte Osteuropas. Beiheft 3.).

595. – Die religiöse Begründung der altrussischen Hauptstadt. In: Festschrift für Max Vasmer zum 70. Geburtstag am 28. Februar 1956. Zusammengestellt von *Margarete Woltner* und *Herbert Bräuer.* Wiesbaden 1956, 375–387. (Veröffentlichungen der Abteilung für slavische Sprachen und Literaturen des Osteuropa-Instituts (Slavisches Seminar) an der Freien Universität Berlin. 9.). – Schildert die bewußte Angleichung Kiews an Konstantinopel und Jerusalem.

596. *Philokalia ton hieron Neptikon.* Syneranistheisa para ton Hagion kai Theophoron Pateron hemon en he Dia tes kata ten Praxin kai Theorian Ethikes Philosophias ho nus kathairetai, photizetai, kai teleiutai. Epimeleia men hoti pleiste diorthotheisa. Nyn de proton typois ekdotheisa dia dapanes tu timiotatu kai theosebestatu Kyriu *Ioannu Maurogordatu* eis koinen ton Orthodoxon opheleian. ,apspb' Enetiesin. Venedig: Antonio Bortoli 1782. – Am Schluß des Bandes S. 1207 die Druckerlaubnis der Riformatori dello Studio di Padova vom 13. Okt. 1781: Die Philokalie enthalte nichts contro la Santa Fede Cattolica und dürfe gegen Ablieferung der solite Copie alle Pubbliche Librarie di Venezia, e di Padova gedruckt werden. Ich habe das Exemplar der Landesbibliothek Stuttgart benutzt (Signatur Theol. fol. 1352). Ein weiteres Exemplar im Britischen Museum siehe Lit. Verz. Nr. 89. Weitere Bibliotheken, welche die Originalausgabe der Philokalie besitzen, verzeichnet *Legrand,* Lit. Verz. Nr. 435. Der vollständige Titel in moderner griechischer Schrift findet sich in Dictionnaire de Théologie Catholique (Lit. Verz. Nr. 145) Bd. 9, 1451 und bei *Schmidt,* Das geistige Gebet (Lit. Verz. Nr. 681.) S. 10–11 (bis teleiutai). Der Originaltitel in Faksimile findet sich bei *Kadloubovsky,* Writings from the Philokalia (Lit. Verz. Nr. 164) nach S. 8 und in *Philokalia,* 3. Aufl. Bd. 1, Athen 1957 (Lit. Verz. Nr. 600) nach dem Titel.

– Writings from the Philokalia siehe Lit. Verz. Nr. 164.

597. – Petite Philocalie de la Prière du Coeur. Traduite et présentée par *Jean Gouillard.* Paris: Éditions des Cahiers du Sud 1953. (Documents spirituels. 5.). – Hier S. 317–336: „Appendice: Une Technique Soufie de la Prière du Coeur." Diese französische Übersetzung eines Auszuges aus *al-Nakshbandī,* Tanwīr al-ḳulūb (siehe darüber Encyclopaedia of Islam 2, Leiden [2]1965, 226) hat nach S. 317 Anm. 1 ein ungenannter théologien musulman angefertigt. – Deutsche Übersetzung: Lit. Verz. Nr. 599.

– Early Fathers from the Philokalia siehe Lit. Verz. Nr. 165.

598. – Kleine Philokalie. Belehrungen der Mönchsväter der Ostkirche über das Gebet. Ausgewählt und übersetzt von *Matthias Dietz.* Eingeleitet von *Igor Smolitsch.* Einsiedeln–Zürich–Köln: Benziger 1956.

599. – Kleine Philokalie zum Gebet des Herzens. Herausgegeben von *Jean Gouillard.* Zürich: Thomas Verlag 1957. – Deutsche Übersetzung von Lit. Verz. Nr. 597 von *James Schwarzenbach.*

600. – Philokalia ton Hieron Neptikon syneranisthcisa para ton hagion kai theophoron pateron hemon en he dia tes kata ten praxin kai theorian ethikes philosophias ho nus kathairetai, photizetai kai teleiutai kai eis hen prosetethesan ta ek tes en Benetia ekdoseos elleiponta kephalaia tu makariu Patriarchu *Kallistu* nyn to triton ekdidomene. Bd. 1–5. Athen: Astir 1957. 1958. 1960. 1961. 1963. – (= 3. Auflage der *Philokalia).* In Bd. 4, 1961, 91–196 finden sich sechs Schriften des *Gregor Palamas* (vgl. Lit. Verz. Nr. 577). In Bd. 4, 1961, 197–295 findet sich die Methodos kai Kanon des *Kallist und Ignatius* (Lit. Verz. Nr. 371). In Bd. 5, 1963, 113–367 findet sich ein Register der Namen und Begriffe sowie 369–390 ein Verzeichnis der Bibelstellen. – Ich habe das Exemplar der Freien Universität Berlin, Signatur 12 B 243 [3] 1–5 benutzt.

601. *van der Ploeg, J.:* Un traité Nestorien du culte de la Croix. In: Le Muséon 56 (Löwen 1943) 115–127.

602. *Plutarch:* An einen ununterrichteten Fürsten. In: Moralische Schriften. 3: Politische Schriften. Deutsch von *Otto Apelt.* Leipzig: Felix Meiner 1927. (Philosophische Bibliothek. 206.).

603. *Podskalsky, Gerhard:* Gott ist Licht. Zur Gotteserfahrung in der griechischen Theologie und Mystik. In: Geist und Leben. Zeitschrift für Aszese und Mystik. 39 (Würzburg 1966) 201–214.

604. *Pohlenz, Max:* Die Stoa. Geschichte einer geistigen Bewegung. Bd. 1–2. Göttingen 1948–1949. – Bd. 2 Erläuterungen enthält die Belege.

605. *Poliak, A. N.:* L'Arabisation de l'Orient Sémitique. In: Revue des Études Islamiques 1938 (Paris) 35–63.

606. *Porret, Eugène:* Nikolaj Berdjajew und die christliche Philosophie in Rußland. Heidelberg: Kerle 1950. (La Philosophie chrétienne en Russie, Nicolas Berdiaeff. Deutsche Übersetzung von *Harald Violet.).* – Literaturverzeichnis auf S. 215–221.

607. *Potthast, August:* Bibliotheca Historica Medii Aevi. Wegweiser durch die Geschichtswerke des Europäischen Mittelalters bis 1500. – Vollständiges Inhaltsverzeichnis zu „Acta Sanctorum" Boll. – Bouquet – *Migne* – Monum. Germ. Hist. – Muratori – Rerum Britann. Scriptores etc. Anhang: Quellenkunde für die Geschichte der europäischen Staaten während des Mittelalters. Bd. 1–2. 2. Aufl. Berlin 1896. Nachdruck Graz 1957. – Die Quellenkunde im Anhang umfaßt auch Böhmen, Ungarn, Polen, Rußland, Dalmatien, Türkei, Juden und Hunnen. Russische Chroniken s. v. *Letopis'* 1, 721; Vitae Constantini-Cyrilli 2, 1261 bis 1262.

608. *Praetorius, Franz:* Aethiopische Grammatik mit Paradigmen, Litteratur, Chrestomathie und Glossar. New York: Ungar 1955. – Reprint. Vgl. Lit. Verz. Nr. 112 *(Chaine)* und 493 *(Mercer)*. Gute Anfänger-Grammatik; beruht auf *Dillmann* (Lit. Verz. Nr. 150.).

609. *Preuschen, Erwin:* Mönchtum und Sarapiskult. Eine religionsgeschichtliche Abhandlung. 2., vielfach berichtigte Ausgabe. Gießen: Ricker 1903. – Zuerst Programm Darmstadt 1899. – Mönchtum und Sarapiskult haben nichts miteinander zu tun.

610. *La Prière de Jésus.* Sa genèse et son développement dans la tradition religieuse byzantino-slave. In: Irénikon 20 (Chevetogne 1947), Heft 3, S. 249–273; Heft 4, S. 381–421. – Anonym. Unterschrift: *Un Moine de l'Église d'Orient.* Als Sonderdruck [2]1951. [3]1959. – Vgl. Lit. Verz. Nr. 129.

611. – Un Moine de l'Église d'Orient: La Prière de Jésus. Sa Genèse, son Développement et sa Pratique dans la Tradition religieuse Byzantino-Slave. 4e Édition considérablement augmentée. Chevetogne 1963. – Wertvolle Anmerkungen S. 115–135.

Puech, Henri-Charles siehe Kosmas Presbyter, Lit. Verz. Nr. 408.

612. *Randa, Alexander* (Hrsg.): Handbuch der Weltgeschichte. Bd. 1–4. Olten und Freiburg i. Br.: Walter [2]1958. – Hier 789–984: Die Welt des Ostchristentums.

613. *von Rauch, Georg:* Frühe christliche Spuren in Rußland. In: Saeculum. Jahrbuch für Universalgeschichte. 7 (Freiburg i. Br. 1956) 40–67.

614. *Realencyklopädie für protestantische Theologie und Kirche.* 3. Aufl., hrsg. von *Albert Hauck.* Bd. 1–24. Leipzig 1896–1913.

615. *Realenzyklopädie Pauly. (August) Paulys* Real-Encyklopädie der classischen Altertumswissenschaft. Neue Bearb. Hrsg. von *Georg Wissowa.* Stuttgart: Metzler 1894 ff. – Hier 1. Reihe 11. Halbband (Stuttgart 1907) 1370–1439 *Eduard Schwartz,* Eusebios von Caesarea (vgl. Lit. Verz. Nr. 693).

616. *Reallexikon der Byzantinistik.* Hrsg. von *Peter Wirth.* Amsterdam: Hakkert 1968 ff.

617. *Reallexikon für Antike und Christentum.* Sachwörterbuch zur Auseinandersetzung des Christentums mit der antiken Welt. Hrsg. von *Theodor Klauser.* Bd. 1 ff. Stuttgart: Hiersemann 1950 ff.

618. *Reallexikon zur byzantinischen Kunst.* Hrsg. von *Klaus Wessel* unter Mitwirkung von *Marcell Restle.* Stuttgart: Hiersemann 1963 ff.

619. *Regeln für die alphabetische Katalogisierung in Wissenschaftlichen Bibliotheken.* Zweiter, unveränderter Nachdruck der Instruktionen für die Alphabetischen Kataloge der Preußischen Bibliotheken. Leipzig: Harrassowitz 1955. – „Preußische Instruktion."

620. *Rehm, Bernhard:* Bardesanes in den Pseudoclementinen. In: Philologus. Zeitschrift für das klassische Altertum 93 (Leipzig 1938) 218–247.

621. *Reitzenstein, Richard:* Historia Monachorum und Historia Lausiaca. Eine Studie zur Geschichte des Mönchtums und der frühchristlichen Begriffe Gnostiker und Pneumatiker. Göttingen 1916.

622. – Die hellenistischen Mysterienreligionen nach ihren Grundgedanken und Wirkungen. Leipzig [3]1927. Nachdruck Darmstadt 1956.

623. *Die Religion in Geschichte und Gegenwart.* Handwörterbuch für Theologie und Religionswissenschaft. 3. Aufl. Bd. 1–6 und Reg. Bd. Tübingen 1957–1965.

624. *Rice, David Talbot:* Morgen des Abendlandes. Von der Antike zum Mittelalter. München: Knaur 1965. (Aus dem Englischen von *Liselotte Waterkamp* und *Roland Machatschke.*). – Mit 675 Abbildungen, 475 Fotos, Darstellungen, Karten und Zeittafeln.

625. – Constantinople. Byzantium – Istanbul. Text by *David Talbot Rice*. Photographs by *Wim Swaan*. London: Elek Books 1965. – Bibliographie S. 207–208. Architekturgeschichte. Deutsch von *Hildegard von Barloewen* unter dem Titel „Konstantinopel. Goldene Stadt am Bosporos“. Frankfurt am Main: Umschau 1966.

626. *Richard, Marcel:* La Tradition des Fragments du Traité Peri tes Enanthropeseos de Théodore de Mopsueste. In: Le Muséon 56 (Löwen 1943) 55–75. – Dazu *Vosté*, Lit. Verz. Nr. 786.

627. *Richter, Gerhard:* Die Dialektik des Johannes von Damaskos. Eine Untersuchung des Textes nach seinen Quellen und seiner Bedeutung. Ettal 1964. (Studia Patristica et Byzantina. 10.).

628. *Riedinger, Utto:* Die Heilige Schrift im Kampf der griechischen Kirche gegen die Astrologie. Von Origenes bis Johannes von Damaskus. Studien zur Dogmengeschichte und zur Geschichte der Astrologie. Innsbruck 1956.

629. *Riesenfeld, Harald and Blenda:* Repertorium Lexicographicum Graecum. A Catalogue of Indexes and Dictionaries to Greek Authors. Stockholm: Almquist 1954. (Coniectanea Neotestamentica. 14.). – Umfaßt die griechische Literatur vom Anfang bis zum Ende der byzantinischen Zeit.

Robinson, A. N. siehe Awwakum, Lit. Verz. Nr. 31.

630. *Robinson, Nalbro' Frazier:* Monasticism in the Orthodox Churches. Being an Introduction to the Study of modern Hellenic and Slavonic Monachism and the Orthodox Profession Rites, together with a Greek Dissertation on the Monastic Habit, done into English, with Notes. 12 Illustrations. London: Cope and Fenwick 1916. – Hier S. 127–140: A Dissertation on the Monastic Habit by *Nicodemus Hagiorites*. Vgl. Lit. Verz. Nr. 556.

631. *Roques, René* u. a.: Contemplation chez les Grecs et Autres Orientaux Chrétiens. In: Dictionnaire de Spiritualité (Lit. Verz. Nr. 144) 2, Paris 1953, 1762 bis 1911.

632. – L'Univers Dionysien. Structure Hiérarchique du Monde selon le Pseudo-Denys. Paris: Aubier 1954. (Théologie. 29.). – „Bibliographie“ S. 7–28.

633. *Rosenthal, Franz:* Die aramaistische Forschung seit Th. Nöldeke's Veröffentlichungen. Leiden: Brill 1939. Reprint Leiden 1964.

634. – Das Fortleben der Antike im Islam. Zürich: Artemis 1965.

635. – An Aramaic Handbook. Part I/1–II/1: Texts. Part II/2: Glossary. Wiesbaden: Harrassowitz 1967. (Porta Linguarum Orientalium. 10.).

Rubruk siehe Wilhelm von Rubruk, Lit. Verz. Nr. 815–816.

636. *Runciman, Steven:* A History of the First Bulgarian Empire. London: Bell 1930. – Mit „Bibliography“ auf S. 307–323 und 1 Karte „Bulgaria at the time of the First Empire“.

637. – The Medieval Manichee. A Study of the Christian Dualist Heresy. Cambridge: University Press 1947. Reprint 1955.

638. – The Fall of Constantinople 1453. Cambridge: University Press 1965. – „Principal Sources“ S. 192–198; „Bibliography“ S. 236–245. Deutsche Übersetzung von *Peter de Mendelssohn* unter dem Titel „Die Eroberung von Konstantinopel 1453“, München: Beck 1966. Dazu die Besprechung von *Bertold Spuler* in: Der Islam 42 (Berlin 1966): Bequemes Übersichtswerk; die von Runciman gebrachten diakritischen Zeichen jagen dem Leser ein leises Schaudern ein.

639. – The Great Church in Captivity. A Study of the Patriarchate of Constantinople from the Eve of the Turkish Conquest to the Greek War of Independence. Cambridge: University Press 1968. – „Bibliography“ S. 413–434.

Russische Mystik siehe *von Walter*, Lit. Verz. Nr. 797.

640. *Šachmatov, A. A.:* Obozrenie Russkich Letopisnych Svodov XIV–XVI vv. Moskau und Leningrad: Izd. Akademii Nauk SSSR 1938. Unveränderter Nachdruck Düsseldorf: Brücken-Verlag 1968. (Slavica-Reprint Nr. 8.). – Quellenkunde zur russischen Kirchengeschichte.

641. *Sadnik, Linda,* und *Rudolf Aitzetmüller:* Handwörterbuch zu den altkirchenslavischen Texten. Heidelberg: Winter 1955. (Indogermanische Bibliothek.). – Literaturnachweise S. XI–XVIII.

642. *Salaville, Sévérin:* Formes ou Méthodes de Prière d'après un Byzantin du XIVe Siècle, Théolepte de Philadelphie. In: Échos d'Orient 39 (Bukarest 1940) 1–25.

643. – De la Spiritualité patristique et byzantine à la Théologie russe. In: Revue des Etudes Byzantines 3 (1945) 215–244.

644. *Samilov, M.:* Das glagolitische Alphabet. In: Das heidnische und christliche Slaventum (Lit. Verz. Nr. 306) 2, 1970, 98–104.

Scupoli, Lorenzo siehe *Theophan Govorov,* Lit. Verz. Nr. 729.

645. *Segal, Judah Ben-Zion:* Edessa „The Blessed City". Oxford: Clarendon 1970. – Behandelt die Geschichte der Stadt Edessa bis 1146 A. D. „Select Bibliography" S. 265–289.

646. *Semmelroth, Otto:* Das ausstrahlende und emporziehende Licht. Die Theologie des Pseudo-Dionysius Areopagita in systematischer Darstellung. Diss. theol. Bonn 1947. (Masch. schr.).

Šenute siehe Sinuthius, Lit. Verz. Nr. 651.

647. *Sergheraert, G. (Christian Gérard):* Syméon le Grand (893–927). Paris: Maisonneuve 1960. – „Bibliographie" S. 173–193. Hier S. 98–115 über die bulgarische Literatur im Zeitalter Symeons.

648. *Seton-Watson, Robert William:* A History of the Roumanians from Roman Times to the Completion of Unity. London: Cambridge Univ.-Pr. 1934. Reprint New York: Archon Books 1963.

649. *Ševčenko, Ihor:* A neglected Byzantine Source of Muscovite Political Ideology. In: Harvard Slavic Studies 2 (Cambridge, Massachusetts 1954) 141–179. – Der byzantinische Diakon Agapet (*Migne,* PG 86, 1) war mit seinem Fürstenspiegel eine wichtige Quelle für die moskowitische Staatsideologie.

650. *Sherwood, Polycarpe:* Sergius of Reshaina and the Syriac Versions of the Pseudo-Denis. In: Sacris Erudiri 4 (1952) 174–184. – Vgl. *Hornus,* Lit. Verz. Nr. 323.

651. *Sinuthius Archimandrita:* Vita et opera omnia. Ed. et trad. *Johannes Leipoldt, W. E. Crum, H. Wiesmann.* 6 Bde. Paris und Löwen 1906–1951. (Corpus Scriptorum Christianorum Orientalium. 41. 42. 73. 96. 108. 129.). – Vgl. *Leipoldt,* Schenute von Atripe, Lit. Verz. Nr. 436.

652. *Skrobucha, Heinz:* Sinai. Mit Aufnahmen von *George W. Allan.* Olten und Lausanne: Urs Graf 1959. (Stätten des Geistes.). – „Quellenangaben" S. 43–48. Über Nilus Sinaita 36–38, Johannes Klimakus 43–48, Gregorius Sinaita 49–58.

653. *Smolitsch (Smolič), Igor (Kornil'evič):* Leben und Lehre der Starzen. Wien: Hegner 1936. [2]1952. – Hier S. 119–126: *P. Veličkovskij,* An die Gegner und Verleumder des Geistigen Gebets (Lit. Verz. Nr. 764); S. 186–191: *Th. Govorov,* Ein Brief über das Gebet in der Kirche (Lit. Verz. Nr. 726).

654. – Russisches Mönchtum. Entstehung, Entwicklung und Wesen 988–1917. Würzburg: Augustinus-Verlag 1953. (Das östliche Christentum. N. F. 10/11.). – Umfangreiches Quellen- und Literaturverzeichnis S. 9–43.

– Kleine Philokalie. 1956. Siehe Lit. Verz. Nr. 598.

655. – Geschichte der russischen Kirche 1700–1917. 1. Bd. Leiden: Brill 1964. (Studien zur Geschichte Osteuropas. 9, 1.). – Umfangreiches Quellen- und Literaturverzeichnis S. XV–LIII.

656. *Solta, Georg Renatus:* Die armenische Sprache. In: Handbuch der Orientalistik (Lit. Verz. Nr. 286) 1. Abt. Bd. 7, Leiden 1963, 80–128.
657. *Sophocles, Evangelinus Apostolides:* Greek Lexicon of the Roman and Byzantine Periods (From B. C. 146 to A. D. 1100). Bd. 1–2. 2. Aufl. Cambridge, Mass. 1870. [3]1887. Memorial Edition, ed. by *J. H. Thayer*. New York: Scribner 1893. London 1914. Reprint: New York: Frederick Ungar 1957.
658. *Sovetskaja Istoričeskaja Ènciklopedija.* Bd. 1 ff. Moskau 1961 ff. – Die Artikel enthalten gute Literaturangaben.
Speck, Paul (Hrsg. und Übers.) siehe Theodor von Studion, Lit. Verz. Nr. 722.
659. *Špidlík, Thomas:* Joseph de Volokolamsk. Un Chapitre de la Spiritualité Russe. Rom: Pont. Inst. Or. Stud. 1956. (Orientalia Christiana Analecta. 146.).
660. – Grégoire de Nazianze. Introduction à l'étude de sa doctrine spirituelle. Rom: Pont. Inst. Stud. Or. 1971. (Orientalia Christiana Analecta. 189.).
661. *Spiegelberg, Wilhelm:* Koptisches Handwörterbuch. Heidelberg: Winter 1921. – Vgl. Lit. Verz. Nr. 808.
662. *Spuler, Bertold:* Die Mongolen in Iran. Politik, Verwaltung und Kultur der Ilchanzeit 1220–1350. Mit einer Karte. Leipzig 1939. (Iranische Forschungen, hrsg. von *Hans Heinrich Schaeder*. 1). 2., erweiterte Aufl. Berlin: Akademie-Verlag 1955. – Mit einer umfangreichen Übersicht über die Quellen und die Literatur.
663. – Die Goldene Horde. Die Mongolen in Rußland 1223–1502. Leipzig: Harrassowitz 1943. 2., erweiterte Aufl. 1965. – Hier S. 455–516 eine vorzügliche Übersicht über die Quellen und die Literatur zur mittelalterlichen Geschichte Ost- und Südosteuropas.
664. – Geschichte der islamischen Länder. Leiden: Brill. 1. Die Chalifenzeit. Entstehung und Zerfall des islamischen Weltreiches. (Mit 6 Karten). 1952. 2. Die Mongolenzeit. 1953. (Handbuch der Orientalistik, 1. Abt. Bd. 6, Lit. Verz. Nr. 286.).
665. – Regenten und Regierungen der Welt. Teil 2: 1492–1953. Bielefeld: Ploetz 1953.
666. – Ausbreitung der semitischen Sprachen. In: Handbuch der Orientalistik (Lit. Verz. Nr. 286) 1. Abt. Bd. 3, Semitistik, Leiden 1953, 25–31.
667. – Die Ausbreitung der arabischen Sprache. In: Handbuch der Orientalistik (Lit. Verz. Nr. 286) 1. Abt. Bd. 3, Semitistik, Leiden 1954, 245–252.
668. – Volkstum und Kirche in der orientalischen Welt. In: Kirche im Osten 3 (Stuttgart 1960) 9–20.
669. – Die Morgenländischen Kirchen. Leiden: Brill 1961. (Handbuch der Orientalistik. 1. Abt. Bd. 8.). – Bietet umfangreiche Literaturangaben zu allen orientalischen Kirchen. Auch als selbständige Monographie erschienen.
670. – Gegenwartslage der Ostkirchen in ihrer nationalen und staatlichen Umwelt. Zweite, bis zur Gegenwart ergänzte Auflage. Frankfurt am Main: Metopen-Verlag 1968. – Umfangreiche Bibliographie S. 373–392; auf S. 392 ein Verzeichnis von Zeitschriften, die regelmäßig oder häufig über die Ostkirchen berichten, darunter die Internationale Kirchliche Zeitschrift. Bern, in der *Bertold Spuler* in halbjährigem Abstand über die neueste Entwicklung der Ostkirchen mit Quellenbelegen berichtet und die neueste Literatur einschließlich der Zeitschriftenaufsätze verzeichnet. Erklärung orthodoxer Fachausdrücke S. 393–397. Liste der Hierarchen der östlichen Kirchen seit 1917/18 auf S. 349–371. Umfangreiche Register.
– (Hrsg.) siehe Handbuch der Orientalistik, Lit. Verz. Nr. 286; (Bearb.) siehe *Wüstenfeld-Mahler*, Lit. Verz. Nr. 823.

671. *Spunda, Franz:* Griechische Mönche. München: Georg Müller 1928. (Religio. Religiöse Gestalten und Strömungen.). – Enthält viele liturgische Texte in deutscher Übersetzung.

672. *Sreznevskij, Izmail Ivanovič:* Materialy dlja slovarja drevnerusskago jazyka po pis'mennym pamjatnikam *I. I. Sreznevskago.* Photomechan. Nachdruck der Ausgabe Petersburg 1893. T. 1–3 (Nebst) Dopolnenija. Graz: Akad. Druck- und Verlagsanstalt 1955–1956.

673. *Sullivan, Francis A.:* The Christology of Theodore of Mopsuestia. Rom 1956. (Analecta Gregoriana. 82.). – „Bibliography" S. 289–295.

674. *Sweetman, J. Windrow:* Islam and Christian Theology. A Study of the Interpretation of Theological Ideas in the two Religions. Bd. 1–4. London: Lutterworth 1945–1967. (Missionary Research Series. 6.).

Symeon der Neue Theologe siehe Lit. Verz. Nr. 296.

675. *Synesius von Kyrene:* Le Discours sur la Royauté de Synésios de Cyrène à l'empereur Arcadios. Traduction nouvelle avec Introduction, Notes et Commentaire. Par *Christian Lacombrade.* Paris 1951.

676. *Schaeder, Hans Heinrich:* Bardesanes von Edessa in der Überlieferung der griechischen und der syrischen Kirche. In: Zeitschrift für Kirchengeschichte 51 (1932) 21–74. – Hier S. 74 eine Vergleichstabelle zu Ephräms Hymnen ed. *Nau* und ed. *Rücker.*

677. *Schaeder, Hildegard:* Moskau das Dritte Rom. Studien zur Geschichte der politischen Theorien in der slawischen Welt. Hamburg 1929. 2. und 3. unveränderte Aufl. Darmstadt 1957 und 1963. – 1. Aufl. = Osteuropäische Studien Bd. 1. – Hier S. 172–197 „Quellen und Literatur".

678. – Die Christianisierung der Aristotelischen Logik in der byzantinischen Theologie, repräsentiert durch Johannes von Damaskus (gest. ca. 750) und Gregor Palamas (gest. ca. 1359). In: Kerygma und Dogma 8 (Göttingen 1962) 293 bis 309.

679. *Scheibert, Peter:* Die Petersburger religiös-philosophischen Zusammenkünfte von 1902 und 1903. In: Jahrbücher für Geschichte Osteuropas. N. F. Bd. 12. Jahrgang 1964, Heft 4, Februar 1965, Wiesbaden: Harrassowitz, S. 513–560. – Wichtig für die russische Laientheologie des 19./20. Jahrhunderts. Umfangreiche Literaturangaben.

680. *Schmaus, Alois:* Der Neumanichäismus auf dem Balkan. In: Saeculum. Jahrbuch für Universalgeschichte 2 (Freiburg i. Br. 1951) 271–299. – Forschungsbericht. S. 297–299 ein Verzeichnis des seit 1930 erschienenen Schrifttums. Dazu *Werner,* Theophilos-Bogumil, Lit. Verz. Nr. 806.

681. *Schmidt, Bernhard:* Das geistige Gebet (He noera proseuche). Eine Untersuchung zur Geschichte der griechischen Mystik. Halle 1916: Karras. (Diss. ev. theol. Breslau 1916, Teildruck, 35 S.). – Vgl. Lit. Verz. Nr. 596.

682. *Schneider, Alfons Maria:* Healo he Polis. In: Oriens 6 (Leiden 1953) 1–9.

683. *Schramm, Percy Ernst:* Herrschaftszeichen und Staatssymbolik. Beiträge zu ihrer Geschichte vom dritten bis zum sechzehnten Jahrhundert. Mit Beiträgen verschiedener Verfasser. Bd. 1–3 (fortlaufend paginiert). Stuttgart: Hiersemann 1954–1956. (Schriften der Monumenta Germaniae Historica. 13, 1–3.).

684. *Schultz, Lothar:* Russische Rechtsgeschichte von den Anfängen bis zur Gegenwart einschließlich des Rechts der Sowjetunion. Lahr 1951. (Juristische Handbibliothek).

685. *Schultze, Bernhard:* La Nuova Soteriologia Russa. In: Orientalia Christiana Periodica 9 (Rom 1943) 406–430; 11 (Rom 1945) 165–215; 12 (Rom 1946) 130–176.

686. – Zwei Arten neurussischer Mystik. In: Geist und Leben 20 (1947) 289–305. – Behandelt Losskij und Zander.

687. – Russische Denker. Ihre Stellung zu Christus, Kirche und Papsttum. Wien: Herder 1950.

688. – Der Streit um die Göttlichkeit des Namens Jesu in der russischen Theologie. In: Orientalia Christiana Periodica 17 (Rom 1951) 321–394. – „Bibliographie" S. 393–394.

689. – Die Bedeutung des Palamismus in der russischen Theologie der Gegenwart. In: Scholastik. Vierteljahresschrift für Theologie und Philosophie 26 (Freiburg i. Br. 1951) 390–412. – Reichhaltige Literaturangaben.

690. – Untersuchungen über das Jesus-Gebet. In: Orientalia Christiana Periodica 18 (Rom 1952) 319–343.

691. – Auf den Bergen des Kaukasus. In: *Bernhard Schultze* und *Johannes Chrysostomus:* Die Glaubenswelt der orthodoxen Kirche. Salzburg: Otto Müller 1961. (Reihe Wort und Antwort. 26.), S. 86–107 und Anmerkungen S. 235 bis 237.

692. – Maksim Grek als Theologe. Rom: Pont. Inst. Or. Stud. 1963. (Orientalia Christiana Analecta. 167.). – Über Maksims hesychastischen Palamismus S. 185–201.

693. *Schwartz, Eduard:* Griechische Geschichtschreiber. Leipzig: Koehler und Amelang 1959. – Hier S. 495–598: Eusebios von Cäsarea (= *Pauly* 6). – Vgl. Lit. Verz. Nr. 615.

Schwarzenbach, James (Übers.) siehe Lit. Verz. Nr. 599.

694. *Stavrianos, L. S.:* The Balkans since 1453. New York: Holt 1958. [3]1961. – Ausgezeichnete Bibliographie S. 873–946.

695. *Steidle, Basilius:* Die Tränen, ein mystisches Problem im alten Mönchtum. In: Benediktinische Monatsschrift 20 (Beuron 1938) 181–187.

696. *Stein, Ernest:* Nubie chrétienne. In: Revue d'Histoire Ecclésiastique 36 (Löwen 1940) 131–142.

697. *Steindorff, Georg:* Koptische Grammatik mit Chrestomathie, Wörterverzeichnis und Literatur. Berlin: Reuther und Reichard 1894. (Porta Linguarum Orientalium. 14.). – Auch Berlin [2]1904; [3]1930.

698. – Kurzer Abriß der koptischen Grammatik. Mit Lesestücken und Wörterverzeichnis. Berlin: Reuther und Reichard 1921. 2. Aufl. Leiden 1951. Nachdruck Hildesheim: Olms 1964.

699. – Lehrbuch der koptischen Grammatik. Chicago: University Press 1951. – „Literatur" S. 247–250.

700. *Steinschneider, Moritz:* Polemische und apologetische Literatur in arabischer Sprache, zwischen Muslimen, Christen und Juden, nebst Anhängen verwandten Inhalts. Mit Benutzung handschriftlicher Quellen. Leipzig 1877. Reprint: Kraus, Nendeln, Liechtenstein 1966. (Abhandlungen für die Kunde des Morgenlandes. 6, 3.).

701. *Stender-Petersen, Adolf:* Geschichte der russischen Literatur. Bd. 1–2. München: Beck 1957. – „Literaturhinweise" in Bd. 1, 438–462; Bd. 2, 544–572.

Steyer, Curt (Übers.) siehe Lit. Verz. Nr. 44, 1. Fundament.

702. *Stiglmayr, Joseph:* Bilder und Vergleiche aus dem byzantinischen Hofleben in den Homilien des Makarius. In: Stimmen aus Maria Laach. Katholische Blätter 80 (Freiburg i. Br. 1911) 414–427.

703. *Stone, Michael E.:* The Apocryphical Literature in the Armenian Tradition. Jerusalem 1969. (The Israel Academy of Sciences and Humanities. Proceedings. 4, 4.).

704. *Stourdza, Alexandre A. C.:* L'Europe Orientale et le Role Historique des Maurocordato 1660–1830. Avec un Appendice contenant des Actes et Documents Historiques et Diplomatiques Inédits. Paris: Plon-Nourrit 1913. – Mit 1 genealogischen Tafel, umfangreichen Literaturangaben und 128 Abbildungen.
705. *Streit, Carolus:* Atlas Hierarchicus. Descriptio Geographica et Statistica Sanctae Romanae Ecclesiae tum Occidentis cum Orientis juxta Statum praesentem. Accedunt nonnullae Notae historicae necnon ethnographicae. Editio secunda. Paderborn: Bonifaciana 1929.
706. *Tailliez, Frédéric:* Basilike Hodos. Les Valeurs d'un Terme Mystique et le Prix de son Histoire Littéraire. In: Miscellanea Guillaume de Jerphanion I. Orientalia Christiana Periodica (Rom 1947) 299–354.
Tarchnišvili, Michael (Bearb.) siehe Lit. Verz. Nr. 387.
707. *Tatian.* Vetus Evangelium Syrorum et exinde excerptum Diatessaron Tatiani. Ed. *I. Ortiz de Urbina.* Madrid 1967. (Biblia Polyglotta Matritensia. 6.). – Erste geschlossene Ausgabe der syrischen Fragmente von Tatians Diatessaron; die Fragmente finden sich S. 207–299. Siehe dazu *Molitor,* Lit. Verz. Nr. 517 und vgl. Lit. Verz. Nr. 195–196; 201.
708. *Tavard, G.:* Die Engel. In: *Michael Schmaus,* Handbuch der Dogmengeschichte, Freiburg: Herder 1951 ff., Bd. II, 2b. – Hier 79–87 die Angelologie der Ostkirchen.
709. *Theodor von Mopsuestia:* Commentarius in Duodecim Prophetas Minores. In: *Migne,* Patrologia Graeca 66, Paris 1864, 105–632. – Griechisch-lateinisch.
710. – Fragmenta Dogmatica. In: *Migne,* Patrologia Graeca 66, Paris 1864, 969–1020. – Hier 969–994: Ex Libris de Incarnatione Filii Dei. (Griechisch-lateinisch); 1005–1012: Ex Libro Contra Defensores Peccati Originalis. (Lateinisch).
711. – (Die von ostsyrischen Synoden approbierten theologischen Lehrsätze des Theodor von Mopsuestia in syrischer Sprache mit französischer Übersetzung). In: *Chabot,* Synodicon Orientale, Paris 1902, Lit. Verz. Nr. 110.
712. – Controverse avec les Macédoniens. Ed. et trad. *F. Nau.* In: Patrologia Orientalis 9, Fasc. 5, Paris 1913, 633–667. – Disput mit den Pneumatomachen, d. h. den Anhängern des Patriarchen Makedonius I. von Konstantinopel (342–360 A. D.) über den Ausgang des Heiligen Geistes (um 392 A. D. in Anazarbus.). Syrisch-französisch.
713. – Commentary on the Nicene Creed. Edited and translated by *A. Mingana.* Cambridge 1932. (Woodbrooke Studies. 5.). – Syrisch-englisch.
714. – Commentary on the Lord's Prayer and on the Sacraments of Baptism and the Eucharist. Edited and translated by *A. Mingana.* Cambridge 1933. (Woodbrooke Studies. 6.). – Syrisch-englisch.
715. – Commentarius in Evangelium Iohannis Apostoli. Bd. 1–2. Ed. et trad. *I.-M. Vosté.* Löwen 1940. (Corpus Scriptorum Christianorum Orientalium. 115. 116.). – Syrisch-lateinisch.
716. – Les Homélies Catechétiques de Théodore de Mopsueste. Reproduction Phototypique du MS. Mingana Syr. 561 (Selly Oak Colleges' Library, Birmingham). Traduction, Introduction, Index par *Raymond Tonneau* et *Robert Devreesse.* Città del Vaticano 1949. (Studi e Testi. 145.). – Syrisch-französisch.
717. – Contra Eunomium. Fragment. Syrisch-deutsch. Siehe Lit. Verz. Nr. 1. – (Über das Prosopon Christi.). – Vgl. Lit. Verz. Nr. 626.
718. *Theodor von Studion:* S. P. N. Theodori Studitae Opera Omnia. In: *Migne,* Patrologia Graeca 99, Paris 1860.
– (Kleine Katechese). Sancti Patris et Confessoris Theodori, Studitarum Praefecti, ad Discipulos Catechesis, quatuor et triginta supra centum Sermones

complectens. In: *Migne,* Patrologia Graeca 99, Paris 1860, 509–688. – Lateinisch; nur einzelnes auch griechisch.

719. – (Kleine und Große Katechese). Sermones Parvae Catecheseos. In: Novae Patrum Bibliothecae ab *Ang. Card. Maio* Collectae Tomus Nonus. Editus a *Iosepho Cozza-Luzi.* Complectens in parte prima et secunda S. Patris Nostri Theodori Studitae parvae et magnae Catecheseos Sermones. Pars 1, Rom 1888, 1–318. Sermones Magnae Catecheseos ebenda Pars 2, Rom 1888, 1–217. – Griechisch-lateinisch.

720. – Podvižničeskija Monacham Nastavlenija. In: *Dobrotoljubie* (Lit. Verz. Nr. 163) Bd. 4, Moskva 1889, 9–653. – Dieser 4. Band des Dobrotoljubie enthält nur Werke des Theodor von Studion. – Moskau, Lenin-Bibliothek, Signatur M 101/59.

721. – Sancti Patris nostri et Confessoris Theodori, Studitis Praepositi, Parva Catechesis. Graecum Textum et Latinam *J. Harduini* Interpretationem nondum vulgatam edidit *Emmanuel Auvray* et Annotatione Historica instruxit *A. Tougard.* Paris: Lecoffre 1891.

722. – Theodoros Studites. Jamben auf verschiedene Gegenstände. Einleitung, kritischer Text, Übersetzung und Kommentar besorgt von *Paul Speck.* Berlin: de Gruyter 1968. (Supplementa Byzantina. 1.). – Hier S. XII–XX die gesamte neuere Literatur über Theodor von Studion.

723. *Théologie de la Vie monastique.* Études sur la Tradition patristique. Paris 1961. (Théologie. 49.). – Hier S. 99–113: *Jean Gribomont,* Saint Basile (Lit. Verz. Nr. 263); S. 423–436: *Julien Leroy,* Saint Théodore Studite (Lit. Verz. Nr. 445.).

724. *Theologisches Wörterbuch zum Neuen Testament.* Begründet von *Gerhard Kittel.* Hrsg. von *Gerhard Friedrich.* Bd. 1–9. Stuttgart: Kohlhammer 1933–1971.

725. *Theophan Govorov:* Vstuplenie. In: Dobrotoljubie (Lit. Verz. Nr. 163) Bd. 1, Sanktpeterburg: N. A. Lebedev 1877, S. I–VI. – Vgl. Lit. Verz. Nr. 730.

726. – Ein Brief über das Gebet in der Kirche. Deutsch in: *Igor Smolitsch,* Leben und Lehre der Starzen (Lit. Verz. Nr. 653) 186–191.

727. – Vom geistlichen Leben und von der Einstellung auf dasselbe. Deutsch in: *Nicolai von Bubnoff,* Russische Frömmigkeit (Lit. Verz. Nr. 96) 31–107.

728. – Briefe vom christlichen Leben. Deutsch in: *Nicolai von Bubnoff,* Russische Frömmigkeit (Lit. Verz. Nr. 96) 109–178.

729. – Unseen Warfare, being the Spiritual Combat and Path to Paradise of *Lorenzo Scupoli* as edited by *Nicodemus of the Holy Mountain* and revised by *Theophan the Recluse.* Translated into English from *Theophan's* Russian text by *E. Kadloubovsky* and *G. E. H. Palmer* with an introduction by *H. A. Hodges.* London: Faber and Faber 1952. [2]1963.

730. – Dobrotolubiye (Philokalia; or the Love of Good). Introduction. In: *Kadloubovsky,* Writings from the Philokalia (Lit. Verz. Nr. 164) 13–17. – Englische Übersetzung der Vorrede zum Dobrotoljubie von *Theophan Govorov,* Lit. Verz. Nr. 725.

Thesaurus Syriacus ed. *Payne Smith* siehe Lit. Verz. Nr. 586.

731. *Thompson, James Westfall:* A History of Historical Writing. Bd. 1: From the Earliest Times to the End of the Seventeenth Century. Bd. 2: The Eighteenth and Nineteenth Century. New York: Macmillan 1942. – Hier Bd. 1. 295–360 und 439–448 über Historiographie des Ostens.

732. *Thorossian, H.:* Histoire de la Littérature Arménienne. Des Origines jusqu'à nos jours. Avec une Carte de l'ancienne Arménie et des Contrées limitrophes. Préface de *René Grousset.* Paris: Selbstverlag 1951. – „Bibliographie Som-

maire" S. 353–378. Verzeichnet S. 370–378 Übersetzungen altarmenischer Schriftsteller ins Deutsche, Französische, Italienische, Englische, Lateinische und Russische.

733. *Threskeutike kai ethike Enkyklopaideia.* Bd. 1 ff. Athen 1962 ff. – Gute Literaturangaben bei den Artikeln.

734. *Till, Walter Curt:* Koptische Heiligen- und Martyrerlegenden. Texte, Übersetzungen und Indices. Herausgegeben und bearbeitet von *Walter Till.* Teil 1–2. Rom: Pont. Inst. Or. Stud. 1935–1936. (Orientalia Christiana Analecta. 102. 108.).

735. – Koptische Grammatik (Saïdischer Dialekt). Mit Bibliographie, Lesestücken und Wörterverzeichnissen. 2., verb. Aufl. Leipzig: Verlag Enzyklopädie 1961. (Lehrbücher für das Studium der orientalischen Sprachen. 1.). – 3. Aufl. 1966.

736. – Koptische Dialektgrammatik mit Lesestücken und Wörterbuch. 2. Aufl. München 1961.

Timotheus I. Patriarcha: Brief an die Mönche des Klosters Mār Mārōn. Siehe *Bidawid,* Lit. Verz. Nr. 72.

737. *Tisserant, Eugène:* (Artikel) L'Église Nestorienne. In: Dictionnaire de Théologie Catholique (Lit. Verz. Nr. 145) 11, Paris 1931, 157–323.

738. *Tonneau, Raymond:* Texte Syriaque de la Genèse. L'Héxaémeron. In: Le Muséon 59 (Löwen 1946) 333–344.

– (Hrsg.) siehe Theodor von Mopsuestia, Lit. Verz. Nr. 716.

739. *Torbey, Antoine:* Les Preuves de l'Existence des Anges, d'après le Traité de Grégoire Bar-Hebraeus sur les Anges. Étude critique et Sources. In: Oriens Christianus 39 (Wiesbaden 1955) 119–134. – Vgl. hierzu Bar Hebräus, 5. Fundament, Lit. Verz. Nr. 44.

740. – (Anṭūn Ṭurbīh): Fi 'l-Malā'ika. Muqārana baina 'l-Qadīs Tūmā wa-baina Ibn al-'Ibrī. In: Al-Mašriq 49 (Beirut 1955) 724–735. – In der westlichen Literatur unter dem Titel „Les Anges dans la Tradition Orientale" zitiert.

– (Hrsg. und Übers.) siehe Bar Hebräus, 5. Fundament, Lit. Verz. Nr. 44.

741. *Totok, Wilhelm:* Handbuch der Geschichte der Philosophie. Bd. 2: Die Philosophie des Mittelalters. Frankfurt am Main: Klostermann 1971. – Moderne bibliographische Ergänzung (Bibliographien, Quellen, Literatur) zu *Ueberwegs* Grundriß (Lit. Verz. Nr. 755) ab 1920. Hier S. 86–96: „Die alexandrinische Katechetenschule"; S. 96–162: „Die Väter des 4. Jahrhunderts"; S. 162–174: „Der Ausklang der Patristik." Ausgaben und Literatur zu Euseb von Cäsarea S. 98–100, zu Basilius von Cäsarea S. 100–103, zu Dionysius Areopagita S. 163–167, zu Maximus Confessor S. 167–168, zu Johannes von Damaskus S. 171–173.

742. *Toumanoff, Cyril:* Moscow the Third Rome: Genesis and Significance of a Politico-Religious Idea. In: The Catholic Historical Review 40 (Washington, D. C., 1955) 411–447. – Umfangreiche bibliographische Fußnoten.

743. – Armenia and Georgia. In: Cambridge Medieval History Vol. IV, 1. Cambridge 1966, 593–637. – Hierzu die Bibliographie S. 983–1009. Vgl. Lit. Verz. Nr. 101.

744. *Toynbee, Arnold Joseph:* Kultur am Scheidewege. Zürich: Europa 1949. (Civilization on Trial. Deutsch von *Ernst Doblhofer).* – Hier S. 172–191: „Rußlands byzantinisches Erbe."

745. *Trautmann, Reinhold:* Die altrussische Nestorchronik Povest' Vremennych Let in Übersetzung herausgegeben. Leipzig 1931. (Slavisch-Baltische Quellen und Forschungen. 6.). – Hier S. 236 Verzeichnis russischer Ausgaben der Nestorchronik.

746. – Die slavischen Völker und Sprachen. Ein Einführung in die Slavistik. Göttingen 1947.

747. *Travaux et Mémoires.* Paris. Bd. 1: 1965. Bd. 2: 1967. Bd. 3: 1968. Bd. 4: 1970. (Centre de Recherche d'Histoire et Civilisation Byzantines.). – Hier 2, 251 russische Literatur über die Paulikianer.

748. *Treitinger, Otto:* Die oströmische Kaiser- und Reichsidee nach ihrer Gestaltung im höfischen Zeremoniell. Jena 1938. 2. Aufl. Darmstadt 1959. 3. Aufl. Darmstadt 1969. – Grundlegend.

749. *Trogrančić, Franjo:* Letteratura Medioevale degli Slavi Meridionali (Dalle Origini al XV Secolo). Rom: Grottaferrata 1950. – Bibliographische Fußnoten.

750. *Trubetzkoy, Nikolaj:* Introduction to the History of Old Russian Literature. In: Harvard Slavic Studies 2 (Cambridge, Mass. 1954) 91–103. – Einfluß des byzantinischen Christentums auf die altrussische Literatur.

751. *Trumpp, Ernst:* Das Hexaëmeron des Pseudo-Epiphanius. Aethiopischer Text verglichen mit dem arabischen Originaltext und deutscher Übersetzung. In: Abhandlungen der philosophisch-philologischen Classe der königlich Bayerischen Akademie der Wissenschaften. 16. Bd., 2. Abtheilung, München 1882, S. 167–254.

752. *Tschenkéli, Kita:* Einführung in die georgische Sprache. Bd. 1: Theoretischer Teil. Bd. 2: Praktischer Teil. Zürich: Amirani 1958.

753. – Georgisch-Deutsches Wörterbuch. Zürich: Amirani 1960 ff. Ab Fasc. 7 (1964) bearbeitet von *Yolanda Marchev.*

Turolla, Enrico (Übers.) siehe Dionysius Areopagita, Lit. Verz. Nr. 158.

754. *Tusculum-Lexikon* griechischer und lateinischer Autoren des Altertums und des Mittelalters, völlig neu bearbeitet von *Wolfgang Buchwald, Armin Hohlweg* und *Otto Prinz.* München: Heimeran 1963. – Zuerst 1948. Vorzügliches Hilfsmittel zur raschen Orientierung; umfaßt auch Byzanz. Nennt die jeweils besten Ausgaben und moderne (auch fremdsprachige) Übersetzungen. Reicht bis zur Wende des 15. zum 16. Jahrhundert. Die 1. Aufl. 1948 reichte bis zur Neuzeit.

Tyciak, Julius: Begleitworte. Siehe Russische Mystik, Lit. Verz. Nr. 27.

755. *Ueberweg, Friedrich:* Grundriß der Geschichte der Philosophie. Bd. 2: Die patristische und scholastische Philosophie. 11., neubearb. und mit einem Philosophen- und Literatorenregister versehene Aufl. Hrsg. von *Bernhard Geyer.* Berlin: Mittler 1928. (^{13}1956). – Hier S. 59–117: „Die Verwendung der Philosophie zum Ausbau der kirchlichen Lehre." (Alexandria-Antiochia). Hierzu die wichtige bibliographische Ergänzung ab 1920 von *Wilhelm Totok,* Lit. Verz. Nr. 741.

756. *Udalćova, Z. V.:* La Chronique de Jean Malalas dans la Russie de Kiev. (Traduit du Russe par *E. Voordeckers*). In: Byzantion 35 (Brüssel 1965) 575–591.

757. *Uhden, Richard:* Gervasius von Tilbury und die Ebstorfer Weltkarte. In: Jahrbuch der Geographischen Gesellschaft zu Hannover. 1930, 185–200.

758. – Zur Herkunft und Systematik der mittelalterlichen Weltkarten. In: Geographische Zeitschrift 37 (Leipzig 1931) 321–340.

759. *Ullendorff, Edward:* Ethiopia and the Bible. The Schweich Lectures of the British Academy 1967. London: Oxford University Press 1968. – „Bibliography" S. 146–160. Eine kirchenhistorisch und religionsgeschichtlich äußerst wichtige Darstellung der Imitatio Veteris Testamenti durch die äthiopische Kirche und ihrer Bedeutung für das äthiopische Nationalbewußtsein.

760. *Ungnad, Arthur:* Syrische Grammatik mit Übungsbuch. 2., verb. Aufl. München: Beck 1932. – „Literatur" S. 98. Noch immer die beste Einführung in das Syrische.

761. *van Unnik, Willem Cornelis:* Evangelien aus dem Nilsand. Mit einem Beitrag „Echte Jesusworte?" von *Johannes B. Bauer* und mit einem Nachwort „Die Edition der koptisch-gnostischen Schriften von Nag' Hammadi" von *Walter C. Till.* Frankfurt am Main: Scheffler 1960. (Openbaringen uit Egyptisch Zand. Deutsch von *Jean Landré.*).

Vaillant, André (Übers.) siehe Kosmas Presbyter, Lit. Verz. Nr. 408.

762. – Le Saint Éphrem slave. In: Byzantinoslavica 19 (Prag 1958) 279–286.

763. *Vasić, Miloje M.:* L'Hésychasme dans l'Église et l'Art des Serbes du Moyen Age. In: L'Art Byzantin chez les Slaves. Les Balkans. Premier Recueil dédié a la Mémoire de Théodore Uspenskij. Première Partie. Paris: Geuthner 1930. (Orient et Byzance. 4.), S. 110–123. – Hier S. 417–454: Appendice bibliographique de l'Art Byzantin chez les Bulgares, les Serbes et les Roumains.

764. *Veličkovskij, Paisij:* An die Gegner und Verleumder des geistigen Gebets, das ist des Gebetes Jesu. Ein Erläuterungs- und Verteidigungsschreiben des Starez Paisij. (1764/65 und verkürzt 1794). Deutsch in: *Igor Smolitsch,* Leben und Lehre der Starzen (Lit. Verz. Nr. 653) S. 119–126.

– (Übers.): Dobrotoljubie. 1793. Siehe Lit. Verz. Nr. 89.

765. *Verosta, Stephan:* Johannes Chrysostomus. Staatsphilosoph und Geschichtstheologe. Graz: Styria 1960. – Dieser Kirchenvater teilt in keiner Weise die Ansicht Eusebs von Cäsarea, das Imperium Romanum sei der Beginn des Reiches Gottes auf Erden; vgl. besonders S. 300–314 passim, wo Chrysostomus die Verbrechen christlicher Kaiser von Konstantin I. bis Arkadius I. anprangert.

766. *Versnel, H. S.:* Triumphus. An Inquiry into the Origin, Development and Meaning of the Roman Triumph. Leiden: Brill 1970. – Hier S. 255–303 über den etruskischen Ursprung des römischen Triumphs. Bibliographie S. 398–405.

767. *Vettius Valens:* Vettii Valentis Anthologiarum Libri primum edidit *Guilelmus Kroll. Berlin:* Weidmann 1908.

768. *Viller, Marcel:* Nicodème l'Hagiorite et ses Emprunts à la Littérature spirituelle occidentale. Le combat spirituel et les Exercices de S. Ignace dans l'Église Byzantine. In: Revue d'Ascétique et Mystique 5 (Toulouse 1924) 174–177.

769. – und *Karl Rahner:* Aszese und Mystik in der Väterzeit. Ein Abriß. Freiburg i. Br.: Herder 1939. (La Spiritualité des premiers siècles chrétiens. Paris 1930. Deutsche Bearbeitung).

770. *Vlasto, A. P.:* The Entry of the Slavs into Christendom. An Introduction to the Medieval History of the Slavs. Cambridge: University Press 1970. – Mit 1 Karte und Bibliographie S. 407–422.

771. *Vogel, Cyrille:* L'Orientation vers l'Est du Célébrant et des Fidèles pendant la Célébration Eucharistique. In: L'Orient Syrien 9 (Paris 1964) 3–37. – Hier viel neuere Literatur.

772. *Völker, Walther:* Von welchen Tendenzen ließ sich Eusebius bei Abfassung seiner Kirchengeschichte leiten? In: Vigiliae Christianae. A Review of Early Christian Life and Language. 4 (Amsterdam 1950) 157–180.

773. – Gregor von Nyssa als Mystiker. Wiesbaden: Steiner 1955.

774. – Kontemplation und Ekstase bei Pseudo-Dionysius Areopagita. Wiesbaden: Steiner 1958. – Hier S. 1–24 die Forschungsgeschichte.

775. – Der Einfluß des Pseudo-Dionysius Areopagita auf Maximus Confessor. In: Universitas. Dienst an Wahrheit und Leben. Festschrift für Albert Stohr. Bd. 1, Mainz 1960, 243–254.

776. – Der Einfluß des Pseudo-Dionysius Areopagita auf Maximus Confessor. In: Studien zum Neuen Testament und zur Patristik. Erich Klostermann zum

90. Geburtstag dargebracht. Berlin 1961, S. 331–350. (Texte und Untersuchungen zur Geschichte der altchristlichen Literatur. 77.).
777. – Maximus Confessor als Meister des geistlichen Lebens. Wiesbaden: Steiner 1965.
778. – Scala Paradisi. Eine Studie zu Johannes Climacus und zugleich eine Vorstudie zu Symeon dem Neuen Theologen. Wiesbaden: Steiner 1968.
779. *Vööbus, Arthur:* Studies in the History of the Gospel Text in Syriac. Löwen: Durbecq 1951. (Corpus Scriptorum Christianorum Orientalium. 128.).
780. – Early Versions of the New Testament. Manuscript Studies. Stockholm 1954. (Papers of the Estonian Theological Society in Exile. 6.).
781. – History of Asceticism in the Syrian Orient. A Contribution to the History of Culture in the Near East. Bd. 1: The Origin of Asceticism. Early Monasticism in Persia. Löwen 1958. Bd. 2: Early Monasticism in Mesopotamia and Syria. Löwen 1960. (Corpus Scriptorum Christianorum Orientalium. 184. 197.).
782. – Aphrahat. (Nachträge zum Reallexikon für Antike und Christentum). In: Jahrbuch für Antike und Christentum 36 (1960) 152–155.
783. – The Statutes of the School of Nisibis. Edited, translated and furnished with a Commentary. Stockholm 1961. (Papers of the Estonian Theological Society in Exile. 12.).
784. – Regarding the theological Anthropology of Theodore of Mopsuestia. In: Church History 33 (Chicago 1964) 115–124.
785. – History of the School of Nisibis. Löwen 1965. (Corpus Scriptorum Christianorum Orientalium. 266.). – Hier S. 7–32 die Geschichte der Schule von Edessa (Perserschule) als Vorläuferin der Schule von Nisibis.
786. *Vosté, I.-M.:* De Versione Syriaca Operum Theodori Mopsuesteni. In: Orientalia Christiana Periodica 8 (Rom 1942) 477–481. – Vgl. dazu *Richard,* Lit. Verz. Nr. 626.
787. *de Vries, Wilhelm:* Sakramententheologie bei den syrischen Monophysiten. Rom 1940. (Orientalia Christiana Analecta. 125.).
788. – Sakramententheologie bei den Nestorianern. Rom 1947. (Orientalia Christiana Analecta. 133.).
789. – Zum Kirchenbegriff der späteren Jakobiten. In: Orientalia Christiana Periodica 19 (Rom 1953) 128–177. – Hierzu Bar Hebräus, 6. Fundament, Lit. Verz. Nr. 44.
790. – Der Kirchenbegriff der von Rom getrennten Syrer. Rom 1955. (Orientalia Christiana Analecta. 145.).
791. – La Théologie Sacramentaire chez les Syriens Orientaux. In: L'Orient Syrien 4 (Paris 1959) 471–494.
792. – Théologie des Sacrements chez les Syriens Monophysites. In: L'Orient Syrien 8 (Paris 1963) 261–288.
793. *Wallace-Hadrill, David Sutherland:* Eusebius of Caesarea. London: Mowbray 1960. – „Select Bibliography" S. 206–214.
794. – The Greek Patristic View of Nature. Manchester: University Press 1968. – Mit Literaturangaben S. 134–135.
Wallis Budge siehe *Budge,* Lit. Verz. Nr. 97.
795. *von Walter, Reinhold* (Übers.): Ein russisches Pilgerleben. Siehe Lit. Verz. Nr. 20.
796. – (Übers.): Der Pilger. Siehe Lit. Verz. Nr. 27.
797. – Russische Mystik. Eine Anthologie. Übertragen von *Reinhold von Walter.* Begleitworte von *Julius Tyciak.* Düsseldorf: Patmos 1957. – Hier S. 13–178: „Der Pilger" und „Gespräche über das Gebet" = Teil 1 und 2 von Otkro-

vennye Razskasy (Kasan 1884 und Paris 1948); Teil 2 in Auszügen. Vgl. Lit. Verz. Nr. 27.

798. *Wassilij (Krivocheine):* Die asketische und theologische Lehre des hl. Gregorius Palamas (1296–1359). Von Mönch *Wassilij* im Kloster St. Panteleimon auf dem Athos. Aus dem Russischen übersetzt von *Hugolin Landvogt.* Würzburg: Rita 1939. (Das östliche Christentum. 8.).

Watson, Robert William Seton- siehe *Seton-Watson,* Lit. Verz. Nr. 648.

Wehr, Hans (Übers.) siehe Al-Ġazzālī, Lit. Verz. Nr. 238.

799. – Arabisches Wörterbuch für die Schriftsprache der Gegenwart. Bd. 1–2. Leipzig: Harrassowitz 1952. 3. Aufl. Wiesbaden: Harrassowitz 1958, [4]1968. Dazu Supplement. Wiesbaden: Harrassowitz 1959. – Auch englisch, [2]1966, [3]1971.

800. – Das Buch der wunderbaren Erzählungen und seltsamen Geschichten. Wiesbaden 1956. (Bibliotheca Islamica. 18.). – Hier S. XIV–XIX wichtige Ausführungen über das Mittelarabische.

801. *Weiher, Eckhard:* Studien zur philosophischen Terminologie des Kirchenslavischen. In: Die Welt der Slaven 9 (Wiesbaden 1964) 147–175.

– (Hrsg. und Übers.) siehe Johannes von Damaskus, Lit. Verz. Nr. 345.

802. *Weingart, Miloš:* Les Chroniques Byzantines dans la Littérature Slave Ecclésiastique. In: Orient et Byzance. 4. L'Art Byzantin chez les Slaves. Dédié à la Mémoire de Théodore Uspenskij. Paris 1930, 50–65.

803. *Weiss, Günter:* Joannes Kantakuzenos. Aristokrat, Staatsmann, Kaiser und Mönch in der Gesellschaftsentwicklung von Byzanz im 14. Jahrhundert. Wiesbaden: Harrassowitz 1959. (Schriften zur Geistesgeschichte des östlichen Europa. 4.). – Quellen- und Literaturverzeichnis S. 159–164.

804. *Wensinck, Arent Jan:* Über das Weinen in den monotheistischen Religionen Vorderasiens. In: Festschrift Eduard Sachau zum 70. Geburtstag. Hrsg. v. *Gotthold Weil.* Berlin 1915, 26–35.

Wenzlowsky, Severin (Übers.) siehe Lit. Verz. Nr. 87.

805. *Werner, Ernst:* Die Geburt einer Großmacht – die Osmanen (1300–1481). Ein Beitrag zur Genesis des türkischen Feudalismus. Mit 7 Karten. Berlin: Akademie-Verlag 1966. (Forschungen zur mittelalterlichen Geschichte. 13.).

806. – Theophilos – Bogumil. In: Balkan Studies. A Biannual Publication of the Institute for Balkan Studies. Thessaloniki. 7 (Thessaloniki 1966) 49–60. – Vgl. dazu *Schmaus,* Lit. Verz. Nr. 680. *Werner* gibt wichtige Literaturhinweise.

807. *von Wesendonk, O. G.:* Bardesanes und Mani. In: Acta Orientalia 10 (Leiden 1932) 336–363.

808. *Westendorf, Wolfhart:* Koptisches Handwörterbuch. Bearbeitet auf Grund des Koptischen Handwörterbuches von *Wilhelm Spiegelberg.* Heidelberg: Winter 1965 ff. – Vgl. Lit. Verz. Nr. 661.

809. *Wetzer und Welte's Kirchenlexikon* oder Encyklopädie der katholischen Theologie und ihrer Hilfswissenschaften. 2. Aufl., in neuer Bearbeitung begonnen von *Joseph Hergenröther,* fortgesetzt von *Franz Kaulen.* Bd. 1–12 und Registerband. Freiburg i. Br.: Herder 1882–1903.

810. *Wickert, Ulrich:* Studien zu den Pauluskommentaren Theodors von Mopsuestia als Beitrag zum Verständnis der antiochenischen Theologie. Berlin: Töpelmann 1962. (Beihefte zur Zeitschrift für die Neutestamentliche Wissenschaft. 27.).

Wiesmann, Hermann (Übers.) siehe Bardesanes, Lit. Verz. Nr. 42.

811. *Wigram, William Ainger:* An Introduction to the History of the Assyrian Church or Church of the Sassanid Persian Empire 100 – 640 A. D. London: SPCK 1910.

812. – The Separation of the Monophysites. London: Faith Press 1923. – Diss. theol. Cambridge.

813. *van Wijk, Nicolaas:* Geschichte der altkirchenslavischen Sprache. Bd. 1: Laut- und Formenlehre. Berlin: de Gruyter 1931. (Grundriß der slavischen Philologie und Kulturgeschichte. 8.). – Reiche Literaturangaben. Wichtig für die Perioden des Altkirchenslawischen.

814. – Was ist ein Paterik Skitskij? In: Annales Academiae Scientiarum Fennicae. Series B. Tomus 27. Helsinki 1932, 348–353.

815. *Wilhelm von Rubruk:* Itinerarium Willemi de Rubruc. In: Sinica Franciscana. Vol. 1. Itinera et Relationes Fratrum Minorum Sacculi XIII et XIV collegit *Anastasius van den Wyngaert.* Quaracchi-Firenze 1929, S. 164–332.

816. – Der Bericht des Franziskaners Wilhelm von Rubruk über seine Reise in das Innere Asiens in den Jahren 1253/1255. Erste vollständige Übersetzung aus dem Lateinischen von *Hermann Herbst.* Leipzig: Griffel 1925.

817. *Wilken, Friedrich:* Über die Verhältnisse der Russen zum Byzantinischen Reiche in dem Zeitraume vom neunten bis zum zwölften Jahrhundert. In: Abhandlungen der Kgl. Akademie der Wissenschaften Berlin aus dem Jahre 1829. Berlin 1832, 75–135.

818. *Windelband, Wilhelm:* Lehrbuch der Geschichte der Philosophie. Tübingen [15]1957.

819. *Winkler, Robert:* Die Probleme der Zwei-Naturen-Lehre. In: Zeitschrift für Theologie und Kirche 3 (1922) 103–128.

820. *Wolska, Wanda:* La Topographie Chrétienne de Cosmas Indicopleustès. Théologie et Science au VIe Siècle. Paris: PUF 1962. (Bibliothèque Byzantine. Études. 3.).

821. *Wright, William:* A Grammar of the Arabic Language. Translated from the German of *Caspari* and edited with numerous Additions and Corrections. Third Edition. Revised by *W. Robertson Smith* and *M. J. de Goeje.* Bd. 1–2. Cambridge: University Press 1933. Reprint 1955. Als Paperback in 1 Bd. 1967. – Die grundlegende Grammatik der klassischen arabischen Sprache.

822. *Wunderle, Georg:* Zur Psychologie des hesychastischen Gebets. 2., erw. Aufl. Würzburg: Augustinus Verlag 1949. (Das östliche Christentum. N. F. 2.).

823. *Wüstenfeld-Mahler'sche Vergleichungs-Tabellen* zur muslimischen und iranischen Zeitrechnung mit Tafeln zur Umrechnung orient-christlicher Ären. 3., verb. und erw. Aufl. unter Mitarbeit von *Joachim Mayr* neu bearbeitet von *Bertold Spuler.* Wiesbaden: Steiner 1961.

van den Wyngaert (Hrsg.) siehe Wilhelm von Rubruk, Lit. Verz. Nr. 815.

824. *Yāqūt:* The Introductory Chapters of Yāqūts Mu'jam al-Buldān. Translated and Annotated by *Wadie Jwaideh.* Leiden: Brill 1959.

825. *Yāqūt:* Jacut's Geographisches Wörterbuch aus den Handschriften zu Berlin, St. Petersburg und Paris hrsg. von *Ferdinand Wüstenfeld.* Bd. 1–6. Leipzig: Brockhaus 1866–1873. Reprint Teheran 1960. Neudruck 1965. – Ausgabe des arabischen Textes des Mu'ǧam al-Buldān. Bd. 6 enthält 1. Register der geographischen Namen 2. Register der Stämme-Namen 3. Register der Personen-Namen. Vgl. Lit. Verz. Nr. 363.

826. *Zallony, Marc-Philippe:* Essai sur les Fanariotes, où l'on voit les causes primitives de leur Élevation aux Hospodariats de la Valachie et de la Moldavie, leur Mode d'Administration, et les Causes principales de leur Chute, suivi de quelques Réflexions sur l'État actuel de la Grèce. Marseille: Antoine Ricard 1824.

827. *Zaloscer, Hilde:* Vom Mumienbildnis zur Ikone. Wiesbaden: Harrassowitz 1969.

828. *Zaunmüller, Wolfram:* Bibliographisches Handbuch der Sprachwörterbücher. Ein internationales Verzeichnis von 5600 Wörterbüchern der Jahre 1460–1958 für mehr als 500 Sprachen und Dialekte. Stuttgart: Hiersemann 1958.
829. *Zellinger, Johannes:* Die Genesishomilien des Bischofs Severian von Gabala. Münster i. W.: Aschendorff 1916. (Alttestamentliche Abhandlungen. 7, 1.).
830. *Zenkovskij, Vasilij Vasilevič:* Istorija russkoj filosofii. Bd. 1–2. Paris: YMCA-Press 1948–1950.
831. – A History of Russian Philosophy. By *V. V. Zenkovsky.* Authorized translation from the Russian by *George L. Kline.* Bd. 1–2. New York: Columbia Univ. Pr., London: Routledge and Kegan Paul 1953.
Zigmund-Cerbü, Élise siehe Bar Hebräus, 10. Fundament, Lit. Verz. Nr. 44.
832. *Zorell, Franz:* Grammatik zur Altgeorgischen Bibelübersetzung mit Textproben und Wörterverzeichnis. Rom 1930. (Scripta Pontificii Instituti Biblici. 33.). – „Auswahl von Literatur" S. 8–10.
833. *Žužek, Ivan:* Kormčaja Kniga. Studies on the Chief Code of Russian Canon Law. Rom: Pont. Inst. Or. Stud. 1964. (Orientalia Christiana Analecta. 168.).
834. *Zyhlarz, Ernst:* Grundzüge der nubischen Grammatik im christlichen Frühmittelalter (Altnubisch). Grammatik, Texte, Kommentar und Glossar. Leipzig 1928. Reprint: Nendeln, Liechtenstein: Kraus Reprint 1966. (Abhandlungen für die Kunde des Morgenlandes. 18, 1.).

ABKÜRZUNGSVERZEICHNIS

Das folgende Verzeichnis enthält die in der Arbeit verwendeten Abkürzungen und die Autoren der in den Anmerkungen genannten Werke unter Hinweis auf die Seite und die Nummer der Anmerkung, wo der Titel sich findet. Diese Literaturangaben, auf die lediglich hingewiesen wird, sind in Klammern gesetzt. Bei allen übrigen Namen und Abkürzungen weist die Zahl auf die im Literaturverzeichnis eingehaltene fortlaufende Numerierung.

A

(Acta Sanctorum (Boll.) = Acta Sanctorum ed. J. Bollandus, Bd. 1–66, Antwerpen und Brüssel 1643–1925, Neudruck Paris 1854 ff. – Anordnung der Heiligen nach den Heiligentagen des römischen Kalendariums; noch nicht abgeschlossen. S. 184 Anm. 265) – A. D. = Annus Domini – Aitzetm. 346 – Alföldi, Insignien 5 – Altaner 6 – Amand, Ascèse Monastique 7 – (Amann, É., S. 186 Anm. 271) – Amann, Abriß 8 – Ammann, Gottesschau 368 – (Apelt S. 99 Anm. 4) – (Arseniew, Mönchtum S. 167 Anm. 160 = Lit. Verz. Nr. 117) – Assemani, BO 18 – (Assemani, Ephraemi Syri Opera omnia S. 157 Anm. 101) – Aufr. Erz. 28.

B

Bacha 505 – (Bacha, Constantin S. 109 Anm. 45; S. 112 Anm. 68) – Bacht 35 – Badger 36 – Bateson, Origin 50 – Bauer, Johannes B. 761 – Bauer, WBzNT 51 – Baumstark, GSL 53 – Baynes, Byzantium 54 – Beck 66 – Beck, Kirche u. theol. Lit. 66 – Beck, Mariologie 62 – (Beintker, H. S. 186 Anm. 273) – Bert 4 – Betz, Eucharistie 71 – BKV = Bibliothek der Kirchenväter – (Bonwetsch S. 186 Anm. 271) – (Brandenburg, Luther gegenwärtig S. 45 Anm. 48) – Braun, Synhados 85 – Brjančaninov, Prayer 86 – Brockelmann, GAL 91 – von Brockhusen 93 – Bubnoff, Russische Frömmigkeit 96 – Buchwald, Wolfgang 754 – Bujnoch, Zwischen Rom und Byzanz 98 – (Bulatovič, Antonius S. 187 Anm. 281).

C

Cambridge Medieval History 101 – (Carra de Vaux S. 90 Anm. 355) – Caspari 821 – (Cerfaux S. 34 Anm. 1) – Chabot, Synodicon Orientale 110 – Chaine, Chronologie 111 – Clarke, Ascetic Works 48 – CMH 101 – (Colpe, C. S. 186 Anm. 272) – Conti Rossini 122 – (Corpus Scriptorum Historiae Byzantinae, Bd. 1–50, Bonn 1828–1897 S. 134 Anm. 153) – CSCO 124.

D

DACL 141 – Dauvillier 83 – (Dauvillier, Jean S. 83 Anm. 313; S. 88 Anm. 340; S. 93 Anm. 368) – Défense 576 – DHGE 143 – (Deichmann, F. W. S. 165 Anm. 148) – De Nativitate 199–200 – De Paradiso 197–198 – Deut. = Deuteronomium, 5. Buch Mose – Devreesse 716 – (dial. = Justinus Martyr, Dialog mit Tryphon, ed. J. C. Th. Otto, Jena 1876–1881 S. 93 Anm. 364) – Dict. Arch. Chrét. Liturg. 141 – Dict. de Spir. 144 – Dict. Droit Canon. 142 – Dict. Spirit. 144 – Dict. Théol. Cath. 145 – (Didaskalia, syrische S. 89 Anm. 343) – Doblhofer 743 – (Doctrina Apostolorum S. 89 Anm. 343) – Dölger, Sol Salutis 171 – Döpmann, Einfluß 172 – (Dörries, Hermann S. 126 Anm. 117; S. 186 Anm. 271) – Drijvers 177 – DThC 145 – Du Cange 178 – (Ducas, Historia ed. I. Bekker, Bonn 1834 S. 95 Anm. 382).

E

EI[1] 192 – EI[2] 191 – ʿĔnbāqom ed. trad. Donzel 188 – (Enciklopedija Jugoslavije, Zagreb 1955 ff. S. 24 Anm. 54; S. 25 Anm. 55; S. 25 Anm. 56) – ep. = Epistula – (Eshai Shimun XIII. S. 83 Anm. 315) – (Euthymius, Vita des Nikodemus Hagiorita S. 162 Anm. 134) – Exod. = Exodus, 2. Buch Mose.

F

Fallmerayer, Fragmente aus dem Orient 210 – Feine–Behm-Kümmel 212 – Fiey, Assyrie Chrétienne 215–216 – Florovskij, Puti 219 – Frend 220 – Fritsch 221.

G

GAL 91 – Gardner 231 – Gauvin, Récits 24 – (Gedeon, Manuel Jo. S. 176 Anm. 214) – (Gelzer, Heinrich S. 16 Anm. 20) – Geyer, Bernhard 755 – de Goeje 821 – (Goethe, Geschichte der Farbenlehre S. 68 Anm. 192) – (Goodman S. 51 Anm. 78) – Gouillard, Kl. Philokalie 599 – (Graber, Längst hätten wir uns bekehren müssen, Innsbruck 1960 S. 133 Anm. 150) – Graf, GCAL 254 – Graf, Verzeichnis 253 – (Graf, Wissenschaftliches Leben bei den Christen des Vorderen Orients S. 30 Anm. 72) – (Gregorios ho Palamas. Zeitschrift S. 162 Anm. 134) – Gribomont, Saint Basile 263 – Grillmeier–Bacht 267 – Großer Historischer Weltatlas 271 – Grousset, René 732 – Grumel, Chronologie 274 – (Grumel, Venance S. 162 Anm. 134) – GSL 53 – (Guillaumont S. 87 Anm. 336) – Güterbock 282.

H

H. = Hiǧra, Beginn der muslimischen Zeitrechnung (16. Juli 622 A. D.) – Hauptmann, Altrussischer Glaube 292 – (Hauptmann, Gerhard, Der Narr in Christo Emanuel Quint S. 182 Anm. 250) – Hausherr, Méthode 296 – HE = Historia Ecclesiastica des Euseb von Cäsarea 207 – (Heiler, Anne Marie S. 28 Anm. 67) – (Heiler, Friedrich, Die Ostkirchen S. 27–28 Anm. 67; Erscheinungsformen S. 59 Anm. 137) – Herbst, Hermann 816 – Hergenröther, Photius 313 – (Herwegen, Ildefons S. 174 Anm. 206) – Heyer 315 – Hildebrandt 32 – Hist. eccl. 207 – HO 286 – Hodges 729 – Hohlweg 754 – Hunger, Byzantin. Geisteswelt 325.

I

J

K

L

M

N

O

P

R

S

T

V

W

Z

REGISTER

Das Register ist ohne Rücksicht auf den arabischen Artikel und auf diakritische Zeichen nach dem lateinischen Alphabet geordnet. Abweichende Schreibweisen oder synonyme Bezeichnungen stehen in Klammern hinter dem Ordnungswort; in Zweifelsfällen ist auf dieses verwiesen.

Die Religionen der Menschheit

Herausgegeben von Christel Matthias Schröder

1. **Erscheinungsformen und Wesen der Religion**
   von Friedrich Heiler † (Marburg) 1961. XVI und 605 Seiten. Subskr.-Preis DM 58.–, Einzelpreis DM 65.–

2. **Die Religionen in vorgeschichtlicher Zeit**
   von Johannes Maringer (St. Augustin bei Bonn)

3. **Die Religionen Nordeurasiens und der amerikanischen Arktis**
   von Ivar Paulson † (Stockholm), Åke Hultkrantz (Stockholm), Karl Jettmar (Heidelberg). 1962. XI und 425 Seiten. Subskr.-Preis DM 52.–, Einzelpreis DM 58.–

4,1. **Die Religionen Südsibiriens und Mittelasiens**
von Karl Jettmar (Heidelberg), Ulla Johansen (Heidelberg), Schuyler Jones (Oxford) und B. A. Litvinskij (Moskau)

4,2. **Die Religionen des Kaukasus**
von Andrejs Johansons (Stockholm)

5,1. **Die Religionen Indonesiens**
von Waldemar Stöhr (Köln) und Piet Zoetmulder (Jogjakarta/Indonesien) 1965. VIII, 354 Seiten. Subskr.-Preis DM 47.–, Einzelpreis DM 52.–

5,2. **Die Religionen der Südsee und Australiens**
von Hans Nevermann (Berlin), Ernest A. Worms † (Manly/Australien), Helmut Petri (Köln)
1968. VII, 329 Seiten. Subskr.-Preis DM 43.–, Einzelpreis DM 48.–

6. **Die Religionen Afrikas**
   von Ernst Dammann (Marburg/Lahn) 1963. XVI, 302 Seiten. Subskr.-Preis DM 40.–, Einzelpreis 45.–

7. **Die Religionen des alten Amerika**
   von Walter Krickeberg † (Berlin), Hermann Trimborn (Bonn), Werner Müller (Tübingen), Otto Zerries (München)
   1961. XII und 397 Seiten. Subskr.-Preis DM 48.–, Einzelpreis DM 54.–

8. **Ägyptische Religion**
   von Siegfried Morenz † (Leipzig) 1960. XVI und 309 Seiten. Subskr.-Preis DM 40.–, Einzelpreis DM 45.–

9,1. **Sumerische Religion**
von J. J. A. van Dijk (Rom)

9,2. **Babylonisch-assyrische Religion**
von Riekele Borger (Göttingen)

10,1. **Die Religionen des alten Kleinasien**
von Einar v. Schuler (Berlin)

10,2. **Die Religionen Altsyriens, Altarabiens und der Mandäer**
von Hartmut Gese (Tübingen), Maria Höfner (Graz), Kurt Rudolph (Leipzig) 1970. VIII und 491 Seiten. Subskr.-Preis DM 62.–, Einzelpreis DM 69.–

11. **Die Religionen Indiens I. Veda und älterer Hinduismus**
    von Jan Gonda (Utrecht)
    1960. XV und 370 Seiten. Subskr.-Preis DM 43.–, Einzelpreis DM 48.–

12. **Die Religionen Indiens II. Der jüngere Hinduismus**
    von Jan Gonda (Utrecht)
    1963. XV, 366 Seiten. Subskr.-Preis DM 43.–, Einzelpreis DM 48.–

13. **Die Religionen Indiens III. Buddhismus, Jinismus, Primitivvölker**
    von André Bareau (Paris), Walther Schubring † (Hamburg), Christoph v. Fürer-Haimendorf (London)
    1964. VI und 302 Seiten. Subskr.-Preis DM 40.–, Einzelpreis DM 45.–

14. **Die Religionen Irans**
von Geo Widengren (Uppsala) 1965. XVI, 393 Seiten, Subskr.-Preis DM 48.–, Einzelpreis DM 54.–

15. **Griechische Religion**
von Walter Burkert (Zürich)

16. **Römische Religion**
von Hubert Cancik (Tübingen) und Burkhard Gladigow (Tübingen)

17. **Die Religionen der ausgehenden Antike**
von Carsten Colpe (Berlin)

18. **Keltische Religion**
von Jan de Vries † (Utrecht) 1961. XI und 270 Seiten. Subskr.-Preis DM 36.–, Einzelpreis DM 40.–

19,1. **Germanische und baltische Religion**
von Åke V. Ström (Lund), Haralds Biezais (Åbo/Finnland)

19,2. **Slawische Religion**
von Alexander Gieysztor (Warschau)

20. **Die Religionen Tibets und der Mongolei**
von Giuseppe Tucci (Rom) und Walter Heissig (Bonn) 1970. VIII und 448 Seiten. Subskr.-Preis DM 58.–, Einzelpreis DM 64.–

21. **Die Religionen Chinas**
von Werner Eichhorn (Tübingen) 1972, ca. 392 Seiten. Subskr.-Preis ca. DM 63.–, Einzelpreis ca. DM 69.–

22,1. **Die Religionen Koreas**
von Frits Vos (Leiden)

22,2. **Die Religionen Japans**
von Horst Hammitzsch (Bochum)

23. **Die Religionen Südostasiens**
von Louis Bezacier † (Paris), András Höfer (Heidelberg), Erika Kaneko Kamakura/Japan), Gernot Prunner (Hamburg), Manuel Sarkisyanz (Heidelberg)

24. **Der Buddhismus**

25,1.2. **Der Islam**
von Gustav Edmund von Grunebaum (Los Angeles/USA)

26. **Israelitische Religion**
von Helmer Ringgren (Uppsala) 1963. XII und 326 Seiten. Subskr.-Preis DM 40.–, Einzelpreis DM 45.–

27. **Das Judentum**

28. **Das Urchristentum**
von Karl Heinrich Rengstorf (Münster)

29, 1.2. **Die Kirchen der alten Christenheit**
von Carl Andresen (Göttingen) 1971. XII und 760 Seiten. Subskr.-Preis DM 88.–, Teil-Subskr.-Preis DM 91.–, Einzelpreis DM 98.–

30. **Das Christentum des Ostens**
von Peter Kawerau (Marburg) 1972. 300 Seiten. Subskr.-Preis DM 47.–, Teil-Subskr.-Preis DM 49.–, Einzelpreis DM 52.–

31. **Die mittelalterliche Kirche**
von Karl August Fink (Tübingen)

32. **Die katholische Kirche der Neuzeit**
von Erwin Iserloh (Münster)

33. **Die protestantischen Kirchen im Reformationszeitalter**
von Bernhard Lohse (Hamburg)

34. **Die protestantischen Kirchen der Neuzeit**
von Martin Schmidt (Heidelberg)

35. **Geschichte der Religionswissenschaft**
von Christel Matthias Schröder (Bremen)

36. **Generalregister**